JN027616

もくじ

> 4つの特集で
> 得点力大幅アップ！
> 予想問題に取り組む前に、頻出項目をしっかりおさらい。このワンステップが、得点力の大幅アップにつながります。確認が済んだら、いよいよ予想問題にチャレンジです。

〈別冊〉
抜き取り
冊子

予想問題

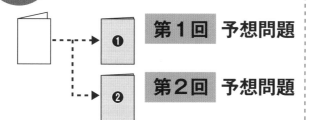

第1回 予想問題 ❶

第2回 予想問題 ❷

> 国家試験を完全シミュレート！
> TAC渾身の予想問題です。国家試験と同様に、共通科目・専門科目を規定時間内でチャレンジ！
> ●予想問題（色紙で区分けられたページ）は抜き取って使用することができます。詳細は色紙のページをご覧ください。
> ●解答用のマークシートにつきましては、(133)ページより収載しています。

2025年版
みんなが欲しかった！　社会福祉士の直前予想問題集

〈解答編〉P.1 **第１回 解答・解説**

〈解答編〉P.83 **第２回 解答・解説**

出題テーマごとポイント解説掲載！
わかりやすい解説で実力養成

予想問題の答え合わせをしながら、しっかりと学習フォロー。各問題の出題テーマをポイント解説で把握。選択肢ごとの解説で実力を養いましょう。目標得点をとれるようになるまで、何度でも繰り返しチャレンジしましょう！

予想問題（抜き取り冊子・2回分）を解き終わったら、
わかりやすい解答解説で実力養成！

解答解説ページの見方

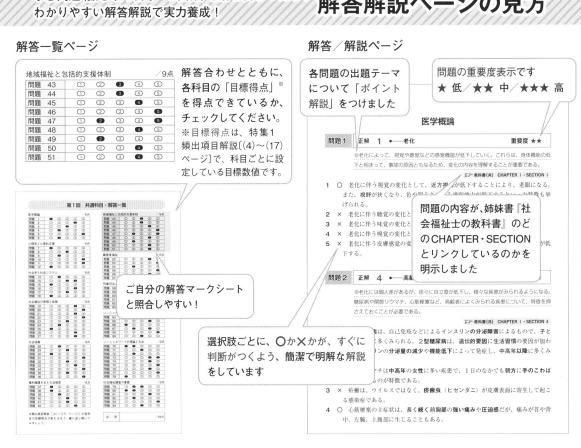

解答一覧ページ

地域福祉と包括的支援体制　／9点

問題 43	①	②	❸	④	⑤
問題 44	①	②	❸	④	⑤
問題 45	①	②	③	❹	⑤
問題 46	①	②	③	④	❺
問題 47	①	❷	③	④	❺
問題 48	①	②	③	❹	⑤
問題 49	①	❷	③	④	⑤
問題 50	①	②	③	❹	⑤
問題 51	①	②	③	❹	⑤

解答合わせとともに、各科目の「目標得点」※を得点できているか、チェックしてください。
※目標得点は、特集1頻出項目解説〔(4)～(17)ページ〕で、科目ごとに設定している目標数値です。

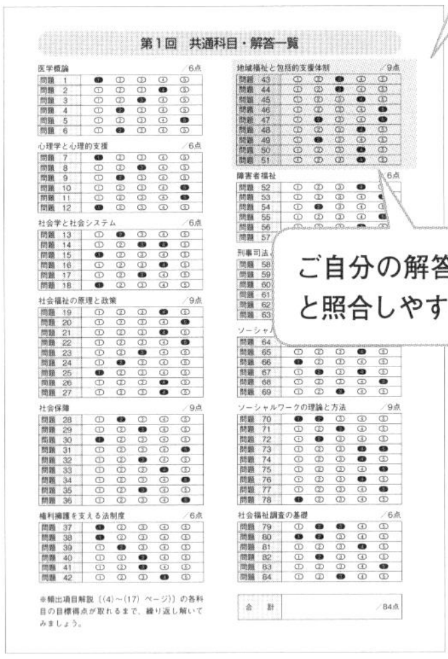

ご自分の解答マークシートと照合しやすい！

解答／解説ページ

各問題の出題テーマについて「ポイント解説」をつけました

問題の重要度表示です
★ 低／★★ 中／★★★ 高

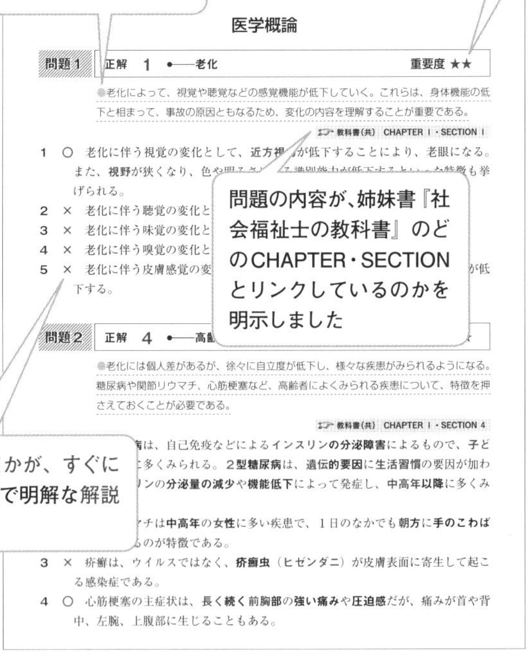

医学概論

問題１　正解　1　•——老化　　重要度 ★★

●老化によって、視覚や聴覚などの感覚機能が低下していく。これらは、身体機能の低下と相まって、事故の原因ともなるため、変化の内容を理解することが重要である。

教科書(共)　CHAPTER Ⅰ・SECTION Ⅰ

1　○　老化に伴う視覚の変化として、近方視力が低下することにより、老眼になる。また、視野が狭くなり、色や明るさ……た特徴も挙げられる。
2　×　老化に伴う聴覚の変化と……
3　×　老化に伴う味覚の変化と……
4　×　老化に伴う嗅覚の変化と……
5　×　老化に伴う皮膚感覚の変……が低下する。

問題２　正解　4　•——高齢……

●老化には個人差があるが、徐々に自立度が低下し、様々な疾患がみられるようになる。糖尿病や関節リウマチ、心筋梗塞など、高齢者によくみられる疾患について、特徴を押さえておくことが必要である。

教科書(共)　CHAPTER Ⅰ・SECTION 4

……病は、自己免疫などによるインスリンの分泌障害によるもので、子ど……に多くみられる。２型糖尿病は、遺伝的要因に生活習慣の要因が加わ……リンの分泌量の減少や機能低下によって発症し、中高年以降に多くみ……
……チは中高年の女性に多い疾患で、１日のなかでも朝方に手のこわば……るのが特徴である。
3　×　疥癬は、ウイルスではなく、疥癬虫（ヒゼンダニ）が皮膚表面に寄生して起こる感染症である。
4　○　心筋梗塞の主症状は、長く続く前胸部の強い痛みや圧迫感だが、痛みが首や背中、左腕、上腹部に生じることもある。

問題の内容が、姉妹書『社会福祉士の教科書』のどのCHAPTER・SECTIONとリンクしているのかを明示しました

選択肢ごとに、○か×かが、すぐに判断がつくよう、簡潔で明解な解説をしています

巻頭特集

特集1

新出題基準と
第37回国家試験の概要

特集2

過去5回の国家試験出題傾向を徹底分析！

ココ出る！ 第37回 国家試験
頻出項目解説

特集3

第37回 国試直結！
最新法改正・統計情報等

特集4

科目別
頻出テーマ対策
ミニ講義

必見 新出題基準と第37回国家試験の概要

2019（令和元）年に社会福祉士養成課程における教育内容（カリキュラム）の見直しが行われました。これに伴い、試験センターは2023（令和5）年7月、第37回国家試験（2025〈令和7〉年2月実施）から適用する社会福祉士国家試験出題基準（以下、新出題基準）及び第37回社会福祉士国家試験の概要を公表しました。

□新出題基準のポイントと第37回国家試験への影響

　ソーシャルワーク機能の実践能力を有する社会福祉士を養成するため、ソーシャルワークの専門職である社会福祉士と精神保健福祉士の養成課程において共通して学ぶべき内容（共通科目）と、社会福祉士として専門的に学ぶべき内容（専門科目）が明確になるよう科目が再構築されました。これにより、第37回国家試験から合計問題数が150問から129問に減りましたが、出題科目は19科目で変更はありません。

□第37回国家試験の概要

　試験センターの公表によると、第37回国家試験から、共通科目（午前）が1科目増えて12科目に、専門科目（午後）が1科目減って7科目となりました。また、各科目の問題数も見直され、下表のとおりとなりました。

区　分	出題科目	問題数	試験時間
[共通科目] 午前	医学概論	6問	－
	心理学と心理的支援	6問	
	社会学と社会システム	6問	
	社会福祉の原理と政策	9問	
	社会保障	9問	
	権利擁護を支える法制度	6問	
	地域福祉と包括的支援体制	9問	
	障害者福祉	6問	
	刑事司法と福祉	6問	
	ソーシャルワークの基盤と専門職	6問	
	ソーシャルワークの理論と方法	9問	
	社会福祉調査の基礎	6問	
[専門科目] 午後	高齢者福祉	6問	－
	児童・家庭福祉	6問	
	貧困に対する支援	6問	
	保健医療と福祉	6問	
	ソーシャルワークの基盤と専門職（専門）	6問	
	ソーシャルワークの理論と方法（専門）	9問	
	福祉サービスの組織と経営	6問	
合　計		129問	225分

第37回国家試験　ココ出る！頻出項目解説

　医学から心理学、社会学や福祉の歴史、制度、社会福祉に関する法律の知識から経営理論など、社会福祉士国家試験の出題範囲は多岐にわたります。

　これからの直前期学習では、全範囲を完璧に準備することではなく（満点を狙うのではなく）、

・合格点を確保できるよう、

・出題されやすい項目の学習（準備）を完璧にする

ことが、合格するための必須条件となります。

　そこで特集1では、過去5回の国家試験を徹底分析して、

　　⇒出題ランキング：出題基準の大項目ごとの出題ランキングをまとめました。

　　　各科目の「目標得点」は、試験センター発表の合格基準※を満たすための目標値です。

　　⇒Advice：具体的な頻出項目の過去5回の出題傾向と学習ポイントについてアドバイスをつけました。

　次ページからの「頻出項目解説」を直前期学習の学習指針とし、ここで取り上げた項目については問題演習を繰り返し、あるいは、あいまいな知識がありましたら、姉妹書『社会福祉士の教科書』などのテキスト等に戻り、実戦知識へと磨き上げてください。

※社会福祉士国家試験合格基準
次の2つの条件を満たした者を合格者とする。
ア　問題の総得点の60％程度を基準として、問題の難易度で補正した点数以上の得点の者。
イ　アを満たした者のうち、以下の6科目群全てにおいて得点があった者。
①医学概論、心理学と心理的支援、社会学と社会システム　②社会福祉の原理と政策、社会保障、権利擁護を支える法制度　③地域福祉と包括的支援体制、障害者福祉、刑事司法と福祉　④ソーシャルワークの基盤と専門職、ソーシャルワークの理論と方法、社会福祉調査の基礎　⑤高齢者福祉、児童・家庭福祉、貧困に対する支援、保健医療と福祉　⑥ソーシャルワークの基盤と専門職（専門）、ソーシャルワークの理論と方法（専門）、福祉サービスの組織と経営
(注意) 配点は、1問1点の129点満点である。

● 共通科目

医学概論

目標得点 **4点**

出題　6問（うち事例問題0〜1問）

出題ランキング

	出題基準・大項目	出題数合計	過去5回の出題実績				
			32回	33回	34回	35回	36回
1	疾病と障害の成り立ち及び回復過程	20	2	4	5	4	5
2	健康及び疾病の捉え方	7	2	1	1	2	1
3	ライフステージにおける心身の変化と健康課題	5	1	1	1	1	1
4	身体構造と心身機能	3	2	1	-	-	-

※「公衆衛生」からの出題は、過去5回ではありません。

Advice

　上の表を見て一目瞭然、圧倒的に「**疾病と障害の成り立ち及び回復過程**」からの出題が多くなっています。高齢者に多い疾病や、生活習慣病、認知症等を中心に学習しておくとよいでしょう。また、第26回を最後に出題がなかった事例問題が、第32回、第34回、第35回、第36回では出題された（第33回では出題なし）ので、今後も対応できるよう、第22回〜第26回の事例問題をみておくとよいでしょう。

❶　**疾病と障害の成り立ち及び回復過程**：**認知症**や**廃用症候群**をはじめとする高齢者に多くみられる疾患の特徴や、**身体障害、感染症**などからの出題が多い傾向にあります。原因や症状など、病態生理を押さえておくとよいでしょう。精神疾患の診断・統計マニュアル（DSM-5）も頻出です。

❷　**健康及び疾病の捉え方**：WHOの健康の**概念**、**国際生活機能分類（ICF）の概要**を押さえておきましょう。

❸　**ライフステージにおける心身の変化と健康課題**：標準的な成長・発達について、毎回のように問われています。受精から出生、乳幼児期から青年期に至るまでの、各月齢や年齢における発達について、また、**生理的老化の特徴**についても整理しておきましょう。

❹　**身体構造と心身機能**：人体の各器官の構造が頻出です。人体解剖図を参照し、名称や機能を覚えましょう。

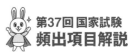

心理学と心理的支援

目標得点 **4**点

出題 6問

出題ランキング

	出題基準・大項目	出題数合計	過去5回の出題実績				
			32回	33回	34回	35回	36回
1	人の心の基本的な仕組みと機能	14	2	3	2	3	4
2	心理学の理論を基礎としたアセスメントと支援の基本	9	1	2	2	2	2
3	人の心の発達過程	6	2	1	2	1	-
3	日常生活と心の健康	6	2	1	1	1	1

※「心理学の視点」からの出題は、過去5回ではありません。

Advice

　大項目「人の心の基本的な仕組みと機能」が7つの中項目に細分化されているため、出題の4割を占めています。心理学用語の意味をしっかり理解しておくことが重要です。なお、事例問題は出題されませんが、人の行動を心理学的見地から説明した文章題がよく出題されるので、やはり心理学用語の正確な理解が求められます。

❶　人の心の基本的な仕組みと機能：レスポンデント条件づけ、オペラント条件づけなどの学習理論に関する事項、**内発的動機づけ**や原因帰属などの動機づけ、感情・欲求、記憶のメカニズムや各種記憶の概要、**知覚**の働きなどが頻出です。集団に関する理論では、傍観者効果の事例などが出題されており、実際の人の行動例とともに覚えておくとよいでしょう。

❷　心理学の理論を基礎としたアセスメントと支援の基本：心理アセスメントでは、各種**心理検査**について毎回のように問われますので、検査の概要だけでなく、**対象年齢**等についてもテキスト等で確認しておきましょう。また、各種**心理療法**については、かなり詳細な知識が問われる場合もありますので、テキスト等に記載されている心理療法の理論や方法は、正確に押さえておくとよいでしょう。来談者中心療法をはじめとするカウンセリングの概念、カウンセラーの立場に立った基本的姿勢なども覚えておきましょう。

❸　人の心の発達過程：発達理論と発達段階が頻出です。発達理論では、理論の名称と内容、提唱者をセットで覚えること、発達段階は、ピアジェやエリクソンが提唱した概念を押さえておきましょう。また、第34回では発達障害、第35回では子どもの発達について問われました。「医学概論」でも問われる可能性がある事項ですので、身体と精神の成長・発達と心理について併せて学習しておくと効果的です。

❸　日常生活と心の健康：ストレスについて、様々なかたちで問われます。ストレス対処法（コーピング）の理論や、**心的外傷後ストレス障害（PTSD）**、**燃え尽き症候群（バーンアウト）**などの理解が必要です。

社会学と社会システム

出題　6問

出題ランキング

	出題基準・大項目	出題数合計	過去5回の出題実績				
			32回	33回	34回	35回	36回
1	社会構造と変動	13	2	2	2	2	5
2	生活と人生	9	2	2	2	2	1
2	自己と他者	9	2	2	2	2	1
4	市民社会と公共性	4	1	1	1	1	-

※「社会学の視点」からの出題は、過去5回ではありません。

Advice

　上の表を見ると、「社会構造と変動」からの出題が多いことがわかりますが、社会変動や地域、社会集団、家族、社会的行為、社会的役割、社会問題などの基礎的知識が幅広く問われています。代表的な社会理論、様々な用語の意味をまとめるとともに、人口や世帯などに関する動向を最新統計で確認しておくことが大切です。時事的なテーマが出題されることもありますので、新聞などの報道にも注意してください。

❶　**社会構造と変動**：この項目からの出題が最も多くなっています。特に、**コミュニティ、都市化、社会集団**や**組織の概念**などは繰り返し出題されており、要注意です。これらに関する専門用語の意味も確実に理解しておく必要があります。また、第36回では、「第16回出生動向基本調査結果の概要」からの出題がありました。婚姻や出生の動向は、「社会福祉の原理と政策」などの他科目でも出題される事項ですので、最新の統計調査結果を確認しておきましょう。

❷　**生活と人生**：家族や世帯では、**各種統計資料や白書**からの内容がよく問われます。過去には、「男女共同参画白書」「国勢調査」「国民生活基礎調査」「少子化社会対策白書」などから出題されています。労働では「国勢調査」「労働力調査年報」に基づく就業動向や失業率が頻出です。また、ライフサイクルやライフコースといった生活を捉えるための考え方と様々な用語の意味を覚えておきましょう。

❷　**自己と他者**：この項目からは、毎回1～2問の出題があり、特に社会的行為や社会的役割が頻出事項となっています。対策として、**ヴェーバーやハーバーマスによる社会的行為**の分類について理解を深めること、役割葛藤や役割期待、役割取得、役割距離などの**社会的役割**に関連する用語と内容を確実に頭に入れておくことが重要です。また、「**囚人のジレンマ**」「**共有地の悲劇**」など社会的ジレンマに関する出題が、直近5回の試験で4回ありました。第37回でも出題の可能性が大いにありますので、テキスト等で集団に関する代表的な理論をしっかりと理解しておきましょう。

❹　**市民社会と公共性**：ラベリング論や**構築主義**、アノミーなど社会問題や逸脱に関する諸理論が重要です。マイノリティや社会的排除など差別と偏見に関する用語も確実に把握しておきましょう。

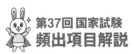

社会福祉の原理と政策

目標得点 **6**点

出題 9問

出題ランキング

	出題基準・大項目	出題数合計	過去5回の出題実績				
			32回	33回	34回	35回	36回
1	社会福祉の歴史	11	3	1	4	2	1
2	福祉政策の動向と課題	10	5	2	-	1	2
3	社会福祉の思想・哲学、理論	8	1	-	1	3	3
3	福祉政策と関連施策	8	1	3	1	2	1
5	社会問題と社会構造	5	-	1	1	1	2
6	福祉政策の構成要素と過程	3	-	1	1	-	1
7	福祉政策の国際比較	2	-	1	1	-	-
8	福祉政策の基本的な視点	1	-	-	-	-	1
8	福祉政策におけるニーズと資源	1	-	1	-	-	-
8	福祉サービスの供給と利用過程	1	-	-	-	1	-

※「社会福祉の原理」からの出題は、過去5回ではありません。

Advice

　上の表を見ると「社会福祉の歴史」が最も多く、「福祉政策の動向と課題」と続きますが、学習範囲が広い科目のため、難易度は高いといえます。特に制度や政策等に関する内容は、歴史的な事項に加え、近年の時事的な事項にも目を通しておく必要があるので、他の科目と横断的に学習しながら整理するとよいでしょう。

❶　社会福祉の歴史：日本や諸外国の**救貧制度**をはじめとする福祉制度の歴史的展開に関する内容が毎回出題されています。貧困対策に関する内容は、しっかり押さえておきましょう。

❷　福祉政策の動向と課題：新出題基準では、社会福祉法、地域包括ケアシステム、地域共生社会、多文化共生などの小項目が例示されています。社会福祉法に設置根拠をもつもの、社会福祉法の理念や内容などのほか、地域共生社会の目指す姿、外国人との共生などは過去に何度か問われていますので、よく理解しておきましょう。

❸　社会福祉の思想・哲学、理論：福祉に関わる思想や理論などが頻出です。ロールズの『正義論』、エスピン－アンデルセンの**福祉レジーム論**など人名とその理論の概要をまとめて頭に入れておきましょう。

❸　福祉政策と関連施策：教育・住宅・労働政策のほか、新出題基準では、保健医療政策、経済政策も範囲として示されました。関連する法律や政策の概要をしっかり覚えておきましょう。

❺　社会問題と社会構造：貧困率など**貧困**について頻出です。また、**8050問題、ダブルケア**など新しい社会的リスクの内容を理解するとともに、少子高齢化など日本の社会問題の構造的背景を最新の統計資料で確

認しておきましょう。

❻　福祉政策の構成要素と過程：準市場など福祉政策と市場の関係、行政機関の政策評価、福祉サービスのプログラム評価などが過去には問われています。

❼　福祉政策の国際比較：これまでの試験でアメリカやスウェーデン、ドイツ、イギリス、中国、韓国の福祉政策が出題されています。社会保障の科目と内容が重なる部分があるため、併せて学習しましょう。

❽　福祉政策の基本的な視点：社会的包摂（ソーシャルインクルージョン）などの基本的な視点を理解しておきましょう。

❽　福祉政策におけるニーズと資源：ブラッドショーのニード類型、三浦文夫のニード論をしっかり整理しておきましょう。

❽　福祉サービスの供給と利用過程：第35回では、社会福祉法などにおける福祉サービスの利用について問われました。福祉の供給部門、供給過程、利用過程を整理して覚えましょう。

過去の受験者数・合格者数・合格率の推移

	2019 年度 （第 32 回）	2020 年度 （第 33 回）	2021 年度 （第 34 回）	2022 年度 （第 35 回）	2023 年度 （第 36 回）
受験者数	39,629 人	35,287 人	34,563 人	36,974 人	34,539 人
合格者数	11,612 人	10,333 人	10,742 人	16,338 人	20,050 人
合格率	29.3%	29.3%	31.1%	44.2%	58.1%

社会福祉士国家試験の合格ラインは、問題の総得点の60％程度とされています。ぜひ合格を勝ち取ってください！

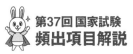

社会保障

目標
得点 **6**点

出題 9問（うち事例問題0〜2問）

出題ランキング

	出題基準・大項目	出題数合計	過去5回の出題実績				
			32回	33回	34回	35回	36回
1	社会保障制度の体系	21	5	5	3	3	5
2	社会保険と社会扶助の関係	5	-	-	2	3	-
3	社会保障の概念や対象及びその理念	4	1	1	1	1	-
4	社会保障と財政	3	1	-	1	-	1
5	社会保障制度	2	-	1	-	-	1

※「公的保険制度と民間保険制度の関係」「諸外国における社会保障制度」からの出題は、過去5回ではありません。

Advice

　上の表からもわかるとおり、幅広い内容が出題されます。特に、社会保険制度の概要、社会保障の財源、社会保障給付費、社会保障制度の歴史などが頻出です。覚える事項が多岐にわたり、かつ内容が詳細なため、苦手と感じる人が多い科目です。早めに学習にとりかかりましょう。

❶ 社会保障制度の体系：医療保険制度、年金保険制度、労災保険制度と雇用保険制度からの出題が多いです。医療保険制度では、国民健康保険と健康保険の概要が中心です。被保険者の資格要件、給付の種類と内容、給付要件を押さえましょう。年金保険制度では、国民年金と厚生年金における被保険者の資格要件、給付要件をまとめておきましょう。労災保険制度と雇用保険制度では、被保険者の資格要件、給付の種類と内容、給付要件について理解を深めることが必要です。

❷ 社会保険と社会扶助の関係：日本の社会保険制度と社会扶助の概念や給付対象、給付要件などの全体像について理解しましょう。

❸ 社会保障の概念や対象及びその理念：日本の社会保障制度の歴史について繰り返し問われています。国民皆保険などの重要な事項を軸に、戦前から近年までの流れを把握しておきましょう。そのほか、社会保障の所得再分配の機能、社会保障の対象を基本事項として押さえておきましょう。

❹ 社会保障と財政：社会保障給付費は定期的に出題されています。最新統計で、総額や部門別・機能別の構成割合、財源の負担割合、対国内総生産比などを読み込んでください。また、社会保障の費用負担については、各制度の内容を確認し、横断的に整理して覚えましょう。

❺ 社会保障制度：日本の人口動態の推移を最新統計で確認しておきましょう。

権利擁護を支える法制度

出題 6問（うち事例問題1〜3問）

出題ランキング

	出題基準・大項目	出題数 合計	過去5回の出題実績				
			32回	33回	34回	35回	36回
1	成年後見制度	19	4	3	5	4	3
2	ソーシャルワークと法の関わり	12	2	4	2	1	3
3	権利擁護に関わる組織、団体、専門職	2	1	-	-	1	-
4	権利擁護の意義と支える仕組み	1	-	-	-	-	1
4	権利擁護活動で直面しうる法的諸問題	1	-	-	-	1	-

※「法の基礎」からの出題は、過去5回ではありません。

Advice

　「成年後見制度」では、法定後見の類型や任意後見契約、日常生活に関して多岐にわたる出題がみられます。「ソーシャルワークと法の関わり」では、ほぼ毎回、日本国憲法の基本原理、民法、行政法についての理解が問われています。

❶　**成年後見制度**：成年後見人等の役割や権限、任意後見契約の仕組み、制度の動向などが出題されます。**後見・保佐・補助**の類型ごとに法定後見制度の概要をまとめましょう。制度の動向は、最新の「**成年後見関係事件の概況**」を確認することで十分に対応できます。また、**日常生活自立支援事業**に関しては、事業の実施主体や対象者、支援内容、実施方法などが問われています。事業における**専門員**や**生活支援員**の役割についても確認が必要です。

❷　**ソーシャルワークと法との関わり**：日本国憲法の基本原理では、社会権を中心に**基本的人権**への理解が必要です。民法では**契約**、**不法行為**、**親族**（親権、扶養、相続等）、行政法では**行政不服審査法**や**行政事件訴訟法**、国家賠償法の概要を押さえましょう。

う。

❸　**権利擁護に関わる組織、団体、専門職**：成年後見制度における**家庭裁判所**や**法務局**の役割のほか、市町村長による申立ての概要も押さえておく必要があります。

❹　**権利擁護の意義と支える仕組み**：運営適正化委員会など苦情解決の仕組みや、高齢者や児童、障害者を対象とする各虐待防止法の規定、**意思決定支援**に関する各種ガイドラインについて学習してください。

❹　**権利擁護活動で直面しうる法的諸問題**：権利擁護活動を行ううえで直面しうる法的諸問題について、憲法・行政法・民法以外の知識が問われます。過去には、**クーリングオフ**の仕組みや消費者契約法に基づく契約の取り消しなどが出題されています。

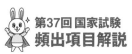

地域福祉と包括的支援体制

目標得点 **6点**

出題ランキング

	出題基準・大項目	出題数合計	過去5回の出題実績				
			32回	33回	34回	35回	36回
1	地域福祉の基本的な考え方	25	8	4	6	5	2
2	福祉行財政システム	21	3	5	5	3	5
3	福祉計画の意義と種類、策定と運用	20	5	3	3	4	5
4	地域共生社会の実現に向けた包括的支援体制	12	-	3	1	3	5
5	地域共生社会の実現に向けた多機関協働	5	-	2	2	1	-
6	地域社会の変化と多様化・複雑化した地域生活課題	1	1	-	-	-	-
6	災害時における総合的かつ包括的な支援体制	1	-	-	-	1	-

※「地域福祉と包括的支援体制の課題と展望」からの出題は、過去5回ではありません。

Advice

　出題範囲が広く、比較的難易度の高い科目ですが、上の表からもわかるとおり、「地域福祉の基本的な考え方」と「福祉行財政システム」に関する内容が多く出題されています。特に専門職に関する問題については、あいまいな知識で解答することが難しく、ていねいに学習を進める必要があります。

❶　**地域福祉の基本的な考え方**：地域福祉の理念や概念、日本や諸外国の地域福祉の歴史や政策の内容は必ず押さえておきましょう。また、社会福祉協議会、共同募金、民生委員・児童委員などの役割や仕組みなども確実に理解しておきましょう。

❷　**福祉行財政システム**：国・都道府県・市町村が担う事務や組織体系を押さえておきましょう。福祉事務所や身体障害・知的障害・児童等の相談所などの仕組みや、各所に配置される**専門職の役割**についても問われます。また、国や地方の財源等では、国の費用負担に関する内容が多く出題されています。しっかり整理しましょう。

❸　**福祉計画の意義と種類、策定と運用**：福祉計画の全体像への理解を求める問題が頻出です。**計画期間や作成主体**などを整理して覚えましょう。

❹　**地域共生社会の実現に向けた包括的支援体制**：生活困窮者自立支援制度での相談支援員の対応などが事例形式で問われます。

❺　**地域共生社会の実現に向けた多機関協働**：新出題基準で示される社会的企業や農福連携などの事項も確認しておきましょう。

❻　**地域社会の変化と多様化・複雑化した地域生活課題**：ひきこもりやヤングケアラーなど具体的な地域生活課題やそれらの直近の施策についての理解が求められます。

❻　**災害時における総合的かつ包括的な支援体制**：被災者への支援が事例形式で出題される可能性があります。災害対策基本法などの支援体制も確認しておきましょう。

障害者福祉

出題　6問（うち事例問題2問）

出題ランキング

	出題基準・大項目	出題数合計	過去5回の出題実績				
			32回	33回	34回	35回	36回
1	障害者に対する法制度	18	4	4	4	4	2
2	障害者福祉の歴史	6	2	1	1	1	1
2	障害者と家族等に対する支援の実際	6	1	1	1	1	2
4	障害者の生活実態とこれを取り巻く社会環境	3	1	1	1	-	-
4	障害者と家族等の支援における関係機関と専門職の役割	3	1	-	-	1	1
6	障害概念と特性	1	-	-	-	-	1

Advice

　これまで出題の要であった障害者総合支援法は大項目から中項目に移動しています。障害者総合支援法はもちろんのこと、障害者の制度に関する幅広い理解が求められているといえるでしょう。特に、雇用促進法など、就労支援に関連する制度への理解は重要で、事例問題でも出題の可能性があります。

❶　**障害者に対する法制度**：中項目「障害者総合支援法」からの出題が最多です。法の目的、**障害支援区分**やサービスの**支給決定、サービスの種類**など、把握すべき範囲は多岐にわたります。「身体障害者福祉法」「知的障害者福祉法」では専門機関や施設の体系と専門職の役割、**手帳制度**、「精神保健福祉法」では法に基づく入院制度や手帳制度について整理しておきましょう。「障害者虐待防止法」では、虐待の**定義**や**種類**、虐待防止における関連施設の**仕組み**や**役割**等を理解しておくとよいでしょう。

❷　**障害者福祉の歴史**：障害者福祉制度の**発展過程**について、ほぼ毎年出題されています。国連の障害者権利条約を軸とした日本の障害者福祉の法制度の変遷、障害者基本法の概要などをしっかり理解しましょう。

❷　**障害者と家族等に対する支援の実際**：障害者への就労支援や**地域移行支援**、地域定着支援などが事例問題で問われます。

❹　**障害者の生活実態とこれを取り巻く社会環境**：第32回から3年連続で「**平成28年生活のしづらさなどに関する調査**」について問われました。2024（令和6）年5月に最新の調査が公表されており、出題が予想されます。必ず確認しておきましょう。

❹　**障害者と家族等の支援における関係機関と専門職の役割**：「障害者と家族等の支援における関係機関の役割」では、**行政の役割**のほか、**各関係機関の仕組みや役割**についても問われるので、「障害者総合支援法」の内容と併せて学習し、整理しておきましょう。「関連する専門職等の役割」では、**相談支援専門員**や**サービス管理責任者**、**居宅介護従事者**等の役割の学習は必須です。

❻　**障害概念と特性**：国際生活機能分類（ICF）への理解と障害者に対する各法律における障害者の定義が重要です。

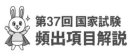

刑事司法と福祉

出題 6問（うち事例問題0〜2問）

出題ランキング

	出題基準・大項目	出題数合計	過去5回の出題実績				
			32回	33回	34回	35回	36回
1	更生保護制度	15	4	2	3	3	3
2	医療観察制度	4	-	1	1	1	1
3	少年司法	1	-	1	-	-	-

※「刑事司法における近年の動向とこれを取り巻く社会環境」「刑事司法」「犯罪被害者支援」からの出題は、過去5回ではありません。

Advice

「更生保護制度」からの出題が最も多くなっています。更生保護に関する法制度の概要、更生保護の担い手である専門機関や専門職等の役割が問われます。更生保護法を中心に、少年法や保護司法、医療観察法など関連法についてひととおり学習することが大切です。また、直近5回連続で事例問題が出題（第36回では2問）されていますので、確認しておきましょう。

❶ **更生保護制度**：中項目「保護観察」と「制度の概要」からの出題が多くみられます。「保護観察」では、**目的、方法、対象、内容**を確実に押さえることが必要です。「制度の概要」では、**更生保護法の目的**、制度の役割と対象について理解を深めてください。「団体・専門職等の役割と連携」では、**保護観察官**と**保護司**について毎回出題されています。保護観察官では**役割**や**配置先**、保護司との協働の内容、保護司では**身分**と**任期**、**役割**、**選任要件**、保護司の組織が重要事項です。保護観察官と保護司に関する更生保護法及び保護司法の規定を必ず確認しておきましょう。また、裁判所、検察庁、矯正施設（刑務所等）、就労支援機関（ハローワーク等）、福祉機関との連携について、具体的な連携の内容をまとめておきましょう。

❷ **医療観察制度**：医療観察制度の目的や対象者、**処遇の流れ**、保護観察所及び**社会復帰調整官の役割**（具体的な業務内容）が重要です。特に処遇の流れについて、各段階における担い手とその役割をしっかり理解することが必要です。

❸ **少年司法**：犯罪少年、触法少年、虞犯少年といった**非行少年の区分**のほか、**非行少年の司法手続き**について問われます。基本的な知識をしっかり押さえておきましょう。

ソーシャルワークの基盤と専門職

出題 6問

出題ランキング

	出題基準・大項目	出題数合計	過去5回の出題実績				
			32回	33回	34回	35回	36回
1	ソーシャルワークの形成過程	10	1	1	2	3	3
2	社会福祉士及び精神保健福祉士の法的な位置づけ	5	1	1	1	1	1
3	ソーシャルワークの概念	4	1	1	-	1	1
4	ソーシャルワークの倫理	3	1	-	1	-	1
5	ソーシャルワークの基盤となる考え方	2	1	-	-	1	-

Advice

　新出題基準で共通科目と専門科目に分けられました。共通科目では、社会福祉士及び介護福祉士法、ソーシャルワーク専門職のグローバル定義によるソーシャルワークの概念やソーシャルワークの原理、理念、ソーシャルワークの形成過程などがこれまで通り重要項目となります。

❶　ソーシャルワークの形成過程：慈善組織協会、セツルメントなどソーシャルワークの形成過程において重要な役割を果たしたものは必ず押さえてください。特にアメリカを中心としたソーシャルワークの展開が重要となります。ソーシャルワークの基礎確立期、発展期・展開期、ソーシャルワークの統合化などの流れを把握するとともに、ソーシャルワークの考え方や理念の変遷、代表的な研究者をまとめておきましょう。

❷　社会福祉士及び精神保健福祉士の法的な位置づけ：社会福祉士及び介護福祉士法及び精神保健福祉士法における各種の定義や義務規定を押さえるとともに、法制度の成立及び見直しの背景を押さえておきましょう。出題が多いのは社会福祉士についてですが、精神保健福祉士についても第34回で出題されています。

❸　ソーシャルワークの概念：繰り返し出題されている「ソーシャルワーク専門職のグローバル定義」は必ず目を通しましょう。

細かいところまで問われるので、重要なキーワードを覚えるほか、繰り返し内容を読み込むことが大切です。

❹　ソーシャルワークの倫理：日本社会福祉士会をはじめ、主な職能団体の倫理綱領の内容を把握しておく必要があります。倫理的ジレンマについては、事例問題で複数回問われています。守秘義務違反など起こりうるケースを想定するとともに、価値の優先順位について確認しておきましょう。また、「認知症の人の日常生活・社会生活における意思決定支援ガイドライン」がこの科目で問われたこともあります。高齢者や障害者、被後見人等に対する意思決定支援については、「権利擁護を支える法制度」の科目で確認しておきましょう。

❺　ソーシャルワークの基盤となる考え方：人権尊重、自己決定、アドボカシー、ノーマライゼーションなどソーシャルワークの核となる概念や定義、関連する人物をしっかり学んでください。

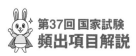

ソーシャルワークの理論と方法

目標
得点 ▶ **6**点

出題 9問

出題ランキング

	出題基準・大項目	出題数合計	過去5回の出題実績				
			32回	33回	34回	35回	36回
1	ソーシャルワークの過程	19	4	3	4	3	5
2	ソーシャルワークの実践モデルとアプローチ	12	1	3	2	2	4
3	集団を活用した支援	10	2	1	2	2	3
4	人と環境との相互作用に関する理論とミクロ・メゾ・マクロレベルにおけるソーシャルワーク	7	2	2	1	1	1
5	ソーシャルワークの記録	6	1	1	1	2	1
6	スーパービジョンとコンサルテーション	5	1	1	1	1	1
7	ケアマネジメント	4	1	1	1	-	1
8	コミュニティーワーク	2	1	-	-	-	1

Advice

　上の表からもわかるとおり、この科目の出題項目は多岐にわたります。また、出題数が多いため、この科目の得点力アップが合格のカギといっても過言ではありません。対策としては、ソーシャルワークの様々な実践モデルとアプローチごとに提唱者と特徴をまとめる、ソーシャルワークにおける専門用語の意味を押さえるといった学習をなるべく早く始めることが大切です。覚える内容が多いため、余裕のある学習計画を立て、それに従って学習を進めることが肝要となります。

❶　ソーシャルワークの過程：エンゲージメント（インテーク）、アセスメント、プランニング、モニタリング、支援の集結と事後評価、フォローアップに関する出題がよくみられます。ケースの発見段階でのアウトリーチも問われやすい事項です。それぞれの過程の意義や目的、方法、留意点を押さえておきましょう。

❷　ソーシャルワークの実践モデルとアプローチ：機能的アプローチ、問題解決アプローチ、心理社会的アプローチ、課題中心アプローチ、危機介入アプローチ、行動変容アプローチ、エンパワメントアプローチ、解決志向アプローチ、ストレングスアプローチなどは複数回問われています。テキストにあるほぼ全てのアプローチが出題されると考えて、提唱者と特徴をまとめて覚えておきましょう。

❸　集団を活用した支援：この項目では、グループワークの基礎知識が問われています。グループワークの展開過程、グループワークに関連する人物、コノプカのグループワークの14の原則、自助グループの特性が重要です。

❹ 人と環境との相互作用に関する理論とミクロ・メゾ・マクロレベルにおけるソーシャルワーク：人と環境との相互作用は、毎回出題されている重要事項です。この項目では、**システム理論**の理解が必須です。サイバネティックスの概念、ピンカスとミナハンによる4つの基本システムなども確認しておきましょう。新たに中項目に加わったバイオ・サイコ・ソーシャルモデル（BPSモデル）、ミクロ・メゾ・マクロレベルにおけるソーシャルワークの実践についても概要を理解しておきましょう。

❺ ソーシャルワークの記録：毎回出題されています。記録の意義や目的、方法、留意点についての学習が必要です。特に、**記録の文体**や**マッピング技法**（ジェノグラムやエコマップ）についてはよく出題されるため、要注意です。

❻ スーパービジョンとコンサルテーション：スーパービジョンは、毎回出題されている頻出事項です。**スーパービジョンの種類**を押さえたうえで、それぞれの機能や方法、留意点をまとめておく必要があります。コンサルテーションの内容もスーパービジョンとの関係で押さえておきましょう。

❼ ケアマネジメント：この項目では、ケースマネジメントの過程やケアプラン作成の留意点などの基礎事項を押さえることが必要です。

❽ コミュニティーワーク：新出題基準で大項目に加わりました。コミュニティ・オーガニゼーションなど、「地域福祉と包括的支援体制」の科目と併せて概要を理解しておきましょう。

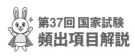

社会福祉調査の基礎

目標
得点 **4**点

出題 6問（うち事例問題0〜1問）

出題ランキング

	出題基準・大項目	出題数合計	過去5回の出題実績 32回	33回	34回	35回	36回
1	**量的調査の方法**	**18**	4	4	4	3	3
2	**質的調査の方法**	**7**	1	1	2	2	1
3	**社会福祉調査の意義と目的**	**5**	2	-	-	2	1
4	社会福祉調査における倫理と個人情報保護	3	-	1	1	-	1
5	社会福祉調査のデザイン	2	-	1	-	-	1

※「ソーシャルワークにおける評価」からの出題は、過去5回ではありません。

Advice

　毎回、「量的調査の方法」に関する問題が半数を占め、「質的調査の方法」からも2問程度出題されています。様々な調査ごとに、実施方法やメリット・デメリットをまとめておくと、得点力アップには効果的です。その他の項目は、過去の出題内容を復習して傾向を把握しましょう。「**質的調査の方法**」では、データの整理と分析が頻出です。これらの理解が、得点力アップのカギとなります。

❶　**量的調査の方法**：**全数調査**と**標本調査**、横断調査と縦断調査、自計式調査と他計式調査、**尺度水準**、質問紙の作成方法と留意点、集計と分析など、出題内容は多岐にわたります。これらをひととおり押さえておくことが必要です。

❷　**質的調査の方法**：出題が多い**観察法や面接法**、記録の方法、KJ法やグラウンデッド・セオリー・アプローチ（GTA）に代表されるデータの整理と分析について、しっかり理解を深めましょう。

❸　**社会福祉調査の意義と目的**：主な社会調査の種類やそれぞれの意義と目的、統計法が問われます。中項目「統計法」では、**基幹統計**及び**基幹統計調査**、一般統計調査について、それらの定義を確認しておくことが必要です。また、2007（平成19）年の改正内容も整理しておきましょう。

❹　**社会福祉調査における倫理と個人情報保護**：社会福祉調査の実施における倫理的配慮、調査者の倫理について問われています。多くは常識的に解答を導き出せる内容ですが、一般社団法人社会調査協会の「**倫理規程**」は目を通しておきましょう。また、個人情報保護についても常識的な内容が多く、解答しやすいといえます。個人情報保護法の内容についても確認しておきましょう。

❺　**社会福祉調査のデザイン**：新出題基準で加わった大項目ですが、社会調査の目的と対象やデータの収集方法など従来からある出題内容が中心です。確認しておきましょう。

● 専門科目

高齢者福祉

 目標得点 4点

出題 6問（うち事例問題1〜3問）

出題ランキング

	出題基準・大項目	出題数合計	過去5回の出題実績				
			32回	33回	34回	35回	36回
1	高齢者に対する法制度	19	3	3	4	3	6
2	高齢者と家族等の支援における関係機関と専門職の役割	8	1	2	1	2	2
3	高齢者の生活実態とこれを取り巻く社会環境	6	2	1	1	1	1
3	高齢者福祉の歴史	6	2	1	1	1	1
5	高齢者と家族等に対する支援の実際	3	1	1	1	-	-

※「高齢者の定義と特性」からの出題は、過去5回ではありません。

Advice

　新出題基準では、介護技術に関連する項目が削除されました。また、これまで大項目の多くを占めていた介護保険法の内容が中項目となり、新たに高齢者に関連する法律が追加されています。介護保険制度はもちろんのこと、多様化・複雑化する地域生活課題に合わせ、幅広い社会資源や連携についての基本的な理解が求められているといえるでしょう。

❶　高齢者に対する法制度：中項目「介護保険法」からの出題が多く、今後も重点的に出題されるでしょう。制度の目的、**保険者と被保険者、要介護認定の仕組みとプロセス**などが重要事項です。「高齢者虐待防止法」では、虐待の実態、虐待への対応などが問われています。「高齢者住まい法」では、**サービス付き高齢者向け住宅**の登録基準や登録事業者の業務などを押さえておきましょう。このほか、中項目に加わった「高齢者医療確保法」「育児・介護休業法」などの概要を確認しておきましょう。

❷　高齢者と家族等の支援における関係機関と専門職の役割：**国、都道府県、市町村、国民健康保険団体連合会、地域包括支援センター、介護支援専門員**などの役割を確実

に押さえておきましょう。

❸　高齢者の生活実態とこれを取り巻く社会環境：高齢者の世帯、生活や意識、所得状況や就労などが出題されています。最新の**「高齢社会白書」「国民生活基礎調査」**には必ず目を通しておきましょう。

❸　高齢者福祉の歴史：老人福祉法、介護保険法の制定、後期高齢者医療制度の創設など、**高齢者保健福祉施策の変遷**が問われます。全体の流れの中で、法律に基づく施策の内容を確認しておきましょう。

❺　高齢者と家族等に対する支援の実際：様々な課題を抱える高齢者への多職種連携などが事例問題で問われます。制度の知識、連携先の専門機関や職種への知識などを土台とした応用力が必要とされます。

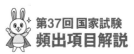

児童・家庭福祉

目標得点　**4**点

出題　6問（うち事例問題2問）

出題ランキング

	出題基準・大項目	出題数合計	過去5回の出題実績				
			32回	33回	34回	35回	36回
1	児童・家庭に対する法制度	15	3	5	1	2	4
2	児童・家庭に対する支援における関係機関と専門職の役割	7	2	1	1	3	-
2	児童・家庭に対する支援の実際	7	-	-	3	2	2
4	児童・家庭の生活実態とこれを取り巻く社会環境	5	1	1	2	-	1
5	児童・家庭の定義と権利	1	1	-	-	-	-

※「児童・家庭福祉の歴史」からの出題は、過去5回ではありません。

Advice

　児童・家庭福祉に関する法律・制度が幅広く出題される科目ですが、なかでも「児童福祉法」から多く出題されています。同法が規定する児童福祉施設の種類や内容、里親制度、障害児支援などについて、しっかり学習する必要があります。また、児童・家庭の福祉需要の実態や、各法律による児童の定義なども重要です。関連する最新の統計を調べたり、児童・家庭福祉関連法の定義を条文で確認するなどの対策を進めてください。

❶　**児童・家庭に対する法制度**：中項目「児童福祉法」からの出題が多いですが、他の様々な児童・家庭に対する法律についても一通りの理解が必要です。「児童福祉法」では、**児童福祉施設**について、種類ごとに目的や対象者をまとめておくとよいでしょう。また、同法に基づく**障害児支援**の体系について、給付の対象と支援内容をしっかり押さえることが重要です。「児童虐待防止法」では、法の目的、国や地方公共団体の責務等、**児童虐待の定義**、虐待予防の取り組み、**虐待発見時の対応**、虐待が疑われる場合の対応などが重要です。「DV防止法」では、法の目的、DVの定義、家庭内暴力発見時の対応などを確認しておきましょう。「母子及び父子並びに寡婦福祉法」では、同法に基づく**ひとり親家庭への支援施策**（母子福祉資金貸付制度等）が重要で

す。「母子健康法」では、母子保健施策（**母子手帳の交付**や養育医療の給付、母子健康包括支援センターによる支援など）の内容について理解を深めてください。「児童手当法」では、**支給対象**と**支給額**や**支給期間**のほか、2024（令和6）年の改正内容についても押さえておきましょう。このほか、「困難な問題を抱える女性への支援に関する法律」「子ども・若者育成推進法」「いじめ防止対策推進法」などは、基本事項を押さえておきましょう。

❷　**児童・家庭に対する支援における関係機関と専門職の役割**：国や都道府県、**市町村**、**児童相談所**、**家庭裁判所**の役割、民生委員・児童委員の役割について学習してください。また、保育士、**家庭支援専門相談員**など子どもに関わる専門職について、その役割や資格要件、配置義務がある施設も

確認しておきましょう。

❷ **児童・家庭に対する支援の実際**：出産や育児への不安、配偶者からの暴力（DV）、児童虐待、子どもの貧困、ヤングケアラー、ひとり親家庭など様々なケースに対する支援が事例問題で出題されています。ソーシャルワーカーとしての基本的対応や利用できるサービス、連携する機関や専門職などが問われますので、基本知識を土台として、実際のケースを想定して答えられるようにしておきましょう。

❹ **児童・家庭の生活実態とこれを取り巻く社会環境**：女性の就労と育児、ひとり親家庭、子どもの貧困、いじめ、児童虐待など児童・子どもの生活実態や社会環境への理解が問われます。「国民生活基礎調査」「全国ひとり親世帯等調査」など各種統計資料のほか、子ども・家庭に関連する調査について日頃からチェックしておきましょう。

❺ **児童・家庭の定義と権利**：「児童」の定義は法律等によって異なるため、児童手当法や児童扶養手当法、児童虐待防止法などの関連法や、児童の権利に関する条約における定義を確認してください。また、児童の権利に関する条約やこども基本法の理念も押さえておきましょう。

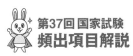

貧困に対する支援

目標
得点 **4点**

出題 6問（うち事例問題1〜3問）

出題ランキング

	出題基準・大項目	出題数合計	過去5回の出題実績				
			32回	33回	34回	35回	36回
1	貧困に対する法制度	21	3	3	5	5	5
2	貧困に対する支援の実際	7	2	2	2	1	-
3	貧困に対する支援における関係機関と専門職の役割	4	1	1	-	-	2
4	貧困状態にある人の生活実態とこれを取り巻く社会環境	3	1	1	-	1	-

※「貧困の概念」「貧困の歴史」からの出題は、過去5回ではありません。

Advice

　この科目は、共通科目から専門科目へと移動しました。「低所得者」という経済的困窮にとどまらず、健康、居住、就労、教育など幅広い「貧困」への理解が求められています。就労支援や居住支援に関連する事例問題の出題も予想され、生活保護制度はもちろんのこと、生活困窮者自立支援法の制度、低所得者に対する各種施策についてもしっかり押さえておく必要があります。

❶　**貧困に対する法制度**：出題の中心は「生活保護法」です。法の**目的、基本原理・原則、扶助の種類と内容、保護の実施機関・実施体制、保護施設の内容**は重要事項です。また、**被保護者の権利及び義務**に関する内容も整理しておきましょう。「生活困窮者自立支援法」では、制度の全体像や各事業の内容を確認しておきましょう。「低所得者対策」では、第33回から4年連続で**生活福祉資金貸付制度**が出題されました。実施体制、資金の種類、資金の財源、制度の仕組みについて押さえておきましょう。

❷　**貧困に対する支援の実際**：事例問題が出題の中心です。生活困窮者や生活保護受給者を対象とした**就労支援、居住支援**などについて法制度への理解を基礎にイメージできるようにしておきましょう。

❸　**貧困に対する支援における関係機関と専**門職の役割：国や都道府県、市町村、ハローワークの機能や役割のほか、**福祉事務所を設置していない町村**による保護の決定権限などの役割についても押さえておきましょう。また、**福祉事務所の機能や役割**、福祉事務所に配置される**査察指導員**や**現業員**の役割、配置基準などについてもしっかり整理しておきましょう。関係機関や専門職等の役割では、社会福祉（**福祉事務所や自立支援機関等**）、保健医療（**病院、診療所、精神保健福祉センター等**）、労働（**ハローワーク等**）、司法（**裁判所等**）の相談機関・施設等は把握しておきましょう。

❹　**貧困状態にある人の生活実態とこれを取り巻く社会環境**：生活保護費や保護率等の動向の出題が多くみられます。**貧困と格差**、低所得者の状況に関する問題、貧困の歴史なども今後は出題が予想されます。

保健医療と福祉

出題 6問（うち事例問題1〜2問）

出題ランキング

	出題基準・大項目	出題数合計	過去5回の出題実績				
			32回	33回	34回	35回	36回
1	保健医療に係る政策・制度・サービスの概要	21	3	4	4	5	5
2	保健医療領域における専門職の役割と連携	6	2	2	1	1	-
2	保健医療領域における支援の実際	6	2	1	1	1	1
4	保健医療に係る倫理	2	-	-	1	-	1

※「保健医療の動向」からの出題は、過去5回ではありません。

Advice

　「保健医療に係る政策・制度・サービスの概要」「保健医療領域における専門職の役割と連携」「保健医療領域における支援の実際」からの出題が多く、国民医療費の動向のほか、医療保険制度、医療施設、専門職の役割などが頻出です。各事項とも基礎的な問題が多いので、基礎知識を確実に身につけましょう。

❶ **保健医療に係る政策・制度・サービスの概要**：中項目「医療保険制度の概要」では、**国民医療費**の概況が頻出事項です。数値の暗記よりも傾向を把握するとともに、「社会保障」の科目と併せて整理しておきましょう。「診療報酬制度の概要」では、診療報酬の改定に合わせ、ほぼ2回に1度のペースで出題がみられます。第37回では出題が予想されるので注意が必要です。診療報酬制度の対象や支払いの流れといった仕組みを確認しておきましょう。「医療施設の概要」では、医療法に規定される医療提供施設の種類や機能、要件などがよく出題されます。災害拠点病院、へき地医療、地域医療支援病院や特定機能病院など幅広く出題されるため、それらの役割について理解を深めましょう。「保健医療対策の概要」では、医療計画や保健所の機能、がん対策などが問われています。

❷ **保健医療領域における専門職の役割と連携**：医師や看護師、PT、OT、ST、CO（視能訓練士）、臨床工学技士、義肢装具士など**関連専門職の業務範囲**をそれぞれ押さえておくことが必要です。

❷ **保健医療領域における支援の実際**：医療ソーシャルワーカーによる**入院中・退院時の支援、終末期にある人への支援**など様々な事例問題が出題されています。利用できる制度や連携する関係機関などへの理解が求められますので、基礎事項を固めておきましょう。

❹ **保健医療に係る倫理**：第34回では終末期やがん治療などにおける患者の権利や自己決定支援について、第36回では「人生の最終段階における医療・ケアの決定プロセスに関するガイドライン（2018年〈平成30年〉改訂版）」から出題されました。基本的な考え方を理解しておきましょう。

ソーシャルワークの基盤と専門職（専門）

目標得点 **4点**

出題 6問

出題ランキング

	出題基準・大項目	出題数合計	過去5回の出題実績				
			32回	33回	34回	35回	36回
1	ソーシャルワークに係る専門職の概念と範囲	7	2	3	1	1	-
2	ミクロ・メゾ・マクロレベルにおけるソーシャルワーク	2	-	-	1	-	1
2	総合的かつ包括的な支援と多職種連携の意義と内容	2	-	1	1	-	-

Advice

　専門科目では、社会福祉士の多様な職域、ミクロ・メゾ・マクロにまたがる包括的な支援、ジェネラリストの視点に基づく多様な支援の展開や多職種連携に関する理解が求められています。社会福祉士としての役割を問うものでもあり、事例問題からの出題も多く予想されます。

❶　**ソーシャルワークに係る専門職の概念と範囲**：福祉行政における専門職として、福祉事務所の**現業員**や**査察指導員**、児童・身体障害者・知的障害者の各福祉司の理解が必要です。また、様々な分野で活動する社会福祉士の職域についても確認しておきましょう。

❷　**ミクロ・メゾ・マクロレベルにおけるソーシャルワーク**：それぞれの**レベルの意味**

と**介入方法**を理解しましょう。事例問題でも、介入レベルごとのソーシャルワークの実践が問われています。

❷　**総合的かつ包括的な支援と多職種連携の意義と内容**：この項目からは事例問題として出題されています。ジェネラリストの視点に基づく**チームアプローチ**の意義や内容、初期対応などについて押さえておきましょう。

(23)

ソーシャルワークの理論と方法（専門）

出題 9問

出題ランキング

	出題基準・大項目	出題数合計	過去5回の出題実績				
			32回	33回	34回	35回	36回
1	ソーシャルワークにおける援助関係の形成	21	6	4	3	6	2
2	ソーシャルワークにおける総合的かつ包括的な支援の実際	8	1	1	2	3	1
3	ネットワークの形成	5	2	2	-	1	-
4	ソーシャルワークにおける社会資源の活用・調整・開発	4	-	2	2	-	-
5	事例分析	1	-	-	1	-	-

※「ソーシャルワークに関連する方法」「カンファレンス」からの出題は、過去5回ではありません。

Advice

　専門科目では、ソーシャルワークに関連する方法として、コーディネーションのほか、ネゴシエーション、ファシリテーション、プレゼンテーションが追加されました。また、カンファレンスも新たに大項目として追加されています。これらは今後出題の可能性が高いため、一通り学習しておくことが必要です。

❶　ソーシャルワークにおける援助関係の形成：面接技法についての出題が多くを占めており、事例問題として出題されることも多いです。相談援助で用いられる様々な**面接技術の種類と効果**について押さえておきましょう。また、**言語的コミュニケーションと非言語的コミュニケーション**、**開かれた質問と閉じられた質問**などの定義と役割を理解しましょう。援助関係の形成方法として、**自己覚知、ラポール、アウトリーチ**などの基本的な用語への理解も重要です。**バイステックの援助関係形成の原則**（いわゆる7原則）も出題されています。各原則の内容を押さえておきましょう。

❷　ソーシャルワークにおける総合的かつ包括的な支援の実際：事例問題の形式で、多岐にわたる相談内容への対応が問われています。過去問を解くことによって、社会福祉士として求められる視点と援助の留意点への理解を深めてください。

❸　ネットワークの形成：社会福祉士と民生委員による連携の事例などが問われています。ネットワーキングの意義や目的、**方法、留意点**への理解が求められます。

❹　ソーシャルワークにおける社会資源の活用・調整・開発：社会資源の分類、活用・調整・開発の意義や目的、方法を理解しましょう。

❺　事例分析：事例分析の意義と目的、方法や留意点について押さえておきましょう。

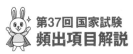

福祉サービスの組織と経営

出題 6問（うち事例問題0〜1問）

出題ランキング

	出題基準・大項目	出題数合計	過去5回の出題実績				
			32回	33回	34回	35回	36回
1	福祉サービスの組織と運営に係る基礎理論	10	1	3	2	1	3
1	福祉サービス提供組織の経営と実際	10	3	2	2	2	1
3	福祉サービスに係る組織や団体の概要と役割	9	2	2	1	3	1
4	福祉人材のマネジメント	6	1	-	2	1	2

Advice

　この科目では、出題基準の大項目、中項目からまんべんなく出題されています。第34回、第36回では、「福祉人材のマネジメント」から多く問われたのが特徴的でした。基礎理論や組織・経営管理では、専門用語等も出題されるため大変ですが、しっかり覚えるようにしましょう。第36回では、短文事例問題も1問出題されていますので、目を通しておくとよいでしょう。

❶　福祉サービスの組織と運営に係る基礎理論：過去5回の出題数をみると、中項目「組織運営に関する基礎理論」「リーダーシップに関する基礎理論」が頻出で、「チームに関する基礎理論」と続きます。「組織運営に関する基礎理論」では、聞き慣れない専門用語が多く出題されるため、基本的事項をしっかり覚えつつ、さらに過去問を繰り返し解くことで知識の定着を図りましょう。

❶　福祉サービス提供組織の経営と実際：貸借対照表や損益計算書、資金収支計算書など、財務諸表についての理解は必須です。また、適切な福祉サービスの管理として、PDCAとSDCA管理サイクル、品質マネジメントシステム、サービスマネジメントなどが重要です。理事会、評議会等の役割など経営体制についてもコンスタントに出題されています。個人情報保護法も新たにこの科目の出題範囲となりました。幅広い学習が必要となります。

❸　福祉サービスに係る組織や団体の概要と役割：社会福祉法人、特定非営利活動法人、医療法人について、それぞれの根拠法に基づく定義、法人体系、役割、会計や税制上の仕組みなどを確実に押さえておきましょう。また、新たな出題範囲では、社会福祉基礎構造改革、社会福祉法人制度改革、公益法人制度改革について基本的な事項を押さえておきましょう。

❹　福祉人材のマネジメント：中項目「福祉人材の育成」では、OJT、OFF-JT、コーチングなどが重要です。「福祉人材マネジメント」では、ジョブ・ローテーション、コンピテンシー、人事考課の注意点などが出題されやすいです。「働きやすい労働環境の整備」では、労働関係の法律に基づく規定、メンタルヘルス対策、ハラスメント対策への理解は必須です。

第37回国試直結！
最新法改正・統計情報等

第37回国試で出題される可能性のある、改正された法律や新たに制定された法律のポイント、公表された統計情報等をまとめました。特集4と併せて、しっかり押さえておきましょう！

法改正

子ども・子育て支援法等を改正する法律

関連科目：「児童・家庭福祉」「社会保障」など

　こども未来戦略の「加速化プラン」に盛り込まれた施策を着実に実行するため、①ライフステージを通じた子育てにかかる**経済的支援の強化**、②全ての子ども・子育て世帯を対象とする**支援の拡充**、③共働き・共育ての推進に資する施策の実施に必要な措置を講じることなどを主旨として、子ども・子育て支援法など複数の法律が改正されました（2024〈令和6〉年6月12日公布、2024〈令和6〉年10月1日施行など）。

1　ヤングケアラーに対する支援の拡充　　子ども・若者育成支援推進法

　子ども・若者育成支援推進法の改正により、ヤングケアラーが「**家族の介護、その他の日常生活上の世話を過度に行っていると認められる子ども・若者**」と法律上初めて**定義**され、18歳以上の人も含め、ヤングケアラーが国・地方公共団体等による**子ども・若者支援の対象**となることが**明記**されました。また、同法の支援対象となる子ども・若者に対し、子ども・若者支援地域協議会と児童福祉法の**要保護児童対策地域協議会**が協働して効果的に支援を行えるよう、両協議会の調整機関同士が**連携**を図るよう**努める**ものとされました（公布日施行）。

> ヤングケアラーは、単に親の手伝いや兄弟の世話をよくする子どもや若者ではないということに注意が必要です。

2　児童手当の抜本的拡充等　　児童手当法　　児童扶養手当法

　児童手当の**所得制限を撤廃**し、高校生年代までに支給期間を延長しました。また、**第3子以降**の支給額を1万5,000円から**3万円**に増額し、支給回数は年3回から**年6回**に変更されました（2024〈令和6〉年10月1日施行）。

　児童扶養手当の第3子以降の加算額については、**第2子にかかる加算額と同額**に引き上げられます（令和6年11月1日施行）。

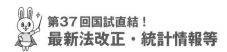
3　妊婦のための支援の強化給付・妊婦等包括相談支援事業の創設

子ども・子育て支援法 ｜ 児童福祉法

　妊娠期からの切れ目ない支援を行う観点から、子ども・子育て支援法に基づく子ども・子育て支援給付に、妊婦のための支援給付が創設されます。市町村は、妊婦であることの認定後に5万円を支給し、その後、妊娠している子どもの人数の届出を受けた後に、妊娠している子どもの数×5万円（認定時に支給の5万円を控除した額）を支給します（2025〈令和7〉年4月1日施行）。

　また、児童福祉法に妊婦等包括相談支援事業を創設し、市町村は、妊婦のための支援給付を行うにあたっては、妊婦等包括相談支援事業等の支援を効果的に組み合わせて行うことが子ども・子育て支援法に規定されました（2025〈令和7〉年4月1日施行）。

4　こども誰でも通園制度（乳児等のための支援給付）の創設、産後ケア事業の提供体制の整備

子ども・子育て支援法等

　保育所等に通っていない子どもへの支援を強化する観点から、月一定時間までの利用可能枠の中で、就労要件を問わず時間単位等で保育所等を柔軟に利用できるこども誰でも通園制度が創設されます。まず、2025（令和7）年度に子ども・子育て支援法の地域子ども・子育て支援事業として制度化し、2026（令和8）年4月1日から、同法に基づく給付（乳児等のための支援給付）を実施します。利用対象となるのは、0歳6か月程度から満3歳未満の保育所等に通っていない子どもです。

　また、母子保健法に基づく産後ケア事業を地域子ども・子育て支援事業に新たに位置づけ、計画的な提供体制を整備します（2025〈令和7〉年4月1日施行）。

こども誰でも通園制度は、子どもの健全な成長を促すという目的も含まれています。親の立場では子育ての孤立感や不安感を解消したり、リフレッシュしたりというメリットもありますね。ただし、保育士等不足とならないよう対策が必要ですね。

5　出生後休業支援給付・育児時短就業給付の創設　雇用保険法等

　雇用保険法等の改正により、出生後休業支援給付と育児時短就業給付が創設されます（2025〈令和7〉年4月1日施行）。

出生後休業支援給付	子の出生直後の一定期間以内に、被保険者とその配偶者の両方が14日以上の育児休業を取得した場合、被保険者の休業期間について28日間を限度に、通常の育児休業給付に上乗せして休業開始前賃金の13％相当額を支給
育児時短就業給付	2歳未満の子を養育するために、時短勤務をしている場合に、時短勤務中に支払われた賃金額の10％を支給

育児休業中は社会保険料などが免除されるので、休業後28日までの期間は以前の手取り収入の実質10割が保障されることになります。

6　国民年金第１号被保険者の育児期間に係る保険料の免除措置の創設　国民年金法

　育児休業を取得できない自営業・フリーランス・無業者などの国民年金第１号被保険者について、子どもが１歳になるまでの期間、**国民年金保険料が免除**されます。免除期間における基礎年金は、満額が保障されます。父母ともに対象です。なお、実母の場合は産前産後期間（出産予定日の前月から４か月間）の保険料が免除されるため、続く９か月間が免除措置の対象期間となります（2026〈令和８〉年10月１日施行）。

7　子ども・子育て支援金制度の創設　子ども・子育て支援法　医療保険各法等

　児童手当の拡充や、妊婦や乳児等、育児支援のための給付等に必要な費用に充てるため、子ども・子育て支援金制度が創設されます。財源となる費用は、公的医療保険に上乗せして徴収されます（2026〈令和８〉年４月１日施行）。

育児・介護休業法および次世代育成支援対策推進法の一部を改正する法律

関連科目：「社会保障」「高齢者福祉」など

　男女ともに仕事と育児・介護を両立できるようにするため、育児休業、介護休業等育児又は家族介護を行う労働者の福祉に関する法律（**育児・介護休業法**）および**次世代育成支援対策推進法**が改正されました（2024〈令和６〉年５月31日公布、2025〈令和７〉年４月１日施行など）。

1　子の年齢に応じた柔軟な働き方を実現するための措置の拡充　育児・介護休業法

　次のような措置が2025（令和７）年度から順次実施されます。

---

❶従業員の子どもが３歳から小学校に入学するまでの間、事業主は柔軟な働き方を実現するための制度（始業時刻等の変更、テレワーク、保育施設の設置運営等、短時間勤務、新たな休暇の付与、時差出勤など）を２つ以上用意し、従業員が選べるようにすること、これら措置の個別の周知や意向確認を事業主に義務づけ

❷所定外労働の制限（残業免除）の対象となる範囲を、現行の３歳までから小学校就学前の子どもを養育する労働者に拡大

❸子の看護休暇を子の看護等休暇に名称変更し、**取得事由を拡大**して行事参加や感染症に伴う学級閉鎖などの場合も取得可能に。対象となる子の範囲は、現行の小学校就学前から**小学校３年生**まで拡大。勤続６か月未満の労働者を労使協定に基づき除外する仕組みも廃止

❹３歳になるまでの子を養育する労働者が**テレワーク**を選択できるよう事業主に努力義務

❺従業員の妊娠・出産の申し出時や子どもが３歳になるまでの間に、仕事と育児の両立について個別に意向を聞き取り、配慮することを事業主に義務づけ

※❷～❹は2025（令和７）年４月１日施行、❶、❺は公布の日から１年６か月以内に施行

2　男性労働者の育児休業取得状況の公表義務の拡大　育児・介護休業法

　現在は、常時雇用従業員1,000人超の事業主に男性労働者の育児休業取得状況の公表が義務づけられていますが、この公表義務の対象が拡大し、常時雇用従業員300**人超**の事業主も対象となります（2025〈令和７〉年４月１日施行）。

3　次世代育成支援対策の推進・強化　次世代育成支援対策推進法

　次世代育成支援対策推進法に基づく**行動計画を策定時**に、育児休業の取得状況等にかかる状況把握・数値目標の設定を事業主に義務づけます。また、時限立法である次世代育成支援対策推進法の有効期限は2024（令和6）年度末まで延長されていましたが、さらに2034（令和16）年度末まで延長されました。

4　介護離職防止のための仕事と介護の両立支援制度の強化など　育児・介護休業法

　仕事と介護の両立支援制度を利用しやすい雇用環境の整備が重要として、次のような措置が図られます。また、勤続6か月未満の労働者を労使協定に基づき除外する仕組みも廃止されます（2025〈令和7〉年4月1日施行）。

■仕事と介護の両立支援のための新たな措置

義務	❶介護に直面した労働者が申し出をした場合に、両立支援制度等に関する情報の個別周知・意向確認 ❷介護に直面する前の早い段階（40歳等）の両立支援制度等に関する情報提供 ❸研修や相談窓口の設置等の雇用環境の整備
努力義務	❹介護期の働き方について、労働者がテレワークを選択できるようにする

民法等の一部を改正する法律

関連科目：「権利擁護を支える法制度」

　離婚後の成年に達しない子について父母に共同親権を認めることなどを柱とした、民法等の一部を改正する法律が成立しました（2024〈令和6〉年5月24日公布、公布の日から2年以内に施行）。ここでは民法の改正を中心にみていきます。

1　親の責務等

　親の責務等として、父母は、子の心身の健全な発達を図るため、子の人格を尊重し、その年齢および発達の程度に配慮して養育をしなければならないこと、親と同程度の生活を維持できるように扶養しなければならないこと、婚姻関係の有無にかかわらず、子に関する権利の行使または義務の履行では子の利益のため、互いに人格を尊重して協力しなければならないことが明記されました。

2　離婚後の共同親権の導入

　現在は、離婚後は父と母のどちらか一方が子どもの親権をもつ単独親権ですが、改正民法では父と母、双方に親権を認める共同親権を選ぶことが可能となりました。

　協議離婚の場合には、話し合いにより、父母の双方または一方を親権者と定めます。裁判上の離婚の場合は、家庭裁判所が父母の双方または一方を親権者と定めます。

改正により、親権者を指定しないままでの離婚が可能となります。この場合は、親権者の指定を求める家事審判または家事調停の申立てをしていることが必要です。

なお、改正法施行前に離婚した父母も、共同親権への変更の申立てができます。

3 家庭裁判所の判断で単独親権とする場合

　家庭裁判所は、子の利益の観点から、共同親権か単独親権にするかを判断します。①父または母が子への虐待などをするおそれがある場合、②父母の一方が、ほかの一方から暴力等を受けるおそれがあり共同親権を行うことが困難である場合、その他共同親権で子の利益を害すると認められる場合は、単独親権とします。

4 親権の行使方法など

　共同親権となったときも、子の利益のため急迫の事情があるときや監護および教育に関する日常の行為については、親権の行使を単独で行うことができます。また、家庭裁判所は、特定の事項の単独親権の行使について定めることができます。

> 共同親権では、どのような場合に父母の同意を必要とするのか法律に明記されていないため、ガイドラインが策定されます。

5 父母以外の親族との面会交流

　家庭裁判所が子の利益のために特に必要があると認める場合は、父母以外の子の親族（祖父母や兄弟姉妹など）との面会交流を定めることができます。

6 法定養育費制度導入と財産分与の請求期間延長

　子の監護の費用（養育費）については、支払いが滞った場合はほかの債権よりも優先的に財産の差し押さえができる先取特権が付与されます。

　また、養育費について取り決めをせずに協議離婚した場合でも、離婚の日から、最低限度の生活に必要な一定額を請求できる法定養育費制度が導入されました。養育費の履行確保に向けた裁判手続きの負担も軽減されます。なお、財産分与はこれまで離婚後2年以内に手続きをしないと請求できなくなっていましたが、改正法では、5年以内に延長されます。

> 「令和3年度全国ひとり親世帯等調査」によると、養育費の「取り決めをしている」母子世帯は46.7%、離婚した父親から養育費を「現在も受けている」割合は28.1%です。

生活困窮者自立支援法等の一部を改正する法律

関連科目：「貧困に対する支援」

　単身高齢者世帯の増加等を踏まえた安定的な居住の確保の支援や、生活保護世帯の子どもへの支援の充実等を通じて、生活困窮者等の自立のさらなる促進を図るため、生活困窮者自立支援法、生活保護法、社会福祉法が改正されました（2024〈令和6〉年4月24日公布、2025〈令和7〉年4月1日施行など）。

1　居住支援の強化　　生活困窮者自立支援法　　社会福祉法

　生活困窮者自立支援法の**生活困窮者自立相談支援事業**および社会福祉法の**重層的支援体制整備事業**において、居住に関する相談支援等を行うことが明確化されました。

　また、**生活困窮者住居確保給付金の給付対象者が拡大**され、**就職活動を要件としない**ほか、家賃の低い住宅への転居費用にも新たに使えるようになりました。

　さらに、任意事業である生活困窮者一時生活支援事業について、**生活困窮者居住支援事業**に名称変更し、その実施を都道府県等の**努力義務**としました。生活困窮者への見守り支援も強化されます。

　社会福祉法に基づく**無料低額宿泊所**については、無届の疑いがある施設を発見した場合の市町村から都道府県への通知の努力義務の規定、届出義務違反への罰則が設けられます（2025〈令和7〉年4月1日施行）。

2　子どもの貧困への対応　　生活保護法

①進学・就職準備給付金

　生活保護受給世帯の子どもが高校を卒業後に就職して自立する場合に、新生活の立ち上げ費用に充てるための一時金を支給し、生活基盤の確立に向けた自立支援を図ります。これに伴い、進学準備給付金の名称は**進学・就職準備給付金**に改められます（公布日施行、2024〈令和6〉年1月1日に遡及して適用）。

　給付額は、それまでの進学準備給付金と同水準で10～30万円です。

②子どもの進路選択支援事業の創設

　生活保護受給世帯の子どもが本人の希望を踏まえた進路選択を実現できるよう、保護の実施機関は、**子どもの進路選択支援事業**を実施できます。子どもの進路選択における教育、就労および生活習慣に関する問題につき、訪問などにより子どもとその保護者からの相談、必要な情報の提供、助言、関係機関との連絡調整を行います（2024〈令和6〉年10月1日施行）。

3　支援関係機関等の連携強化など　　生活困窮者自立支援法　　生活保護法

①生活困窮者自立支援法と生活保護法の連携強化

　生活困窮者を対象とした**就労準備支援事業、家計改善支援事業、居住支援事業**について、保護の実施機関が必要と認める場合は、生活保護受給者が利用できるようになります。

　また、生活保護制度においてこれまで予算事業で実施していた**就労準備支援事業、家計改善支援事業、地域居住支援事業**を保護の実施機関の**任意事業として法定化**します（2025〈令和7〉年4月1日施行）。

　両制度をまたいだ支援の継続性や一貫性を確保することが目的です。生活保護受給者が生活困窮者向けの事業に参加する場合も、保護の実施機関が継続して関与します。

②支援会議における相談支援の強化

　これまで任意設置だった**生活困窮者自立支援制度**における**支援会議**は、その設置と生活困窮者の把握のために地域の実情に応じて活用することを努力義務化します。また、**生活保護法に**

おいて、被保護者の支援における関係機関との支援の調整や情報共有・体制の検討を行うための調整会議を設置することが新たに規定されました（任意設置）（2025〈令和7〉年4月1日施行）。これら会議は、社会福祉法における支援会議との連携も図られます。

③医療扶助の適正実施など

生活保護法において市町村長が行う**医療扶助**や**被保護者健康管理支援事業**について、都道府県が広域的観点からデータ分析などを行い、市町村への情報提供を行う仕組み（努力義務）を創設し、医療扶助の適正化や被保護者健康管理支援事業の効果的な実施等を促進します（2025〈令和7〉年4月1日施行）。

雇用保険法等の一部を改正する法律

関連科目：「社会保障」

多様な働き方を効果的に支える雇用のセーフティネットの構築、「人への投資」の強化等のため、雇用保険法などが改正されました。雇用保険の対象拡大、教育訓練やリ・スキリング支援の充実、育児休業給付にかかる安定的な財政運営の確保等の措置を講じます（2024〈令和6〉年5月17日公布、2025〈令和7〉年4月1日施行など）。

1　雇用保険の適用対象の拡大

雇用保険の適用対象を、週所定労働時間20時間以上から10時間以上の労働者まで拡大されます（2028〈令和10〉年10月1日施行）。

> 施行はまだ先ですが、頭に入れておきましょう。

2　教育訓練やリ・スキリング支援の充実

①自己都合退職者の給付制限の見直し

自己都合退職者に対しては、失業給付の受給にあたり、待期満了の翌日から**原則2か月の給付制限期間**がありました。改正により、離職期間中や離職日前1年以内に、**自ら雇用の安定および就職の促進に資する教育訓練を行った場合**には、給付制限を解除するほか、原則の給付制限期間を2か月から1か月へ短縮します（2025〈令和7〉年4月1日施行）。

②教育訓練給付金の給付率の拡充・教育訓練休暇給付金の創設

専門実践教育訓練給付金について、教育訓練の受講後に賃金が上昇した場合には、現行の追加給付20％に加えて、さらに受講費用の10％を追加で支給（合計80％）します。**特定一般教育訓練給付金**については、資格を取得し就職などした場合に、受講費用の10％を追加で支給（合計50％）します（2024〈令和6〉年10月1日施行）。

また、雇用保険の被保険者が教育訓練を受けるために休暇を取得した場合に、基本手当に相当する給付として、賃金の一定割合を支給する**教育訓練休暇給付金**が創設されます（2025〈令和7〉年10月1日施行）。

③その他

育児休業給付の国庫負担の引下げの暫定措置の廃止（本来の給付費の8分の1に戻す）（公布日施行）、就業手当の廃止と就業促進定着手当の上限の支給残日数の引下げなどが規定されました（2025〈令和7〉年4月1日施行）。

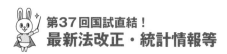

統計情報

2023（令和5）年　国民生活基礎調査の概況

関連科目：「社会学と社会システム」「高齢者福祉」など

　厚生労働省より2024（令和6）年7月5日に「2023（令和5）年　国民生活基礎調査の概況」が公表されました。重要ポイントをしっかり押さえておきましょう（以下、この項の内容は、厚生労働省「2023（令和5）年　国民生活基礎調査の概況」に基づく）。

1　世帯構造及び世帯類型の状況

　世帯構造をみると、「単独世帯」が全世帯の34.0％で最も多く、次いで「夫婦と未婚の子のみの世帯」（同24.8％）、「夫婦のみの世帯」（同24.6％）となっています。世帯類型をみると、近年、「高齢者世帯」（同30.4％）は増加傾向、「母子世帯」（同1.0％）は1％台で推移しています。なお、平均世帯人員は2.23人と前年を下回り、減少傾向が続いています。

2　65歳以上の者のいる世帯の世帯構造

　65歳以上の者のいる世帯は、全世帯の49.5％を占めています。世帯構造をみると、「夫婦のみの世帯」（65歳以上の者のいる世帯の32.0％）が最も多く、次いで「単独世帯」（同31.7％）、「親と未婚の子のみの世帯」（同20.2％）の順になっています。

■65歳以上の者のいる世帯の世帯構造の年次推移

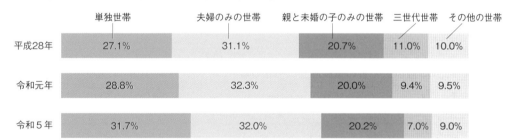

	単独世帯	夫婦のみの世帯	親と未婚の子のみの世帯	三世代世帯	その他の世帯
平成28年	27.1%	31.1%	20.7%	11.0%	10.0%
令和元年	28.8%	32.3%	20.0%	9.4%	9.5%
令和5年	31.7%	32.0%	20.2%	7.0%	9.0%

3　高齢者世帯の世帯構造

　65歳以上の者のいる世帯のうち、高齢者世帯の世帯構造をみると、「単独世帯」（高齢者世帯の51.6％）が最も多く、次いで「夫婦のみの世帯」（同44.1％）、「その他の世帯（「親と未婚の子のみの世帯」及び「三世代世帯」を含む）」（同4.2％）の順になっています。

■高齢者世帯の世帯構造（令和5年）

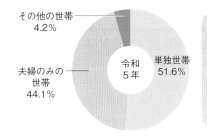

その他の世帯
4.2%

夫婦のみの
世帯
44.1%

令和
5年

単独世帯
51.6%

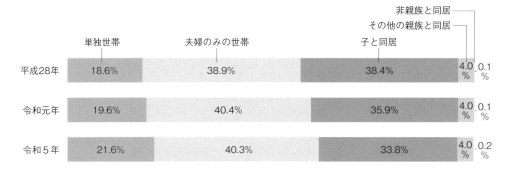

単独世帯の性別・年齢構成
● 65歳以上の単独世帯を性別にみると、男性35.6％、女性64.4％となっている。
● 性別に年齢構成をみると、男性は「70～74歳」（27.7％）、女性は「85歳以上」（24.9％）が最も多くなっている。

4　65歳以上の者の家族形態

　65歳以上の者の家族形態をみると、「夫婦のみの世帯」（夫婦の両方または一方が65歳以上）の者（65歳以上の者の40.3％）が最も多く、次いで「子と同居」の者（同33.8％）、「単独世帯」の者（同21.6％）の順になっています。

■65歳以上の者の家族形態の年次推移

	単独世帯	夫婦のみの世帯	子と同居	その他の親族と同居	非親族と同居
平成28年	18.6%	38.9%	38.4%	4.0%	0.1%
令和元年	19.6%	40.4%	35.9%	4.0%	0.1%
令和5年	21.6%	40.3%	33.8%	4.0%	0.2%

■性別にみた65歳以上の者の家族形態（令和5年）

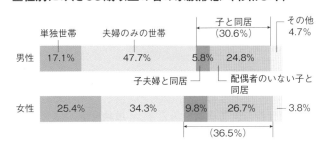

	単独世帯	夫婦のみの世帯	子夫婦と同居	配偶者のいない子と同居	その他
男性	17.1%	47.7%	5.8%	24.8%	4.7%
女性	25.4%	34.3%	9.8%	26.7%	3.8%

子と同居（30.6%）（男性）
（36.5%）（女性）

性・年齢階級別にみると、年齢が高くなるにしたがって男性は「子夫婦と同居」の割合が高くなっており、女性は「単独世帯」と「子夫婦と同居」の割合が高くなっています。

総務省の人口推計（令和5年10月1日現在）

関連科目：「社会学と社会システム」「社会保障」

　総務省の「人口推計（2023〈令和5〉年10月1日現在）」が、2024（令和6）年4月12日に公表されました。主な結果をみていきます。

1　総人口と年齢区分別人口の割合

　総人口は、2023（令和5）年10月1日現在、**1億2,435万人**で、前年から59万5,000人減少しています。総人口に占める割合は、年少人口（0～14歳）が11.4%、生産年齢人口（15～64歳）が59.5%、65～74歳人口が13.0%、75歳以上人口が16.1%です。

　65歳以上人口の総人口に占める割合（高齢化率）は**29.1%**と過去最高を更新しています。

■年齢区分別人口の割合の推移

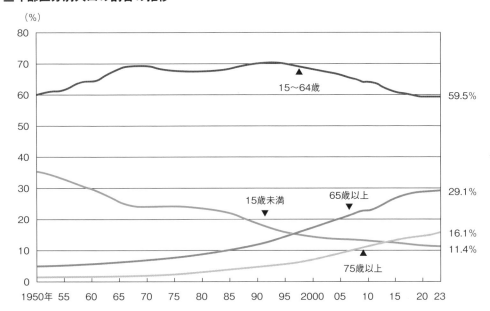

　65歳以上人口は前年より9,000人減少しましたが、75歳人口は71万4,000人増加しています。

2　都道府県別の人口と年齢区分別割合

　都道府県別に人口をみると、人口増加は東京都のみ（前年より0.14ポイントの拡大）で、2年連続増加しています。その他の46都道府県は人口が減少しており、特に山梨県の人口減少率が拡大しています。

　年齢区分別人口割合をみると、**年少人口**の割合は沖縄県が16.1%と最も高く、全国で唯一75歳以上人口の割合を上回っています。**65歳以上人口**の割合は、秋田県が最も高く39.0%となっています。

　なお、2023（令和5）年人口動態統計月報年計（概数）によると、出生数は72万7,277人で8年連続減少、合計特殊出生率は1.20で8年連続低下しています。

令和4年生活のしづらさなどに関する調査

関連科目：「障害者福祉」

　厚生労働省は、2024（令和6）年5月31日、全国の在宅の障害児・者等を対象にした「令和4年生活のしづらさなどに関する調査」の結果を公表しました。この調査は5年に1回行われるもので、今回で3回目の調査となります。調査対象は、在宅の障害児・者等であり、障害者手帳所持者、知的障害、発達障害、高次脳機能障害、難病と診断されたことのある者、長引く病気やけが等により日常生活のしづらさがある者となっています。

1　障害者手帳所持者数等

　2022（令和4）年の調査によると、障害者手帳の所持者は610万人と推計され、前回調査の2016（平成28）年よりも50.6万人増加しました。身体障害者手帳所持者は12.8万人減少しましたが、療育手帳所持者は17.8万人増加、精神障害者保健福祉手帳所持者は36.2万人増加しています。

■在宅の障害者手帳所持者等の推計値

	障害者手帳所持者	障害者手帳の種類（複数回答）			障害者手帳非所持かつ自立支援給付等を受けている者
		身体障害者手帳	療育手帳	精神障害者保健福祉手帳	
2022	610.0万人	415.9万人	114.0万人	120.3万人	22.9万人
2016	559.4万人	428.7万人	96.2万人	84.1万人	33.8万人

2　身体障害者手帳所持者の状況

　在宅で生活している身体障害者手帳所持者415.9万人の割合を年齢階級別にみると、**70歳以上**が最も多く（62.3%）、次いで**65～69歳（8.9%）**で、約7割が**65歳以上**の高齢者となっています。また、障害種別にみると、肢体不自由の割合が最も高く、全体の38.0%、次いで内部障害が32.8%となっています。

■障害の種類別にみた身体障害者手帳所持者

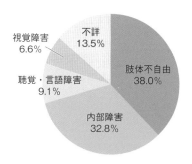

3　療育手帳所持者の状況

在宅で生活している知的障害者（療育手帳所持者）114.0万人の割合を年齢階級別にみると、20～29歳（20.1%）が最も多く、次いで10～17歳（13.9%）、30～39歳（13.0%）となっています。0～9歳（10.9%）もあわせると17歳以下が24.7%と多くなっています。また、程度別にみると、重度が42.0万人（36.8%）、その他が58.7万人（51.4%）となっています。

4　精神障害者保健福祉手帳所持者の状況

在宅で生活している精神障害者保健福祉手帳所持者120.3万人の割合を年齢階級別にみると50～59歳が最も多く（20.4%）、次いで40～49歳（19.3%）、70歳以上（17.3%）の順となっています。また、等級別にみると、2級（中度）が最も多く（50.5%）、次いで軽度の3級（26.4%）、重度の1級（13.7%）の順となっています。

5　発達障害者・高次脳機能障害者・難病者の数

医師から**発達障害**と診断された者の数は、87.2万人と推計され、前回（48.1万人）より増加しています。そのうち、障害者手帳所持者の割合は79.1%です。

医師から**高次脳機能障害**と診断された者の数は、22.7万人と推計され、前回（32.8万人）より減少しています。そのうち、障害者手帳所持者の割合は81.6%です。

医師から**難病**と診断された者の数は126.4万人と推計され、前回（94.2万人）より増加しています。そのうち、障害者手帳所持者の割合は59.5%です。

6　心身の状態で苦労のある者の状況

心身の状態で苦労のある者の状況についてみると、特に「歩いたり階段を上る」ことについて、「多少苦労する」が30.7%、「とても苦労する」が21.6%、「全く出来ない」が7.5%と、苦労を抱えている割合が高くなりました。

また、**日常生活のしづらさの状況**をみると、「自分ではできない」割合が最も高いのは、「買い物をする」（17.8%）で、次いで「洗濯する」「お金の管理をする」（いずれも15.0%）などとなっています。

7　日中の過ごし方

日中の過ごし方で最も割合が高いのは、「仕事や教育・保育以外」（38.8%）で、次いで「仕事」（22.4%）、教育・保育・療育（7.9%）と続きます。「仕事や教育・保育以外」の内訳をみると、「主に家で過ごしている」（60.6%）が最も高く、次いで「主に病院・介護施設の通所サービスを利用して外で過ごしている」（20.8%）となっています。

■日中の過ごし方のうち「仕事や教育・保育以外」の内訳

主に障害者・障害児向けの施設の通所サービス（就労移行支援、地域活動支援センター等）を利用して外で過ごしている	7.5%
主に病院・介護施設の通所サービス（リハビリ、デイケア、デイサービス等）を利用して外で過ごしている	20.8%
その他の活動（ボランティア活動、農作業、カラオケ、ゲートボール、その他の趣味活動等）をして外で過ごしている	11.1%
主に家で過ごしている（家事、育児、介護等をしている場合を含む）	60.6%

8 障害福祉サービスの利用状況

　障害者総合支援法における障害福祉サービスの利用状況をみると「サービスを利用している」と回答があったのは、およそ2割となっています。また、サービスを利用していない理由としては、「希望していない」（80.8%）が最も高くなっています。

9 特に必要と考えている支援

　特に必要と考えている支援（複数回答）では、「手当・年金・助成金等の経済的援助の充実」（43.3%）が最も多く、次いで「身近な医療機関に通院して医療を受けること」（26.6%）、「医療費の負担軽減」（22.5%）となっています。

令和5年度高齢社会対策総合調査

関連科目：「高齢者福祉」

　内閣府の「令和5年度高齢社会対策総合調査（高齢者の住宅と生活環境に関する調査）」から、高齢者の生活や住宅、生活環境をめぐる状況や意識についてみていきます。

1 現在の健康状態

　現在の健康状態をみると、全体で「普通」（41.6%）が最も高く、「良い」（14.2%）と「まあ良い」（18.3%）を合わせると、**32.5%が現在の健康状態が良い**としています。

■現在の健康状態

| 14.2 | 18.3 | 41.6 | 19.5 | 4.8 | 1.6 |

■ 良い　■ まあ良い　■ 普通　■ あまり良くない　■ 良くない　■ 不明・無回答

2 親しくしている友人・仲間がどの程度いるか、人と話をする頻度

　親しくしている友人・仲間がいるかについて、「たくさんいる」または「普通にいる」と回答した割合は46.8%で、前回調査（2018〈平成30〉年）の72.9%と比べると**大きく低下しています**。人と話をする頻度も、前回調査では「毎日」と回答した割合は90.6%でしたが、今回調査では72.5%と低下しています。また、ひとり暮らしの人についてみると、「毎日」と回答した割合は、ひとり暮らし以外の人の半分以下となっています。

■親しくしている友人・仲間

| 7.8 | 39.0 | 36.0 | 12.6 | 3.5 | 1.1 |

■ たくさんいる　■ 普通にいる　■ 少しいる　■ ほとんどいない　■ 全くいない　■ 不明・無回答

■人と話をする頻度（ひとり暮らしとそれ以外の比較）

| ひとり暮らし | 38.9 | 29.2 | 14.9 | 14.7 | 2.2 |
| ひとり暮らし以外 | 80.9 | | 9.1 | 4.6 3.8 | 1.5 |

■ 毎日　■ 2日〜3日に1回　■ 1週間に1回　■ 1週間に1回未満・ほとんど話をしない　■ 不明・無回答

3　高齢期の住宅に関する状況や意識

①現在の住宅の問題点

　現在の住宅の問題点では、「住まいが古くなり、いたんでいる」（29.5％）、「地震、風水害、火災などの防災面や防犯面で不安がある」（24.4％）と、老朽化や防犯面での不安等を問題に感じている人が特に多くなっています。

②災害への備え

　「近くの学校や公園など、避難する場所を決めている」（44.8％）が最も高く、次いで「自分が住む地域に関する地震や火災、風水害などに対する危険性についての情報を入手している」（36.8％）「非常食や避難用品などの準備をしている」（34.3％）と続きます。「特に何もしていない」は（21.3％）で、前回調査（32.0％）より低下しています。

　また、家族形態別にみると、**ひとり暮らしの人はそれ以外の人と比べて、ほとんどの項目で対策をとっている割合が低く、「特に何もしていない」割合が高く**なっています。

> 防災面では、特に1人暮らしの高齢者への対策が必要ですね。

③現在居住している地域における不便や気になること

　現在居住している地域における不便や気になることでは、「日常の買い物に不便」（23.9％）、「医院や病院への通院に不便」（23.8％）、「交通機関が高齢者には使いにくい、または整備されていない」（21.5％）と回答した割合が高くなっています。

④地域に住み続けるために必要なこと

　地域に住み続けるために必要なこととして、「かかりつけ医等健康面での受け皿」が56.4％と最も高く、次いで「近所の人との支え合い」（50.2％）となっています。

令和5年労働力調査年報

関連科目：「社会学と社会システム」「社会保障」

　日本における就業・不就業の状態を明らかにするための基礎資料を得ることを目的として行われる労働力調査の年平均結果を示した「令和5年労働力調査年報」が総務省統計局より2024（令和6）年3月29日に公表されています。複数科目で問われたことがある調査ですので、主な結果をみていきます（以下、この項の表は、総務省「令和5年労働力調査年報」より作成）。

1　労働力人口

　労働力人口（15歳以上人口のうち**就業者**と**完全失業者**を合わせた人口）は、2023（令和5）年平均で6,925万人（前年比23万人増加）となっています。男女別では、男性は3,801万人（同4万人減少）、女性は3,124万人（同28万人増加）となっています。

■労働力人口の推移

		2019 （令和元）年	2020 （令和2）年	2021 （令和3）年	2022 （令和4）年	2023 （令和5）年
総数		6,912万人	6,902万人	6,907万人	6,902万人	6,925万人
	男性	3,841万人	3,840万人	3,827万人	3,805万人	3,801万人
	女性	3,072万人	3,063万人	3,080万人	3,096万人	3,124万人

完全失業者とは、❶就業者ではない、❷仕事があればすぐ就くことができる、❸仕事を探す活動や事業を始める準備をしていた（過去の求職活動の結果を待っている場合を含む）、の3つの条件を全て満たす者のことをいいます。

2　就業者

　就業者数は、2023（令和5）年平均で6,747万人（前年比24万人増加）となっています。男女別にみると、男性は3,696万人（同3万人減少）、女性は3,051万人（同27万人増加）となっています。

■就業者の推移

		2019 （令和元）年	2020 （令和2）年	2021 （令和3）年	2022 （令和4）年	2023 （令和5）年
総数		6,750万人	6,710万人	6,713万人	6,723万人	6,747万人
	男性	3,744万人	3,724万人	3,711万人	3,699万人	3,696万人
	女性	3,005万人	2,986万人	3,002万人	3,024万人	3,051万人

なお、年齢階級別にみると、15～64歳の就業者数は、2023（令和5）年平均で5,833万人（前年比23万人増加）。男女別では、男性は3,162万人（同1万人増加）、女性は2,671万人（同22万人増加）となっています。

3　就業率

　就業率（15歳以上人口に占める就業者の割合）は、2023（令和5）年平均で61.2％（前年比0.3ポイント上昇）となっています。男女別にみると、男性は69.5％（同0.1ポイント上昇）、女性は53.6％（同0.6ポイント上昇）となっています。

■就業率の推移

		2019 （令和元）年	2020 （令和2）年	2021 （令和3）年	2022 （令和4）年	2023 （令和5）年
総数		60.6%	60.3%	60.4%	60.9%	61.2%
	男性	69.7%	69.3%	69.1%	69.4%	69.5%
	女性	52.2%	51.8%	52.2%	53.0%	53.6%

4　完全失業者

　完全失業者数は、2023（令和5）年平均で178万人（前年比1万人減少）となっています。男女別にみると、男性は105万人（同2万人減少）、女性は73万人（前年と同数）となっています。

■完全失業者の推移

		2019 （令和元）年	2020 （令和2）年	2021 （令和3）年	2022 （令和4）年	2023 （令和5）年
総数		162万人	192万人	195万人	179万人	178万人
	男性	96万人	115万人	117万人	107万人	105万人
	女性	66万人	76万人	78万人	73万人	73万人

5　完全失業率

　完全失業率（労働力人口に占める完全失業者の割合）は、2023（令和5）年平均で2.6%（前年と同率）となっています。男女別にみると、男性は2.8%（前年と同率）、女性は2.3%（前年比0.1ポイント低下）となっています。

■完全失業率の推移

		2019 （令和元）年	2020 （令和2）年	2021 （令和3）年	2022 （令和4）年	2023 （令和5）年
総数		2.4%	2.8%	2.8%	2.6%	2.6%
	男性	2.5%	3.0%	3.1%	2.8%	2.8%
	女性	2.2%	2.5%	2.5%	2.4%	2.3%

☑ **過去問チェック**

「令和5年労働力調査年報」（総務省）に示された、過去5年間の日本の女性の完全失業率は、男性の完全失業率よりも一貫して高い。　　　（第32回問題16改題）

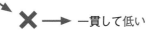

✕ ➡ 一貫して低い

頻出テーマ対策ミニ講義

直前期にこそ学習すべき頻出テーマを、科目別にまとめました！
合格に必須な知識を、モレなく、イッキに習得してください。

医学概論

□ライフステージにおける心身の変化と健康課題

1　老化に伴う主な身体的変化

　老化により、身体に変化が生じ、各器官全般にわたる回復力、予備力（体力などの最大能力と通常時の能力との差）、判断力、適応力が低下します。

■老化に伴う主な身体的変化

器官・機能・感覚	主な変化
呼吸器系	肺胞数の減少、肺活量低下、残気量増加による換気能力の低下
咀嚼・嚥下機能	飲食物が誤って気管に入り誤嚥を起こす → 誤嚥性肺炎
消化器系	消化吸収機能の低下 → 低栄養状態
腎・泌尿器系	●腎臓による水の再吸収能力の低下 ●膀胱容量の減少による頻尿、尿失禁 ●前立腺肥大による排尿困難
循環器系	収縮期血圧（最高血圧）の上昇、動脈硬化、造血機能の低下
支持運動器系	筋力低下 → 転倒の危険、骨粗鬆症 → 骨折の危険大
神経系	平衡感覚機能の低下 → 転倒の危険大
視覚	老眼、視野狭窄、老人性（加齢性）白内障
聴覚	高音域から聞こえにくくなる → 老人性難聴・感音難聴が多い
皮膚感覚	痛覚、触覚が鈍化し、やけど、褥瘡などの症状に気づきにくい
免疫系	機能低下により感染症の危険大
その他	●体重から体脂肪量を差し引いた除脂肪体重（筋肉や骨、内臓などの総量）の減少、体重に占める水分量の減少 ●レム睡眠（浅い睡眠）・ノンレム睡眠（深い睡眠）の減少と中途覚醒の増加に伴い、睡眠の質が低下 → 体力、抵抗力低下 ●感覚機能低下によりのどの渇き（口渇）に気づきにくくなることによる脱水 → 頭痛、低血圧、麻痺、頻脈、意識障害など ●高齢になるに従い、短期記憶（p.(47) 参照）の能力が低下する

 ☑ **過去問チェック**

> 加齢に伴い膀胱容量が増大する。 （第34回問題1）
>
> ✕ → 減少

2 老化に伴う知能の変化

知能には流動性知能と結晶性知能があり、老化によりそれぞれ特有の変化を示します。

■流動性知能と結晶性知能

流動性知能	●新しいことを学んだり、新しい場面に適応したりするために活用される能力。生まれもった能力に左右される ●30歳代でピークに達し60歳代以降急激に低下する
結晶性知能	●教育や学習などのこれまでの経験を基にした日常生活の対応能力。判断力・理解力などが含まれる ●加齢による影響が少なく、長期にわたって維持される

□ 身体構造と心身機能

1 脳の機能

脳は、大脳、小脳、間脳、中脳、橋、延髄からなり、このうち中脳、橋、延髄は脳幹と呼ばれ、血圧や心拍数、呼吸、体温などを調整する機能が集中する生命維持中枢です。

大脳は、前頭葉、頭頂葉、後頭葉、側頭葉に分けられ、認知や記憶、思考、判断など様々な機能を各部位が担っていると考えられています。

■脳の機能

分類	部位	中枢・機能
大脳	前頭葉	運動中枢、運動性言語中枢（ブローカ中枢）
	頭頂葉	皮膚感覚の中枢
	後頭葉	視覚中枢
	側頭葉	感覚性言語中枢（ウェルニッケ中枢）、聴覚中枢、味覚中枢
小脳		平衡感覚（身体のバランス）の中枢
間脳	視床	嗅覚以外の感覚を大脳に伝える中継点
	視床下部	自律神経系の中枢。脳下垂体が先端についている
脳幹	中脳	間脳と小脳の連絡通路。姿勢保持や眼球運動の中枢がある
	橋	顔や目の動きを担う
	延髄	呼吸運動や血管収縮などに関わる中枢がある

2 心臓の構造と機能

心臓は左右の肺に挟まれ、横隔膜の上に位置しています。大きさは握りこぶし大で、重量は250〜300gです。心臓の内部は右心房、右心室、左心房、左心室の4つの部屋に分かれてい

ます。右心房と右心室の間には**三尖弁**が、左心房と左心室の間には**僧帽弁**があります。また、心臓から出ていく血液が流れる血管を**動脈**、心臓に戻ってくる血液が流れる血管を**静脈**といいます。

■心臓の構造と機能

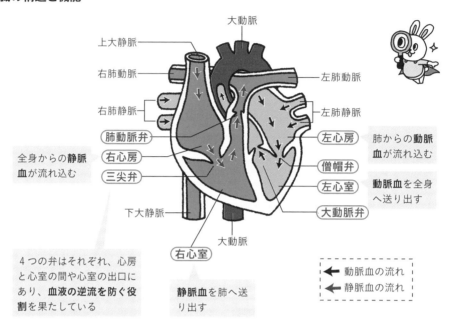

右心室に始まる血液の循環（右心室 ➡ 肺動脈〈血管内は静脈血〉➡ 肺の毛細血管 ➡ 肺静脈〈血管内は動脈血〉➡ 左心房）を肺循環、左心室に始まる全身をめぐる血液の循環（左心室 ➡ 動脈 ➡ 全身の毛細血管 ➡ 静脈 ➡ 右心房）を体循環といいます。

□疾病と障害の成り立ち及び回復過程

1　虚血性心疾患（冠動脈性心疾患）

心筋に酸素と栄養素を運ぶ冠動脈が狭窄（動脈内が細く狭くなる）、あるいは閉塞（血管が閉ざされ、血流が途絶える）することによって起こる疾患です。冠動脈が狭窄した状態が**狭心症**、閉塞した状態が**心筋梗塞**です。

■狭心症と心筋梗塞

狭心症	●発作の持続時間が短い ●胸に締めつけられるような痛み、圧迫感を感じる ●労作時に起こることが多い ●ニトログリセリン製剤で効果あり
心筋梗塞	●発作の持続時間が長い ●胸に激しい痛みがあり、吐き気・冷感を伴うこともある ●労作と無関係に発症する ●ニトログリセリン製剤で効果なし

2　脳血管疾患

　脳の血管が障害を受けることによって生じる疾患の総称を脳血管疾患といいます。障害を受けた側の脳と反対側の身体に片麻痺が出現します。例えば、脳梗塞で左側の脳に障害を受けると、右片麻痺が生じます。

　脳血管疾患は大きく、脳出血と脳梗塞に分類されます。そして、脳出血は脳内出血とくも膜下出血に、脳梗塞は脳血栓と脳塞栓に、さらに梗塞の部位でラクナ梗塞、アテローム血栓性脳梗塞、心原性脳塞栓症に分けられます。

■脳血管疾患の分類

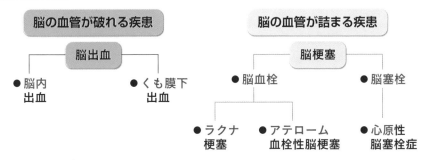

■脳出血

脳内出血	高血圧などが原因で、脳内の血管が破れて脳内に出血する。出血した場所によって症状が異なる
くも膜下出血	脳動脈瘤の破裂で発症し、くも膜下腔に出血。頭蓋内圧が亢進（頭蓋骨内の圧力が高まること）し、頭痛や嘔吐などの症状がみられる

■脳梗塞

脳血栓（血栓〈血液の塊〉が脳でつくられて発症）	ラクナ梗塞	脳の深部の細い動脈で発症
	アテローム血栓性脳梗塞	太い動脈で発症
脳塞栓（血栓が脳以外の血管でつくられて発症）	心原性脳塞栓症	不整脈などが原因で心臓でつくられた血栓が脳に運ばれて発症

3　糖尿病

　糖尿病はインスリンという血糖値が高くなるのを抑えるホルモンの作用が低下し、高血糖の状態が続く疾患です。大きく1型糖尿病と2型糖尿病に分けられます。

■1型糖尿病と2型糖尿病

	1型糖尿病	2型糖尿病
原因	膵臓ランゲルハンス島のβ細胞の破壊により、インスリンがほとんどつくられなくなることによる	遺伝的要因に生活習慣が加わり、インスリンが分泌される量が少なくなったり、インスリンの機能が低下したりすることによる
発症年齢	子どもや若い人に多い	中高年に多い

発症の仕方	急激に発症し、症状の進行も急激	ゆるやかに発症し、症状の進行もゆっくりで、初期には自覚症状がない
体型	やせ型が多い	肥満型が多い
治療方法	インスリン注射	食事療法、運動療法、薬物療法。インスリンの分泌量が少ない場合にはインスリン注射と飲み薬を併用する

糖尿病の進行によって高血糖の状態が続くと合併症が現れるおそれがあります。

■糖尿病の3大合併症

糖尿病性腎症	腎臓の毛細血管が障害を受けることで、腎臓の機能が低下する疾患。慢性腎不全の原因ともなる
糖尿病性網膜症	網膜の血管から出血することで、網膜剥離が起こる疾患
糖尿病性神経障害	末梢神経と自律神経につながる血管がつまり、血流がさえぎられることで障害が現れる疾患 ●末梢神経障害では足の指のしびれや痛みに始まり、やがて感覚の低下に至る ●自律神経障害では起立性低血圧、便秘や下痢などがみられる

4 感染症

感染症とは、ウイルスなどの病原体が体内に侵入、定着し、増殖することにより、様々な症状が出る状態をいいます。また、食中毒は、食物や水を介して感染する感染症の1つです。

■主な感染症と特徴

結核	結核菌により、主に肺に炎症が起こる感染症。免疫力が低下している人に空気（飛沫核）感染する確率が高くなる
インフルエンザ	インフルエンザウイルスを病原とする気道感染症。人に感染するウイルスにはA型、B型、C型の3型があり、流行的な広がりをみせるのはA型とB型で、A型では数年から数十年ごとに世界的な大流行がみられる。潜伏期間は1～3日で、発熱（通常38℃以上の高熱）、頭痛、筋肉痛・関節痛、全身倦怠感などの症状が現れる
エイズ：後天性免疫不全症候群（AIDS）	ヒト免疫不全ウイルス（HIV）が免疫細胞に感染、破壊して後天的に免疫不全を起こす感染症。進行すると日和見感染や悪性腫瘍などを発症する。感染経路は、性的接触、血液、母子感染など
MRSA感染症	健常者には危険性はほとんどないが、医療従事者の手指や医療器具を介して院内感染の原因となり、抗生物質が効かないために治療は困難となる。感染経路は接触感染、飛沫感染など
疥癬	疥癬虫（ヒゼンダニ）が皮膚表面に寄生して起こる感染症。性行為などを介しての感染が多いが、高齢者の介護行為などを介して感染し、施設内や家族内でも流行することがある。性器、指間、腋下などに小丘疹が多発する。集団感染予防には、手洗いや衣類などの煮沸消毒などが行われる

食中毒	腸管出血性大腸菌感染症（O-157など）	食物や水、手指を介して口から感染する。O-157の感染では、ベロ毒素を産生する。潜伏期間は3〜7日で、水様性の下痢と激しい腹痛で発病し、1〜2日後には便成分をほとんど含まない血性下痢が出現する。順調であれば下痢発症後7〜10日程度で回復するが、小児や高齢者では、下痢発症後1週間前後に尿毒症などの重い合併症を起こす危険性が高くなる
	嘔吐下痢症（ノロウイルスによる）	カキ、アサリなどの二枚貝に生息しているウイルスで、それらの食材を生か加熱不足で食べた場合に発症する（潜伏期間は24〜48時間）。秋から冬に多い。経口感染であり、感染者の吐物や糞便の処理にはマスクや手袋を着用するなどの対応が必要で、消毒には次亜塩素酸ナトリウムが使用される
	アニサキス症	アニサキスは海産魚介類に寄生する寄生虫。腹痛、嘔吐などの症状があり、感染予防には冷凍処理や加熱処理が有効である

5　神経疾患

神経疾患とは、脳や脊髄などの神経系に病変を有する疾患です。

■主な神経疾患

パーキンソン病	中脳の黒質におけるドーパミン産生の低下によるといわれている。好発年齢は50〜60歳。❶安静時振戦（手足のふるえ）、❷筋固縮（筋肉が固く萎縮する）、❸無動・寡動（動作が緩慢になる）、❹姿勢反射障害（姿勢の保持ができない）を、パーキンソン病の4大症状という
脊髄小脳変性症	主に小脳とそれに連動する神経経路の変性により、筋力の正確な調整や平衡感覚が障害され、運動失調を呈する疾患。原因不明だが、病型によっては遺伝性のものもある
筋萎縮性側索硬化症（ALS）	運動ニューロンに変性が起こる疾患。麻痺が、まず手や足などの末端部から出現し、徐々に全身の筋肉に広がる。進行すると呼吸筋まで麻痺し、自力で呼吸することができず人工呼吸器を装着する。ほとんどの症例では知的能力は末期まで障害されない。❶感覚障害、❷膀胱・直腸障害、❸眼球運動障害、❹褥瘡が通常はみられない（ALSの陰性4徴候）

パーキンソン病の姿勢反射障害では、前のめりになって、止まれなくなる（突進現象）、歩幅が極端にせまくなる（小刻み歩行）、歩き始めの一歩目が踏み出せなくなる（すくみ足）、などがみられます。

☑ **過去問チェック**

パーキンソン病の原因は、小脳の異常である。　　　　　（第35回問題5）

中脳

5　認知症

「認知症」とは、何らかの脳の疾患や障害により、正常に発達した認知機能が低下し、日常生活に支障をきたす状態をいいます。

認知症の症状は、認知症全ての人に共通して現れる中核症状と、出現頻度に個人差がある行動・心理症状（BPSD）に分けられます。

■認知症の中核症状と行動・心理症状（BPSD）

中核症状	記憶障害、見当識障害、失認・失語・失行、理解・判断力の低下、実行機能障害　など
行動・心理症状（BPSD）	幻覚、妄想、徘徊、せん妄、異食、攻撃的言動、危険行為、不潔行為、性的逸脱行為、介護拒否　など

認知症の原因疾患として、半数以上を占めるのが、アルツハイマー型認知症です。それに次ぐのが血管性認知症で、この2つの疾患が認知症の大部分を占めています。下表に挙げた疾患は不可逆的で、根本的な治療法はありません。

■認知症の主な原因疾患

疾患	原因	症状の特徴
アルツハイマー型認知症	脳の萎縮	●女性に多い ●知能の全般的な低下、人格の変化 ●もの盗られ妄想、実行機能障害、記憶障害など
血管性認知症	脳血管疾患	●男性に多い ●まだら認知症、感情失禁、片麻痺など
レビー小体型認知症	脳の神経細胞にレビー小体ができる	●日内変動を認める。男性に多い ●具体的な幻視、パーキンソン症状など
前頭側頭型認知症	大脳の前頭葉と側頭葉の萎縮	●初期から人格の変化 ●意欲の低下、反社会的行動、滞続言語など

また、認知症のうち、65歳未満で発症したものを若年性認知症といいます。高齢の発症と比べて進行が比較的速いのが特徴です。

心理学と心理的支援

□人の心の基本的な仕組みと機能

1　マズローの欲求階層説

アメリカの心理学者マズローは、人間の欲求を5段階の階層で示しています。下位の欲求が満たされることで、次の段階の欲求に移行していくものとしています。

■マズローの欲求階層説

第1段階	生理的欲求。人間の生命の維持に関わる、本能的な欲求
第2段階	安全の欲求。住居や健康など、安全の維持を求める欲求
第3段階	所属・愛情の欲求。家族や社会などの集団に所属し、愛されたいという欲求
第4段階	承認・自尊の欲求。他者から認められ、尊敬されたいという欲求
第5段階	自己実現の欲求。自分の可能性を最大限に生かし、あるべき姿になりたいという欲求

2　知覚

　知覚とは感覚情報を基にして外界の様子を知る働きのことをいいます。人が利用する知覚情報の約8割が視覚情報だといわれています。

■主な知覚の働き

明順応	暗い場所から急に明るい場所に移動したときに徐々に明るさに慣れること
暗順応	明るい場所から急に暗い場所に移動したときに徐々に暗さに慣れること
知覚の体制化	無秩序に見えるものを意味づけて、まとまりのあるものへとつくり上げること
知覚の恒常性	刺激が物理的に変化をしても、その刺激そのものの性質（大きさ、形、色、明るさ）を保とうとする働き 例 遠くにいる人は小さく見えるが、その人自身が小さくなったとは感じない（大きさの恒常性）
錯視	目の錯覚のことで、刺激の大きさや形、色、明るさなどが刺激の物理的性質と異なって見える状態
知覚的補完	知覚情報が物理的に一部不足しているが、その不足した情報を補って知覚すること

☑ 過去問チェック

明るい場所から暗い場所に移動した際、徐々に見えるようになる現象を、視覚の明順応という。
（第33回問題9）

 暗順応

(49)

3 学習・行動

　学習とは、様々な経験を基に獲得される比較的長期間にわたる行動変化のことをいいます。

①レスポンデント条件づけ

　レスポンデント条件づけとは、**無条件刺激と無条件反応の関係から学習**することで、**古典的条件づけ**ともいいます。パブロフが犬の実験から理論化しました。

☑ 過去問チェック

犬にベルの音を聞かせながら食事を与えていると、ベルの音だけで唾液が分泌するようになった。　　　　　無条件刺激　　　　　　　　　　無条件反応　（第36回問題9）

②オペラント条件づけ

　オペラント条件づけとは、**報酬や罰によって形成される学習**のことで、**道具的条件づけ**ともいいます。レスポンデント条件づけが、受動的に形成されるのに対して、**自発的反応**で形成されます。スキナーのネズミの実験によって理論化されました。

☑ 過去問チェック

宿題をやってくるたびに褒めていたら、宿題を忘れずにやってくるようになった。　　　　　　　　報酬　　自発的反応　（第30回問題9）

4 記憶

　記憶は、下図の3つの過程をたどります。

■記憶のプロセス

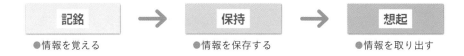

記銘 → 保持 → 想起
●情報を覚える　　　●情報を保存する　　　●情報を取り出す

　記憶はその性質によっていくつかに分類されます。

■記憶の分類

感覚記憶	●外部からの視覚的刺激や、音の特徴をそのままの形で数秒程度保持する記憶のこと ●聴覚的記憶、視覚的記憶など
作動（作業）記憶 （ワーキングメモリー）	短期記憶と似た性質をもっていて、短い時間あることを記憶にとどめておくと同時に、頭の中で認知的な作業も行うこと。加齢による影響が顕著にみられる
短期記憶	数秒から数分の間、保持できる記憶であり、記憶容量は7±2チャンク（まとまり）である

リハーサル		短期記憶にある情報を復唱したり、イメージを思い浮かべたりして長期記憶に送ること
長期記憶 （長期間保持できる記憶）	手続き記憶	自転車の運転技術など、体で覚えた記憶
	エピソード記憶	過去に自分が経験した出来事についての記憶。加齢による影響が顕著にみられる
	自伝的記憶	自分自身にとって関係の深い出来事についての記憶
	意味記憶	ものごとの意味や概念などの知識としての記憶

☑ **過去問チェック**

休みの日に外出したなど、個人の経験に関する記憶はワーキングメモリーである。

（第36回問題10）

エピソード記憶である ← ✕

5 集団

　集団とは、影響を与え、与えられながら関係（相互作用）する2人以上の集合体のことをいいます。集団から受ける影響についての代表的な理論には、次のようなものがあります。

■集団・他者影響の代表例

同調行動	集団の多数派の影響や期待により、個人の行動や判断基準、価値基準などを集団の傾向にあわせてしまう現象
社会的促進	●周囲で見ている人がいると作業が速くなるなど、（第三者がいることによって）個人の作業成績が向上する現象 ●単純な作業や課題で起こりやすい
社会的抑制	複雑な作業を集団で行うと作業量が低下すること
社会的手抜き	集団作業の成果が自分に対する影響が小さいと判断されると、個人の作業量や努力が低下すること
集団極化	●集団による意思決定では、討議後の集団の意思決定が討議前の個人の意思決定に比べて、極端な決定を行う傾向にあること ●リスキー・シフト（より危険性の高い意思決定）とコーシャス・シフト（より安全な意思決定）がある
傍観者効果	緊急な救助を必要としている人がいる場面では、そこに居合わせた人の数が多ければ多いほど救助されにくくなる現象
内集団ひいき （内集団バイアス）	個人が属している集団（内集団）には好意的な態度をとり、個人が属していない集団（外集団）には差別的な態度をとること
社会的ジレンマ	集団の成員の多くが個人の利益を追求することで、集団全体として大きな不利益となる結果が生じること
ホーソン効果	他者の期待に応えたいという思いから、作業効率が上がること

☑ 過去問チェック

「路上でケガをしたために援助を必要とする人の周囲に大勢の人が集まったが、誰も手助けしようとしなかった」のは、傍観者効果の事例である。

(第35回問題10)

「チームで倉庫の片付けに取り組んだが、一人ひとりが少しずつ手抜きをした結果、時間までに作業が完了せず、残業になってしまった」のは、傍観者効果の事例である。

社会的手抜きの事例 ← ✕

(第35回問題10)

□心理学の理論を基礎としたアセスメントと支援の基本

1 心理検査の概要

心理検査とは、人間に起こる心理的現象について測定することをいいます。人格検査、知能検査、発達検査などがあります。

①人格検査

人格検査は、個人の性格や欲求、適性などを把握するための検査です。ここでは、質問項目に○×、あるいは「はい・いいえ」などの回答を自分で記入する質問紙法と、曖昧な刺激に対して、どのように知覚したかで分析する投影法の主なものを示します。

■主な人格検査

	YG性格検査 （矢田部・ギルフォード 性格検査）	●12の人格特性に関係する各10項目の質問（全120問） ●代表的な性格特徴を5つのタイプに分類 ●集団でも実施可能
質問紙法	**日本版MMPI** （ミネソタ多面人格目録）	●アメリカのミネソタ大学で開発されたものが日本で標準化されたもの ●**対象年齢は15歳から成人**であり、質問項目が550と非常に多いのが特徴 ●抑うつ、心気症などの人格的、社会的不適応の種別と程度を尺度により客観的に判定することで、人格特徴を多角的に捉えることができる
	新版TEG-Ⅱ （東大式エゴグラム ver.Ⅱ）	●交流分析理論を基にして、東京大学医学部心療内科TEG研究会が作成した ●質問項目は53あり、結果を5つの自我状態（**批判的な親**〈CP〉、**養育的な親**〈NP〉、**大人**〈A〉、**自由な子ども**〈FC〉、順応した子ども〈AC〉）に分け、そのグラフのパターンから性格を診断する
	日本版CMI （日本版コーネル・メディカル・インデックス）	●心身両面にわたる自覚症状を測定 ●比較的短時間で自覚症状を把握することができ、病院などでも初診時の**スクリーニングテスト**として活用される

投影法	ロールシャッハテスト	左右対称のインクの染みの図版から何が見えたか反応を聞くことで被検者の内面を分析する方法
	TAT （絵画・主題統覚検査）	●様々な見方のできる人物によるいろいろな場面が描かれた絵を見せて、**自由に物語を作らせ**、隠れた欲求やコンプレックスを明らかにして人格特徴を分析する方法 ●幼児・児童用のCAT（幼児・児童用絵画統覚検査）もある ●CATは擬人化された動物が描かれている
	SCT （文章完成法検査）	短い刺激語（例 子どもの頃、私は…）の後に自由に言葉を補い文章を完成させ、性格や価値観などを分析する方法
	バウム・テスト	Ａ４判の白紙に「１本の実のなる木」の絵を描かせることで、性格や欲求を分析する方法
	P-Fスタディ （絵画欲求不満検査）	欲求不満を想起させる場面が描かれた絵を見て思うことを書かせ、その反応を攻撃方向と自我状態について分類し、人格を評価する方法

> このほか、単純作業に取り組んでもらい、作業結果から性格や心理的特性を分析する人格検査を作業法といいます。代表的な検査として内田・クレペリン精神作業検査があります。

②知能検査

　知能検査は、知能の水準を測定するための検査です。代表的な知能検査には、ビネーとシモンによって開発され、精神年齢（**MA**）によって知能水準を測定するビネー式知能検査と、ウェクスラーが開発した、偏差知能指数を算出することで集団のなかでの個人の知能水準、さらに言語性IQや動作性IQなども測定できるウェクスラー式知能検査があります。

③発達検査

　発達検査は、子どもの心身の発達状態や発達具合を測定・診断する検査です。

■代表的な発達検査

新版K式発達検査	「姿勢・運動」「認知・適応」「言語・社会」の３領域を検査
遠城寺式・乳幼児分析的 発達検査	運動（移動運動と手の運動）、社会性（基本習慣と対人関係）、言語（発語と言語理解）の３分野６領域を検査

2　心理療法におけるアセスメントと介入技法の概要

　心理療法は、心に問題を抱えていたり、何らかの不適応状態にある人に対して改善や解決を行うための援助技法の総称です。

①行動療法

　行動療法は、不適応行動を誤って学習された行動と捉え、それを修正するための学習を行う方法で、学習理論に基づいています。

■主な行動療法

系統的脱感作法	個別に作成された不安階層表を基に、リラックスした状態下で不安の誘発度の最も低い刺激から徐々に刺激が増やされ、段階的に不安を克服していく方法
エクスポージャー法（暴露療法）	あえて不安や恐怖を感じる場面を体験して慣れさせることで、克服していく方法
シェーピング法	目標としている行動を細かく段階的に設定（スモールステップ）し、達成したら次の段階へと導いていく方法
トークンエコノミー法	適切な反応や行動に対してトークン（代用貨幣＝報酬）を与えることで、目標としている行動へと導く方法
モデリング療法	お手本（モデル）となる他者の行動を観察、模倣することで、新しい行動を獲得したり、既存の行動パターンを修正する方法

②その他の心理療法

その他の主な心理療法の概要を次に挙げます。

■主な心理療法

精神分析	提唱者フロイト。抑圧された感情を意識化させていく作業を通して症状の改善を目指す。心の構造をエス（イド：本能衝動）、自我（エゴ：エスと超自我の間を調整）、超自我（スーパーエゴ：倫理的・良心的な心の働き）の３つに区分
心理劇	提唱者モレノ。集団における役割演技という即興劇を通し、個人の創造的自発性の発展を目的として行われる集団心理療法。サイコドラマとも呼ばれる
遊戯療法	遊戯室でセラピストが子どもとの様々な遊びを通して行う心理療法。プレイセラピーとも呼ばれる
森田療法	森田正馬が創始した神経症の精神療法。「あるがまま」の言葉には「症状受容」と「生の欲望の発揮」の側面があるといわれている
箱庭療法	保護された空間の中で自由にイメージをふくらませて、それを箱庭に表現し、テーマを分析するものであり、遊び自体を自分のありのままの表現と捉える
動作療法（臨床動作法）	体を動かすある動作課題を実行しようと意識する気持ちとその努力に向き合うことで心に働きかける方法。神経症やうつ病、統合失調症に有効とされ、さらにリラクセーションを促進させるなどの目的で高齢者にも効果が期待されている
自律訓練法	提唱者シュルツ。公式言語（ことば）と受動的集中力（イメージ）から自律神経系の不調を段階的に回復させ、体と心の安定を図る自己催眠法。リラクセーション技法としても活用されている
認知療法	提唱者ベック。不適応状態の基となる認知の歪みを修正することで改善を図る
認知行動療法	認知療法と行動療法の技法を組み合わせた心理療法。自己認知を変えるために認知再構成法（認知的再体制化）を用いて、自己評価の低さや自己非難に伴う否定的な感情に注目し、その認知の歪みや信念を修正する
ブリーフセラピー	短期間（ブリーフ）で、効率的、効果的な治療を行うことで課題の解決を図る。ブリーフ・サイコセラピーとも呼ばれる。問題が起きなかった例外的な状況に関心を向けさせ、過去よりも未来に向けて、自身の問題解決能力を向上させる

社会学と社会システム

□ 社会構造と変動

1 社会システム

社会システムとは、種々雑多な領域（経済、政治、文化、人と人のつながりなど）からなる社会を１つのシステム（体系）として捉える概念です。

◆社会移動

人々の社会的地位の変化（社会階層間の移動）を社会移動といいます。

■社会移動の種類

世代間移動	親子という世代が異なる関係で発生する地位の違い　例 親子で職業が違う
世代内移動	一個人の一生における地位の違い　例 個人の最初の職業と現在の職業が違う
純粋移動	自発的な意思で移動したと推定される移動
強制移動 （構造移動）	職業構造の変化や経済的変動など社会状況の影響により生じる移動 例 農業に従事していたが減反政策のため、サラリーマンに転業した
事実移動	純粋移動と強制移動を合わせたもの
庇護移動	既成エリートがエリートの基準を設定し、その基準に合う次世代の者を早期に選抜し、上昇移動を保障することで生まれる移動
競争移動	個人の競争による上昇移動
垂直移動	階層間の上下の移動を伴う社会移動　例 無職から社長になる
水平移動	階層間の移動を伴わない（同一階層内での）社会移動 例 転職したが、平社員の地位は変わらない

☑ 過去問チェック

世代間移動とは、一個人の一生の間での社会的地位の移動のことをいう。

（第34回問題15）

　→　世代内移動

2 組織と集団

◆集団の類型

集団には、自然発生的な集団と、目的に基づいてつくられる集団があります。

■集団の類型

ゲマインシャフト	本質意志に基づく、親密で自然発生的な集団	テンニースが提唱
ゲゼルシャフト	選択意志に基づく、目的をもつ人からなる集団	
第一次集団	対面性・個別性を基盤とした親密な集団	クーリーらが提唱
第二次集団	ある目的のために人工的につくられ、非対面、非人格的な集団	

コミュニティ	地域性に基づいて人々の共同生活が営まれる自然発生的な共同体	マッキーヴァーが提唱
アソシエーション	共通の利害に基づく人工的な集団	
内集団	個人が所属している集団	サムナーが提唱
外集団	個人が所属していない集団で、競争心、対立心、敵意などを抱く集団	
基礎集団	自然発生的で基礎的な地縁・血縁でつながる集団	高田保馬が提唱
派生集団	共通の目的や利害でつながる集団	
準拠集団	人が何かの価値を評価したり行動を決定したりする場合に、その判断基準とする集団	マートンが提唱

テンニースは、社会が近代化するとともに、社会組織はゲマインシャフトからゲゼルシャフトへと移行すると主張しました。

3 社会変動

近代化や産業化、情報化などによってもたらされる社会構造の変化を社会変動と呼びます。

◆消費社会

生理的な欲求を満たすことを目的とする消費ばかりではなく、文化的または社会的な欲求を満たすための消費が広く行われるような社会を消費社会といいます。

■消費社会の学説

ヴェブレン	誇示的消費…自分が金持ちであることを周囲に見せびらかすための消費行動
ガルブレイス	依存効果…自らの欲求ではなく、外からの働きかけにより欲望が喚起される現象
ロストウ	経済発展段階説…その国の生産力に注目し、経済の発展の過程を、伝統的社会、先行条件期、離陸期、成熟への前進期、高度大衆消費社会の5段階で捉えた
ボードリヤール	物が豊かになると、役に立つから購入するという消費から、デザインやイメージに魅力を感じるから購入するという、記号の消費に移ると論じた
リースマン	著書『孤独な群衆』において、社会の発展に伴い、社会的性格は伝統や慣習に従って行動する「伝統指向型」から、自己の良心に従って行動する「内部指向型」、さらに、身近な他者を意識して行動する「他者指向型」に推移すると論じた

4 地域

◆都市化

都市化とは、特定の社会のなかで都市的な集落に住む人口の割合が増加することにより、都市自体の規模が大きくなることを指します。また、都市集落に特有の生活様式や社会関係、意識形態が社会全体に浸透していくことも都市化といいます。

■都市化関連用語

インナーシティ	大都市の**都心周辺**に位置し、住宅・商店・工場などが混在する地域。治安の悪化により、その都市全体の市民との交流から隔絶された低所得世帯が密集する
ドーナツ化現象	都心部の中心市街地の人口が減少し、その周辺の郊外の人口が増加する人口移動現象
ジェントリフィケーション	都市部の比較的低所得の層が多く住む停滞した地域（インナーシティなど都心周辺の住宅地区）に、比較的豊かな人々が流入する人口移動現象のこと。再活性化現象とも呼ばれる
スプロール現象	都心部から郊外へ無秩序・無計画に開発が拡散していく現象のこと。**工住混合地域**となる
グローバルシティ	政治や経済の面で重要性が高い世界的な大都市を指す。グローバル都市では、**低賃金移民労働者**が増える傾向にあり、階層の分極化が進む
コンパクトシティ	郊外への無秩序な拡大を抑制し、中心市街地の活性化を図り、**生活に必要な機能を集約させる都市**のこと
情報都市	**情報を中心にした文化的な都市**を意味する。情報都市では、社会関係が発達する一方、都市間のヒエラルキー（階層構造）がより鮮明になる
クリエイティブシティ	文化や芸術、映像などの産業をまちづくりの中核に据える都市のこと
テクノポリス	先端技術産業を軸として、地方経済の発展を目指す都市のこと

□生活と人生

1 家族の概念

　家族とは、**夫婦関係**や**血縁関係**を中心に、親子、兄弟姉妹、近親者によって構成される集団のことをいい、同居の有無は問いません。

■家族の概念

定位家族	自分が生まれ育った家族。子どもとして生まれ育つ家族
生殖家族	自分が結婚してつくり上げる家族。親の立場からみた家族
核家族	国勢調査では、❶夫婦のみの世帯、❷夫婦と未婚の子どもからなる世帯、❸ひとり親と未婚の子どもからなる世帯
拡大家族	親と、結婚した子どもの家族が同居するなどの核家族が複数含まれる家族形態。マードックが定義
修正拡大家族	親世代と子ども世代が同居していなくても、近居して訪問しあうなど、経済的・心理的に同居に近い関係を結んでいる家族。リトウォクが定義

2 世代

　生活の捉え方には、ライフサイクル、ライフステージ、ライフコース、ライフイベント、コーホート、家族周期などがあります。

■生活を捉えるための考え方

ライフサイクル	人間の誕生から死に至るまでの各段階の推移、また、各段階で固有の発達課題を達成していく過程。生活周期や人生周期とも呼ばれる
ライフステージ	人間の一生における乳幼児期・児童期・青年期・成人期・高齢期などのそれぞれの段階
ライフコース	個人が一生の間に経験した出来事の道筋
ライフイベント	進学、就職、結婚、転職、引っ越しなど、個人や家族の人生上の節目となる出来事
コーホート	人生の節目となるできごとを同時期に体験した人々の集合を示す概念。調査や分析、研究対象の概念としても用いられる
家族周期	夫婦の結婚から夫婦の一方、ないしは双方の死亡までの一連の推移

□自己と他者

1 社会化

社会的行為とは**社会のなかで人が行う行為**を指し、人が他者と関係しながら生きているのであれば、それは社会的行為をしながら生きているといえます。

◆ヴェーバーとハーバーマスの社会的行為論

ヴェーバーは、社会的行為を**行為者の主観的な意味**に基づき４つに分類し、目的合理的行為や価値合理的行為に着目して近代の合理性を論じました。対して、ハーバーマスは社会的行為を５つに分類しました。

■ヴェーバーの社会的行為の４類型

目的合理的行為	●目標を達成するのに合理的な行為 ●手段と目的との間の因果関係が論理的に明確になっている行為
価値合理的行為	●ある価値を満たすための行為 ●倫理的、美的、宗教的等の一定の価値を重視し、行為の結果ではなく、行為自体に価値を置いて行われる行為
伝統的行為	身についた習慣に基づいて行われる行為
感情的行為	直接の感情や気分によって行われる行為

■ハーバーマスの社会的行為論

目的論的行為	一定の目的を実現するための手段としての行為
戦略的行為	他者の選択を計算に入れたり、他者の選択や意思決定に影響を及ぼしたりすることで、自己の目的達成を目指す行為
規範に規制される行為	一定の集団内で、集団内で認められた規範に従って行う行為
演劇論的行為	観客（公衆）に対して**自己を表現する**行為
コミュニケーション的行為	言語を介して、自己と他者との間で相互了解や合意を目指して行われる行為

☑ **過去問チェック**

> ヴェーバーは、社会的行為を四つに分類し、特定の目的を実現するための手段になっている行為を「目的合理的行為」と呼んだ。
>
> (第34回問題19)

2　社会的役割

その人が占める社会的地位に対して期待される行動様式を社会的役割といいます。

■社会的役割の概念

役割葛藤	異なる行動様式を同時に要求される場合に生じるジレンマ
役割期待	他者からそれぞれの場面に適した形の行為を期待されること
役割取得	他者や集団から見た自らへの期待を認識し、それを**取り入れる**ことで自分の役割行為を形成すること
役割形成	既存の役割期待の枠を超えて、個人が状況に応じて**新たな役割**を取り入れていくこと
役割距離	他者の期待どおりにするのではなく、意図的に少しずらした形で行動する（役割から距離をおく）こと。これにより、他者の求める期待から自己の自律性を確保する
役割交換	互いに役割を交換し、相互に相手の役割を演じ合うことによって、相手の立場や考え方を理解する
役割分化	社会のなかでの個人の役割が多様化していくこと

☑ **過去問チェック**

> 個人が他者からの期待と少しずらした形で行為をすることで、自己の主体性を表現することを、役割期待という。
>
> (第35回問題19)

社会福祉の原理と政策

□社会福祉の歴史

1　明治期の慈善事業家

日本は明治維新により近代国家への道を歩み始め、公的な救貧制度として1874（明治7）年に生活保護の源流となる恤 救 規則（じゅっきゅうきそく）が制定されました。そして、明治期には、多くの社会事業の先覚者が輩出しました。

■明治期の主な慈善事業家の業績

高瀬真卿 しんけい	1885（明治18）年、非行少年が生活する施設である私立予備感化院（翌年に東京感化院と改称）を開設
石井十次	1887（明治20）年、岡山孤児院を開設。無制限・無差別収容主義を唱え、少人数で生活する小舎制や里親制度を導入
赤沢鐘美 あつとみ	1890（明治23）年、日本初の託児所となる新潟静修学校を開設
石井亮一	1891（明治24）年、聖三一孤女学院を開設。滝乃川学園と改称し、日本初の知的障害児・者施設とした
山室軍平	1895（明治28）年、**救世軍**に入隊。廃娼運動や人身売買反対運動等を展開
片山潜	1897（明治30）年、東京神田にセツルメント（隣保事業）である**キングスレー館**を開設
留岡幸助	1899（明治32）年、児童自立支援施設の原型となる家庭学校を東京巣鴨に開設。1914（大正3）年、北海道に分校である**北海道家庭学校**を開設
横山源之助	1899（明治32）年、明治期の貧民の生活状態を『日本之下層社会』に著す
野口幽香	1900（明治33）年、貧困家庭の子どもたちを対象に二葉幼稚園を開設
渋沢栄一	1908（明治41）年、社会福祉協議会の源流となる中央慈善協会を開設
脇田良吉	1909（明治42）年、石井亮一の影響を受け、京都に知的障害児施設である白川学園を開設
井上友一	1909（明治42）年、救貧より防貧、教化の重要性を説いた『救済制度要義』を著す

☑ **過去問チェック**

石井亮一は 二葉幼稚園を設立した。 （第35回問題25）

✖ ➝ 滝乃川学園

2　大正期の慈善事業家

　大正期に入ると、第一次世界大戦後の物価高により国民生活は苦しくなり、大量の失業者や貧困者が生み出されました。その結果、1918（大正7）年に富山県で発生した米騒動が全国的な広がりをみせ、貧困問題への関心が高まりました。

■大正期の主な慈善事業家の業績

河上肇	1916（大正5）年、『貧乏物語』を著し、貧乏は個人の問題ではなく社会構造の欠陥に基づくと説いた
大原孫三郎	1917（大正6）年、石井十次への援助、意志を引き継ぎ大阪に石井記念愛染園を開設
笠井信一	1917（大正6）年、防貧を目的とした篤志家による貧民への相談・支援である済世顧問制度を創設

林市蔵／小河滋次郎	1918（大正7）年、貧民の保護・救済を目的として、小学校区を単位として方面委員を設置する方面委員制度を創設
長谷川良信	1919（大正8）年、「マハヤナ学園」を開設。東京で隣保事業（セツルメント）を展開
矢吹慶輝	1922（大正11）年、就労教育機関である三輪学院を東京に開設
田子一民	1922（大正11）年、『社会事業』を著す。社会事業行政の指導者であり、全国社会福祉協議会の会長にもなった
生江孝之	1923（大正12）年、『社会事業綱要』を著す。社会連帯主義を唱え、「社会事業の父」と呼ばれた

□社会福祉の思想・哲学・理論

1 正義の原理

「正義の原理」とは、アメリカの哲学者ロールズが提唱した、**功利主義の考え方を否定し**、自由や富など、各人がそれぞれに望む生活を実現するために必要な基本財を分配する**社会契約説**に基づいた社会福祉の理論です。

■正義の原理

第一原理	全ての人が**基本的な**自由を**平等に**もつべきである
第二原理	社会的及び経済的不平等は、次の2つの条件を満たさなければならない ●第一に、**公正な機会均等**が保障される ●第二に、**最も恵まれない人の便益を最大**にする（格差原理）

ロールズは、第一原理＞公正な機会均等の原理＞格差原理という優先順位があるとしています。

2 福祉レジーム

福祉レジームとは、「福祉が生産され、それが国家、市場、家族の間に配分される総合的な在り方」を意味し、制度やシステムの違いによって福祉国家の類型が決定されるとする考えです。デンマーク出身でスペイン在住の社会学者エスピン-アンデルセンは、**脱商品化**などの指標を用いて、次に挙げる3つの福祉レジームを示しました。

■3つの福祉レジーム

自由主義レジーム	●家族の役割や市場原理を重視。貧富の格差がある ●資力調査（ミーンズ・テスト）など**スティグマ**（恥辱の烙印）が伴う ●脱商品化度は最も低い ●政府による福祉サービスが残余的に他の部門を補充するため、残余的福祉モデルとも呼ばれる

社会民主主義レジーム	●高水準の福祉は高い税金によって賄われる ●脱商品化度は最も高い ●高福祉・高負担に基づいてサービスが提供され、他の部門と独立した制度として存在することから、制度的再分配モデルとも呼ばれる
保守主義レジーム	●社会保険の保険料拠出と伝統的な家族を基本とした相互扶助の役割を重視 ●脱商品化度は中程度 ●労働市場における地位・業績と福祉サービスが関係するため、産業的業績達成モデルとも呼ばれる

脱商品化とは、労働の有無にかかわらず一定水準の生活ができる度合いのことです。

□社会問題と社会構造、福祉政策の基本的な視点

1 イギリスにおける貧困調査活動

貧困の実態の調査から貧困の原因を明らかにしたものとして、イギリスにおける次の2つの調査があります。

■イギリスの2つの貧困調査

ロンドン調査	1886～1902年にブースがロンドンで行った貧困に関する実態調査。その調査結果を『ロンドン民衆の生活と労働』(1903年) に著し、市民の約3割が貧困であると報告。そして、「貧困線」という概念から週給21シリング以下の世帯を「貧困層」「極貧層」「最下層」と分類した
ヨーク調査	ラウントリーがヨーク市で行った貧困調査 (第1回は1899年)。その結果を『貧困―都市生活の研究』(1901年) に著し、貧困を第一次貧困 (絶対的貧困と呼ばれる肉体的生存を維持するのも困難な状態) と第二次貧困 (肉体的生存は何とか可能だが余裕がない状態) に区別し、ヨーク市の人口の約3割がどちらかの貧困であることを発表した

2 相対的貧困など貧困に関する理論

その他、貧困に関する理論として、次のものがあります。

■貧困に関する理論

タウンゼント	相対的剥奪 (必要な資源が不足しているために社会規範のなかで通常当然とみなされる生活様式を共有できない状態) の概念を精緻化し相対的貧困を論じた
リスター	ラウントリーの絶対的貧困とタウンゼントの相対的貧困の二分法による論争を終わらせようとした。物的困難が中心にあると同時に非物的 (社会・文化) 困難がその外側についてまわることを論じた
スピッカー	貧困の多様な意味を、物質的状態、経済的境遇、社会的地位の3つの群に整理した
ルイス	貧困者には貧困に至る共通の要因、貧困の文化があると論じた

社会保障

□社会保障と財政

1　社会保障の財源

　社会保障の財源は、保険料と税金により賄われています。2021（令和3）年度の財源の総額（実績）は約163兆円で、その内訳は、被保険者と企業等が支払う**社会保険料**（46.2％）、国及び地方公共団体が税で支払う**公費負担**（40.4％）、他の収入（13.3％）となっています。

■社会保障財源の項目別割合（2021〈令和3〉年度）　　　　　　　　　　（単位：％）

社会保険料		公費負担		他の収入	
46.2		40.4		13.3	
被保険者拠出	事業主拠出	国庫負担	他の公費負担	資産収入	その他
24.3	21.9	29.3	11.2	8.8	4.5

出典：国立社会保障・人口問題研究所「令和3年度　社会保障費用統計」より作成

2　社会保障給付費

　社会保障給付費の総額は、社会保障制度の整備や人口高齢化の進行等を反映して一貫して増加し、2021（令和3）年度は138.7兆円となりました。そのうち「年金」（40.2％）及び「医療」（34.2％）で約4分の3％を占めています。

☑ **過去問チェック**

> 部門別（「医療」、「年金」、「福祉その他」）の社会保障給付費の構成割合をみると、「年金」が70％を超過している。
>
> （第34回問題50）
>
> ✖ ➡ 40.2％

□社会保障制度の体系

1　年金保険制度の体系と適用

　年金保険制度は、老齢・障害・死亡などを原因とした所得の減少や喪失に対して、国が所得を保障するための給付を行う制度です。制度は、次ページの図のように、全国民が対象の国民年金（基礎年金）を1階部分、民間の会社員や公務員等が加入する厚生年金保険を2階部分、さらに年金の上乗せの給付を希望する者は、任意で加入するiDeCo（個人型確定拠出年金）等の私的年金などを3階部分とする3階建ての構造になっています。

> 2020（令和2）年4月1日より、国民年金第3号被保険者の認定要件に、国内居住要件が追加されています。

■年金制度の体系

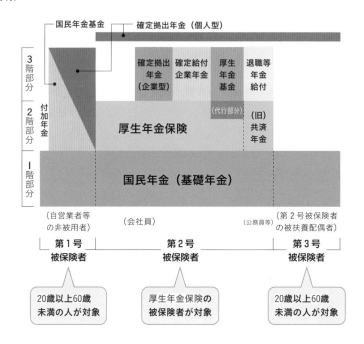

 過去問チェック

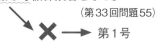

自営業者の配偶者であって無業の者は、国民年金の第3号被保険者となる。

(第33回問題55)

✕ ➡ 第1号

2　給付の種類

　国民年金は**全国民に共通の基礎年金**が支払われ、厚生年金保険は**基礎年金に上乗せして年金**が支払われる制度です。この制度により、同じ事由で支払われる老齢基礎年金と老齢厚生年金、障害基礎年金と障害厚生年金、遺族基礎年金と遺族厚生年金は、1つの年金とみなされ、併せて受けることができます。公的年金では、国民年金、厚生年金保険から、2つ以上の年金を受けられるようになったときは、いずれか1つの年金を選択します。よって、例えば**老齢基礎年金**と**障害厚生**年金を併給することはできません。また、年金には併給できるものとできないものがあります。

■年金の併給の可否

国民年金＼厚生年金	老齢厚生年金	障害厚生年金	遺族厚生年金
老齢基礎年金	○	✕	○
障害基礎年金	○	○	○
遺族基礎年金	✕	✕	○

　このほか、国民年金の第1号被保険者の独自給付として、**付加年金**、**寡婦年金**、**死亡一時**

金、脱退一時金があります。

①国民年金

老齢基礎年金の支給要件、開始年齢は次のとおりです。

■老齢基礎年金の概要

支給要件	原則、保険料納付済期間＋保険料免除期間＋合算対象期間（カラ期間）＝受給資格期間が10年以上
支給開始年齢	●原則65歳 ●被保険者本人の希望で60〜64歳での繰上げ（減額）支給、66〜75歳での繰下げ（増額）支給を選択可

 合算対象期間とは、海外在住期間、国民年金任意加入の対象者で加入しなかった期間などのことです。また、受給資格期間は、以前は25年以上でしたが、2017（平成29）年8月より10年以上に短縮されました。

障害基礎年金の支給要件、対象者は次のとおりです。

■障害基礎年金の概要

支給要件	●初診日（障害の原因となった病気やケガについて初めて医師の診療を受けた日）に、国民年金の被保険者であること、または被保険者であった者で、日本国内在住の60歳以上65歳未満の者であること ●保険料納付済期間が加入期間の3分の2以上ある者 ●一定の障害の状態にあること
支給対象者	初診日から1年6か月経過した時（その間に治癒〈固定〉した場合はその時）、または20歳に達した時、または65歳に達する日の前日までの間に、障害基礎年金の障害等級1級または2級の状態にある者 ※以前に国民年金の任意加入の対象者で、任意加入しなかったため障害基礎年金が受給できない無年金障害者 → 特別な福祉的措置として特別障害給付金を受給可

遺族基礎年金の支給要件、対象者は次のとおりです。

■遺族基礎年金の概要

支給要件	被保険者または受給資格期間（25年以上）を満たした60歳以上65歳未満の者が死亡した時。ただし、死亡した者について、原則、保険料納付済期間（保険料免除期間を含む）が加入期間の3分の2以上あること
支給対象者	死亡した者によって生計を維持されていた子のある配偶者、子 ※遺族基礎年金は、「子のある妻」または「子」に支給される規定だったが、2014（平成26）年4月より父子家庭も遺族基礎年金を受給可

②厚生年金

厚生年金の対象、適用事業所、保険料や国庫負担は次のとおりです。

■厚生年金の概要

対象	●適用事業所に常時使用される70歳未満の者 ●社員だけでなく、1週の所定労働時間及び1か月の所定労働日数が常時雇用者の4分の3以上の者等も、厚生年金の被保険者※
適用事業所	強制適用事業所と任意適用事業所
保険料負担	●毎月の給料（標準報酬月額）だけでなく、賞与（標準賞与額）も保険料の賦課対象（総報酬制） ●保険料は、被保険者と事業主が折半負担（産前・産後休業及び育児休業中の保険料については免除）
国庫負担	国民年金（基礎年金）への拠出金総額の2分の1

※2016（平成28）年10月から、それまでの週30時間以上働く人に加え、従業員501人以上の会社で週20時間以上働く人なども社会保険の加入が可能に。さらに、2017（平成29）年4月からは、従業員500人以下、2022（令和4）年10月からは、従業員100人以上の会社で働く人も、労使で合意すれば社会保険に加入できるようになった。また、2024（令和6）年10月からは、従業員50人以上の事業所で働く短時間労働者も加入対象となる。

強制適用事業所とは、株式会社などの法人の事業所のことです。従業員が常時5人以上いる個人の事業所についても、農林水産業、サービス業などの場合を除いて強制適用事業所となります。任意適用事業所とは、従業員の半数以上が適用事業所となることに同意し、事業主が申請して厚生労働大臣の認可を受けた事業所のことです。

　老齢厚生年金には、60〜65歳に達するまでの間に支給される「**特別支給の老齢厚生年金**」と、65歳に達した以降支給される「**老齢厚生年金**」の2種類があります。それぞれの支給要件等は、次のとおりです。

■特別支給の老齢厚生年金、老齢厚生年金の概要

	特別支給の老齢厚生年金	老齢厚生年金
支給要件	老齢基礎年金の受給資格期間を満たし、厚生年金保険の被保険者期間が1年以上ある者	老齢基礎年金の受給資格期間を満たし、厚生年金保険の被保険者期間が1月以上ある者
支給開始年齢	生年月日により異なる	●原則65歳 ●被保険者本人の希望で60〜64歳での繰上げ（減額）支給、66〜75歳での繰下げ（増額）支給を選択可

2020（令和2）年の法改正により、2022（令和4）年4月から、老齢厚生年金の支給開始年齢の選択肢は、老齢基礎年金同様に、60〜75歳の間に拡大されました。また、在職中の65歳以上の老齢厚生年金受給者の年金額を毎年改定することになりました。

障害厚生年金の支給要件、支給内容は次のとおりです。

■障害厚生年金の概要

支給要件	●保険料納付済期間が加入期間の3分の2以上ある者 ●初診日に、厚生年金の被保険者であること ●障害認定日に、障害基礎年金障害等級が1・2・3級の状態にあること
支給内容	●障害基礎年金に上乗せ支給 ●障害等級3級の場合にも障害厚生年金が支給される（障害基礎年金では3級は対象外） ●3級より軽度の場合は、一時金で障害手当金が支給されるため、障害基礎年金より支給対象者の範囲は広い

遺族厚生年金の支給要件と対象者、支給内容は次のとおりです。

■遺族厚生年金の概要

支給要件	次のいずれかに該当する場合、遺族に支給される ●厚生年金の被保険者が死亡したとき、または被保険者期間中の傷病がもとで初診の日から5年以内に死亡した場合 ●遺族基礎年金と同様、死亡した者について、保険料納付済期間（保険料免除期間を含む）が国民年金加入期間の3分の2以上ある ●老齢厚生年金の受給資格期間を満たした者が死亡した場合 ●1・2級の障害厚生（共済）年金を受けられる者が死亡した場合
支給対象者	受ける遺族の順位は、死亡した者によって生計を維持されていた❶配偶者または子、❷父母、❸孫、❹祖父母 ●子のある配偶者、子は遺族基礎年金も併給可 ●子・孫とは、障害・遺族基礎年金の項目の子と同じ ●夫と父母、祖父母は55歳以上の人に限られ、60歳に達するまで支給停止
支給内容	●死亡者の老齢厚生年金（報酬比例部分）の年金額の4分の3 ●一定の妻には、中高齢寡婦加算または経過的寡婦加算がつく

☐医療保険制度の具体的内容 ─────────

　日本の公的医療保険制度は、国民健康保険、健康保険、**各種共済**、**後期高齢者医療制度**など、複数の制度から成り立っています。ここでは、保険給付の種類と内容、給付条件などを、**国民健康保険**と**健康保険**についてみていきます。

■給付の種類と内容

療養の給付／ ㉺家族療養費	●診察、薬剤の支給、処置・手術・その他の治療、在宅療養・看護、入院・看護など（人間ドックなどの健康診査や眼鏡代は対象外） ●医療費に下記給付割合を乗じた額を支給 　→ 義務教育就学後から70歳未満は7割、義務教育就学前は8割、70〜75歳未満は8割（現役並み所得者は7割）
入院時食事 療養費	65歳未満は1食につき490円を超えた額（住民税非課税世帯で、長期入院の場合は91日目以降の入院は180円を超えた額）を支給

入院時生活療養費	●療養病床に入院する65歳以上の者の生活療養に要した費用 ●被扶養者の入院時生活療養にかかる給付は、家族療養費として給付 ※難病患者や老齢福祉年金受給者を除いて1日370円の光熱水費は負担
保険外併用療養費	一般の保険診療に準じて3割（義務教育就学前までは2割）を自己負担して、残額を給付 ●評価療養：（保険適用外の療養を受けると、保険が適用される療養にかかる費用も含めて、医療費の全額が自己負担となる）一定の条件を満たしたもの ●患者申出療養：高度の医療技術を用いた療養であって、当該療養を受けようとする者の申出に基づき、療養の給付の対象とすべきものであるか否かについて、適正な医療の効率的な提供を図る観点から評価を行うことが必要な療養として厚生労働大臣が定めるもの ●選定療養：保険との併用が認められ、保険の枠を超えた部分についてを自己負担とし、保険が適用される療養にかかる費用は保険診療に準じた保険給付となる
訪問看護療養費／健家族訪問看護療養費	●かかりつけ医の指示に基づいて指定訪問看護事業者より看護師等が訪問看護を行う ●対象は、難病や末期のがん、初老期の脳卒中等で自宅療養中の患者 ●義務教育就学後から70歳未満は7割、義務教育就学前は8割、70～75歳未満は8割（現役並み所得者は7割）
療養費	海外での医療費など、患者が一時立替払いした場合、一定基準額を払戻し
高額療養費	p.（90）参照
高額医療・高額介護合算療養費	医療保険と介護保険の自己負担を合算し、新たに設定される自己負担限度額（標準報酬月額により異なる）を超えた場合は、超えた額の支給
移送費／健家族移送費	医師が病気やケガで転院等が必要と認め、❶保険診療として適切、❷療養の原因である病気・ケガで移動が困難、❸緊急その他やむを得ないこと、の全ての条件に該当した場合に、その要した費用の範囲内で支給
傷病手当金	被保険者が療養のため3日以上連続して仕事を休み、給料を受けられないとき、4日目から休業1日につき直近12か月間の標準報酬月額を平均した額を30で割った額の3分の2相当額を、支給開始日から通算して1年6か月を限度として支給（労災保険が適用される場合は、全額が支給されない）
出産育児一時金／健家族出産育児一時金	被保険者または被扶養者が出産したとき、1児につき原則50万円（2023〈令和5〉年4月以降）を支給
健出産手当金	被保険者が出産のため仕事を休み、給料を受けられないとき、出産の日以前42日間、出産の日後56日間を限度として、休業1日につき直近12か月間の標準報酬月額を平均した額を30で割った額の3分の2相当額を支給（出産育児一時金も支給）
埋葬料（費）・葬祭費／健家族埋葬料	●被保険者が死亡したとき、埋葬を行った家族に5万円を支給（埋葬料） ●被扶養者が死亡したとき、被保険者に5万円を支給 ●死亡した被保険者に家族がいないとき、埋葬を行った者に、埋葬料の額（5万円）の範囲内で埋葬費を支給

注：給付の種類に健が付いているものは、健康保険の被扶養者のみに対する給付であることを示す。

□社会保障制度の体系

　日本の社会保障制度は、年金保険制度、医療保険制度、介護保険制度、労災保険制度、雇用保険制度、社会福祉制度、生活保護制度、家族手当制度などに体系づけられます。ここでは、**労災保険制度**と**雇用保険制度**についてみていきます。

1　労災保険制度

①労災保険制度の概要

　労働者災害補償保険（労災保険）は、労働者が業務上の事由または通勤によって負傷したり、障害が残ったり、病気にかかったり、死亡した場合に被災労働者や遺族を保護するため必要な保険給付を行うものです。また、労働者の社会復帰等を図るための事業も行います。

　保険者は国で、具体的な事務処理は厚生労働省の出先機関である**各都道府県労働局**が担当します。

■労災保険制度の概要

適用対象事業所	●労働者を使用する事業（労働者を1人しか使用しない事業も含む） ●国の直営事業、非現業の官公署には適用しない ●個人経営の農業、水産業で常時使用労働者数5人未満、林業で常時労働者を使用しない等の場合は、暫定的に任意適用
適用対象者	●正社員だけではなくパートやアルバイト等、雇用形態や期間にかかわらず、使用されて賃金を支給される全ての労働者が対象（公務員は、類似の制度があるため適用されない） ●個人事業主は申請により特別加入可
財源	ほとんどが保険料収入
保険料	●全額事業主負担 ●保険料は事業の種類によって異なる。事業の種類が同じでも、事業主の災害防止努力の違いによって災害率は異なるので、災害発生率が低いと保険料率が下がるメリット制が導入されている
支給対象	加入は事業所ごとに行う →適用事業所に使用されている労働者は誰でも、業務上災害または通勤災害により負傷等をした場合は、保険給付の受取りが可能

☑ 過去問チェック

> 労働者災害補償保険制度の療養補償給付を受ける場合、自己負担は原則1割である。
>
> 自己負担はない ← ✕ （第36回問題53）

②給付の種類

　労災保険の保険給付の種類や支給事由についての詳細は、次のとおりです。なお、保険給付については、被災労働者**本人**の請求に基づいて行われます。

■労災保険の保険給付の種類と支給事由

保険給付の種類		支給事由
休業(補償)給付		傷病に係る療養のため労働することができず、賃金を受けられない日が4日以上に及ぶ場合
障害(補償)給付	障害(補償)年金	傷病が治癒したときに、障害等級第1〜7級に該当する障害が残った場合※
	障害(補償)一時金	傷病が治癒したときに、障害等級第8〜14級に該当する障害が残った場合
遺族(補償)給付	遺族(補償)年金	労働者が死亡し、年金を受け取る遺族がいる場合
	遺族(補償)一時金	遺族(補償)年金を受け取る遺族がいない場合(その他の遺族に支給)
葬祭料(葬祭給付)		葬祭を行う場合
傷病(補償)年金		傷病が、療養開始後1年6か月を経過した日、または同日後において治癒しておらず、傷病による障害の程度が傷病等級に該当する場合
介護(補償)給付		障害(補償)年金または傷病(補償)年金の受給者で、介護を要する場合
二次健康診断等給付		労働安全衛生法に基づく健康診断等のうち直近のもの(一次健康診断)において、脳・心臓疾患に関連する一定の項目に異常の所見があった場合

※障害厚生年金が支給される場合、障害厚生年金は全額支給、障害(補償)年金は減額支給。

2 雇用保険制度
①雇用保険制度の概要

　雇用保険は、労働者が失業した場合及び労働者について雇用の継続が困難となる事由が生じた場合に、労働者の生活及び雇用の安定を図るとともに、再就職を促進するため必要な給付を行うものです。

　保険者は国で、公共職業安定所(ハローワーク)が各種の事務手続きの窓口となります。

■雇用保険制度の概要

適用対象事業所	●業種や規模に関わりなく、労働者が雇用される事業は全て雇用保険の適用事業 ●個人経営の農林・畜産・水産事業のうち労働者が5人未満の場合は、暫定的に任意適用事業
適用対象者	●適用事業に雇用される労働者は、雇用保険の被保険者となる(1週間の所定労働時間が20時間未満の者、同一事業に継続して31日以上雇用されることが見込まれない者、昼間学生については、適用されない) ●就労の実態に応じ、一般被保険者、高年齢被保険者、短期雇用特例被保険者、日雇労働被保険者の4種類に分類される
財源	保険料と国庫負担

| 保険料 | 保険料は事業主と被保険者が分担して負担
●雇用保険二事業の費用…事業主負担
●失業等給付、育児休業給付の費用…労使折半
保険料率は一般の事業、農林水産・清酒製造の事業、建設の事業の３通り |

✓ 過去問チェック

 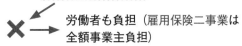

雇用保険の失業等給付の保険料は、その全額を事業主が負担する。（第36回問題53）

× ← 労働者も負担（雇用保険二事業は
→ 全額事業主負担）

②失業等給付

　雇用保険の保険給付である**失業等給付**は、求職者給付、就職促進給付、教育訓練給付及び雇用継続給付の総称です。

■失業等給付の概要

求職者給付	雇用保険の一般被保険者（65歳未満の常用労働者）に対しては、基本手当、技能習得手当、寄宿手当及び傷病手当を支給。高年齢被保険者に対しては高年齢求職者給付金、短期雇用特例被保険者については特例一時金、日雇労働被保険者については日雇労働求職者給付金が、それぞれ求職者給付として支給される →基本手当の受給資格は、離職の日以前２年間に被保険者期間が通算して12か月以上、倒産・解雇等による離職（**特定受給資格者**）またはやむを得ない理由による自己都合離職、労働契約の更新がないことによる離職（**特定理由離職者**）の場合は、離職の日以前１年間に被保険者期間が通算して６か月以上
就職促進給付	就業促進手当、移転費、求職活動支援費の３種類 →就業促進手当の再就職手当は、求職者給付の基本手当の受給資格がある者（上記参照）が安定した就業をした場合で、基本手当の所定給付日数を３分の１以上残して**早期に再就職**した場合に支給
教育訓練給付	一般教育訓練給付と特定一般教育訓練給付、専門実践教育訓練給付の３種類 →**一般教育訓練給付**は、スキルアップなど職業能力を向上させる目的の訓練を受ける場合、教育訓練経費の20％相当額（上限10万円）を最長１年受給できる。受給資格は、受講開始日に、支給要件期間が３年以上（初回に限り１年以上）あることなど →**特定一般教育訓練給付**は、厚生労働大臣の指定を受けた速やかな再就職および早期のキャリア形成に資する教育訓練を受ける場合、教育訓練経費の40％相当額（上限20万円）を最長１年受給できる。受給資格は、一般教育訓練給付の受給資格に加え、訓練前キャリアコンサルティングと受給資格確認が必要となる →**専門実践教育訓練給付**は、厚生労働大臣の指定を受けた専門的・実践的な教育訓練を受ける場合、教育訓練経費の50％相当額（上限40万円／年）を最長２年（資格につながる場合は最長３年）受給できる。受給資格は、受講開始日に、支給要件期間が３年以上（初回に限り２年以上）あることなど

雇用継続給付	高年齢雇用継続給付（「高年齢雇用継続基本給付金」、「高年齢再就職給付金」）、介護休業給付金の2種類 →**高年齢雇用継続基本給付金**は、被保険者であった期間が5年以上ある60歳以上65歳未満の一般被保険者で、60歳以降の賃金額が60歳時点に比べ、**75%未満に低下した状態で働き続ける**場合、現在の賃金の15%＊相当額を支給 →**高年齢再就職給付金**は、被保険者であった期間が5年以上ある60歳以上65歳未満の者が、基本手当を受給した後に再就職した場合に、再就職後の賃金の15%相当額を支給 →**介護休業給付金**は、要介護状態にある家族を介護する者、介護休業期間中の賃金が、休業開始時の賃金月額の80%未満である者、介護休業開始前2年間に、賃金支払基礎日数が11日以上ある月が通算して12か月以上ある者に支給される。支給額は、休業開始時の賃金日額の67%で、支給日数は同一の家族について最長93日間（3回まで分割可）

＊2025（令和7）年度から新たに60歳となる者は10%。

③育児休業給付

　2020（令和2）年の法改正により、従来、雇用継続給付の1つに位置づけられていた育児休業給付金は、失業等給付から独立し、新たに設立された育児休業給付に含まれました。さらに、2021（令和3）年の育児・介護休業法の改正により、**出生時育児休業（産後パパ育休）**が創設され、雇用保険における育児休業給付に**出生時育児休業給付金**が追加されました。

■育児休業給付

育児休業給付金	支給要件は、1歳（パパママ育休プラス制度を利用して育児休業を取得する場合は1歳2か月）未満の子を養育する者（6か月延長しても保育園に入れない場合等に限り、さらに6か月〈2歳まで〉の再延長可）で、育児休業期間中の賃金が、休業開始時の賃金日額の80%未満で、育児休業開始前2年間に、賃金支払日数が11日以上ある月が通算して12か月以上ある者 →育児休業開始から180日目（6か月目）までは休業開始時賃金日額の67%、育児休業開始から181日目以降は50%を支給
出生時育児 休業給付金	支給要件は、子の出生後8週間以内に4週間までの範囲で、原則休業の2週間前までに申し出た男性労働者 →休業開始時賃金日額×出生時育児休業をした期間の日数の67%を支給

④雇用保険二事業

　雇用保険二事業は、雇用安定事業と能力開発事業の総称です。

■雇用保険二事業

雇用安定事業	被保険者等に関し失業の予防を図るとともに、雇用状態の是正、雇用機会の増大等、雇用の安定を図るための事業
能力開発事業	職業訓練施設の整備、労働者の教育訓練受講の援助など、職業生活の全期間を通じた労働者の能力の開発・向上を図るための事業

権利擁護を支える法制度

□ソーシャルワークと法の関わり

1 憲法

『日本国憲法』は、❶国民主権、❷権力分立、❸基本的人権の保障の基本原理をもつ憲法で、国民主権、平和主義、基本的人権の尊重を基本理念としています。

①基本的人権の尊重

基本的人権は、その内容を4つに類型化して説明することができます。

■基本的人権の4類型

包括的基本権	法の下の平等と幸福追求権
消極的人権	自由権
積極的人権	受益権（国に取組を請求する権利→請求権、裁判を受ける権利など）と社会権
能動的人権	参政権（選挙に参加する権利）

基本的人権は「侵すことのできない永久の権利」ですが、唯一、公共の福祉によって制約されることがあります。

■公共の福祉による基本的人権の制約

内在的制約	自由権同士のぶつかり合いを調整する考え方
政策的制約	社会権の実現のために個人の財産権を制約する考え方

思想・良心の自由、信教の自由、拷問及び残虐な刑罰の禁止については、公共の福祉をもってしても制約することはできません。

②自由権

自由権とは、国民が自由に活動することを認める、国家に介入・干渉されることを拒否できる権利で、大きく3つに類型化されます。

■自由権の3類型

精神的自由権	思想・良心の自由、信教の自由、集会・結社・表現の自由、検閲の禁止、通信の秘密、学問の自由
身体的自由権	奴隷的拘束及び苦役の禁止、適正手続きの保障、被疑者・被告人の権利、拷問及び残虐な刑罰の禁止、刑罰法規の不遡及（過去に遡って処罰されないこと）、二重処罰（処罰された罪を別の罪としても処罰すること）の禁止
経済的自由権	居住・移転・職業選択の自由、外国移住・国籍離脱の自由、財産権の保障

③社会権

社会権とは、格差などの社会問題への対処（救済、保護、援助）を国家に求める権利で、大

きく４つに類型化されます。

■社会権の４類型

生存権の保障	●健康で文化的な最低限度の生活を営む（生存権） ●国は社会福祉・社会保障・公衆衛生の向上に努める
教育を受ける権利 の保障	●普通教育を受けさせる親の義務 ●国の義務としての教育条件整備
勤労の権利と義務	●勤労は国民の権利かつ義務 ●国の義務としての労働環境整備
労働基本権の保障	●団結権（労働組合を結成する権利） ●団体交渉権（労働条件その他の労働関係を交渉する権利） ●団体行動権（争議権）

2　民法

『民法』とは、国民の生活に関わる事柄全般について定めた法律で、その内容は、総則、物権、契約、親族、相続と多岐にわたります。ここでは、契約と親族、相続について整理します。

①契約

契約は、当事者間の申込みと承諾で成立します（諾成_{だくせい}主義）。このとき、一方に対して義務の履行を請求できる権利を**債権**、請求される側、つまり義務を負う側の義務が**債務**です。

契約は、典型契約（**有名契約**）と非典型契約（**無名契約**）に大別され、『民法』上の典型契約とは、<u>法律に規定された13種類の契約</u>を指します。非典型契約はそれ以外の契約です。

■民法上の典型契約

贈与	片務契約、無償契約、諾成契約　例 Aさんからさんへプレゼントを贈る
売買	双務契約、有償契約、諾成契約　例 Aさんが店舗Cで買い物をする（Aさんは代金を支払い、店舗Cは商品を手放す）
交換	双務契約、有償契約、諾成契約　例 AさんとBさんがプレゼントを交換する
消費貸借	要物契約、片務契約　例 Aさんが同額の金銭を返還することを約束してBさんから借金をする ※書面による消費貸借は、諾成契約、片務契約
使用貸借	諾成契約、片務契約、無償契約　例 AさんがBさんにパソコンを借りる
賃貸借	双務契約、有償契約、諾成契約　例 AさんがアパートDを借りる
雇用	双務契約、有償契約、諾成契約　例 Aさんが会社Eで働く
請負	双務契約、有償契約、諾成契約　例 Aさんが工場Fに車の修理を依頼する
委任	無償原則（無償＝片務契約、有償＝双務契約）、諾成契約　例 AさんがG弁護士に問題解決を依頼する
寄託	諾成契約（保管料の支払い有＝有償・双務契約）　例 AさんがBさんに荷物を預ける
組合	共同して事業を営む団体をつくる契約

終身定期金	当事者の一方がもう一方や第三者に定期的に金銭などを支給する契約（契約は死亡するまで終身続く）
和解	争う当事者同士が争いをやめる合意をする契約

表に示した契約の種類の意味は次のとおりです。

■契約の種類

- ●片務契約…契約当事者の一方のみが債務を負担する契約
- ●双務契約…契約当事者の双方が対価的な債務を負担する契約
- ●無償契約…契約当事者の一方のみに経済的・財産的な支出がある契約
- ●有償契約…契約当事者の双方に経済的・財産的な支出がある契約
- ●諾成契約…契約当事者の合意のみで成立する契約
- ●要物契約…契約当事者の合意に加え目的物を相手方に渡すことで成立する契約

なお、委任には、委任契約と準委任契約があります。それぞれの内容は次のとおりです。

■委任契約と準委任契約

委任契約	当事者間で、法律に関する内容をお願い（委任）する契約　 例 Aさんが弁護士に（＝当事者間）、裁判のための手続き（＝法律に関する内容）を依頼する
準委任契約	当事者間で、法律に関する内容ではない事実の行為に関するお願い（委任）をする契約　 例 Aさんが居宅介護支援事業所に（＝当事者間）、ケアプランの作成（＝事実の行為）を依頼する

②親族

『民法』では、親族の範囲を六親等内の血族、配偶者、三親等内の姻族としています。

血族には、血のつながりのある親子や兄弟などの**自然血族**と、養子縁組によって血族となる**法定血族**があります。

■血族の分類

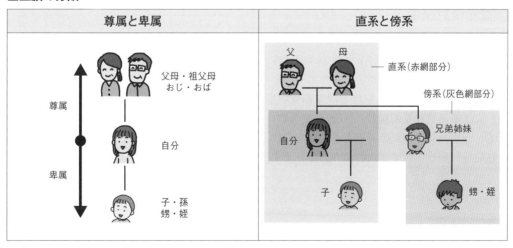

尊属とは自分を基準に前の世代の者（父母、祖父母、おじ・おばなど）をいい、卑属とは後の世代となる者（子、孫、甥・姪など）をいいます。また、直系とは自分を基準に上下に縦に

つながる関係（父母、子、孫など）をいい、傍系とは横につながる関係（兄弟姉妹、おじ・おば、甥・姪など）をいいます。六親等内の親族を直系尊属でみると、自分から6代前（祖父母の祖父母の祖父母）までが当てはまります。

『民法』上の配偶者とは、婚姻届を提出し受理された者を指します。

姻族とは、婚姻によって親族となる関係、つまり、<u>自分を基準に配偶者とその血族</u>をいいます。三親等内なので、（配偶者側の）父母、兄弟姉妹、祖父母、曾祖父母、おじ・おば、甥・姪が姻族に含まれます。

③相続

死亡時にその者の財産などを引き継ぐことを相続といいます。『民法』で定められた法定相続人は、配偶者に加え、子（第一順位）、直系尊属（第二順位）、兄弟姉妹（第三順位）です。上位の法定相続人がいる場合には、それより下位は法定相続人となれません。死亡時に配偶者が妊娠していた場合には、出生後、その子は相続開始時に遡って相続権を行使できます。相続分については、次の表のようになります。

■血族の分類

相続人	相続分	備考
配偶者のみ	1	第三順位まで不在の場合
第一順位	配偶者1/2　子1/2	子は子の人数で等分
第二順位	配偶者2/3　直系尊属1/3	父母がなければ祖父母
第三順位	配偶者3/4　兄弟姉妹1/4	兄弟姉妹が死亡していれば甥・姪が代襲相続（再代襲相続はなし）

子が死亡していれば、孫が（代襲相続）、孫も死亡していれば曾孫が（再代襲相続）第一順位となります。

□成年後見制度

1　成年後見の概要

成年後見制度とは、精神上の障害（認知症、知的障害、精神障害等）によって十分な判断能力をもてない人々の生活を支えるための制度です。

後見制度は**未成年後見制度**と**成年後見制度**に大別されますが、さらに成年後見制度は『民法』による**法定後見制度**と、『任意後見契約に関する法律』による**任意後見制度**に分かれます。なお、法定後見制度には対象者の判断能力によって 後見・保佐・補助の3類型があります。

法定後見制度の概要は次のようになります。

■法定後見制度の概要

	後見	保佐	補助
対象者の判断能力	欠けているのが通常の状態	著しく不十分	不十分
精神鑑定	原則として必要（明らかな場合は省略）		診断書等で対応可
申立権者	本人、配偶者、四親等内の親族、未成年後見人等（本人が未成年の場合）、検察官、任意後見受任者等（任意後見契約後に法定後見開始の審判をする場合）、市町村長　など		
審判開始における本人同意	不要		必要
同意権・取消権の範囲	同意権なし。取消権は日常生活に関する行為を除く行為	日常生活に関する行為を除く、民法第13条第1項所定の行為※	申立ての範囲内で家庭裁判所が審判で定める特定の法律行為（民法第13条第1項所定の行為の一部）
同意や取消の本人同意	不要		必要
取消権者	本人または成年後見人	本人または保佐人	本人または補助人
代理権の範囲	財産に関する全ての法律行為	申立ての範囲内で家庭裁判所が審判で定める特定の行為	
代理権の本人同意	不要	必要	

※借金、訴訟行為、相続の承認・放棄、新築・改築・増築など。ただし、家庭裁判所の審判で範囲を広げることもできる。

日常生活に関する行為とは、食料品や日用品の購入、運賃等の支払いなど通常の日常生活を送るうえでの行為で、そのための預貯金の払い戻しも含みます。ただし、本人の日常生活の水準や資産状況に合わせて判断されます。

2 任意後見の概要

　任意後見とは、現状では判断能力のある人が、将来、判断能力が不十分になった場合に備え、他者に一定の後見事務を委託する委任契約の制度です。

　任意後見人の権限は代理権のみで、任意後見監督人の監督の下に、契約で定められた特定の法律行為を本人に代わって行うことができます。また、任意後見人には「本人意思の尊重義務」及び「身上配慮義務」が課せられます。

任意後見契約は、公証人が作成する公正証書により締結し、法務局に任意後見契約の登記申請をする必要があります。

地域福祉と包括的支援体制

□地域福祉の基本的な考え方

1 地域福祉に関する理論

日本における地域福祉に関する理論では、次のものが挙げられます。

■地域福祉に関する主な理論

岡村重夫	地域福祉の本質は、社会関係の全体性を保持しつつ適切な支援を行うコミュニティ・ケアであり、コミュニティ・ケアの前提には住民主体の地域社会形成が不可欠
右田紀久惠	●地域福祉の目的は、住民の生活上の問題の解決と予防、地域住民の生活権保障と社会的自己実現 ●地方自治体における福祉政策の充実や住民自治を基底に据えた自治型地域福祉を重視
三浦文夫	●福祉的支援が必要な住民の地域における自立と地域社会の統合を目的とする地域福祉論を展開 ●生活課題を貨幣的ニードと非貨幣的ニードに分類し、後者に対応する在宅福祉サービスを充実させることを重視
永田幹夫	●地域で生活する要援護者の自立と統合を目的とした地域福祉論を展開 ●地域福祉は、在宅福祉サービス、環境改善サービス、組織活動の3要素からなる
真田是	生活の社会的・共同的な再生産の部分の遅れやゆがみを、住民の参加によって正すことが地域福祉に固有の内容（運動的要素を重視）
大橋謙策	地域福祉とは、住民が地域のなかで自立した生活を送れるようにネットワークを広げ、必要なサービスを総合的に提供し、支援すること
牧里毎治	「地域福祉の2つのアプローチ論」を提唱し、地域福祉論を構造的アプローチと機能的アプローチの2つに大別した

2 地域福祉の歴史

①日本における地域福祉の歴史

明治期の地域福祉に係る取組は宗教家や篤志家の慈善活動から始まり、その一部が国の制度・事業に反映され、展開してきました。第二次世界大戦後、各市町村に社会福祉協議会が設置され、地域福祉の推進を担うようになりました。

■日本における地域福祉の発展過程

1936 （昭和11）年	方面委員令	方面委員制度が1928（昭和3）年に全都道府県に設置され、この年、法制度化
1948 （昭和23）年	民生委員法	方面委員令が1946（昭和21）年に民生委員令に改まり、この年、方面委員制度が民生委員制度へと改められる
1951 （昭和26）年	中央社会福祉協議会	●中央慈善協会とその後身を母体とする ●現在の全国社会福祉協議会の前身となる組織

1951 (昭和26)年	社会福祉事業法	都道府県社会福祉協議会の法定化など社会福祉全般に関わる基本事項が定められる
1962 (昭和37)年	「社会福祉協議会基本要項」策定	●全国社会福祉協議会が策定 ●社会福祉協議会を、「住民が主体となる、社会福祉、保健衛生、その他生活の改善向上に関連のある公私関係者の参加、協力を得て、地域の実情に応じ、住民の福祉を増進することを目的とする民間の自主的な組織」と規定
1966 (昭和41)年	国庫補助	福祉活動専門員への国庫補助
1979 (昭和54)年	在宅福祉サービスの戦略	地域福祉を「在宅福祉サービス」「施設福祉サービス」「組織化活動」に分類
1983 (昭和58)年	社会福祉事業法改正	市町村社会福祉協議会の法定化など
1992 (平成4)年	「新・社会福祉協議会基本要項」策定	●全国社会福祉協議会が策定 ●社協の5つの活動原則を、❶住民ニーズ基本、❷住民活動主体、❸民間性、❹公私協働、❺専門性、と定める
2000 (平成12)年	社会福祉基礎構造改革	社会福祉に関するニーズの拡大から、サービスの枠組みや理念を見直し。社会福祉事業法の社会福祉法への改正など
2008 (平成20)年	これからの地域福祉のあり方に関する研究会報告書	行政や事業者・専門家と住民とは、互いに相手の特性を生かしながら、地域の生活課題の発見、解決という共通の目的のために協働する相手であると提言
2009 (平成21)年	「地域包括ケア研究会報告書」	医療・介護・予防・住まい・生活支援が一体的に提供される地域包括ケアシステムの構築や、地域包括支援センターの機能強化を提言
2012 (平成24)年	「社協・生活支援活動強化方針」	●全国社会福祉協議会が策定 ●地域の深刻な生活課題の解決や孤立防止に向けた行動宣言とアクションプランを明記
2013 (平成25)年	生活困窮者自立支援法	●「生活困窮者の自立と尊厳の確保」「生活困窮者支援を通じた地域づくり」が基本理念 ●行政、関係機関、地域住民等が連携し、生活困窮者を支えるための地域づくりを推進
2015 (平成27)年	新たな時代に対応した福祉の提供ビジョン	分野を問わない包括的な相談支援システムの構築、地域の実情を踏まえた支援の総合的な提供、サービスを効果的・効率的に提供するための生産性向上について、改革の必要性を明記
2016 (平成28)年	「ニッポン一億総活躍プラン」	地域共生社会の実現が盛り込まれる
	地域力強化検討会中間とりまとめ	●地域を「我が事」として捉える意識を醸成 ●「くらし」と「しごと」を「丸ごと」支える地域づくりの推進と公的な支援体制の協働 ●住民が主体的に地域課題を把握して解決を試みる体制づくりを提言

	社会福祉法改正	●市町村における包括的な支援体制の整備等を推進 ●地域福祉計画策定が努力義務に
2017 (平成29)年	地域力強化検討会 最終とりまとめ	●地域共生が文化として定着するよう挑戦 ●専門職による多職種連携 ●地域住民等との協働による地域連携 ●縦割りの支援を当事者中心の「丸ごと」の支援とする包括的な支援体制の整備の必要性 など地域共生社会の実現に向けての新たなステージを提示。その実現のための財源として、クラウドファンディングやＳＩＢ、ふるさと納税などを取り入れることを提言
2019 (令和元)年	地域共生社会推進検 討会最終とりまとめ	既存の地域資源と狭間のニーズを持つ者との間を取り持つ、新たな参加支援の機能が重要であると提言
2020 (令和2)年	社会福祉法改正	重層的支援体制整備事業の創設

☑ **過去問チェック**

> 2017年（平成29年）の「地域力強化検討会」の最終とりまとめにおいて、縦割りの支援を当事者中心の「丸ごと」の支援とする等の包括的な支援体制の整備の必要性が示された。
>
> （第35回問題34）
>
> ○

②イギリスの地域福祉の歴史

　イギリスにおける福祉に係る取組や報告書から、時代に即して重視された事柄の変遷を次に挙げます。

■イギリスにおける地域福祉の発展過程

1869年	慈善組織協会 (COS)	●1800年代初頭のチャルマーズによる隣友運動が起源 ●慈善団体の連絡、調整、協力の組織化と、救済の適正化、貧民発生の抑制を目的とする救貧組織 ●友愛訪問員が貧困家庭を巡回し、支援（ケースワークの起源）
1880年代～ 1900年代	貧困調査	●ブースが、ロンドンで貧困調査を実施（市民の30.7%が貧困線以下の生活を送っていた） ●ラウントリーがヨーク市で貧困調査を実施。第一次貧困線（絶対貧困線）、第二次貧困線の概念を提唱
1884年	トインビーホール	バーネットによって設立された、世界最初のセツルメント
1942年	ベヴァリッジ報告	●第二次世界大戦後の社会保障制度の設計図を描くもの ●最低生活は国の責任（ナショナル・ミニマム）、快適生活は私的責任と考える ●人間社会を脅かす「五巨人悪」とは窮乏、怠惰、疾病、無知、不潔

1968年	シーボーム報告	●地方自治体の福祉関係サービスの部門を1つに統合することを提唱 ●ジェネラリスト・ソーシャルワークを重視 ●1970年制定の『地方自治体社会サービス法』の根拠となった報告
1969年	エイブス報告	社会サービスにおけるボランティアの役割は、専門家にはできない新しい社会サービスを開発することにあると強調
1970年	地方自治体社会サービス法	●シーボーム報告を受けて制定 ●地方自治体を中心にコミュニティケアを推進する体制が確立される
1978年	ウルフェンデン報告	●「福祉多元主義」を提唱 ●社会サービスのシステムを、インフォーマル部門、公的部門、民間営利部門、民間非営利部門に分類
1982年	バークレイ報告	●地域に着目してインフォーマルな資源を含めてケアのネットワークを構築し活用するコミュニティ・ソーシャルワークを提唱 ●地方自治体社会サービス部におけるソーシャルワーカーの任務と役割について方向性を示す
1988年	ワグナー報告	コミュニティケアの推進に向けた入所施設の在り方を提唱
1988年	グリフィス報告	●コミュニティケアの財政責任や、市場原理、ケアマネジメントの導入などを提言 ●1990年制定の『国民保健サービス及びコミュニティケア法』に影響を与える
1990年	国民保健サービス及びコミュニティケア法	コミュニティ計画の地方自治体への策定義務化、権限と財源の地方自治体への一元化、ケアマネジメントや苦情処理手続きの導入等が規定された

③アメリカの地域福祉の歴史

アメリカにおける福祉に係る取組が、どのように進められてきたかを次に挙げます。

■アメリカにおける地域福祉の発展過程

1877年	慈善組織協会（COS）	●友愛訪問員が貧困家庭を巡回し、支援 ●「施しではなく、友情を」が活動のスローガン
1886年	ネイバーフッド・ギルド	コイトらがニューヨークに設立したアメリカ初のセツルメント運動の拠点
1889年	ハル・ハウス	●アダムスがシカゴに設立した世界最大のセツルメント ●スローガン：生活困窮者の「ために」ではなく、「共に」生きる
1918年	コミュニティ・チェスト	●ニューヨーク州ロチェスター市でコミュニティ・チェストが広がる ●日本の共同募金運動の源流

1939年	レイン報告 （全米社会事業会議 報告書）	資源とニーズの調整を目指し、コミュニティ・オーガニゼーションの体系をまとめる

3　地域福祉の推進主体

◆社会福祉協議会

　社会福祉協議会は、地域福祉の推進を図ることを目的とする団体です。**全国社会福祉協議会**、都道府県や指定都市を単位とする**都道府県・指定都市社会福祉協議会**、市町村を単位とする**市町村社会福祉協議会**からなります。

■都道府県社会福祉協議会と市町村社会福祉協議会が行う事業

都道府県社会福祉協議会	●各市町村を通ずる広域的な見地から行うことが適切なもの ●社会福祉事業に従事する者の養成・研修 ●社会福祉事業の経営に関する指導・助言 ●市町村社会福祉協議会との相互の連絡・事業の調整　等
市町村社会福祉協議会	●社会福祉事業の企画・実施 ●住民の福祉活動参加のための援助 ●社会福祉事業に関する調査、普及、宣伝、連絡、調整及び助成 ●社会福祉事業の健全な発達を図るための事業　等

全国社会福祉協議会には企画指導員、都道府県社会福祉協議会には福祉活動指導員、市町村社会福祉協議会には福祉活動専門員が配置されます。

◆民生委員・児童委員

　民生委員は福祉事務所や関係行政機関の**協力機関**で、児童委員を兼務します。民生委員は、都道府県知事が市町村の民生委員推薦会から推薦された者について、地方社会福祉審議会の意見を聴いて（努力義務）推薦し、厚生労働大臣が委嘱します。任期は３年ですが、再任は可能です。非常勤特別職の地方公務員とみなされ、守秘義務が課せられますが、給与はなく、活動費のみ支給（報酬なしのボランティア）されます。

■民生委員の役割

◆住民の生活状態を必要に応じ適切に把握する
◆援助を必要とする人がその人の能力に応じて自立生活を営むことができるように生活に関する相談に応じ、助言を行う
◆援助を必要とする人が適切に福祉サービスを利用するために必要な情報提供を行う
◆社会福祉事業を経営する人や社会福祉に関する活動を行う人と密接に連携し、その事業や活動を支援する
◆福祉事務所やその他の関係行政機関の業務に協力する
◆必要に応じて、住民の福祉の増進を図るための活動を行う

　児童委員は、地域の子どもたちを見守り、子育ての不安や妊娠中の心配事などの相談・支援などを行います。

民生委員は、その職務に関して、都道府県知事の指揮監督を受けるとされています。

☑ 過去問チェック

民生委員は、給与は支給しないものとされ、任期は定められていない。
（第34回問題36）

✕ → 3年（再任可）

□福祉行財政システム

1　法定受託事務と自治事務

　法定受託事務は、都道府県や市町村、特別区が処理することとされる事務のうち、国が本来果たすべき役割に係るものであって、国・都道府県が行うべきとされるものを指します。国が行うべきとされる事務を第一号法定受託事務、都道府県が行うべきとされる事務を第二号法定受託事務といいます。自治事務は、地方公共団体が処理する事務のうち、法定受託事務以外のものを指します。

■福祉行政における法定受託事務と自治事務の例

法定受託事務	●主に保護の決定・実施に関する事務 ●『生活保護法』による保護の実施 ●社会福祉法人の認可 ●児童手当、児童扶養手当等、福祉関係手当の支給
自治事務	●主に地域住民のニーズに柔軟な対応を必要とする事務 ●『児童福祉法』などの社会福祉関係法による措置 ●福祉サービス利用者からの費用徴収

☑ 過去問チェック

生活保護法に規定される生活保護の決定及び実施は、地方自治法上の法定受託事務に当たる。
（第34回問題44）

◯

2　福祉行政の専門機関

　福祉行政の組織・団体には、次のようなものがあります。設置に関して、都道府県と市町村における義務等を覚えておきましょう。

■福祉行政の組織・団体

	都道府県	市町村
福祉事務所	義務設置	市：義務設置 町村：任意設置
児童相談所	義務設置	指定都市：義務設置 中核市：任意設置
身体障害者更生相談所	義務設置	指定都市：任意設置
知的障害者更生相談所	義務設置	指定都市：任意設置
婦人相談所	義務設置	指定都市：任意設置
地域包括支援センター		任意設置（委託化）
保健所	義務設置	指定都市、中核市、保健所政令市：義務設置
市町村保健センター		任意設置

福祉事務所、保健所は、特別区にも設置が義務づけられています。児童相談所の設置の規定については、このほか、政令で児童相談所設置市が規定されています。また、政令で定める特別区は児童相談所を設置することができます。

3 福祉行政における専門職

福祉行政における専門職は、国家資格をはじめとする各種資格や任用資格をもって各機関に配置されています。

■相談機関に配置されている専門職

名称	機関	配置義務
査察指導員	福祉事務所	義務（査察指導員は所長自ら行うことも可）
現業員		
老人福祉指導主事		都道府県：任意 市町村：義務
児童福祉司	児童相談所	義務
身体障害者福祉司	身体障害者更生相談所	都道府県：義務
	福祉事務所	市町村：任意
知的障害者福祉司	知的障害者更生相談所	都道府県：義務
	福祉事務所	市町村：任意

☑ **過去問チェック**

> 身体障害者更生相談所には、身体障害者相談員の配置が義務づけられている。
>
> （第33回問題45）
>
> ✕ ⟶ 身体障害者福祉司

☐ 福祉計画の意義と種類、策定と運用 ────────

1 福祉計画の主体と種類

　福祉計画は地域、高齢者、障害者、児童・家庭、それぞれの分野ごとに策定されます。多くの場合は国の基本指針等に基づいて、都道府県・市町村が主体となって策定します。

■福祉計画の種類

名称	策定義務	計画期間	根拠法
都道府県地域福祉支援計画	努力義務	法に規定なし	社会福祉法
市町村地域福祉計画			
都道府県老人福祉計画	義務	法に規定なし	老人福祉法
市町村老人福祉計画			
都道府県介護保険事業支援計画	義務	3年を一期	介護保険法
市町村介護保険事業計画			
都道府県障害者計画	義務	法に規定なし	障害者基本法
市町村障害者計画			
都道府県障害福祉計画	義務	3年を一期 （法に規定なし）	障害者総合支援法
市町村障害福祉計画			
都道府県障害児福祉計画			児童福祉法
市町村障害児福祉計画			
都道府県行動計画	任意	5年を一期	次世代育成支援 対策推進法
市町村行動計画			
都道府県子ども・子育て支援事業支援計画	義務	5年を一期	子ども・子育て支援法
市町村子ども・子育て支援事業計画			
都道府県における子どもの貧困対策についての計画	努力義務	法に規定なし	子どもの貧困対策の 推進に関する法律
市町村における子どもの貧困対策についての計画			

過去問チェック

都道府県介護保険事業支援計画は、3年を一期として定めるものとされている。

（第26回問題48）

〇

2 福祉計画等の相互連携

福祉計画を策定する際には、他の計画との相互連携等が規定されています。

■福祉計画の相互連携

都道府県地域福祉支援計画	●根拠法が異なる高齢者、障害者、児童等の福祉の各分野における共通的な事項を横断的に記載
市町村地域福祉計画	●他の計画の「上位計画」として位置づけられる
都道府県老人福祉計画	●介護保険事業（支援）計画と一体
市町村老人福祉計画	●地域福祉（支援）計画と調和
都道府県介護保険事業支援計画	●老人福祉計画と一体 ●医療・介護総合確保に関する計画との整合性の確保 ●地域福祉（支援）計画、高齢者居住安定確保計画等と調和
市町村介護保険事業計画	●医療計画との整合性の確保（都道府県介護保険事業支援計画）
都道府県障害者計画	―
市町村障害者計画	
都道府県障害福祉計画	障害者計画、地域福祉（支援）計画と調和
市町村障害福祉計画	
都道府県障害児福祉計画	●障害福祉計画と一体
市町村障害児福祉計画	●障害者計画、地域福祉（支援）計画と調和
都道府県行動計画	―
市町村行動計画	
都道府県子ども・子育て支援事業支援計画	地域福祉（支援）計画、教育振興基本計画と調和
市町村子ども・子育て支援事業計画	

過去問チェック

市町村老人福祉計画と市町村介護保険事業計画は、一体のものとして作成する。

（第31回問題45）

(86)

障害者福祉

□障害者福祉の歴史

1 日本における障害者施策の歴史

　日本における障害者福祉制度について、第二次世界大戦後の障害者福祉の成り立ちから現在までの発展の流れを、法律の制定を中心に押さえておきましょう。

■日本の障害者施策の変遷

年	内容
1949（昭和24）年	身体障害者福祉法の制定（1950〈昭和25〉年施行）。日本初の障害者福祉の法律。国に**身体障害者更生援護施設**の設置が義務づけられた
1950（昭和25）年	精神病者監護法と精神病院法を統合した**精神衛生法**（現：精神保健及び精神障害者福祉に関する法律）の制定。精神障害者の私宅監置を廃止、都道府県に対して精神科病院の設置が義務づけられた
1960（昭和35）年	**精神薄弱者福祉法**（現：知的障害者福祉法）の制定
1960（昭和35）年	**身体障害者雇用促進法**（現：障害者の雇用の促進等に関する法律）の制定。障害者の雇用施策が法制化された
1970（昭和45）年	**心身障害者対策基本法**（現：障害者基本法）の制定。心身障害者の福祉に関する施策は、心身障害者の年齢並びに心身障害の種別及び程度に応じて、かつ、有機的連携の下に総合的に、策定され、及び実施されなければならない、と規定された
1987（昭和62）年	**精神保健法**（現：精神保健及び精神障害者福祉に関する法律）の制定（精神衛生法の改正・改称）。任意入院制度、応急入院制度の創設
1993（平成5）年	障害者基本法の制定（心身障害者対策基本法の改正・改称）。精神障害者も法律の対象となる障害者として位置づけられた
1995（平成7）年	精神保健及び精神障害者福祉に関する法律の制定（精神保健法の改正・改称）。精神障害者保健福祉手帳制度の創設
2003（平成15）年	●心神喪失等の状態で重大な他害行為を行った者の医療及び観察等に関する法律（医療観察法）の制定 ●支援費制度の施行（身体障害者、知的障害者・児が制度の対象）
2004（平成16）年	発達障害者支援法の制定
2005（平成17）年	障害者自立支援法（現：障害者総合支援法）の制定
2011（平成23）年	障害者虐待の防止、障害者の養護者に対する支援等に関する法律（障害者虐待防止法）の制定
2012（平成24）年	●障害者総合支援法の制定（障害者自立支援法の改正・改称） ●障害者優先調達推進法の制定
2013（平成25）年	障害を理由とする差別の解消の推進に関する法律（障害者差別解消法）の制定
2022（令和4）年	障害者情報アクセシビリティ・コミュニケーション施策推進法の制定

☑ **過去問チェック**

> 1950年（昭和25年）の精神衛生法は、精神障害者の私宅監置を廃止した。
>
> （第33回問題58）　○

2　国際社会での障害者施策の歴史

　障害者の人権について国連で語られたのは、1971年に提唱された「知的障害者の権利宣言」が最初です。以降の、国連の障害者福祉に関する取組について次に挙げます。

■国連の障害者福祉に関する取組

知的障害者の権利宣言 （1971年）	「知的障害者は、実際上可能な限りにおいて他の人間と同等の権利を有する」と規定
障害者の権利宣言 （1975年）	「障害者は、その障害の原因、性質及び程度にかかわらず、同年齢の**市民と同等の基本的権利を有する**」と規定
国際障害者年 （1981年）	障害者の権利宣言の趣旨に基づき決議されたもので、完全参加と平等をテーマとしている
障害者に関する 世界行動計画 （1982年）	国際障害者年の趣旨をより具体的なものとするため採択。機会の均等化を促進するよう提唱
国連・障害者の十年 （1983〜1992年）	完全参加と平等を目標とし、「障害者に関する世界行動計画」に基づく積極的な障害者施策の推進を各国に求めた
障害者の機会均等化 に関する標準規則 （1993年）	障害者の医療、リハビリテーション教育、雇用、社会保障などの分野において、「障害者に関する世界行動計画」が目標とする完全参加と平等の実現に向けた標準的な指針
障害者の権利 に関する条約 （2006年）	障害を理由とする差別を禁止し、合理的配慮を含め、障害者に他者と平等な権利を保障する国の責務を定めた条約

「国際障害者年」「国連・障害者の十年」は、日本に大きな影響を与え、これらによって日本の脱施設化が進み始めました。

☑ **過去問チェック**

> 1981年（昭和56年）の国際障害者年で主題として掲げられたのは、
> 合理的配慮であった。
>
> （第32回問題57）
>
> ✕ → 完全参加と平等

□障害者の日常生活及び社会生活を総合的に支援するための法律（障害者総合支援法）

1　支給決定のプロセス

　『障害者総合支援法』のサービスを利用するには、原則、市町村の支給決定を受けなければなりません。支給決定までのプロセスは次のようになります。

■障害支援区分認定とサービス支給決定のプロセス

 申請
障害者やその家族などが、市町村にサービス利用のための申請を行う

 認定調査
市町村の調査員や相談支援事業者などが、「移動や動作等」「身の回りの世話や日常生活等」「意思疎通等」などの80項目について調査する

 一次判定
認定調査の結果と医師意見書の一部をコンピュータに入力し、判定する

二次判定
市町村の設置する市町村審査会が、一次判定の内容を基にして認定調査で得られた特記事項、医師意見書などに基づき、判定する。障害者本人や家族の意見を聴くこともできる

 認定と通知
二次判定の結果を受け、市町村が、非該当もしくは障害支援区分1〜6のうち、いずれかの認定を行い、結果を通知する

 サービス等利用計画案の作成
利用者は、指定特定相談支援事業者に計画案の作成を依頼し、市町村に提出する

 支給決定
提出された計画案などを踏まえ、市町村によってサービス支給の決定がなされる

訓練等給付の場合は、障害支援区分の認定が行われず、認定調査のあとから、サービス等利用計画案の作成が始まることになります。

☑ 過去問チェック

市町村は、障害支援区分の認定に関する審査判定業務を行わせるため、協議会を設置する。　　　　　（第32回問題59）

✕ → 市町村審査会

2　自立支援給付

　『障害者総合支援法』において、障害者の支援のための施策は、大きくは自立支援給付と地域生活支援事業の２つに分けることができます。

　自立支援給付には介護給付、訓練等給付、**相談支援**（地域相談支援、計画相談支援）、**自立支援医療、補装具**があります。ここでは、介護給付、訓練等給付のサービス内容をとりあげます。

①介護給付

　介護給付は、介護による支援を必要としている人に提供されるサービスです。次の表に挙げる９種類のサービスが設けられています。

■**介護給付におけるサービス**

サービス名	サービス内容と主な対象者
居宅介護 （ホームヘルプ）	居宅において、入浴・排泄・食事の介護などを行う。障害支援区分1以上が対象（身体介護を伴う通院**等介助**は障害支援区分2以上などの条件が加わる）
重度訪問介護	常時の介護を必要とする、**重度の肢体不自由者・知的障害者・精神障害者**を対象にして、居宅において、入浴・排泄・食事などの介護や、外出時における移動**支援**などを行う（2018〈平成30〉年4月1日より、日常的に重度訪問介護を利用している最重度の障害者を対象に、医療機関への入院時も一定の支援が可能）。障害支援区分4以上で、二肢以上の麻痺があることなどの条件を満たす者が対象
同行援護	視覚障害によって、移動に著しい困難を有する者を対象として、外出時に同行し、移動に必要な情報の提供や移動の援護などを行う。アセスメント票の基準を満たす者が対象。障害支援区分の認定は必要としない
行動援護	知的**障害**や精神障害によって、行動上著しい困難を有し、常時の介護を必要とする者を対象として、行動時の危険**回避**のために必要な援護、外出時における移動**支援**などを行う。障害支援区分3以上で、所定の条件を満たす者が対象
重度障害者等 包括支援	常時の介護を必要とする障害者で、**介護の必要性が著しく高い**者に、居宅介護などの障害福祉サービスを包括**的**に提供する。障害支援区分6で意思疎通に困難があり、所定の条件を満たす者が対象
短期入所 （ショートステイ）	居宅で介護を行う者の疾病などにより、障害者支援施設などへ短**期間**入所する障害者を対象として、入浴・排泄・食事の介護などを行う。障害支援区分1以上が対象
療養介護	医療を要する障害者で、常時の介護を必要とする者に、主として昼間に、病院などで行われる機能訓練、療養上の管理、看護、医学的管理の下における介護や日常生活上の世話を行う。気管切開を伴う人工呼吸器による呼吸管理を行っているALS患者で障害支援区分6の者や、筋ジストロフィー患者や重症心身障害者で障害支援区分5以上の者などが対象

生活介護	常時の介護を必要とする障害者を対象として、主として昼間に、障害者支援施設などで行われる入浴・排泄・食事などの介護、創作的活動や生産活動の機会を提供する。障害支援区分3以上が対象（障害者支援施設の入所者は区分4以上）。50歳以上は区分2以上（同入所者は区分3以上）
施設入所支援	施設に入所する障害者を対象として、主として夜間に、入浴・排泄・食事などの介護を行う。生活介護を受けている者で障害支援区分4以上（50歳以上は区分3以上）などが対象

②訓練等給付

訓練等給付は、自立や就労などを目的とした、訓練による支援を必要としている人に提供されるサービスです。次の表に挙げる6種類のサービスが設けられています。

■訓練等給付におけるサービス

サービス名	サービス内容
自立訓練	障害者が自立した日常生活や社会生活を営むことができるように、身体機能や生活能力の向上のために必要な訓練を行う。機能訓練と生活訓練に分類される
就労移行支援	企業などへの就労を希望し、通常の事業所に雇用されることが可能と見込まれる障害者に、生産活動などの機会を提供して、就労に必要な知識・能力の向上のための訓練を行う。利用期間は原則2年
就労継続支援	通常の事業所への雇用が困難な障害者を対象に、就労や生産活動などの機会を提供して、知識・能力の向上のための訓練を行う。A型（雇用型）とB型（非雇用型）がある
就労定着支援	就労移行支援等の利用を経て一般就労へ移行した障害者等を対象に、就業に伴う生活面の課題に対応できるよう、事業所・家族との連絡調整等の支援を行う
自立生活援助	施設入所支援や共同生活援助を利用していた障害者等が居宅で自立した生活を送れるよう、定期的な巡回訪問や随時通報による相談に応じ、助言等を行う
共同生活援助（グループホーム）	主として夜間に、共同生活を営む住居で、入浴、排泄、食事の介護その他の日常生活上の援助、一人暮らし等を希望する者に対する支援や退居後の相談等を行う

（注）2022（令和4）年12月に成立した改正法の公布から3年以内の政令で定める日（2025〈令和7〉年10月1日予定）より、新しい訓練等給付として「就労選択支援」が追加される。また、2024（令和6）年4月1日より、共同生活援助の支援内容に、一人暮らし等を希望する者に対する支援や退居後の相談等が加わった。

☑ 過去問チェック

就労移行支援とは、通常の事業所の雇用が困難な障害者に、就労の機会を提供し、必要な訓練などを行うサービスである。　　　　　　　　　（第31回問題58）

　→　就労継続支援

◆障害者雇用率制度

　障害者雇用率制度とは、事業主に対して、その雇用する労働者に占める障害者の割合が一定率（法定雇用率）以上になるよう義務づける制度です。法定雇用率は、「労働者の総数に占める障害者である労働者の総数の割合」を基準として設定されており、法定雇用率を達成できない場合には障害者雇用納付金を納付しなければなりません。

■障害者雇用率制度（2024〈令和6〉年度）

事業主区分	法定雇用率
民間企業 （常用雇用労働者数40.0人以上）	2.5%
国、地方公共団体、特殊法人など	2.8%
都道府県などの教育委員会	2.7%

2026（令和8）年7月から民間企業（常用雇用労働者37.5人以上）については2.7%、国・地方公共団体等については3.0%、都道府県などの教育委員会は2.9%に引き上げられることになっています。

　短時間労働者（週所定労働時間20時間以上30時間未満）は、1人を0.5人としてカウント、**重度身体障害者**または**重度知的障害者**については1人としてカウント、週30時間以上働く重度身体障害者、重度知的障害者は1人を2人としてカウントします（精神障害者で短時間労働者の場合、一定の要件を満たす場合は、1人としてカウント）。なお、2024（令和6）年度から、週所定労働時間が10時間以上20時間未満の重度身体障害者、重度知的障害者、精神障害者も1人を0.5人として算定できるようになりました。

□障害者と家族等の支援における関係機関と専門職の役割

1　障害者福祉施策に係る専門職の役割

　障害者福祉施策においては、**サービス管理責任者**とその補佐をする**就労支援員**、**生活支援員**、**職業指導員**が配置されています。

■障害者福祉施策に係る専門職の役割

サービス管理責任者	利用者の心身の状況の把握や個別支援計画の作成・実施状況の把握、サービス提供プロセスの管理、支援内容に関連する関係機関との連絡調整、サービス提供に関わる職員への技術的な指導と助言など
就労支援員	個別支援計画に基づいて、対象者の適性に合った職場探しや企業内授産、職場実習の指導、就職後の職場定着支援など
生活支援員	個別支援計画に基づいて、日常生活上の支援など
職業指導員	個別支援計画に基づいて、職業指導の実施や、家族との関係の調整など

2　職業リハビリテーションに係る専門職の役割

　職業リハビリテーションにおいては、**職場適応援助者**（ジョブコーチ）と**障害者職業カウンセラー**などの専門職が配置されています。

　ジョブコーチは、障害者に対して職場適応のための直接的な指導・援助を行うだけでなく、障害者の家族や事業主などに対して必要な助言を行う専門職です。

　障害者職業カウンセラーは、各種の障害者職業センターに配置されますが、地域障害者職業

センターにおいては、障害者に対する職業評価や職業指導（職業リハビリテーションカウンセリング）、職業準備支援、職場復帰支援、事業主に対する障害者雇用に関する助言・援助などを行います。

刑事司法と福祉

□更生保護制度

1 保護観察の目的

　保護観察の目的は、犯罪をした者、非行少年に対し、社会内で通常の社会生活を営ませながら指導監督及び補導援護を行うことにより、その再犯防止と改善更生を図ることです。

■指導監督と補導援護

指導監督	●面接その他の適当な方法により保護観察対象者と接触を保ち、その行状を把握する ●保護観察対象者が遵守事項を守り、生活行動指針に即して生活・行動するよう必要な指示その他の措置をとる ●特定の犯罪的傾向を改善するための専門的処遇を実施する
補導援護	●適切な住居などの宿泊場所を得たり、そこに帰住したりすることを助ける ●医療や療養、教養訓練を受けることを助けたり、就労支援を行ったりする ●生活環境の改善・調整や、社会生活の適応に必要な生活指導を行う ●その他、対象者が健全な社会生活を営むために必要な助言その他の措置を行う

> 指導監督は、保護観察の権力的な性格、補導援護は、保護観察の福祉的な性格を有しているといえます。

2 保護観察の対象者

　保護観察の種類は、次のとおりです。

■保護観察の種類

号種	保護観察対象者	期間
1号観察	保護観察処分少年 （家庭裁判所で保護観察に付された者）	原則20歳に達するまで。その期間が2年に満たない場合は2年とされ、20歳を超える場合がある
2号観察	少年院仮退院者 （少年院からの仮退院を許された者）	原則20歳に達するまで （例外的に26歳まで）
3号観察	仮釈放者（仮釈放を許された者）	残刑期間
4号観察	保護観察付執行猶予者 （裁判所で刑の全部または一部の執行を猶予され保護観察に付された者）	執行猶予の期間

3　一般遵守事項・特別遵守事項

　保護観察対象者には守るべき遵守事項があり、『更生保護法』に定める法定事項である一般遵守事項と、事情に応じて保護観察所長または地方更生保護委員会が定める特別遵守事項があります。

■一般遵守事項と特別遵守事項

一般遵守事項	●再び犯罪や非行をすることがないよう、健全な生活態度を保持すること ●保護観察官や保護司による指導・監督を誠実に受けること ●速やかに住居を定め、その地を管轄する保護観察所長に届出をすること ●届け出た住居に住むこと ●転居または7日以上の旅行をするときは、あらかじめ保護観察所長の許可を受けること
特別遵守事項	●犯罪や非行に結びつくおそれのある特定の行動をしないこと ●労働従事、通学などの健全な生活態度を保持し、実行継続すること ●生活上、身分上の特定事項を保護観察官または保護司に申告すること ●犯罪的傾向を改善するために体系化された専門的処遇プログラムを受けること ●改善更生のための施設（自立更生促進センター、就業支援センターなど）へ宿泊し指導監督を受けること ●社会貢献活動に従事すること

4　良好措置・不良措置

　保護観察対象者の生活態度などを踏まえて、次のような措置がとられることがあります。

■良好措置と不良措置

良好措置	保護観察の成績が良好で、保護観察を継続する必要がないと認められる者 　→期間満了前の保護観察の打切り、仮解除など
不良措置	保護観察の成績が不良である者（保護観察中に再び犯罪や非行をしたり、遵守事項を守っていない者など） 　→仮釈放の取消し、少年院への戻し収容など

□更生保護制度における専門職等の役割

1　保護観察官

　保護観察官は、保護司との密接な協力の下、犯罪をした者や非行少年に対して、通常の社会生活を送らせながら、対象者やその家族と面接を行ったり、電話や郵便などで連絡をとったりして、その改善更生を助けるとともに、自立した生活を営むことができるよう援助する国家公務員です。

■保護観察官の概要

主な業務	保護観察、生活環境の調整、更生緊急保護、犯罪予防活動
配置	●保護観察所（全国50か所） ●地方更生保護委員会（全国8か所）

☑ **過去問チェック**

保護観察官は、<u>都道府県庁及び保護観察所</u>に配置されている。　　（第33回問題147）

✕ ➡ 保護観察所と地方更生保護委員会

2　保護司

　保護司は、犯罪をした者や非行少年の改善更生を地域で支援する<u>非常勤の国家公務員（実質的には民間のボランティア）</u>です。保護司は、次の要件を全て備えた者の中から保護観察所長が候補者を保護司選考会に諮問し、その意見を聴いた後、法務大臣に推薦し、法務大臣によって委嘱されます。

■保護司の要件

- 人格及び行動について、社会的信望を有すること
- 職務の遂行に必要な熱意及び時間的余裕を有すること
- 生活が安定していること
- 健康で活動力を有すること

　保護司は、保護観察官では十分でないところを補い、地方更生保護委員会または保護観察所長の指揮監督を受けて、地方更生保護委員会または保護観察所の所掌業務に従事します。

■保護司の概要

主な業務	保護観察、生活環境の調整、犯罪予防活動
配置	保護区（法務大臣が都道府県の区域を分けて定める区域）
任期	2年（再任可能）
定数	5万2,500人以下（実人員は減少傾向）

　保護司は、保護区ごとに保護司会、都道府県ごとに保護司会連合会を組織しています。

■保護司会、保護司会連合会

保護司会	犯罪予防活動の計画の策定や保護司の職務に関する連絡及び調整、保護司の研修などの業務を行う
保護司会連合会	保護司会の任務に関する連絡及び調整などの業務を行う

☑ **過去問チェック**

保護司は、<u>検察官</u>の指揮監督を受ける。　　（第36回問題148）

✕ ➡ 地方更生保護委員会または保護観察所**の指揮監督を受ける**

□刑の一部執行猶予制度

　2013（平成25）年に制定された『刑法等の一部を改正する法律』及び『薬物使用等の罪を犯した者に対する刑の一部の執行猶予に関する法律』により、2016（平成28）年から刑の一部執行猶予制度が導入されました。この制度は、比較的罪の軽い初犯者、薬物使用者などを対象に、3年以下の懲役・禁錮刑のうち、刑の一部の執行を1〜5年の範囲で猶予するものです。

　対象者は、刑期途中から社会に出て、その状況に応じて保護観察を受けながら立ち直りを図ります。

□保護観察における専門的処遇プログラム

　『更生保護法』に基づき、ある種の犯罪的傾向を有する保護観察対象者に対しては、指導監督の一環として、その傾向を改善するために専門的処遇プログラムが行われています。専門的処遇プログラムを受けることは、特別遵守事項として義務づけられています。

■専門的処遇プログラム

性犯罪者処遇プログラム	性犯罪に結びつくおそれのある認知の偏り、自己統制力の不足などの自己の問題性について理解させるとともに、再犯防止のための具体的な方法を習得し、犯罪的傾向を改善することを目的としたもの
薬物再乱用防止プログラム	依存性薬物の悪影響を認識させ、その再乱用防止のための具体的な方法と、薬物依存からの回復に資する発展的な知識とスキルを習得させることを目的としたもの。教育課程と簡易薬物検出検査（尿検査や唾液検査）を組み合わせて実施する
暴力防止プログラム	自己の思考傾向を自覚させ、その思考傾向の変容を促すとともに、危機的な場面で暴力行為を回避する方法を身につけさせることを目的としたもの
飲酒運転防止プログラム	アルコールが心身及び自動車などの運転に与える影響を認識させ、飲酒運転に結びつく自己の問題性について理解させるとともに、再犯防止のための具体的な方法を習得させることを目的としたもの

　薬物再乱用防止プログラムの教育課程は、コアプログラムとステップアッププログラムの2段階で行われます。コアプログラムは、薬物の悪影響と依存性、自己の問題性を理解させ、薬物再乱用防止のため、おおむね2週間に1回の頻度で具体的な方法を習得させます（3か月程度で全5回）。ステップアッププログラムは、発展課程（コアプログラムで履修した内容を定着、応用、実践）、特修課程（依存回復に資する発展的な知識及びスキルを習得）、特別課程（❶外部の専門機関・民間支援団体の見学、❷家族を含めた合同面接）で構成されており、おおむね1か月に1回の頻度で原則として保護観察終了まで実施します。

社会福祉調査の基礎

□量的調査の方法

1 全数調査と標本調査

量的調査は、母集団全体を調べていく全数（悉皆）調査と母集団から一部を抽出して行う標本調査に分類できます。

■全数調査と標本調査の長所・短所

	長所	短所
全数調査	標本誤差が生じず、結果に対する信頼性が高い	対象集団が大きくなりやすいため、調査にかかる時間や労力、調査費用が大きい
標本調査	全数調査に比べ、労力や調査費用が節減できる	抽出の仕方が不適切であったり、標本数が少なすぎると標本誤差が大きくなり、調査対象全体の特徴を正確に反映できない

標本誤差とは、母集団の数値（全数調査の調査結果）と、母集団から抽出した調査結果（標本調査の調査結果）との差のことです。

標本調査における標本抽出の方法には、母集団から調査対象者の選ばれる確率が等しくなるように、くじなどを用いて無作為に選んでいく無作為（確率）抽出法と、募集や紹介などによって調査対象者を集めるなど、調査者が恣意的に選んでいく有意（非確率）抽出法があります。

■主な標本抽出法

分類	種類	内容
無作為（確率）抽出法	単純無作為抽出法	サイコロや乱数表を使って、母集団から調査対象者を無作為に抽出する方法 →精度は高いが、母集団名簿が必要で、母集団が大きいと時間がかかる
	系統抽出法	母集団に通し番号をつけ、最初の調査対象者を無作為に選び、その後一定間隔で抽出する方法 →抽出台帳に何らかの規則性がある場合、標本に偏りが生じる可能性がある
	多段抽出法	何段階かの抽出作業を行って抽出する方法 →多段階になるほど標本誤差が大きくなる
	層化抽出法	母集団をいくつかのグループに分け、グループの大きさに応じて調査対象者を抽出する方法 →母集団の性質をグループ分けする知識が必要になる

有意（非確率）抽出法	応募法	募集に応じた協力者を調査対象者とする方法
	スノーボール法	調査対象者から知人や友人を紹介してもらい、雪だるま式に対象者数を増やす方法
	機縁法	身近な縁故関係にある者を調査対象者とする方法
	割当法	母集団の構成比率に合わせて調査対象者を抽出する方法

2 横断調査と縦断調査

1回のみ調査を行い、調査実施の時点における様々なデータを横断的に比較する横断調査と、特定の調査対象に対して、一定の時間間隔をおいて繰り返し行う縦断調査に分けられます。縦断調査には、次の3種類があります。

■縦断調査の種類

動向調査（傾向分析・トレンド調査）	●同じ調査対象集団に定期的に調査を行い、その集団における特性の変化の傾向を把握する調査 ●調査対象集団の定義は変わらないが、集団内の個々が同一とは限らない
パネル調査	同じ対象者を繰り返し調査する追跡調査 　→因果関係を調査するのに有効であるが、対象者を固定して行うため、対象者の死亡などの理由で第2回、第3回と回を重ねるごとに調査対象が脱落していく、「パネルの摩耗（または脱落）」がある
コーホート調査	ある期間に生まれた集団（コーホート）に対して、一定期間ごとに同一内容の調査を繰り返し行う調査

3 測定

量的調査では、対象者からアンケートなどでデータを集め、その結果を数値化していきます。数値で表したものを変数といいます。変数には、性別や血液型などの単に分類や種類を区別する質的データと、身長や気温のように測定された数値が意味をもつ量的データがあります。質的データは名義尺度と順序尺度、量的データは間隔尺度と比例尺度に分類できます。

■質的データと量的データの種類

分類	種類	内容
質的データ	名義尺度	カテゴリーの区別に用いられる尺度。順序に意味はない 　例 性別、郵便番号、血液型
	順序尺度	大小関係を示すための尺度。値の間隔には意味がない 　例 評価の推移（改善・変わらない・悪化）、順位
量的データ	間隔尺度	数値の差が等間隔で、間隔に意味のある尺度。順序尺度の性質も備えている。ゼロは任意の位置で、マイナスの値もとり得る 　例 温度、年齢、偏差値
	比例尺度	数値の差とともに、絶対ゼロの値をもつことから数値の比率にも意味がある尺度。比率が計算できるため「比率尺度」とも呼ぶ。マイナスの値をとり得ない 　例 体重、所得金額、経過時間

☐質的調査の方法

1 観察法

　観察法は、調査対象者に対して、視覚的な観察や対象者に関連する資料などを用いて、全体的に調査対象者のことを理解していく調査方法です。観察方法の違いによって、次のように分類されます。

■観察法の種類

統制的観察		●観察の場面や方法を事前に厳密に定める方法 ●対象者の特定の事項を集中的に知りたい場合に行う ●実験室のような人工的な環境をつくり、その中を観察して行うことも多いため、実験室的観察ともいわれる
非統制的観察	参与観察	●調査対象者と生活や活動を共にしながら記録を行い、情報を収集する方法 ●客観的な視点を損なう可能性があるため、過度な信頼関係（オーバーラポール）とならないように注意する
	非参与観察	●調査者は観察者に徹し、見聞きした情報を収集する方法 ●対象者に了解を得てマジックミラー（ワンウェイミラー）を使うことがある

2 面接法

　面接法は、調査対象者に対して、調査者が直接質問をし、調査対象者が回答をするやり取りを中心に情報を収集する調査方法です。調査方法としては、大きくは、1対1で行う個別インタビューと、複数の調査対象者に対して行うグループインタビューに分けることができます。

　個別インタビューは、次の3種類に分類されます。

■個別インタビューの種類

構造化面接	質問項目や質問順序をあらかじめ決めておき、それに厳密に沿って進めていく方法
半構造化面接	あらかじめ詳細な質問項目は用意せず、大まかな質問項目だけを決めておき、状況に応じて質問項目や質問順序を変えていく方法
非構造化面接	質問項目を特に決めずに、状況に応じて自由に質問をしていく方法

3 質的調査のデータの分析方法

　質的調査で得られるデータは、量的調査で得られる集計可能な数的データとは違い、観察記録やインタビューの録音データ、調査対象者の手紙、日記、官公庁などの公的機関による記録などが主となります。

　質的調査のデータを分析していくための方法として、KJ法やグラウンデッド・セオリー・アプローチ（GTA）などがあります。

①**KJ法**

　KJ法は、日本の文化人類学者の川喜田二郎（Kawakita Jiro）が考案した、フィールドワークなどで集めた意見やデータの分類と集約を通して、新しい発想や仮説を創造するための方法です。次のプロセスをたどって行われます。

■KJ法によるデータ分析のプロセス

 カード化
調査によって得られたデータを細かく分けていき、1つ1つをカードに記入していく。記入が終われば全体の記録を改めて確認する

 グループ編成
内容の似ているカードをグループ化し、内容を要約したグループ名をつけていく。その後、グループ名を基にさらに集約を行っていく

 図解化
模造紙などに各グループを配置した図を作成し、因果関係（原因と結果、時期の前後）を書き込んでいく

文章化
図解化したものを基に言語化を行っていくことで、他者に伝えられる知見をつくっていく

②グラウンデッド・セオリー・アプローチ（GTA）

　グラウンデッド・セオリー・アプローチは、アメリカの社会学者である**グレイザー**（Glaser, B.）と**ストラウス**（Strauss, A.）が考案した、データの分類を行い、データ間の相互関係を考慮したうえで新たな理論の構築を目指していく方法です。看護や福祉の分野で伝統的に使われています。

　論者により分析のプロセスに若干の違いはあるものの、原則的に次のような段階を踏んでいきます。

■グラウンデッド・セオリー・アプローチによるデータ分析のプロセス

データ収集
様々な調査方法でデータを収集する

 テキスト化
観察結果（フィールドノーツ）や逐語記録などの形で、大量の文字データをつくる

 切片化
得られた文字データを細分化し、分類する

 コーディング
切片化したデータにコードをつけていき（オープン・コーディング）、コードをグループ化してカテゴリーをつくる（軸足コーディング）。カテゴリーができたら、複数のカテゴリーから新たなカテゴリーをつくっていく作業（選択的コーディング）を行う

 理論化
これ以上カテゴリーが思いつかない状態（理論的飽和）までデータ収集とコーディングを繰り返していく

ソーシャルワークの基盤と専門職（共通・専門）

□社会福祉士の法的な位置づけ

1　社会福祉士の定義

　1987（昭和62）年に、社会福祉士及び介護福祉士の資格を定めて、その業務の適正を図り、社会福祉の増進に寄与することを目的として、『社会福祉士及び介護福祉士法』が制定されました。

　同法第2条第1項において、「社会福祉士」は、次のように定義されています。

■社会福祉士の定義

> 社会福祉士の名称を用いて、専門的知識及び技術をもつて、身体上若しくは精神上の障害があること又は環境上の理由により日常生活を営むのに支障がある者の福祉に関する相談に応じ、助言、指導、福祉サービスを提供する者又は医師その他の保健医療サービスを提供する者その他の関係者との連絡及び調整その他の援助を行うこと（相談援助）を業とする者をいう。

2　社会福祉士の義務

　『社会福祉士及び介護福祉士法』において、次に挙げる社会福祉士の義務が規定されています。

■社会福祉士の義務

誠実義務 （第44条の2）	社会福祉士は、その担当する者が個人の尊厳を保持し、自立した日常生活を営むことができるよう、常にその者の立場に立って、誠実にその業務を行わなければならない
信用失墜行為の禁止 （第45条）	社会福祉士の信用を傷つけるような行為をしてはならない
秘密保持義務 （第46条）	社会福祉士は、正当な理由がなく、その業務に関して知り得た人の秘密を漏らしてはならない。社会福祉士でなくなった後においても、同様とする
連携 （第47条）	業務を行うにあたっては、その担当する者に、福祉サービス及びこれに関連する保健医療サービスその他のサービスが総合的かつ適切に提供されるよう、地域に即した創意と工夫を行いつつ、福祉サービス関係者などとの連携を保たなければならない
資質向上の責務 （第47条の2）	社会福祉を取り巻く環境の変化による業務の内容の変化に適応するため、相談援助などに関する知識及び技能の向上に努めなければならない
名称の使用制限 （第48条）	社会福祉士でない者は、社会福祉士という名称を使用してはならない

> 2007（平成19）年の改正によって、「誠実義務」と「資質向上の責務」の規定が追加され、他職種との「連携」の規定が見直されました。

社会福祉士の義務に違反した場合、次の罰則が規定されています。

■社会福祉士の義務違反にかかる罰則規定

違反内容	罰則
「信用失墜行為の禁止」違反	登録の取消しまたは期間を定めた名称の使用停止
「秘密保持義務」違反	登録の取消しまたは期間を定めた名称の使用停止、1年以下の懲役または30万円以下の罰金
「名称の使用制限」違反	30万円以下の罰金

□ソーシャルワークの概念

1 国際ソーシャルワーカー連盟の定義
①ソーシャルワークの定義
　国際ソーシャルワーカー連盟（IFSW）は、2000年7月、モントリオールで行われた総会において、「ソーシャルワークの定義」を採択しました。

■ソーシャルワークの定義

> ソーシャルワーク専門職は、人間の福利（ウェルビーイング）の増進を目指して、社会の変革を進め、人間関係における問題解決を図り、人びとのエンパワーメントと解放を促していく。ソーシャルワークは、人間の行動と社会システムに関する理論を利用して、人びとがその環境と相互に影響し合う接点に介入する。人権と社会正義の原理は、ソーシャルワークの拠り所とする基盤である。

②ソーシャルワーク専門職のグローバル定義
　2014年には、新しい定義として「ソーシャルワーク専門職のグローバル定義」が採択されました。

■ソーシャルワーク専門職のグローバル定義

> ソーシャルワークは、社会変革と社会開発、社会的結束、および人々のエンパワメントと解放を促進する、実践に基づいた専門職であり学問である。社会正義、人権、集団的責任、および多様性尊重の諸原理は、ソーシャルワークの中核をなす。
> ソーシャルワークの理論、社会科学、人文学、および地域・民族固有の知を基盤として、ソーシャルワークは、生活課題に取り組みウェルビーイングを高めるよう、人々やさまざまな構造に働きかける。
> この定義は、各国および世界の各地域で展開してもよい。

「ソーシャルワーク専門職のグローバル定義」は、「ソーシャルワークの定義」と比べると、よりマクロレベルでの視点が強化されています。

☑ **過去問チェック**

「ソーシャルワーク専門職のグローバル定義」（2014年）が「ソーシャルワークの定義」（2000年）と比べて変化した内容として、定義は、<u>各国及び世界の各地域で展開することが容認された</u>。

（第33回問題92）

□ソーシャルワークの形成過程

　ここでは、ソーシャルワークの形成過程のうち、押さえておきたい慈善組織協会とセツルメント運動（いずれも出題基準の小項目の例示として記載）についてみていきます。

1　慈善組織協会

　慈善組織協会（COS）は、<u>1869年にイギリスのロンドンで設立</u>されました。無計画な慈善活動による救済の偏りを防止し、効果的な救済を行うために、各慈善団体間の連絡・調整を行い、慈善活動の組織化を図りました。

　慈善組織協会では、<u>貧困の原因は個人にあるとし</u>、「**救済に値する貧民**」と「**救済に値しない貧民**」に区別し、援助活動を行いました。特徴的な活動として、救済の重複や不正受給の抑制のための被救済者の登録や、友愛訪問員による個別訪問活動（友愛訪問）の実施があります。友愛訪問は、後のケースワークに発展します。慈善組織協会は、友愛訪問員の広い知識と社会的訓練によって、友愛訪問活動の科学化を追求しました。

☑ **過去問チェック**

慈善組織協会（COS）は、把握した<u>全ての貧困者</u>を救済の価値のある貧困者として救済活動を行った。

（第26回問題9）

❌ ➡ 救済に値する貧民のみ

2　セツルメント運動

　セツルメント運動は、<u>知識や財産をもつ人（教員や学生、聖職者など）がスラム街に住み込み、スラムに住む社会的に弱い立場にある人たちと生活を共にしながら社会福祉の向上を図る運動</u>です。子どもたちに対するグループ活動、地域を援助するという視点をもち、社会改良を目指しました。

■代表的なセツルメントと先駆者

トインビーホール	●世界で初めてのセツルメント活動の拠点として、1884年にイギリスのロンドンで建設された（初代館長はバーネット） ●労働者や児童への教育、セツルメントに参加した人（セツラー）の地域の社会資源への参加などの活動を行った
ネイバーフッド・ギルド	p.（63）参照
ハル・ハウス	●シカゴのスラム街に住む移民への支援を目的に、アダムスがトインビーホールでの学習を踏まえて、1889年、アメリカのシカゴに設立 ●子どもたちを対象にした様々なグループ活動はのちのグループワークへと発展していった

☑ 過去問チェック

コイトが創設したハル・ハウスは、アメリカにおけるセツルメント活動に大きな影響を及ぼした。　　　　　　　　　　　　　　　　　　　　（第33回問題94）

❌ ⟶ アダムス

ソーシャルワークの理論と方法（共通・専門）

□様々な実践モデルとアプローチ

1　ソーシャルワークにおける実践モデル・アプローチの変遷

　ソーシャルワークの発展とともに、たくさんの実践モデルやアプローチが提唱されてきました。その変遷は次のようになります。

■ソーシャルワークにおける実践モデル・アプローチの変遷

時代	概要
1920年代	リッチモンドによる、ソーシャルワークの体系化
1920〜1950年代	診断主義アプローチに対する批判から、機能的アプローチが登場 →両者の激しい対立へ →基盤とする心理学派やソーシャルワーカーの役割への考え方などに違いがあり、互いを批判し合った
1950〜1960年代	診断主義アプローチと機能的アプローチの対立への批判 →統合化への動き →ソーシャルワークの実践や研究が、理論上の論争に終始し、クライエントが置き去りにされていること、両者とも精神分析に傾倒し、社会環境への視点が欠けていることへの批判が高まった

1960〜1970年代	ソーシャルワークの実効性を検証するもこれが認められず 　→これまでの精神分析や治療的アプローチに偏ったケースワークでは、多様な課題には対応できないことが報告された 全米ソーシャルワーカー協会（NASW） 　→権利擁護、社会変革を重視
1970〜1980年代	治療モデルから生活モデルへの移行期 ●治療モデル…治療プロセス重視。主体はソーシャルワーカー ●生活モデル…人と環境の相互作用重視。主体はクライエント
1980年代以降	●援助対象の強さや能力に焦点化したストレングスモデルへの着目と拡大 ●科学性を追求してきた「モダニズム」から、主体性や実存性を重視する「ポスト・モダニズム」への潮流

2　実践モデル・アプローチの特徴

　各実践モデル・アプローチの主な提唱者と特徴を次にまとめます。

■実践モデル・アプローチの主な提唱者と特徴

治療モデル	リッチモンド	●個人の精神内界に着目する ●クライエントの状況の診断と処遇（治療）の過程を重視する
生活モデル	ジャーメイン ギッターマン	●治療モデルへの批判に対し、問題点を克服しようと試みた ●生態学やシステム理論を基盤としている ●クライエントを、治療の対象ではなく、環境との相互作用を通じて成長する生活主体者と捉える ●人と環境との関わりを含めて、全体的かつ多面的にアセスメントする ●人と環境が調和できることを目標とし、クライエント自身の対処能力（コンピテンス）に着目する
診断主義アプローチ	トール ハミルトン	●クライエントの心理的側面を重視する ●過去の生活史とパーソナリティの発達に焦点化する ●ソーシャルワーカーが主導する長期的な援助 ●調査―診断―治療のプロセスを重視する
機能的アプローチ	ロビンソン タフト スモーリー	●クライエントの自由意志を尊重する ●クライエントを中心に捉える ●ソーシャルワーカーの所属する機関の「機能」を提供する ●初期―中期―終期の時間的展開を重視する
心理社会的アプローチ	ホリス	●クライエントと社会的側面、あるいは、個人と社会環境との全体的な関連性を捉える「状況の中の人」が中心概念 ●クライエントが社会関係の中でニーズを満たせるように援助する
問題解決アプローチ	パールマン	●クライエントが主体的に問題解決しようとする「過程」をケースワークと捉え、ワーカビリティを重視する ●社会的役割を果たすうえで生じる問題や葛藤に対し、クライエント自身が対処できるよう援助する

危機介入 アプローチ	ラポポート キューブラー・ロス リンデマン キャプラン	●危機に直面したクライエントに対し、短期間に、積極的に介入することで、クライエントの社会的機能の回復を目指す ●悲しみや絶望感などの感情表出を促し、受容と共感を通してサポートする
行動変容 アプローチ	トーマス バンデューラ	●バンデューラは、社会的学習理論を提唱し、他者の行動を観察・模倣すること（モデリング）で学習できると示した ●望ましい行動を増やし、望ましくない行動を減らすといった行動変容を目標とする
課題中心 アプローチ	リード エプスタイン	●短期処遇による問題解決と計画性が重視されるため、解決すべき課題と優先度を明確化 ●「課題」（task）とは、現在起きている問題を解決するために取るべき「行動」（action）のことをいう
実存主義 アプローチ	クリル	●クライエントが自らの存在意味を把握し、自己を安定させることで、疎外からの解放を目指す ●ロゴ（意味）セラピーやゲシュタルト療法など様々な心理療法に取り入れられている
エンパワ メント アプローチ	ソロモン リー	●クライエントのもつ力（パワー）に着目し、その力を引き出し活用するアプローチ ●ソロモンは、パワーを引き出すプロセスを「エンパワメント」と称し、これを重視した ●クライエントとソーシャルワーカーの協働で対等な関係（パートナーシップ）と、パワーレスを生み出す構造（マクロレベル）への働きかけを重視する ●クライエントだけでなく取り巻く環境の強さも重要とする
ストレングス モデル	サリービー ラップ ゴスチャ	●クライエントの強み（ストレングス）を評価し、クライエントを課題解決の「主体」と捉える ●地域を資源のオアシスとして捉える ●社会資源や地域の潜在力も活用する ●クライエントとソーシャルワーカーの援助関係を重視し、クライエント自身が捉える現実や価値を重視する
解決志向 アプローチ	シェザー バーグ	●問題の因果関係や客観的事実ではなく、解決に向けた志向となる解決構築を重視する ●問題が解決した状態を短期間で実現することに焦点を当てる ●クライエントこそが「専門家」という姿勢（無知の姿勢）をとる ●クライエント自身のもつ解決イメージや解決のための資源を重視し、クライエントから教わる姿勢（ワン・ダウン・ポジション）を貫く
フェミニスト アプローチ	ドミネリ	●社会的・文化的な性（ジェンダー）に着目し、女性ゆえに社会的な抑圧を受けている状況からの解放を目指す ●男性からの暴力、性的搾取、職業上の差別など、女性が受けている様々な問題を顕在化し、これらの根絶を目指し、社会変革を意図する

ナラティブ アプローチ	ホワイト エプストン	●目の前の現実は、言語による人との対話で共有するという認識論を基盤とする ●客観性や実証主義を批判し、主観性や実存性を重視する ●ソーシャルワーカーは傾聴に徹し、無知の姿勢で臨む ●ドミナントストーリーから、オルタナティブストーリーをつくり、問題からの解放を目指す

☑ 過去問チェック

リードとエプスタインの課題中心アプローチは、クライエントが解決を望む問題を吟味し、計画的に取り組む短期支援である。　　　（第34回問題100）

□ソーシャルワークの過程

　相談援助は、クライエントからの相談や援助者のケース発見からスタートし、以下の過程で行われます。

■相談援助の過程

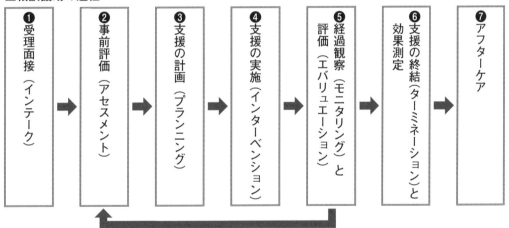

1　受理面接（インテーク）

　インテークは、クライエントと援助者の出会いの場面です。次のような流れで進められ、2者間の信頼関係（ラポール）を形成していきます。

■インテークの流れ

| ニーズの把握 | 「個別化」した傾聴を行い、クライエント固有の状況を理解する。また、主訴だけでなくその背後にあるニーズを把握する |

↓

| 機能の説明 | 自己紹介及び機関の機能を説明する。秘密を保持することの説明や、面接時間の確認・合意をしておくことが必要 |

↓

| 提供の判断 | スクリーニング（自機関の機能で対応可能かどうかを見極め、援助を受理するかを判断）し、自機関の機能では問題解決が困難と判断した場合は、リファーラル（他の適切な機関を紹介）する |

↓

| 契約の締結 | クライエントが援助者の援助を受けたいと考えているかどうかの意思確認をし、意思があり自機関でサービス提供が可能であれば契約（エンゲージメント）を結ぶ。説明と同意（インフォームド・コンセント）が完了した時点で「ワーカー・クライエント関係」が形成され、次の段階のアセスメントへ進む |

2　事前評価（アセスメント）

　アセスメントでは❶情報の収集、❷情報の分析、❸総合評価という３つの手順を踏みます。

■アセスメントの流れ

| 情報の収集 | クライエント本人や家族などからの情報収集はもちろん、他の関係者や資料などからも情報を得る。本人を取り巻く環境や居住する地域、社会資源や社会参加の状況なども含めて、必要な情報を幅広く確認する |

↓

| 情報の分析 | 得た情報を分析し、クライエントの解決すべき課題やニーズ、これからの希望などを明らかにする。これらは本人が十分に状況を把握していないこともあるため、十分なコミュニケーションをとりながら進める |

↓

| 総合評価 | 分析した結果を踏まえ、現在の状況を総合的に評価する。分析によって明らかにされたニーズを基にして、具体的な支援の目標設定に向けた検討を行う |

3　支援の計画（プランニング）

　プランニングでは主に❶目標設定、❷具体的な支援内容と方法、❸期間や頻度を検討します。

■プランニングの方法

目標設定	長期と短期に分け、段階を追った目標を設定する。短期目標では月単位、長期目標では月～年単位で達成したいものを掲げる。特に長期目標では、「将来どうありたいのか」という人生の希望や目標を設定する
具体的な支援内容と方法	実際に提供するサービスの内容や提供方法などを検討する。フォーマル、インフォーマルを問わず多様な社会資源を導入することや、クライエント自身の能力や環境を考慮したものを選定する
期間や頻度	いつまでに目標を達成するのか、どのくらいの頻度で支援するのか、など具体的な数値を示すことで、より具体的で現実的な計画となる

4　支援の実施（インターベンション）

　インターベンションは、実際にサービスなどが提供される段階です。プランニングまでは計画段階でしたが、ここからは、設定した目標や内容に沿って、様々な人や機関との関わりを通した具体的な取組が展開されます。

　インターベンションには、直接的な介入と間接的な介入の2つの働きかけがあります。

■インターベンション

直接的な介入	面接やサービスの提供などによる、クライエント本人への働きかけ
間接的な介入	社会資源の活用や開発などの、クライエントを取り囲む環境への働きかけ

インターベンションには、多くの人や機関が関わることが想定されます。そのため、情報共有が求められますが、同時に守秘義務にも十分な注意を払うことが必要です。

5　経過観察（モニタリング）と評価（エバリュエーション）

　モニタリングとは、支援が開始されてからの経過観察（中間評価）のことで、支援過程の点検、チェックという意味があります。エバリュエーションとは、支援の有効性や成果に関する事後評価のことです。

■モニタリングとエバリュエーションの確認事項

モニタリング	●支援計画の提供や実施状況 ●クライエントのニーズに対する充足度や満足度 ●新たな課題やニーズの発見
エバリュエーション	●支援目標のゴールとその達成度 ●クライエントやその周辺環境への影響と変化 ●支援方法の妥当性や適切さ

6 支援の終結（ターミネーション）と効果測定

　問題が解決すると支援関係の契約は終了となり、支援は終結を迎えます。その際に支援の妥当性や成果に対する効果測定をすることで、それらを今後の支援に活用します。

　支援は、評価の結果、次の場合に終結となります。

■支援の終結（ターミネーション）の条件

❶クライエント自身の力を活用して問題が解決された
❷課題は残るもののクライエントが自ら対応できる
❸それらの状況をクライエントと援助者が共通認識している

 援助者はまだ支援が必要と考えるものの、クライエントが支援を必要としていない場合などは、終結ではなく「中断」と考え、再度援助関係が構築できるように働きかける必要があります。

　効果測定には、次のような方法があります。

■効果測定の方法

単一事例実験計画法（シングル・システム・デザイン）	●支援を受ける前（ベースライン期）と支援を受けた後（インターベンション期）の状況を比較することで、介入の効果を測る ●それぞれの状態をグラフ化し視覚的に示しながら、支援の因果関係を捉える
集団比較実験計画法	同じ課題を抱えるクライエントを、支援した群（実験群）と支援しない群（統制群）に分け、両者を比較する
事例研究法	特定のケースに関し、数量化が困難なものを質的に分析し、評価する
グランプリ調査法	支援方法の違いによって比較し、それぞれの支援による成果や課題を比較・検証する
メタ・アナリシス法	●既存の調査結果を踏まえ、支援方法の成果を明確化する方法 ●過去の調査を統合することで、特定の支援方法の効果を一般化する

 効果測定を行うことにより、「援助者としての支援の質や技術を蓄積する」「クライエントや社会に対する説明責任（アカウンタビリティ）を果たす」ことができます。

☑ 過去問チェック

 ベースライン期とは、支援を実施している期間を指す。　　　　　（第32回問題104）

 ✕ ➡ 支援を受ける前

7 アフターケア

　アフターケアとは、「支援終結後の援助」のことをいいます。クライエントとの援助関係が

終結したとしても、再び支援が必要となる場合に備え、いつでも支援を再開できるように準備しておくことやフォローアップの体制を整えておくことが必要です。

高齢者福祉

□介護保険法

1　介護保険制度の目的

　介護保険制度は、『介護保険法』に基づき、市町村（特別区〈東京23区〉を含む）を保険者、市町村の区域内に住所を有する65歳以上の者を第1号被保険者、40歳以上65歳未満の医療保険加入者を第2号被保険者とし、社会保険方式で介護サービスを提供します。

　介護保険制度の目的は、❶個人の尊厳の保持、❷自立した日常生活の保障、❸国民の共同連帯の理念、❹国民の保健医療の向上及び福祉の増進、の4つです。

2　介護保険制度の改正

　介護保険制度は、5年を目途に見直しを図るものとして、2000（平成12）年4月からスタートしました。その方針に基づき、次のとおり制度改正が行われています。

■主な改正内容

改正年	改正内容
2005年	●予防重視型システムへの転換（予防給付、地域支援事業の創設） ●施設等での給付の見直し（居住費、食費を自己負担に） ●地域密着型サービス、地域包括支援センターの創設など
2011年	●定期巡回・随時対応型訪問介護看護と複合型サービスを創設 ●地域支援事業に介護予防・日常生活支援総合事業を創設
2014年	●予防給付（訪問介護、通所介護）を介護予防・日常生活支援総合事業に移行 ●指定介護老人福祉施設の新規入所要件を原則要介護3以上に変更 ●一定以上所得のある第1号被保険者の自己負担割合を2割に引き上げ
2017年	●介護医療院の創設、介護保険制度と障害福祉制度に共生型サービス（ホームヘルプサービス、デイサービス、ショートステイ）を創設 ●介護給付費・地域支援事業支援納付金への総報酬割の導入、利用者負担の引き上げ（2割負担の者のうち特に所得の高い層は3割）など
2020年	●国等の責務（保険給付に係る施策等の推進にあたり、地域共生社会を実現） ●認知症施策の総合的な推進等における国等の責務（認知症予防等に関する調査研究の推進および成果の普及等、認知症である者への支援体制の整備等） ●介護保険事業計画等の見直し（介護人材確保および業務効率化の取組み）
2023年	●介護サービスを提供する事業所等における生産性の向上 ●複合型サービスの定義の見直し ●地域包括支援センターの業務の見直し ●介護サービス事業者経営情報の調査および分析等 ●介護情報の収集・提供等に係る事業の創設

3 介護保険の保険者と被保険者

①保険者

　介護保険制度を運営する**保険者**は**市町村**（特別区を含む）です。ただし、被保険者数が少ない小規模の市町村では、**広域連合**や**一部事務組合**が保険者となることも認められています。

■保険者の主な役割

> 被保険者の資格管理に関する事務、要介護認定等に関する事務、保険給付に関する事務、事業者・施設に関する事務など

②被保険者

　介護保険制度の被保険者の資格要件を満たす人は、必ず**被保険者**となります。

■介護保険制度の被保険者

項目	第1号被保険者	第2号被保険者
対象者	市町村の区域内に住所を有する65歳以上の人	市町村の区域内に住所を有する40歳以上65歳未満の医療保険加入者
受給権者 （給付要件）	要介護状態や要支援状態にある人	**要介護状態**や**要支援状態**にあり、その原因である障害が特定疾病による人
変更の届出	原則必要（被保険者または世帯主）	原則不要

4 要介護認定・要支援認定の流れ

　要介護認定・要支援認定は、市町村への申請から始まり、認定調査 → 一次判定 → 二次判定を経て、認定結果が被保険者に通知されることになります。

■要介護認定・要支援認定の流れ

申請	被保険者やその家族などが、市町村に認定のための申請を行う

認定調査	市町村の調査員が、被保険者の自宅を訪問。基本調査（身体機能や生活機能などの調査）や、特記事項（基本調査の内容を補足する調査）などの聞き取りを行う

一次判定	基本調査の内容をコンピュータに入力し、判定する。介護の必要度が推計され、それに基づき要介護・要支援状態の区分がなされる

二次判定	市町村の設置する介護認定審査会が、一次判定の結果、主治医意見書、特記事項に基づき、判定する

認定と通知	二次判定の結果を受け、市町村が、要介護1〜5、要支援1・2、非該当のうち、いずれかの認定を行い、被保険者に結果を通知する

申請は、本人、家族のほか、指定居宅介護支援事業者、地域密着型介護老人福祉施設、介護保険施設、地域包括支援センター、民生委員、社会保険労務士などが代行することができます。

☑ **過去問チェック**

二次判定では、一次判定を基礎として、主治医の意見書や特記事項に基づき、どの区分に該当するかの審査・判定が行われる。 （第27回問題127）　〇

5　サービスの種類

　保険給付の種類は、介護給付、予防給付、市町村特別給付（市町村が独自に行うサービス）の3つです。

介護給付	要介護者を対象としたサービス。居宅サービス、地域密着型サービス、住宅改修、居宅介護支援、施設サービス
予防給付	要支援者を対象としたサービス。介護予防サービス、地域密着型介護予防サービス、介護予防住宅改修、介護予防支援
市町村特別給付	要介護者・要支援者を対象に、市町村が独自に行うサービス

　保険給付の対象となるサービスと地域支援事業は次のとおりです。

■保険給付の対象となるサービスと地域支援事業

要介護1～5	要支援1、2	事業対象者など
重度化の防止	介護予防、重度化の防止	介護予防、状態の維持・改善

介護給付

◆居宅サービス
❶訪問介護
❷訪問入浴介護
❸訪問看護
❹訪問リハビリテーション
❺居宅療養管理指導
❻通所介護
❼通所リハビリテーション
❽短期入所生活介護
❾短期入所療養介護
❿特定施設入居者生活介護
⓫福祉用具貸与
⓬特定福祉用具販売

◆地域密着型サービス
❶定期巡回・随時対応型訪問介護看護
❷夜間対応型訪問介護
❸地域密着型通所介護
❹認知症対応型通所介護
❺小規模多機能型居宅介護
❻認知症対応型共同生活介護
❼地域密着型特定施設入居者生活介護
❽地域密着型介護老人福祉施設入所者生活介護
❾看護小規模多機能型居宅介護

◆住宅改修
◆居宅介護支援
◆施設サービス

予防給付

◆介護予防サービス
❶介護予防訪問入浴介護
❷介護予防訪問看護
❸介護予防訪問リハビリテーション
❹介護予防居宅療養管理指導
❺介護予防通所リハビリテーション
❻介護予防短期入所生活介護
❼介護予防短期入所療養介護
❽介護予防特定施設入居者生活介護
❾介護予防福祉用具貸与
❿特定介護予防福祉用具販売

◆地域密着型介護予防サービス
❶介護予防認知症対応型通所介護
❷介護予防小規模多機能型居宅介護
❸介護予防認知症対応型共同生活介護

◆介護予防住宅改修
◆介護予防支援

地域支援事業

◆介護予防・日常生活支援総合事業
●介護予防・生活支援サービス事業
　○訪問型サービス
　○通所型サービス
　○生活支援サービス
　○介護予防ケアマネジメント
●一般介護予防事業
　○介護予防把握事業
　○介護予防普及啓発事業
　○地域介護予防活動支援事業
　○一般介護予防事業評価事業
　○地域リハビリテーション活動支援事業

◆包括的支援事業
●介護予防ケアマネジメント業務
●総合相談支援業務
●権利擁護業務
●包括的・継続的ケアマネジメント支援業務
●在宅医療・介護連携推進事業
●生活支援体制整備事業
●認知症総合支援事業

◆任意事業
●介護給付等費用適正化事業
●家族介護支援事業
●その他の事業（介護相談員派遣等事業など）

各サービスの内容についても、姉妹書『社会福祉士の教科書』などで、しっかりと押さえておきましょう。

児童・家庭福祉

□児童等の定義

　法や制度によって「児童（子ども）」の定義は異なります。しっかりと整理しておきましょう。

■児童・家庭福祉関連法における児童等の定義

法律名等	呼称等	定義
児童福祉法	児童	満18歳に満たない者
	乳児	満1歳に満たない者
	幼児	満1歳から小学校就学の始期に達するまでの者
	少年	**小学校就学**の始期から**満18歳**に達するまでの者
児童虐待の防止等に関する法律（児童虐待防止法）	児童	18歳に満たない者
児童手当法	児童	18歳に達する日以後の最初の3月31日までの間にある者
児童扶養手当法	児童	18歳に達する日以後の最初の3月31日までの間にある者または20歳未満で政令で定める程度の障害の状態にある者
特別児童扶養手当等の支給に関する法律（特別児童扶養手当法）	障害児	20歳未満で、障害等級（障害の程度に応じて重度のものから1級及び2級とし、各級の障害の状態は政令で定める）に該当する程度の障害の状態にある者
	重度障害児	20歳未満で、政令で定める程度の重度の障害の状態にあるため、日常生活において常時の介護を必要とする者
母子及び父子並びに寡婦福祉法	児童	20歳に満たない者
母子保健法	乳児	1歳に満たない者
	幼児	満1歳から小学校就学の始期に達するまでの者
子ども・子育て支援法	子ども	18歳に達する日以後の最初の3月31日までの間にある者
こども基本法	こども	心身の発達の過程にある者
児童の権利に関する条約	児童	18歳未満のすべての者

□児童福祉法

1　児童福祉施設の種類

　『児童福祉法』に基づいて設置されている**児童福祉施設**は次のとおりです。

■児童福祉施設の種類

助産施設	経済的理由により、入院助産を受けることができない妊産婦を入所させて、助産を受けさせる施設。主に産科病院や助産所が助産施設として指定され、福祉事務所を経て利用する
乳児院	家庭での養育を受けることができない乳児（特に必要のある場合には幼児を含む）を入院させて養育し、退院後の相談などを行う施設
母子生活支援施設	18歳未満の子どものいる母子家庭やこれに準ずる事情にある家庭の母親と子どもを入所させて保護し、自立支援計画の策定や自立促進に向けた生活支援、退所後の相談などを行う施設。福祉事務所を経て利用する。プライバシー保護のため、1世帯1室が原則
保育所	保育を必要とする乳児・幼児（特に必要のある場合には児童を含む）を預かり、保育を行う施設
幼保連携型認定こども園	満3歳以上の幼児に対する教育や保育を一体的に行う施設。地域における子育て支援を行う機能ももつ。「就学前の子どもに関する教育、保育等の総合的な提供の推進に関する法律」（認定こども園法）で規定され、学校と児童福祉施設の性質をあわせもつ。設置主体は、国、地方公共団体、学校法人、社会福祉法人に限定される
児童厚生施設	児童に健全な遊びを与え、健康の増進や情操を豊かにすることを目的とした児童遊園や児童館などの施設
児童養護施設	保護者のない児童（特に必要のある場合には乳児を含む）や虐待されている児童など、家庭環境などに様々な事情をもつ児童を入所させて養護し、退所後の相談などを行う施設
障害児入所施設 福祉型	障害児を入所させて、保護、日常生活の指導や独立自活に必要な知識や技能の付与を行う施設
障害児入所施設 医療型	福祉型の福祉サービスに加えて、治療を行う施設
児童発達支援センター	障害児を通所させて、日常生活における基本的動作の指導や独立自活に必要な知識や技能の付与、集団生活への適応のための訓練、治療（リハビリテーション）を行う施設
児童心理治療施設	家庭環境や学校における交友関係などの環境上の理由により社会生活への適応が困難となった児童（軽度の情緒障害を有する児童）を、短期間入所または通所させ、社会生活に適応するために必要な心理に関する治療及び生活指導、退所後の相談などを行う施設（旧：情緒障害児短期治療施設）
児童自立支援施設	不良行為を行ったまたは行うおそれのある児童や、家庭環境などの環境上の理由により生活指導が必要な児童を入所または通所させ、必要な指導や自立支援、退所後の相談などを行う施設
児童家庭支援センター	地域の児童の福祉に関する家庭や市町村からの相談・要請に対して、専門的・技術的な助言を行うほか、保護を要する児童またはその保護者に対する指導や、児童相談所、児童福祉施設などとの連絡調整などを行う施設
里親支援センター	里親支援事業を行うほか、里親および里親に養育される児童や里親になろうとする者について相談その他の援助を行う施設

2 障害児支援

『児童福祉法』において障害児とは、身体に障害のある児童、知的障害のある児童、精神に障害のある児童（発達障害児を含む）、難病による障害の程度が所定の程度である児童をいいます。

■障害児支援制度

小児慢性特定疾病の医療費助成		小児慢性特定疾病にかかっている児童の保護者に対して、医療費の自己負担分の一部を支給する
障害児通所支援	児童発達支援	障害児に対して、児童発達支援センターなどの施設に通わせ、日常生活における基本的な動作の指導、知識や技能の付与、集団生活への適応訓練、治療（リハビリテーション）などの便宜を供与する
	放課後等デイサービス	学校教育法第1条に規定する学校（幼稚園及び大学を除く）に就学している障害児に対して、授業の終了後または休業日に児童発達支援センターなどの施設に通わせ、生活能力の向上のために必要な訓練や社会との交流の促進などの便宜を供与する
	居宅訪問型児童発達支援	児童発達支援などを受けるための外出が困難な重度障害児に対して、居宅を訪問して、児童発達支援と同様の便宜を供与する
	保育所等訪問支援	障害児が通う保育所等や入所する乳児院等の施設を訪問し、集団生活へ適応するための専門的な支援などの便宜を供与する
障害児相談支援	障害児支援利用援助	●通所給付決定の申請に係る障害児の心身の状況や環境、利用の意向等を勘案し、利用する障害児通所支援の種類及び内容などを記載した障害児支援利用計画案を作成する ●通所給付決定後は、指定障害児通所支援事業者などの関係者との連絡調整を行い、障害児通所支援の種類及び内容や担当者などを記載した障害児支援利用計画を作成する
	継続障害児支援利用援助	●障害児通所支援を適切に利用することができるよう、障害児支援利用計画が適切であるかどうか、一定の期間ごとに利用状況を検証し、計画の見直しを行う ●関係者との連絡調整を行い、障害児の保護者に対し、新たな通所給付決定や決定変更の決定が必要な際に申請を勧奨する

3 子育て支援事業

子育て支援事業として、『児童福祉法』には次のものが規定されています。

■子育て支援事業の種類

放課後児童健全育成事業	保護者が労働などで昼間家庭にいない小学校に就学している児童に対して、授業の終了後に児童厚生施設などの施設にて、適切な遊びや生活の場を与えて、その健全な育成を図る事業
子育て短期支援事業	保護者の疾病などの理由のために、家庭で養育を受けることが一時的に困難になった児童を、児童養護施設などの施設に入所させ、必要な保護を行う事業

乳児家庭 全戸訪問事業	市町村の区域内で、原則として生後4か月までの乳児のいる全ての家庭を訪問して、子育てに関する情報の提供や乳児と保護者の心身の状況などの把握を行ったり、相談に応じて助言や援助を行ったりする事業
養育支援 訪問事業	乳児家庭全戸訪問事業の実施などで把握した、❶保護者の養育の支援が特に必要と認められる児童（要支援児童）、❷保護者に監護させることが不適当であると認められる児童とその保護者、❸出産後の養育について出産前の支援が特に必要と認められる妊婦（特定妊婦）に対し、養育が適切に行われるよう、居宅を訪問し、相談や指導、助言などを行う事業
地域子育て 支援拠点事業	乳幼児とその保護者が相互交流を行う場所を開設して、子育てについての相談や情報の提供、助言などを行う事業
一時預かり事業	家庭で保育（養護及び教育）を受けることが一時的に困難となった乳幼児、または保護者の子育ての負担を軽減するため、一時的に預かることが望ましい乳幼児を、主として昼間に、保育所、認定こども園などで一時的に預かり、必要な保護を行う事業
病児保育事業	保育を必要とする乳幼児や家庭での保育が困難である小学校に就学している児童で、疾病にかかっているものを、保育所や認定こども園、病院、診療所などで保育する事業
子育て援助 活動支援事業	児童の一時的な預かりや送り迎えなどの支援を希望する保護者と、援助を行うことを希望する援助希望者との連絡調整を行う事業。援助希望者への講習の実施やその他必要な支援も行う
子育て世帯 訪問支援事業	要支援・要保護児童およびその保護者、特定妊婦等の居宅を訪問し、子育てに関する情報の提供、家事・養育に関する援助などを行う事業
児童育成 支援拠点事業	養育環境等の課題を抱える児童について、児童に生活の場を与えるための場所を開設して、情報の提供、相談、関係機関との連絡調整を行うとともに、必要に応じて児童の保護者に対し情報の提供、相談・助言などの支援を行う事業
親子関係形成 支援事業	親子間における適切な関係性の構築を目的として、児童とその保護者に対して、児童の心身の発達の状況などに応じた情報の提供、相談・助言その他必要な支援を行う

貧困に対する支援

□生活保護制度

1 生活保護法の基本原理と基本原則

生活保護制度について規定する『生活保護法』は、『日本国憲法』第25条の生存権に基づいて、困窮する全ての国民を対象にした、最低限度の生活の保障と自立の助長を目的に掲げています。

『生活保護法』に基づく保護の実施にあたっては、次の4つの基本原理と、4つの基本原則が示されています。

■生活保護の4つの基本原理、4つの基本原則

基本原理	国家責任の原理 （第1条）	国が生活に困窮するすべての国民に対し、困窮の程度に応じ、必要な保護を行う
	無差別平等の原理 （第2条）	すべての国民が、法律の定める要件を満たす限り、保護を無差別平等に受けられる
	最低生活保障の原理 （第3条）	法律で保障される最低限度の生活は、健康で文化的な生活水準を維持できるものでなければならない
	保護の補足性の原理 （第4条）	保護は、生活に困窮する者が、利用し得る資産・能力などを最低限度の生活の維持のために活用することを要件として行われる
基本原則	申請保護の原則 （第7条）	保護は、要保護者、その扶養義務者、同居の親族の申請に基づき開始する（要保護者が急迫した状況にあるときは申請がなくても必要な保護を行える）
	基準及び程度の原則 （第8条）	保護は、厚生労働大臣の定める基準より測定した需要を基にして、金銭・物品で満たすことのできない不足分を補う程度で行う
	必要即応の原則 （第9条）	保護は、要保護者の年齢別、性別、健康状態など、個人・世帯の実際の必要の相違を考慮して、有効かつ適切に行う
	世帯単位の原則 （第10条）	保護は、世帯を単位として要否・程度を定める（難しい場合は、個人を単位として定められる）

☑ 過去問チェック

保護は、親族を単位としてその要否を定める。

✕ ➡ 世帯

（第34回問題63）

2　扶助の種類と給付方法

　生活保護制度における扶助は、8種類に分けられています。

　給付方法は原則として、扶助の種類により、金銭を支給する方法（金銭給付）と、物品の支給や医療・介護サービスの提供などを行う方法（現物給付）のいずれかに決められています。なお、1種類の扶助のみを受給する場合を単給、2種類以上の扶助を受給する場合を併給といいます。

■生活保護制度における扶助の種類と給付方法

種類	扶助の内容	給付方法
生活扶助	食費、被服費、光熱水費など、日常生活に必要な費用の扶助	金銭給付
教育扶助	給食費、通学交通費など、義務教育に必要な費用の扶助	金銭給付
住宅扶助	家賃、住宅の修理・維持に必要な費用の扶助	金銭給付
医療扶助	診察や投薬、入院や手術などに必要な扶助	現物給付
介護扶助	「介護保険法」に基づくサービスの提供に必要な扶助	現物給付
出産扶助	分娩やその後の処置に必要な費用の扶助	金銭給付

生業扶助	就労のための技能修得に必要な費用の扶助 ※高等学校の就学費用を含む	金銭給付
葬祭扶助	遺体の運搬、火葬・埋葬、葬祭に必要な費用の扶助	金銭給付

 生活扶助、住宅扶助、葬祭扶助には、住んでいる場所によって支給額が異なる級地区分が設定されています。

☑ **過去問チェック**

教育扶助は、高等学校の就学に係る学用品費について給付する。

(第32回問題65)

 → 生業扶助

3 生活保護受給者への就労支援
①生活保護受給者等就労自立促進事業

生活保護受給者等就労自立促進事業は、生活保護受給者を含めた生活困窮者等を対象とした事業です。福祉事務所に公共職業安定所の常設窓口を設置するなどして、公共職業安定所と福祉事務所が一体となったきめ細かい就労支援や職場定着へのフォローアップを実施することにより、支援対象者の就労による自立促進を図るものです。

■生活保護受給者等就労自立促進事業の支援対象者の範囲

主な支援対象者	生活保護受給者、児童扶養手当受給者、住居確保給付金受給者、生活困窮者
支援対象者の条件	❶稼働能力がある、❷就労意欲が一定程度ある、❸就労するうえで著しい阻害要因がない、❹事業への参加に同意している

生活保護受給者等就労自立促進事業では、公共職業安定所と福祉事務所が連携して組織する就労支援チームが、❶就労支援プランの策定、❷職業準備プログラムのメニューの選定、❸就労支援プログラムのメニューの選定、❹支援方針の決定、❺福祉事務所への定期的な巡回相談の実施を行います。

②被保護者就労支援事業

被保護者就労支援事業は、就労支援に関する問題について、被保護者からの相談に応じ、必要な情報の提供、助言を行うことで、被保護者の自立促進を図ることを目的とした事業です。

■被保護者就労支援事業の概要

対象者	就労可能な被保護者であって、個別支援を行うことで就労などが可能な者のうち、本事業への参加を希望する者
主な事業内容	●就労に関する相談、助言　　●求職活動への支援 ●求職活動への同行　　　　　●個別の求人開拓 ●公共職業安定所などの関係機関との連絡調整 ●就労後のフォローアップ

③被保護者就労準備支援事業

　被保護者就労準備支援事業とは、就労意欲が低かったり、基本的な生活習慣に課題を抱えていたりする被保護者に対して、一般就労に向けた準備として、就労意欲の喚起や一般就労に従事する準備としての日常生活習慣の改善を総合的かつ計画的に一貫して実施する事業です。

■被保護者就労準備支援事業の内容

日常生活自立 に関する支援	適切な生活習慣の形成を促すことを目的とした、規則正しい起床や就寝、適切な身だしなみ、食事内容などに関する助言、指導など
社会生活自立 に関する支援	社会的能力の形成を促すことを目的とした、基本的なコミュニケーション能力の形成や地域の事務所での職場見学、ボランティア活動への参加など
就労自立 に関する支援	一般就労に向けた技法や知識の習得などを促すことを目的とした、就労体験やビジネスマナー講習の実施、キャリア・コンサルティングを通じた本人の適性確認、模擬面接の実施、履歴書の作成訓練など

☑ 過去問チェック

被保護者就労準備支援事業には、社会生活自立に関する支援が含まれている。

（第31回問題144）

○

□生活困窮者自立支援法

1　生活困窮者自立支援法の概要

　『生活困窮者自立支援法』は、近年の生活保護受給者の増加を踏まえ、生活困窮者に対し、生活保護に至る前の自立支援策の強化を図ることを目的とし、2015（平成27）年4月に施行されました。同法に基づく事業の実施主体は、都道府県、市及び福祉事務所を設置する町村です。

■「生活困窮者」の定義

　この法律において「生活困窮者」とは、就労の状況、心身の状況、地域社会との関係性その他の事情により、現に経済的に困窮し、最低限度の生活を維持することができなくなるおそれのある者をいう。

2018（平成30）年の改正で、生活困窮者の定義について、下線部が追加されました。

2　支援の内容

　生活困窮者自立支援法に基づく事業は、**必須事業**と実施が**努力義務**とされている事業、任意事業に分類されています。

■事業の概要

必須事業	自立相談支援事業	生活困窮者の相談を受けて抱えている課題を評価・分析し、ニーズを把握して自立支援計画を策定し、計画に基づく支援を実施する
	住居確保給付金	離職により住宅を失った、またはそのおそれが高い生活困窮者に対して、有期で家賃相当額を支給する
努力義務	就労準備支援事業※	一般就労に従事する準備としての基礎能力の形成を、計画的かつ一貫して支援する。6か月～1年程度、プログラムに沿った支援や就労の機会の提供を行う
	家計改善支援事業※	収入や支出などの状況を適切に把握し、家計改善の意欲を高めるよう支援するほか、生活に必要な資金の貸付けのあっせんを行う
任意事業	子どもの学習・生活支援事業、一時生活支援事業　など	

※自立相談支援事業との一体的実施の促進が図られている

□貧困状態にある人の生活実態とこれを取り巻く社会環境

1　生活保護の動向

　2008（平成20）年のリーマンショック以前から被保護人員は増加傾向にあり、1995（平成7）年度を底に増加を続け、2011（平成23）年度からは過去最高の人数を毎年更新してきましたが、2015（平成27）年度には減少に転じました。2022（令和4）年度の被保護人員は202万4,586人（1か月平均）で、前年度より1万3,971人の減少となっています。

2　扶助別にみる動向

　「被保護者調査」（厚生労働省）によると、2022（令和4）年度の保護の種類別扶助人員は、生活扶助が最も多く約177万人、次いで住宅扶助約174万人、医療扶助約171万人、介護扶助約42万人、教育扶助約9万人となっています。

■被保護実人員・保護の種類別扶助人員（月平均）

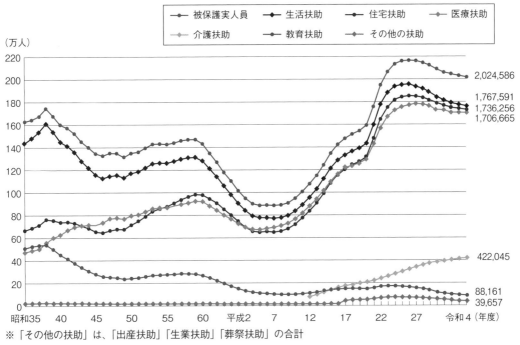

※「その他の扶助」は、「出産扶助」「生業扶助」「葬祭扶助」の合計

出典：厚生労働省「令和4年度被保護者調査」

3　保護開始の主な理由

　2022（令和4）年度は「貯金等の減少・喪失」による保護開始が46.1%であり、その割合は年々増加しています。2008（平成20）年度までは「傷病による」、2009（平成21）～2011（平成23）年度は「働きによる収入の減少・喪失」が最多でした。

■保護開始の主な理由別世帯数の構成割合

（単位：%）

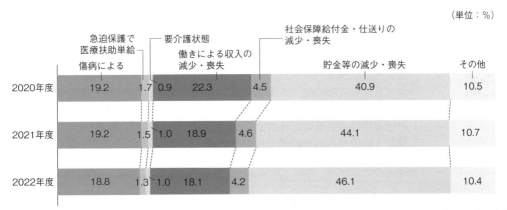

出典：厚生労働省「令和4年度被保護者調査」

4　保護廃止の主な理由

　保護廃止の理由では、死亡の割合が増加傾向にあり、2022（令和4）年度は50.6%と最も高くなっています。

■保護廃止の主な理由別世帯数の構成割合

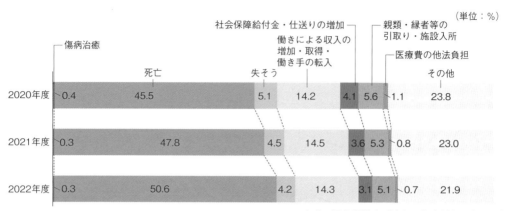

（単位：％）

	傷病治癒	死亡	失そう	社会保障給付金・仕送りの増加	働きによる収入の増加・取得・働き手の転入		親類・縁者等の引取り・施設入所	医療費の他法負担	その他
2020年度	0.4	45.5	5.1		14.2	4.1	5.6	1.1	23.8
2021年度	0.3	47.8	4.5		14.5	3.6	5.3	0.8	23.0
2022年度	0.3	50.6	4.2		14.3	3.1	5.1	0.7	21.9

出典：厚生労働省「令和4年度被保護者調査」

保健医療と福祉

□医療保険制度の概要

1 高額療養費制度

　高額療養費制度は、1か月に同一医療機関等に支払った医療費が高額になったときに、その負担が大きくなりすぎないように、医療費負担を軽減する仕組みです。

　限度額適用認定証を保険証とあわせて医療機関等の窓口に提示すると、1か月（1日から月末まで）の窓口での支払いが自己負担限度額までとなります。

　なお、後から申請して自己負担限度額を超えた額の支給を受けることもできます。その場合、支給までは3か月程度かかり、また、支給を受ける権利は2年で消滅します。なお、「食費」「居住費」「差額ベッド代」「先進医療」は対象外です。

限度額適用認定証は、加入している医療保険の保険者に事前の申請を行うと交付されます。従来は70歳未満の人が対象でしたが、2018（平成30）年8月から70歳以上でも年収が約370万～1,160万円に相当する人も対象になりました。申請は毎年必要ですが、75歳以上の人は一度申請すればその後は申請の必要はありません。また、市町村民税非課税者には、「限度額適用・標準負担額減額認定証」が発行され、入院時の食事代も減額になります。

2 国民医療費

　国民医療費は、保険診療の対象となる病気やケガの治療費の推計です。この費用には、医科診療や歯科診療にかかる診療費、薬局調剤医療費、入院時食事・生活医療費、訪問看護医療費等が含まれます。

　一方、保険診療の対象とならない先進医療、選定療養、不妊治療、正常な妊娠・分娩費用、健康診断、予防接種費用、義眼、義肢等の費用は含みません。

①国民医療費・対国内総生産・対国民所得比率の年次推移

2021（令和3）年度の国民医療費は45兆359億円（前年比4.8%増）、人口1人当たりの国民医療費は35万8,800円（前年比5.3%増）となっています。

国内総生産（GDP）に対する比率は8.18%（前年比0.19%増）となっています。

■国民医療費・対国内総生産・対国民所得比率の年次推移

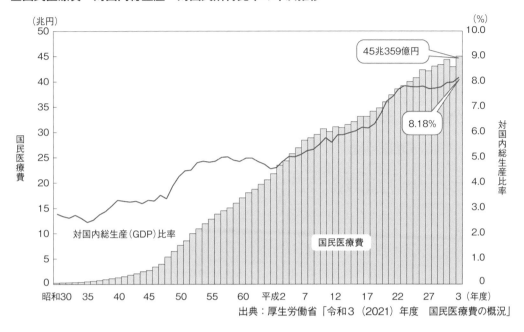

出典：厚生労働省「令和3（2021）年度　国民医療費の概況」

②国民医療費の財源別構成割合

2021（令和3）年度の国民医療費を財源別構成割合でみると、保険料が22兆4,957億円（50.0%）、公費が17兆1,025億円（38.0%）です。その他は5兆4,378億円（12.1%）で、そのうち患者負担は5兆2,094億円（11.6%）となっています。

③診療種類別国民医療費

2021（令和3）年度の国民医療費を診療種類別にみると、医科診療医療費が32兆4,025億円（71.9%）で最も多く、次いで薬局調剤医療費が7兆8,794億円（17.5%）、歯科診療医療費が3兆1,479億円（7.0%）となっています。対前年度増減率をみると、医科診療医療費は5.3%の増加、薬局調剤医療費は3.0%の増加、歯科診療医療費は4.9%の増加となっています。

④傷病分類別医科診療医療費

2021（令和3）年度の国民医療費の医科診療医療費を主傷病による傷病分類別にみると、「循環器系の疾患」が6兆1,116億円（18.9%）と最も多く、次いで「新生物」が4兆8,428億円（14.9%）、「筋骨格系及び結合組織の疾患」が2兆6,076億円（8.0%）、「損傷、中毒及びその他の外因の影響」が2兆4,935億円（7.7%）となっています。

✓ 過去問チェック

> 診療種類別の国民医療費のうち最も大きな割合を占めるのは歯科診療医療費である。
>
> （第35回問題71）
>
> ✕ ➡ 医科診療医療費

☐医療施設の概要

1　医療提供施設

　日本の医療提供施設は、『**医療法**』によって様々な機能や特性に応じて分類され、医療が効率よく提供されるように構成されています。医療提供施設とは、病院、診療所及び**介護老人保健施設**、介護医療院、調剤薬局等をいいます。

■医療法上の主な医療提供施設

病院	医師または歯科医師が、公衆または特定多数人のため医業または歯科医業を提供する場所であって、入院のための病床数が20床以上の施設
診療所	医師または歯科医師が、公衆または特定多数人のため医業または歯科医業を提供する場所であって、**入院設備がないものまたは入院のための病床数が19床以下の施設**
介護老人保健施設	在宅復帰を目的に、医師による医学的管理とともにリハビリテーション、日常生活のサービスが提供される施設
介護医療院	施設サービス計画に基づき行う療養上の管理、看護、医学的管理下における介護、機能訓練、その他必要な医療、日常生活上の世話を行う施設
調剤薬局	医師の処方に基づいて調剤するほか、患者に対して、薬の説明や服薬の仕方などを説明する役割がある施設

> 介護医療院は、2018（平成30）年4月より創設された介護保険法上の介護保険施設ですが、医療法上は医療提供施設として位置づけられます。

2　特定機能病院と地域医療支援病院

　特定機能病院は、**高度医療、最先端医療**を提供する病院です。地域医療支援病院は、救急医療の提供やかかりつけ医、かかりつけ歯科医との**連携**など、地域医療を支援する機能をもった病院です。

■特定機能病院・地域医療支援病院の概要

	特定機能病院	地域医療支援病院
役割	●高度の医療の提供、高度の医療技術の開発・評価 ●高度の医療に関する研修	●地域のかかりつけ医、かかりつけ歯科医等を支援 ●紹介患者に対する医療の提供 ●建物、設備、医療機器等の共同利用 ●救急医療の提供 ●地域医療従事者への研修設備の確保

紹介率	50％以上	❶～❸のいずれかを満たすこと
逆紹介率	40％以上	❶紹介率80％以上（紹介率が65％以上であって、承認後2年間で80％達成することが見込まれる場合を含む） ❷紹介率65％以上、かつ逆紹介率40％以上 ❸紹介率50％以上、かつ逆紹介率70％以上
病床数	400床以上	200床以上
承認	厚生労働大臣	都道府県知事

□保健医療領域における専門職の役割と連携

1　医師

医師は、『医師法』に基づく業務独占並びに名称独占の国家資格で、次のような役割が規定されています。

■医師の役割

- ●医療及び保健指導を掌（つかさど）る
- ●その仕事は医業とされ、行う行為は医療行為と呼ばれる
- ●公衆衛生の向上及び増進に寄与し、国民の健康な生活を確保する
- ●患者または現にその看護に当たっている者に対して処方せんを交付する
- ●医師自らの処方による調剤は認められている
- ●診療時には遅滞なく診療に関する事項を診療録に記載し、5年間保存する

2　看護師、保健師、助産師

看護師、保健師、助産師は、『保健師助産師看護師法』に基づく国家資格で、次のように規定されています。

■看護師、保健師、助産師

看護師	厚生労働大臣の免許を受けて、傷病者もしくはじょく婦に対する療養上の世話または診療の補助を行うことを業とする者。**業務・名称独占**の資格
保健師	厚生労働大臣の免許を受けて、保健指導に従事することを業とする者。**名称独占**の資格
助産師	厚生労働大臣の免許を受けて、助産または妊婦、じょく婦もしくは新生児の保健指導を行うことを業とする女子。**業務・名称独占**の資格

なお、保健師、助産師は、看護師と同じく、傷病者もしくはじょく婦に対する療養上の世話または診療の補助を行うことができると規定されています。

「准看護師」は、国家資格ではなく都道府県の認定資格です。都道府県知事の免許を受けます。

3　リハビリテーション専門職

　リハビリテーション医療では、医師、看護師、保健師、医療ソーシャルワーカー等のみならず、次のようなリハビリテーション専門職が連携し、医療・保健・福祉専門職がチームで対応することが基本です。

■主なリハビリテーション専門職

理学療法士 （PT）	医師の指示の下に、理学療法を行うことを業とする**名称独占**の国家資格 →理学療法とは、身体に障害のある者に対し、主としてその基本的動作能力の回復を図るため、治療体操その他の運動を行わせ、及び電気刺激、マッサージ、温熱その他の物理的手段を加えること
作業療法士 （OT）	医師の指示の下に、作業療法を行うことを業とする**名称独占**の国家資格 →作業療法とは、身体または精神に障害のある者に対し、主としてその応用的動作能力または社会的適応能力の回復を図るため、手芸、工作その他の作業を行わせること
言語聴覚士 （ST）	音声機能、言語機能または聴覚に障害のある者について、その機能の維持向上を図るため、言語訓練その他の訓練、これに必要な検査及び助言、指導その他の援助を行うことを業とする**名称独占**の国家資格 →『保健師助産師看護師法』の規定にかかわらず、診療の補助として、医師または歯科医師の指示の下に、嚥下訓練、人工内耳の調整その他厚生労働省令で定める行為を行うことを業とすることができる

言語聴覚士は、その業務を行うに当たって、音声機能、言語機能または聴覚に障害のある者に主治の医師または歯科医師があるときは、その指導を受けなければなりません。

4　医療ソーシャルワーカー

　保健医療領域で働く社会福祉士を、医療ソーシャルワーカー（MSW）と呼びます。
　医療ソーシャルワーカーの業務の範囲や業務の方法は、「医療ソーシャルワーカー業務指針」によって定められており、病院等において管理者の監督の下に次のような業務を行います。

■医療ソーシャルワーカー業務指針

業務の範囲	業務の方法等
❶療養中の心理的・社会的問題の解決、調整援助 ❷退院援助 ❸社会復帰援助 ❹受診・受療援助 ❺経済的問題の解決、調整援助 ❻地域活動	❶個別援助に係る業務の具体的展開 ❷患者の主体性の尊重 ❸プライバシーの保護 ❹他の保健医療スタッフ及び地域の関係機関との連携 ❺受診・受療援助と医師の指示 ❻問題の予測と計画的対応 ❼記録の作成等

福祉サービスの組織と経営

□福祉サービスの組織と経営に係る基礎理論

1 組織論

　組織論は様々な角度から研究されており、主な論者と理論には次のようなものがあります。

■主な組織論の論者とその理論

ヴェーバー	合理的な組織構造として官僚制組織論を提唱 ●**官僚制組織論** 　官僚制は、ルールや手続き、専門家と分業、権限の階層構造などの特徴をもち、組織を有効に機能させるうえで利点があるという主張
テイラー	課業（1日の公平な作業量）の設定や差別的出来高払い制度、計画部制度などを取り入れた、科学的管理法を提唱 ●**差別的出来高払い制度** 　課業の達成の有無によって賃金に差をつける制度 ●**計画部制度** 　業務を分析し、課業の設定などを行う「計画部門」と、設定された課業を実際にこなしていく「執行部門」を分ける制度
メイヨー レスリスバーガー	作業条件や能率について実験を行い（ホーソン実験）、人間関係論を提唱 ●**人間関係論** 　作業能率に重要な影響を与えるのは、作業環境や賃金などの作業条件ではなく、人間的側面から生まれる労働者の心理的な要因であると主張。意識的に形成された公式組織より、自然に発生した非公式組織としての人間関係が重要とした
バーナード	組織は、個人が目的を達成できないときに協働することで生まれるとし、❶共通目的（共通の目的の達成を目指す）、❷貢献意欲（組織に貢献しようとする意欲をもつ）、❸伝達（コミュニケーション）の組織設立の3要素を提唱
サイモン	限定された合理性に基づく意思決定である経営人モデルを提唱し、1人の孤立した個人では、極めて合理性の高い行動をとることは不可能であると主張
マーチ オルセン	意思決定は合理的な過程を経てなされるものではなく、様々な状況が影響し合いながらなされるとするゴミ箱モデルを提唱
バーンズ ストーカー	機械的組織と有機的組織を研究 ●**機械的組織** 　仕事内容が専門別に分かれていて、職務・権限が明確な組織。コミュニケーションは垂直型で、中央集権化されている。外部環境の不確実性が低いときに有効 ●**有機的組織** 　仕事内容は個人の知識や経験に基づいており、職務・権限がゆるやかな組織。コミュニケーションは水平型で、外部環境の不確実性が高いときに有効

シャイン	組織文化は、集団によってつくられた価値であると主張し、構成要素を、❶人工物（建物や行事などがつくり出す物理的・社会的環境）、❷価値（標榜されている価値観）、❸基本的仮定（組織における暗黙のルール、組織の中での当たり前のこと）の３つのレベルで示した

☑ **過去問チェック**（直近４回中２回出題項目）

メイヨーらによって行われたホーソン実験では、生産性に影響を与える要因が、人間関係よりも労働条件や作業環境であることが確認された。　　（第33回問題121）

 人間関係

 ホーソン実験では、物理的作業条件よりも人間関係の側面が生産性に影響を与えることが明らかにされた。　　（第34回問題120） ○

2　経営戦略

　経営戦略とは、企業が競争的環境の中で生き抜くために立てる、組織の中長期的な方針や計画を指します。経営戦略を立てるためには、内部組織の強みや弱みだけでなく、外部環境も知ったうえで検討する必要があります。

　経営戦略に関する主な論者と理論には、次のようなものがあります。

■主な経営戦略の論者とその理論

チャンドラー	●企業のビジョンや理念に基づいて策定された戦略に適合するように組織が組み立てられるとする「組織は戦略に従う」という考え方を提唱 ●経営戦略を、長期の基本目標を定めたうえで、その目標を実現するために行動を起こしたり、経営資源を配分したりすることとした
アンゾフ	●組織の実際を度外視した戦略では効果がなく、その組織がもつ制約を考慮したうえで戦略を立てる必要があるとした「戦略は組織に従う」という考え方を提唱 ●経営における意思決定を、❶戦略的意思決定、❷管理的意思決定、❸日常業務的意思決定の３つに区分
アンドルーズ	企業がもつ❶強み（Strength）、❷弱み（Weakness）、❸機会（Opportunity）、❹脅威（Threat）の４つの軸から経営戦略を評価するとしたSWOT分析を提唱
ミンツバーグ	戦略を立てて実行したものの、環境の変化などによりそれが結果的に当初意図しなかったものとなったとしても、それは戦略であるとした
キャプラン	財務だけでなく、顧客、業務プロセス、従業員の学習・育成といった各視点から経営戦略、企業実績を評価する、バランス・スコアカード（Balanced Score Card）を提唱
ユヌス	ソーシャルビジネスの利益は、投資家などに還元するのではなく、ソーシャルビジネスの拡大のために活用されるべきと主張

大前研一	マーケティング戦略や事業計画を立てる際の分析ツールとして、顧客（Customer）、競合（Competitor）、自社（Company）の3つを挙げた3C分析を提唱

☑ **過去問チェック**

> バランス・スコアカード（Balanced Score Card）とは、財務だけでなく、顧客、業務プロセス、従業員の学習・育成といった各視点から企業実績を評価する仕組みである。
> （第35回問題123）
> ○

3 集団力学

集団力学とは、集団において人の行動や思考は集団からの影響を受け、また、集団に対しても影響を与えるといった集団特性を指します。

集団力学に関する主な論者と理論には、次のようなものがあります。

■主な集団力学の論者とその理論

レヴィン	集団を構成するメンバーに対して、その集団に所属していたいという意思を働かせる性質を集団凝集性として提唱
アッシュ	集団内の多数派の意見に影響され、個人ではできていた正確な判断が困難になる現象を集団圧力として提唱
ジャニス	同質的な意見に偏ることで、不合理な誤った決定がなされやすい現象を集団思考（集団浅慮）として提唱
シェリフ	2つの集団間の対立は、目標を立ててお互いが協力してそれを達成することで解消できるとした

4 リーダーシップ理論

リーダーシップ理論は、リーダーに必要とされる資質を身体的・精神的資質の面などから研究した特性理論（資質論）、リーダーの効果的な行動アプローチを研究した行動理論、状況や環境に応じてリーダーのスタイルや行動を変えるべきであるとするコンティンジェンシー理論の順に研究が展開されてきました。また、カリスマ型リーダーシップや変革型リーダーシップに関する理論の研究も進められました。

主なリーダーシップ理論には、次のようなものがあります。

■主なリーダーシップ理論の論者とその理論

三隅二不二 (じゅうじ)	P機能（Performance function：目標達成）とM機能（Maintenance function：集団維持）の2つの軸でリーダーの行動を分析するPM理論（行動類型を、❶PM型、❷Pm型、❸pM型、❹pm型の4つに分類）を提唱
フィードラー	●おかれた状況や環境によってリーダーの有効性は異なるというコンティンジェンシー理論を提唱 ●リーダーの行動には、❶業績追求に関する行動志向性を表すタスク志向型（課題志向型）と、❷集団の調和を重視する行動志向性を表す人間関係志向型の2つがあるとした
ハーシィ ブランチャード	仕事に対する部下の成熟度によって、有効なリーダーのスタイルが異なるというSL理論（状況的リーダーシップ理論）を提唱
グリーンリーフ	リーダーは、まず部下に奉仕し、その後に導くというサーバント・リーダーシップを提唱
レヴィン	リーダーシップの類型を、リーダーの行動に基づき、❶専制型リーダーシップ（意思決定から具体的な指示まで、組織の運営に関わる全体をリーダーが執り行う）、❷放任型リーダーシップ（組織の意思決定をメンバーに任せ、リーダーは組織に対して積極的に働きかけない）、❸民主型リーダーシップ（リーダーの調整のもと、メンバー内での討議により組織としての意思決定を行う。人間関係を友好的に保つための配慮と、集団目標の達成に向けてメンバーを統合する）の3つに分類
ケリー	フォロワーシップとは、フォロワー（部下）がリーダーを支える力であり、リーダーシップに影響を与えるものであるとするフォロワーシップ理論を提唱
ハウス	メンバーの目標達成のための道筋を明示することがリーダーシップの本質であるとするパス・ゴール理論を提唱
ブレイク ムートン	●「人に対する関心」と「業績に対する関心」の2軸でリーダーシップを類型化した。縦、横それぞれの軸を9段階に分けて格子（グリッド）を作り、どの程度関心をもっているかでリーダーを分類するマネジリアル・グリッド論を提唱 ●「1・1型」は無関心な放任型リーダー、「9・9型」は人にも業績にも最大の関心を示す理想型リーダー

☑ 過去問チェック

パス・ゴール理論では、リーダーはメンバーに明確な目標（ゴール）へのパス（経路）を明示せず、メンバー自身に考えさせることが必要としている。　（第34回問題121）

✗ ➡ 明示する

第1回　予想問題　解答用紙　共通科目

※実際の解答用紙とは異なります。切り取ってコピーしてお使いください。

医学概論　／6点

問題　1	①	②	③	④	⑤
問題　2	①	②	③	④	⑤
問題　3	①	②	③	④	⑤
問題　4	①	②	③	④	⑤
問題　5	①	②	③	④	⑤
問題　6	①	②	③	④	⑤

心理学と心理的支援　／6点

問題　7	①	②	③	④	⑤
問題　8	①	②	③	④	⑤
問題　9	①	②	③	④	⑤
問題　10	①	②	③	④	⑤
問題　11	①	②	③	④	⑤
問題　12	①	②	③	④	⑤

社会学と社会システム　／6点

問題　13	①	②	③	④	⑤
問題　14	①	②	③	④	⑤
問題　15	①	②	③	④	⑤
問題　16	①	②	③	④	⑤
問題　17	①	②	③	④	⑤
問題　18	①	②	③	④	⑤

社会福祉の原理と政策　／9点

問題　19	①	②	③	④	⑤
問題　20	①	②	③	④	⑤
問題　21	①	②	③	④	⑤
問題　22	①	②	③	④	⑤
問題　23	①	②	③	④	⑤
問題　24	①	②	③	④	⑤
問題　25	①	②	③	④	⑤
問題　26	①	②	③	④	⑤
問題　27	①	②	③	④	⑤

社会保障　／9点

問題　28	①	②	③	④	⑤
問題　29	①	②	③	④	⑤
問題　30	①	②	③	④	⑤
問題　31	①	②	③	④	⑤
問題　32	①	②	③	④	⑤
問題　33	①	②	③	④	⑤
問題　34	①	②	③	④	⑤
問題　35	①	②	③	④	⑤
問題　36	①	②	③	④	⑤

権利擁護を支える法制度　／6点

問題　37	①	②	③	④	⑤
問題　38	①	②	③	④	⑤
問題　39	①	②	③	④	⑤
問題　40	①	②	③	④	⑤
問題　41	①	②	③	④	⑤
問題　42	①	②	③	④	⑤

地域福祉と包括的支援体制　／9点

問題　43	①	②	③	④	⑤
問題　44	①	②	③	④	⑤
問題　45	①	②	③	④	⑤
問題　46	①	②	③	④	⑤
問題　47	①	②	③	④	⑤
問題　48	①	②	③	④	⑤
問題　49	①	②	③	④	⑤
問題　50	①	②	③	④	⑤
問題　51	①	②	③	④	⑤

障害者福祉　／6点

問題　52	①	②	③	④	⑤
問題　53	①	②	③	④	⑤
問題　54	①	②	③	④	⑤
問題　55	①	②	③	④	⑤
問題　56	①	②	③	④	⑤
問題　57	①	②	③	④	⑤

刑事司法と福祉　／6点

問題　58	①	②	③	④	⑤
問題　59	①	②	③	④	⑤
問題　60	①	②	③	④	⑤
問題　61	①	②	③	④	⑤
問題　62	①	②	③	④	⑤
問題　63	①	②	③	④	⑤

ソーシャルワークの基盤と専門職　／6点

問題　64	①	②	③	④	⑤
問題　65	①	②	③	④	⑤
問題　66	①	②	③	④	⑤
問題　67	①	②	③	④	⑤
問題　68	①	②	③	④	⑤
問題　69	①	②	③	④	⑤

ソーシャルワークの理論と方法　／9点

問題　70	①	②	③	④	⑤
問題　71	①	②	③	④	⑤
問題　72	①	②	③	④	⑤
問題　73	①	②	③	④	⑤
問題　74	①	②	③	④	⑤
問題　75	①	②	③	④	⑤
問題　76	①	②	③	④	⑤
問題　77	①	②	③	④	⑤
問題　78	①	②	③	④	⑤

社会福祉調査の基礎　／6点

問題　79	①	②	③	④	⑤
問題　80	①	②	③	④	⑤
問題　81	①	②	③	④	⑤
問題　82	①	②	③	④	⑤
問題　83	①	②	③	④	⑤
問題　84	①	②	③	④	⑤

（切り取ってご利用下さい）

第1回　予想問題　解答用紙　専門科目

※実際の解答用紙とは異なります。切り取ってコピーしてお使いください。

高齢者福祉 ／6点

問題 85	①	②	③	④	⑤
問題 86	①	②	③	④	⑤
問題 87	①	②	③	④	⑤
問題 88	①	②	③	④	⑤
問題 89	①	②	③	④	⑤
問題 90	①	②	③	④	⑤

児童・家庭福祉 ／6点

問題 91	①	②	③	④	⑤
問題 92	①	②	③	④	⑤
問題 93	①	②	③	④	⑤
問題 94	①	②	③	④	⑤
問題 95	①	②	③	④	⑤
問題 96	①	②	③	④	⑤

貧困に対する支援 ／6点

問題 97	①	②	③	④	⑤
問題 98	①	②	③	④	⑤
問題 99	①	②	③	④	⑤
問題 100	①	②	③	④	⑤
問題 101	①	②	③	④	⑤
問題 102	①	②	③	④	⑤

保健医療と福祉 ／6点

問題 103	①	②	③	④	⑤
問題 104	①	②	③	④	⑤
問題 105	①	②	③	④	⑤
問題 106	①	②	③	④	⑤
問題 107	①	②	③	④	⑤
問題 108	①	②	③	④	⑤

ソーシャルワークの基盤と専門職（専門） ／6点

問題 109	①	②	③	④	⑤
問題 110	①	②	③	④	⑤
問題 111	①	②	③	④	⑤
問題 112	①	②	③	④	⑤
問題 113	①	②	③	④	⑤
問題 114	①	②	③	④	⑤

ソーシャルワークの理論と方法（専門） ／9点

問題 115	①	②	③	④	⑤
問題 116	①	②	③	④	⑤
問題 117	①	②	③	④	⑤
問題 118	①	②	③	④	⑤
問題 119	①	②	③	④	⑤
問題 120	①	②	③	④	⑤
問題 121	①	②	③	④	⑤
問題 122	①	②	③	④	⑤
問題 123	①	②	③	④	⑤

福祉サービスの組織と経営 ／6点

問題 124	①	②	③	④	⑤
問題 125	①	②	③	④	⑤
問題 126	①	②	③	④	⑤
問題 127	①	②	③	④	⑤
問題 128	①	②	③	④	⑤
問題 129	①	②	③	④	⑤

✂（切り取ってご利用下さい）

第2回 予想問題 解答用紙 　共通科目

※実際の解答用紙とは異なります。切り取ってコピーしてお使いください。

医学概論 ／6点

問題 1	①	②	③	④	⑤
問題 2	①	②	③	④	⑤
問題 3	①	②	③	④	⑤
問題 4	①	②	③	④	⑤
問題 5	①	②	③	④	⑤
問題 6	①	②	③	④	⑤

心理学と心理的支援 ／6点

問題 7	①	②	③	④	⑤
問題 8	①	②	③	④	⑤
問題 9	①	②	③	④	⑤
問題 10	①	②	③	④	⑤
問題 11	①	②	③	④	⑤
問題 12	①	②	③	④	⑤

社会学と社会システム ／6点

問題 13	①	②	③	④	⑤
問題 14	①	②	③	④	⑤
問題 15	①	②	③	④	⑤
問題 16	①	②	③	④	⑤
問題 17	①	②	③	④	⑤
問題 18	①	②	③	④	⑤

社会福祉の原理と政策 ／9点

問題 19	①	②	③	④	⑤
問題 20	①	②	③	④	⑤
問題 21	①	②	③	④	⑤
問題 22	①	②	③	④	⑤
問題 23	①	②	③	④	⑤
問題 24	①	②	③	④	⑤
問題 25	①	②	③	④	⑤
問題 26	①	②	③	④	⑤
問題 27	①	②	③	④	⑤

社会保障 ／9点

問題 28	①	②	③	④	⑤
問題 29	①	②	③	④	⑤
問題 30	①	②	③	④	⑤
問題 31	①	②	③	④	⑤
問題 32	①	②	③	④	⑤
問題 33	①	②	③	④	⑤
問題 34	①	②	③	④	⑤
問題 35	①	②	③	④	⑤
問題 36	①	②	③	④	⑤

権利擁護を支える法制度 ／6点

問題 37	①	②	③	④	⑤
問題 38	①	②	③	④	⑤
問題 39	①	②	③	④	⑤
問題 40	①	②	③	④	⑤
問題 41	①	②	③	④	⑤
問題 42	①	②	③	④	⑤

地域福祉と包括的支援体制 ／9点

問題 43	①	②	③	④	⑤
問題 44	①	②	③	④	⑤
問題 45	①	②	③	④	⑤
問題 46	①	②	③	④	⑤
問題 47	①	②	③	④	⑤
問題 48	①	②	③	④	⑤
問題 49	①	②	③	④	⑤
問題 50	①	②	③	④	⑤
問題 51	①	②	③	④	⑤

障害者福祉 ／6点

問題 52	①	②	③	④	⑤
問題 53	①	②	③	④	⑤
問題 54	①	②	③	④	⑤
問題 55	①	②	③	④	⑤
問題 56	①	②	③	④	⑤
問題 57	①	②	③	④	⑤

刑事司法と福祉 ／6点

問題 58	①	②	③	④	⑤
問題 59	①	②	③	④	⑤
問題 60	①	②	③	④	⑤
問題 61	①	②	③	④	⑤
問題 62	①	②	③	④	⑤
問題 63	①	②	③	④	⑤

ソーシャルワークの基盤と専門職 ／6点

問題 64	①	②	③	④	⑤
問題 65	①	②	③	④	⑤
問題 66	①	②	③	④	⑤
問題 67	①	②	③	④	⑤
問題 68	①	②	③	④	⑤
問題 69	①	②	③	④	⑤

ソーシャルワークの理論と方法 ／9点

問題 70	①	②	③	④	⑤
問題 71	①	②	③	④	⑤
問題 72	①	②	③	④	⑤
問題 73	①	②	③	④	⑤
問題 74	①	②	③	④	⑤
問題 75	①	②	③	④	⑤
問題 76	①	②	③	④	⑤
問題 77	①	②	③	④	⑤
問題 78	①	②	③	④	⑤

社会福祉調査の基礎 ／6点

問題 79	①	②	③	④	⑤
問題 80	①	②	③	④	⑤
問題 81	①	②	③	④	⑤
問題 82	①	②	③	④	⑤
問題 83	①	②	③	④	⑤
問題 84	①	②	③	④	⑤

（切り取ってご利用下さい）

第2回　予想問題　解答用紙　専門科目

※実際の解答用紙とは異なります。切り取ってコピーしてお使いください。

高齢者福祉 ／6点

問題 85	①	②	③	④	⑤
問題 86	①	②	③	④	⑤
問題 87	①	②	③	④	⑤
問題 88	①	②	③	④	⑤
問題 89	①	②	③	④	⑤
問題 90	①	②	③	④	⑤

児童・家庭福祉 ／6点

問題 91	①	②	③	④	⑤
問題 92	①	②	③	④	⑤
問題 93	①	②	③	④	⑤
問題 94	①	②	③	④	⑤
問題 95	①	②	③	④	⑤
問題 96	①	②	③	④	⑤

貧困に対する支援 ／6点

問題 97	①	②	③	④	⑤
問題 98	①	②	③	④	⑤
問題 99	①	②	③	④	⑤
問題 100	①	②	③	④	⑤
問題 101	①	②	③	④	⑤
問題 102	①	②	③	④	⑤

保健医療と福祉 ／6点

問題 103	①	②	③	④	⑤
問題 104	①	②	③	④	⑤
問題 105	①	②	③	④	⑤
問題 106	①	②	③	④	⑤
問題 107	①	②	③	④	⑤
問題 108	①	②	③	④	⑤

ソーシャルワークの基盤と専門職（専門） ／6点

問題 109	①	②	③	④	⑤
問題 110	①	②	③	④	⑤
問題 111	①	②	③	④	⑤
問題 112	①	②	③	④	⑤
問題 113	①	②	③	④	⑤
問題 114	①	②	③	④	⑤

ソーシャルワークの理論と方法（専門） ／9点

問題 115	①	②	③	④	⑤
問題 116	①	②	③	④	⑤
問題 117	①	②	③	④	⑤
問題 118	①	②	③	④	⑤
問題 119	①	②	③	④	⑤
問題 120	①	②	③	④	⑤
問題 121	①	②	③	④	⑤
問題 122	①	②	③	④	⑤
問題 123	①	②	③	④	⑤

福祉サービスの組織と経営 ／6点

問題 124	①	②	③	④	⑤
問題 125	①	②	③	④	⑤
問題 126	①	②	③	④	⑤
問題 127	①	②	③	④	⑤
問題 128	①	②	③	④	⑤
問題 129	①	②	③	④	⑤

（切り取ってご利用下さい）

【問題冊子ご利用時の注意】

　「問題冊子」は、この**色紙を残したまま**、ていねいに**抜き取り**、ご利用ください。

● 抜き取り時のケガには、十分お気をつけください。
● 抜き取りの際の損傷についてのお取替えはご遠慮願います。

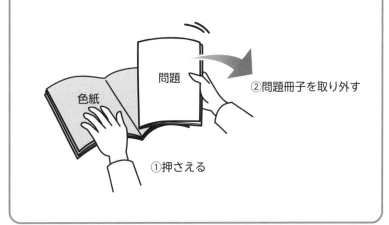

問題

②問題冊子を取り外す

色紙

①押さえる

TAC出版

TAC PUBLISHING Group

第1回　予想問題

共通科目

（注意）

1　共通科目の試験問題数は、上記の84問です。

2　解答時間は、試験センターから公表されていませんので、第36回国家試験当時の2時間15分を目安としてください。

3　出題形式は五肢択一を基本とする多肢選択形式となっています。各問題には1から5まで5つの答えがありますので、そのうち、問題に対応した答えを解答用紙に解答してください。

医学概論

問題　1　老化に伴う感覚機能に関する次の記述のうち、**適切なもの**を**1つ**選びなさい。

1　視覚に関する変化として、近方視力が低下する。

2　聴覚については、特に低い音が聞き取りづらくなる。

3　味覚については、特に甘味を感じ取りにくくなる。

4　嗅覚に大きな変化はみられない。

5　皮膚感覚は過敏になる。

問題　2　高齢者によくみられる疾患に関する記述のうち、**正しいもの**を**1つ**選びなさい。

1　糖尿病はその原因によって1型糖尿病と2型糖尿病に分けられるが、高齢者に多いのは1型糖尿病である。

2　関節リウマチは、夕方に手のこわばりがみられる。

3　疥癬はウイルス感染で起こる。

4　心筋梗塞の主症状は、前胸部痛や胸部圧迫感だが、背中に痛みを訴えることもある。

5　糖尿病で生じる合併症は、糖尿病性網膜症、糖尿病性腎症の2つである。

問題　3　高次脳機能障害に関する次の記述のうち、**最も適切なもの**を**1つ**選びなさい。

1　自身の障害について十分に気づいている。

2　計画を立てて物事を実行することができないなど、社会的行動障害がある。

3　集中できない、気がつかないなど、注意障害がある。

4　新しいことを覚えることができないなど、失行がある。

5　すぐ怒る、落ち込む、不適切な場面で笑いだすなど、遂行機能障害がある。

問題　4　前頭側頭型認知症に関する次の記述のうち、**適切なものを1つ**選びなさい。

1　左右どちらかの半身で麻痺が発生する片麻痺がみられる。

2　会話の流れとは関係のない言葉が何度も繰り返される滞続言語がみられる。

3　「誰かに持ち物を盗まれた」といったもの盗られ妄想がみられる。

4　人物や小動物など、鮮明で具体的な内容の幻視がみられる。

5　感情がコントロールできず、急に笑ったり怒ったり泣き出したりする感情失禁がみられる。

問題　5　国際生活機能分類(ICF)の基本的考え方と概要に関する次の記述のうち、**正しいものを1つ**選びなさい。

1　解剖学的構造の異常や機能低下・制限が、社会的な不利益をもたらすとした。

2　従来の社会モデルから、医学モデルの視点で障害を捉えた。

3　3つの生活機能(心身機能・身体構造、活動、参加)は、それぞれ一方向的に背景因子と作用し合っている。

4　生活機能の一つである活動には、社会的役割の実行が含まれる。

5　生活機能に影響を与える背景因子として、環境因子と個人因子を掲げている。

問題　6　リハビリテーションに関する次の記述のうち、**最も適切なものを1つ**選びなさい。

1　リハビリテーションという言葉の意味は、障害を負う前と同じ状態に戻すことである。

2　内部障害や言語障害、視覚障害もリハビリテーションの対象となる。

3　医学的リハビリテーションは、疾患や障害の再発防止や予防を目的としているため、疾患の急性期には行われない。

4　教育的リハビリテーションは、障害児を対象として障害児教育、特別支援教育等が行われるが、中途障害者には実施されない。

5　社会的リハビリテーションは、障害者の適切な就職の確保と継続ができるように計画されたものである。

心理学と心理的支援

問題　7　知覚に関する次の記述のうち、**正しいもの**を**1つ**選びなさい。

1　錯視とは、視覚の処理過程の特質によって、視認される対象物と実際の対象物とが一致せず、異なって見える現象のことをいう。

2　知覚の体制化とは、物理的刺激の変化にもかかわらず、大きさ、形、色、明るさを同一に保とうとする働きのことをいう。

3　知覚の恒常性とは、分化や群化によって、視覚される複数の不均一な領域が全体のまとまりとなって形成されている現象のことをいう。

4　明順応は、明るい屋外から急に暗い屋内に入ると、周囲がよく見えない状態でも徐々に見えるようになる現象のことをいう。

5　知覚的補完とは、知覚している対象の物理的特徴と知覚的特徴の差を補おうとする機能のことをいう。

問題　8　記憶に関する次の記述のうち、**正しいもの**を**1つ**選びなさい。

1　作動記憶とは、短期記憶において長期記憶に送るための操作のことである。

2　長期記憶とは、長期間保存することができる記憶のことであり、記憶容量は7±2チャンクといわれている。

3　意味記憶とは、ものごとの意味や概念などの知識としての記憶である。

4　手続き記憶とは、自分が過去に経験した出来事についての記憶のことである。

5　展望記憶とは、「将来こうなりたい」などの目標を意味する記憶である。

問題 9 集団に関する次の記述のうち、**正しいもの**を**1つ**選びなさい。

1 周囲で見ている人がいると作業が速くなるなど、個人の作業成績が向上する現象を同調行動という。

2 複雑な作業を集団で行うと作業量が低下することを社会的抑制という。

3 集団作業の成果が自分に対する影響が大きいと判断されると、個人の作業量や努力が向上することを社会的促進という。

4 集団作業の成果が自分に対する影響が小さいと判断されると、個人の作業量や努力が低下することを社会的ジレンマという。

5 集団の多数派の影響や期待により、個人の行動や判断基準、価値基準などを集団の傾向に合わせてしまう現象を社会的手抜きという。

問題 10 発達に関する次の記述のうち、**正しいもの**を**1つ**選びなさい。

1 ライフサイクルに焦点を当て発達段階説を唱え、特に青年期の発達課題はアイデンティティの獲得だとしたのはボウルビィ(Bowlby, J. M.)である。

2 ピアジェ(Piaget, J.)は人の発達は、内在する遺伝的なものが時間の経過とともに現れると考える成熟優位説を唱えた。

3 ワトソン(Watson, J. B.)は人の発達には遺伝的要因と環境的要因の相互作用が影響を与えると考えた。

4 ハーロー(Harlow, H.)は思考・認知の発達特徴から、感覚運動期などの4段階の発達段階説を唱えた。

5 エリクソン(Erikson, E. H.)は老年期の発達課題を自分の人生を省みて受け入れることとし、受け入れられない場合、死を受け入れることができないなどの絶望の危機状態に陥るとした。

問題　11　心理検査に関する次の記述のうち、**正しいもの**を１つ選びなさい。

1　矢田部・ギルフォード(Y-G)性格検査は、交流分析理論に基づき、自我状態を５つに分けて診断する検査である。

2　ロールシャッハテストは発達検査で、（姿勢・運動）、（認知・適応）、（言語・社会）の３領域を検査することができる。

3　改訂長谷川式簡易知能評価スケールは、認知機能障害を判定する質問式のテストで、主に統合失調症の診断をする際に使用する。

4　遠城寺式乳幼児分析的発達検査は、様々な見方のできる人物によるいろいろな場面が描かれた絵を見て、自由に物語を作らせ発達の様子をみる検査である。

5　ウェクスラー式知能検査は、WPPSI、WISC、WAISと年齢に応じた検査があり、IQの測定を行うものである。

問題　12　心理療法に関する次の記述のうち、**正しいもの**を１つ選びなさい。

1　森田療法では、生来の素質を有する者が何らかの誘因によって精神交互作用を起こすことで、神経症の症状が発展すると考える。

2　認知行動療法では、課題となる動作を意識的に実現しようとする努力を通して、クライエントの日常生活における活動を活性化しようとする。

3　ブリーフセラピーでは、長期間にわたって様々な治療を行うことによって、課題の解決を図る。

4　シェーピング法では、個別に作成された不安階層表を基に、リラックスした状態下で不安の誘発度の最も低い刺激から徐々に刺激が増やされ、段階的に不安を克服していく。

5　社会生活技能訓練(SST)では、心理的な問題がない人々に対しても、さらなる心理的成長を目指すグループアプローチとしても用いられる。

社会学と社会システム

問題　13　社会階級と社会階層に関する次の記述のうち、**最も適切なもの**を**1つ**選びなさい。

1　ジンメル(Simmel, G.)によれば、階級は生産手段の所有と非所有によって区別される。

2　階層とは、社会資源の分配の不均等によって格差が生じている状態をいう。

3　階級間に生じる対立関係が、階層間にもみられる。

4　世代間移動の増加は、階層の固定化を示すものである。

5　ウォーナー(Warner, W.)は、主観的方法によるヤンキー・シティ調査を実施し、地域社会における階層構造を明らかにした。

問題　14　次の項目のうち、ヴェーバー(Weber, M.)が挙げた官僚制の特徴として、**正しいもの**を**2つ**選びなさい。

1　非専門的な職員の任用

2　秘密主義

3　組織構成員の没人格性

4　規則の明確な成文化

5　権限の上下関係がない水平的な組織

問題　15　家族の概念や機能に関する次の記述のうち、**正しいもの**を**1つ**選びなさい。

1　自分が結婚して創りあげる家族を生殖家族という。

2　国勢調査において、女親と子ども、男親と子どもからなる家族は、核家族に含まれない。

3　子を持つ親の再婚により誕生する、血縁関係のない親子を含めた家族を拡大家族という。

4　マードック(Murdock, G.)は、家族の機能には手段的役割と表出的役割の2つがあるという性別役割分業モデルを提唱した。

5　家族機能縮小論によれば、産業化の進展に伴い、家族の持っていた7つの機能は縮小し、保護のみが残った。

問題 16 社会的行為に関する次の記述のうち、**正しいもの**を**1つ**選びなさい。

1 ハーバーマス(Habermas, J.)は、行為者にとっての主観的意味から、行為を4つに類型化した。

2 感情的行為とは、結果を度外視し、自分の信じる絶対的価値に基づいてなされる行為である。

3 目的合理的行為とは、何らかの目的を達成するためになされる行為であり、手段の合理性は問われない。

4 伝統的行為とは、身についた習慣によってなされる行為であり、年中行事はこれに当たる。

5 ホモ・エコノミクス(経済人)の行為は、価値合理的行為の典型例である。

問題 17 社会的役割に関する次の記述のうち、**正しいもの**を**1つ**選びなさい。

1 葬儀の場では静かに神妙にしていることが望ましいなど、場面にあったふさわしい行為を示すことが求められることを「役割取得」という。

2 妹が生まれたことでお兄ちゃんらしく振る舞うなど、他者からの期待を認識し、それを取り入れることで自分の役割行為を形成することを「役割期待」という。

3 会社の仕事があるのに、子どもを看病しなければならないなど、異なる行動様式を同時に要求されることを「役割葛藤」という。

4 夫や妻など相互に相手の役割を演じ合うことによって、相手の立場や考え方を理解することを「役割距離」という。

5 医師が難易度の高い手術中に冗談を言うなど、期待と少しずらした形で行動することを「役割交換」という。

問題 18 社会問題を捉える諸理論に関する次の記述のうち、**正しいもの**を**1つ**選びなさい。

1 構築主義は、社会問題について、ある事象を「問題あり」と主張する人々の活動によって構築される像と捉える。

2 オグバーン(Ogburn, W.)によれば、文化遅滞は、非物質文化・制度的文化に対する物質文化の進展の遅れにより生じる。

3 ラベリング理論によれば、犯罪者集団の持つ独特の文化に接触することで犯罪が引き起こされる。

4 マートン(Merton, R.)によれば、アノミーは、文化的目標と制度的手段の合致が人々に社会的緊張をもたらすために生じる。

5 被害者なき犯罪とは、親告されない親族間の窃盗など、被害者が名乗り出ない犯罪のことである。

問題 19 福祉国家に関する次の記述のうち、**正しいもの**を**1つ**選びなさい。

1　ケインズ(Keynes, J. M.)は、国家の成長において政府の介入を否定し、自由な市場に任せることを主張した。

2　ロールズ(Rawls, J.)は、「最も恵まれない人の便益を最大化すること」を機会均等の原理と呼んだ。

3　セン(Sen, A.)は、潜在能力を「自らの努力によって発達の可能性がある能力」と定義した。

4　T. H.マーシャル(Marshall, T. H.)のシティズンシップの分類に従えば、福祉国家は、市民的権利や政治的権利と並び、社会的権利を重視する国家ということになる。

5　ルグラン(Le Grand, J.)は、「準市場」の概念を提唱し、サッチャー政権の福祉政策に影響を与えた。

問題 20 救貧制度の対象者として、**正しいもの**を**1つ**選びなさい。

1　恤救規則(1874年(明治7年))では、65歳以上の就労できない者も含まれた。

2　軍事救護法(1917年(大正6年))では、戦死した軍人の内縁の妻も含まれた。

3　救護法(1929年(昭和4年))では、労働能力のある失業者も含まれた。

4　旧生活保護法(1946年(昭和21年))では、勤労を怠る者も含まれた。

5　現行生活保護法(1950年(昭和25年))では、扶養義務者のいる者も含まれる。

問題 21 福祉ニーズに関する次の記述のうち、**正しいもの**を**1つ**選びなさい。

1　岡村重夫は、社会生活上の基本的要求として、経済的安定の要求、家族的安定の要求、教育の機会の要求、社会的共同の要求の4つを挙げている。

2　三浦文夫によれば、「非貨幣的ニーズ」とは、人的サービスによってニーズの充足を図るものであり、近年、その重要性は低くなっている。

3　ブラッドショー(Bradshaw, J.)によれば、感得されたニード(felt need)とは、利用者本人ではなく、専門家や行政官が設定した基準を上回ったときにニードがあると判断することである。

4　トール(Towle, C.)は、ソーシャルワークが対応するニーズとして、肉体的福祉、情緒的・知的成長の機会、他者との関係、精神的なニーズの4つを挙げている。

5　ディーン(Dean, H.)は、ニーズの原理として、人道主義的アプローチ、道徳的・権威主義的アプローチの2つを提唱している。

問題 22 社会的排除と社会的包摂に関する次の記述のうち、**正しいものを1つ**選びなさい。

1 社会的排除は、社会関係や活動に参加できない状態を意味するものであるが、排除に至るプロセスまでは問うことはできない。

2 発達した福祉国家においては、人々は、生活保障のための社会保険や社会福祉制度から排除されることはない。

3 社会的包摂政策は、社会参加の機会や労働の機会を促進するためのものであり、所得の保障までは含まない。

4 ケイパビリティは、元々もっている潜在能力のことであり、社会的排除が人々のケイパビリティを制約することはあり得るが社会的包摂がケイパビリティを増強することはない。

5 日本社会福祉士会倫理綱領では、「社会に対する倫理責任」としてソーシャルインクルージョンを位置づけている。

問題 23 福祉政策に関する社会福祉法の規定についての次の記述のうち、**正しいものを1つ**選びなさい。

1 国及び地方公共団体は、社会福祉を目的とする事業を経営する者と協力して、福祉サービスの供給体制の確保及び適切な利用の推進に関する施策その他の必要な措置を講ずるよう努めなければならない。

2 国及び地方公共団体は、地域住民等が地域生活課題を把握し、その解決を図ることを促進する施策その他地域福祉の推進のために必要な措置を講じなければならない。

3 地方社会福祉審議会は、都道府県知事又は指定都市若しくは中核市の長の諮問に答え、又は関係行政庁に意見を具申するものとする。

4 地方社会福祉審議会は、民生委員審査専門分科会、身体障害者福祉専門分科会、老人福祉専門分科会を置くものとする。

5 都道府県知事は、社会福祉事業従事者の確保及び住民の社会福祉に関する活動への参加の促進を図るための措置に関する基本指針を定めなければならない。

問題　24　「女性活躍推進法」に関する次の記述のうち、**正しいものを１つ**選びなさい。

1　国及び地方公共団体以外の事業主は、常時雇用する労働者の数が50人を超える場合、事業主行動計画策定指針に即して、一般事業主行動計画を策定しなければならない。

2　一般事業主行動計画の策定義務がある事業主は、当該事業の女性の職業生活における活躍に関する情報を定期的に公表しなければならない。

3　一般事業主行動計画では、女性の活躍に関する状況把握、課題分析、数値目標、取組内容などを盛り込むことになっているが、計画期間を定める必要はない。

4　特定事業主は、毎年少なくとも三回、特定事業主行動計画に基づく取組の実施の状況を公表しなければならない。

5　都道府県又は市町村は、都道府県推進計画又は市町村推進計画を変更しようとするときは、あらかじめ、これを公表しなければならない。

（注）「女性活躍推進法」とは、「女性の職業生活における活躍の推進に関する法律」のことである。

問題　25　政策評価に関する次の記述のうち、**正しいものを１つ**選びなさい。

1　政策によってもたらされた効果と投入された費用の両方を貨幣価値に置き換えて費用対効果を分析する評価方法を、費用便益分析という。

2　「政策評価法」により、行政機関は、その所掌に係る政策について定性的方法により政策効果を把握し、その結果を当該政策に適切に反映させることとされた。

3　政策評価の必要性を基礎づける考え方であるアカウンタビリティとは、政策によってもたらされた結果を数量化して計算可能にすることである。

4　政策を実施するに当たり政策目標を達成できるように実施手順が組まれているかどうかを事前に評価することを、プログラム評価という。

5　政策評価の一手法である業績測定は、政策目標の達成度を示す業績指標を用いて政策評価を行うものであり、そのうち実施するための過程をベンチマークとして使用する場合はベンチマーク方式と呼ばれている。

（注）「政策評価法」とは、「行政機関が行う政策の評価に関する法律」のことである。

問題 26 福祉サービスの利用に関する次の記述のうち、**正しいものを１つ**選びなさい。

1　福祉サービス利用過程における情報の非対称性とは、提供された福祉サービスの質や効果に関する評価が、サービスの提供者と利用者の間で、正反対になる傾向があることを指す。

2　福祉サービスを必要としている人々を選別する仕組みを導入することによって、福祉制度の利用に伴うスティグマを軽減することができる。

3　パブリックコメントとは、地方自治体が自らの実施した福祉サービスの評価結果を公表する制度である。

4　社会福祉事業の経営者は、常に、その提供する福祉サービスについて、利用者等からの苦情の適切な解決に努めなければならない。

5　福祉サービスの第三者評価制度に関する厚生労働省の指針では、第三者評価と併せてサービス利用者に対するアンケート調査を実施することは、個人情報保護の観点から禁止されている。

問題 27 福祉に関する住まいについての次の記述のうち、**正しいものを１つ**選びなさい。

1　公営住宅は、住宅に困窮する低額所得者が低廉な家賃で利用できる賃貸住宅であるため、入居に際して、礼金はあるが敷金はない。

2　「高齢者住まい法」により、都道府県は、自然災害により被災した高齢者に住宅再建のための支援金を支給する。

3　住生活基本法において都道府県には住生活基本計画の策定が義務づけられ、国はそれら都道府県計画を集約して全国計画を策定することとされている。

4　「みなし仮設住宅」は、災害の被災者に対し、自治体が民間賃貸住宅を借り上げて供与し仮設住宅に準じるものとみなす制度である。

5　「無料低額宿泊所」は、住居のない要保護者の世帯に対して、住宅扶助を行うことを目的とする保護施設である。

（注）　「高齢者住まい法」とは、「高齢者の居住の安定確保に関する法律」のことである。

社会保障

問題　28　人口動態に関する次の記述のうち、**正しいものを1つ**選びなさい。

1　「日本の将来推計人口(令和5年中位推計)」によれば、日本の65歳以上人口は、2070年(令和52年)には約5割になると推計されている。

2　厚生労働省の人口動態統計によれば、2022年(令和4年)の合計特殊出生率は1.26で、前年の1.30を下回った。

3　厚生労働省の人口動態統計により、2022年(令和4年)の死亡数を死因別にみると、第1位は悪性新生物、第2位は脳血管疾患である。

4　「令和4年簡易生命表」によれば、2022年(令和4年)の平均寿命は、女性は前年を上回ったが、男性は前年を下回っている。

5　「日本の地域別将来推計人口(令和5年推計)」によれば、2040年(令和22年)には、全都道府県で65歳以上人口割合が3割を超えると推計されている。

問題　29　社会保障制度に関する次の記述のうち、**正しいものを1つ**選びなさい。

1　1995年(平成7年)の社会保障制度審議会勧告は、増大する社会保障の財源として社会保険料負担から租税負担中心となるのは当然であると強調した。

2　1962年(昭和37年)の社会保障制度審議会勧告で示された保険的方法又は公的の扶助の対象となる困窮の原因とは、疾病、負傷、分娩、廃疾、死亡、老齢、失業、多子その他である。

3　1973年(昭和48年)は福祉元年といわれ、70歳以上の高齢者の医療費負担の無料化、5万円年金が実現するなど社会保障の充実が図られた。

4　失業保険制度(現在の雇用保険制度)が初めて成立したのは、いわゆるバブル景気が崩壊した1993年(平成5年)のことである。

5　第二次世界大戦終結前の日本の社会保険制度は、医療保険のみが制度化されていた。

問題　30　「令和3年度社会保障費用統計」(国立社会保障・人口問題研究所)の内容に関する次の記述のうち、**正しいもの**を1つ選びなさい。

1　2021年度(令和3年度)の社会保障給付費の総額は、110兆円を超えている。

2　2021年度(令和3年度)の社会保障給付費の対国民所得比は、20%を超えていない。

3　社会保障給付費全体に占める高齢者関係給付費の割合は、2006年度(平成18年度)以降、一貫して上昇が続いている。

4　社会保障給付費の部門別推移をみると、1980年度(昭和55年度)までは「医療」より「年金」の方が大きく、その後高齢化の進展により「医療」の方が大きくなった。

5　2021年度(令和3年度)の社会支出の内訳を政策分野別にみると、「保健」が全体の約5割を占めて最も大きい。

問題　31　事例を読んで、医療保険制度に関する次の記述のうち、**適切なもの**を1つ選びなさい。

〔事　例〕

　健康保険の被保険者であるA(30歳、男性)さんは、休日に趣味の登山に出かけたが、滑落事故に遭い大ケガを負ってしまった。現在は休職し、健康保険の傷病手当金を受給している。復職を希望していたが、ケガの状態が思わしくなく、治療に専念するため退職を予定している。

1　Aさんが自宅療養をしている期間については、傷病手当金の支給対象とはならない。

2　休業している期間について会社からAさんに給与が支払われた場合には、Aさんに傷病手当金が支給されることはない。

3　Aさんに対する傷病手当金は、会社を休んだ日から連続して4日の待機期間の後、5日目から最長で1年間支給される。

4　Aさんが退職後も傷病手当金の支給を受けるには、健康保険の任意継続被保険者になることが要件となる。

5　Aさんが厚生年金保険から障害手当金を受けられる場合、傷病手当金の合計額が障害手当金の額に達する日まで、Aさんに傷病手当金は支給されない。

問題 32 労働者災害補償保険(労災保険)に関する次の記述のうち、**正しいものを1つ選び**なさい。

1 労災保険の保険給付は、「業務災害に関する保険給付」と「二次健康診断等給付」の2種類である。

2 労災保険と雇用保険は労働保険と総称されるが、保険料の納付はそれぞれで行われる。

3 労災保険は、基本的に労働者を一人でも使用する事業は、適用事業として労災保険法の適用を受ける。

4 労災保険の適用事業所に使用されている労働者のうち、正規職員のみが業務上災害で負傷をした場合に保険給付を受けることができる。

5 労災保険の保険給付の決定について不服がある者は、都道府県に設置されている労働保険審査会に審査請求を行うことができる。

問題 33 年金保険制度に関する次の記述のうち、**正しいものを1つ選びなさい。**

1 障害基礎年金と遺族基礎年金は、他の厚生年金といずれも併給できる。

2 老齢基礎年金の支給要件は、これまでは受給資格期間が25年以上必要であったが、2017年(平成29年)4月からは15年以上に短縮された。

3 障害基礎年金の支給対象者は、初診日から1年6か月経過した時(障害認定日)に、障害基礎年金の障害等級1級、2級、3級の状態にある者である。

4 遺族基礎年金の支給対象者は、死亡した者によって生計を維持されていた子のある配偶者、又は子のみである。

5 公的年金は、積立方式で運営され、民間保険と同様に、現役時代に積み立てた積立金を原資とすることにより、運用収入を活用する方式をとっている。

問題 34 諸外国における社会保障制度に関する次の記述のうち、**正しいものを1つ選びな**さい。

1 スウェーデンでは、原則として、自己負担なしで介護サービスを利用することができる。

2 ドイツでは、日本の制度を手本として、2000年代に公的介護保険制度が導入された。

3 イギリスの国民医療サービス(NHS)は、社会保険方式に基づく保険料を主な財源としている。

4 フランスの社会保障制度は、社会サービス方式を採用しており、全国民共通の単一の制度によって運営されている。

5 アメリカは全国民を対象とする公的医療保障制度を持たないが、オバマ政権の下で成立した医療保険改革法により、医療保障を受けられる国民の範囲が広がった。

問題　35　後期高齢者医療制度に関する次の記述のうち、**正しいものを1つ**選びなさい。

1　患者の自己負担割合は、原則として3割である。

2　根拠法は「老人保健法」である。

3　被保険者には、一定の障害があると認定された65〜74歳の者も含まれる。

4　運営主体は都道府県である。

5　生活保護受給者も被保険者に含まれる。

問題　36　児童手当、児童扶養手当に関する次の記述のうち、**正しいものを1つ**選びなさい。

1　公務員の場合、児童手当の費用は、国と地方自治体が半分ずつ負担する。

2　児童手当は、小学校修了までの児童1人につき、一定の額が父母等に支給される。

3　児童手当は、第2子から支給される。

4　児童手当と児童扶養手当の併給はできない。

5　児童扶養手当の支給対象年齢は、障害がない子どもの場合、18歳に達する日以後の最初の年度末までである。

権利擁護を支える法制度

問題 37 事例を読んで、具体的な相続分に関する次の記述のうち、**正しいもの**を1つ選びなさい。

〔事 例〕

被相続人Tさんは、唯一の財産である現金3,000万円を残して死亡した。Tさんの相続人は、嫡出子であるBさん・Cさんと、非嫡出子であるDさんの3名である。Bさんは、結婚の際にTさんから1,000万円の生前贈与を受けたが、Tさんが死亡した時点で残っていたのは500万円だけである。また、Tさんは、相続財産の中から、知人Uさんに1,000万円遺贈する旨の遺言書を作成していた。

1　Bさんは、何ら取得できない。

2　Bさんは、500万円を取得する。

3　Bさんは、1,000万円を取得する。

4　Dさんは、500万円を取得する。

5　Bさんは、500万円を返還しなければならない。

問題 38 日本国憲法に規定されている財政に関する次の記述のうち、**正しいもの**を1つ選びなさい。

1　国の財政を処理する権限は、国会の議決に基づくことが必要である。

2　予算案の審議は、衆議院よりさきに参議院に提出しなければならない。

3　あらたに租税を課す場合は、法律又は法律の定める条件が必要であるが、租税の内容を変更するときは必要ではない。

4　すべて皇室の費用は、内閣の責任で支出することができ、予算に計上して国会の議決を経る必要はない。

5　すべて予備費の支出については、事前に国会の承認を得なければならない。

問題　39　行政不服申立てに関する次の記述のうち、**正しいものを1つ**選びなさい。

1　介護保険の保険料の金額に不服がある場合、都道府県知事に対して審査請求をすることができる。

2　介護保険の要介護認定を受けて利用しているサービス提供事業者との契約に基づく介護サービスの内容について不服がある場合でも、審査請求をすることはできない。

3　「障害者総合支援法」による介護給付費の内容に不服がある場合、都道府県知事が設置している障害者介護給付費等不服審査会に対して審査請求をすることができる。

4　国民健康保険の被保険者証の交付について不服がある場合、都道府県知事に対して審査請求をすることができる。

5　生活保護費の停止に不服がある場合は、審査請求に対する裁決を経なくても、直接裁判所に訴えることができる。

（注）　「障害者総合支援法」とは、「障害者の日常生活及び社会生活を総合的に支援するための法律」のことである。

問題　40　成年後見に関する次の記述のうち、**正しいものを1つ**選びなさい。

1　本人は、後見開始の審判を申し立てることができない。

2　成年被後見人が婚姻をする場合、成年後見人の同意が必要である。

3　成年後見人が、成年被後見人の所有する別荘を売却する場合、家庭裁判所の許可は必要ない。

4　法人は成年後見人にはなれない。

5　成年後見人は病気など正当な事由がある場合、家庭裁判所に届出をすれば、辞任することができる。

問題　41　「成年後見関係事件の概況」における成年後見制度の動向に関する次の記述のうち、**正しいものを1つ**選びなさい。

1　成年後見関係事件の申立件数をみると、最も多いのは任意後見監督人選任である。

2　申立人と本人との関係をみると、最も多いのは「配偶者」である。

3　成年後見関係事件の終局事件のうち、鑑定を実施したものは全体の1割に満たない。

4　成年後見人等と本人との関係をみると、「親族以外」が全体の8割以上を占めており、その内訳では「社会福祉士」が最も多い。

5　成年後見制度の利用者数の内訳を多い順にみると、任意後見、補助、保佐、成年後見となる。

（注）「成年後見関係事件の概況」とは、「成年後見関係事件の概況−令和5年1月〜12月−」（最高裁判所事務総局家庭局）のことである。

問題　42　市町村が実施する成年後見制度利用支援事業に関する次の記述のうち、**正しいものを1つ**選びなさい。

1　この事業は、高齢者においては地域生活支援事業として、障害者においては地域支援事業として実施される。

2　この事業は、市町村長申立て以外の場合を対象とすることはできない。

3　この事業は、本人に身寄りがない場合であれば、所得の多寡にかかわらず利用できる。

4　この事業による助成は、後見監督人の報酬も対象となる。

5　この事業では、日用品の購入など日常生活に関する行為について、相談・助言・情報提供などの支援を行う。

地域福祉と包括的支援体制

問題 43 地域福祉の理念に関する次の記述のうち、**正しいもの**を**1つ**選びなさい。

1 ノーマライゼーションの理念の下では、障害者が健常者以上に権利が認められて生活することを目標とする。

2 ソーシャル・インクルージョンとは、大人が子どもを守るといったように、社会の中で自己主張できない年少者を大人が見守り、支えることを指す。

3 エンパワメントとは、個人や集団がより力をもち、自分たちに影響を及ぼすことを自分自身で統制できるよう支援することを指す。

4 利用者主体の支援では、サービスを本人に合わせることと、サービスに本人を合わせることとの両方が含まれる。

5 アドボカシーとは、本人のニーズをくみ取り、希望や要望を表明させることを指すが、本人に判断がつかない場合には、専門職が本人に代わって判断しなければならない。

問題 44 地域福祉における参加などに関する次の記述のうち、**正しいもの**を**1つ**選びなさい。

1 社会福祉法では、市町村地域福祉活動計画を策定するときは、あらかじめ、地域住民等の意見を反映させるよう努めることとされている。

2 社会福祉法では、地域住民、社会福祉事業を経営する者及び社会福祉に関する活動を行う者は、相互に協力して、あらゆる分野の活動に参加する機会が確保されるように、地域福祉の推進を行うこととされている。

3 学校教育法では、小学校において教育指導を行うに当たり、児童の体験的な学習活動、特にボランティア活動など社会奉仕体験活動、自然体験活動その他の体験活動の充実に努めることとされている。

4 特定非営利活動法人の活動分野は、「まちづくりの推進を図る活動」が最も多い。

5 障害者基本法では、全ての障害者に対し、社会を構成する一員として、あらゆる分野の活動に参加する機会を確保するよう努めることとされている。

問題　45　社会福祉協議会に関する次の記述のうち、**正しいもの**を**1つ**選びなさい。

1　市町村社会福祉協議会では、社会福祉事業に従事する者の養成や研修を行う。

2　都道府県社会福祉協議会には、社会福祉を目的とする事業を経営する者及び社会福祉に関する活動を行う者が参加することと法で定められている。

3　都道府県社会福祉協議会が運営主体である日常生活自立支援事業は、第一種社会福祉事業に位置づけられている。

4　都道府県社会福祉協議会が実施主体である生活福祉資金の貸付けは、連帯保証人を確保できなくても貸付け可能である。

5　民生委員は、市町村社会福祉協議会の会長が厚生労働大臣に推薦をした後、厚生労働大臣によって委嘱される。

問題　46　事例を読んで、社会福祉協議会の**E**福祉活動専門員（社会福祉士）のとるべき対応として、**最も適切なもの**を**1つ**選びなさい。

〔事　例〕

　市営住宅に住む一人暮らしの**F**さん（58歳、男性）の様子が気になると、民生委員から社会福祉協議会に相談があった。民生委員の話では、**F**さんは体調を崩してから仕事に行っておらず、外出する機会も少ないという。また、外から屋内の様子をうかがうと、部屋にはビニール袋などが散乱しているようだという。

　民生委員から相談を受けた**E**福祉活動専門員は、次のような対応をした。

1　**F**さんは65歳未満であるため、民生委員は関与しなくてもよいと伝えた。

2　**F**さんに市営住宅団地を管理する市の住宅建設課に相談に行くように伝えた。

3　**F**さんの様子を把握するために、地域包括支援センターの職員に民生委員と共に自宅を訪問してもらいたいと伝え、対応を任せた。

4　58歳であればまだ働けると考え、**F**さん宅のポストに求人情報誌を入れた。

5　民生委員と共に**F**さん宅を訪問するとともに、**F**さんのような65歳未満で支援が必要だと思われる人が他にもいるかもしれないと考え、民生委員などに情報提供を呼びかけた。

問題 47 事例を読んで、G福祉活動専門員（コミュニティワーカー）のこの場での発言として、**適切なもの**を**2つ**選びなさい。

〔事 例〕

N町の社会福祉協議会のG福祉活動専門員は、住民座談会で、最近、気になる福祉や保健問題について自由に意見を述べてもらった。「市民健康診断で引っかかり、糖尿病の食事療法をしている人がいるの。年を取ると食事を作るのもおっくうになるよね」「小学生の息子さんがいるシングルマザーで、関節リウマチを患っているけれど、あまり病院に行っていないみたいよ」「一人暮らしのお年寄りがいるのだけど、足腰が弱ってゴミを捨てに行くのも大変そうよ。そういう方、すごく増えているみたい」「この頃、母子家庭だけではなく、父子家庭も増えてきているみたいです。子どもさんの食事や世話はどうなさっているのでしょうね」などの意見が出された。

1 すでに医療機関にかかっている人については、その医療機関でその人たちの情報を収集した方がいいですね。

2 ひとり親家庭の生活相談や一人暮らし高齢者の不測の事態に対応するためには、地域にどのような緊急時の連絡体制が整備されているのかを考えてみましょう。

3 地域の身近な声かけや見守り活動を中心とした、一般の住民が気軽にできる援助システムが必要なので、ぜひ、つくりましょう。

4 高齢者の方の食生活が心配なので、配食サービスを始めましょう。

5 高齢者の方が、どのような生活状況でどのように食生活を営んでいるのかを話し合いましょう。

問題 48 地域包括ケアシステムに関する次の記述のうち、**正しいもの**を**1つ**選びなさい。

1 介護、医療、予防を構成要素としているため、住まいや生活支援・福祉サービスは含まれない。

2 地域の中で包括的にケアするシステムなので、本人や家族の選択と心構えは重視されていない。

3 地方自治体は、地域福祉の推進に当たっては、地域生活課題を把握し、支援関係機関との連携等によりその解決を図るよう特に留意するものとする。

4 地域包括ケアシステムは、少子高齢化や財政状況から、共助、公助の拡充を期待することは難しく、自助、互助の果たす役割が大きくなることを意識した取組が必要である。

5 地域包括支援センターは地域のケアシステムの中核を担うことから、介護保険法上の規定とともに、社会福祉法の第二種社会福祉事業として規定されている。

問題 49 福祉行政における専門機関に関する次の記述のうち、**正しいものを1つ**選びなさい。

1 福祉事務所は、社会福祉法に基づき設置され、指導監督を行う所員及び現業を行う所員は社会福祉士でなければならないとされている。

2 児童相談所は、児童福祉法に基づき設置され、必要に応じ、児童を一時保護する施設を設けなければならないとされている。

3 身体障害者更生相談所は、「障害者総合支援法」に基づき設置され、必要に応じ、巡回してその業務を行うことができるとされている。

4 女性自立支援施設は、「女性支援新法」に基づき設置され、困難な問題を抱える女性の一時保護等を行う。

5 市町村保健センターは、健康増進法に基づき設置され、住民に対し、健康相談、保健指導及び健康診査等の事業を行うことを目的とする施設である。

(注) 1 「障害者総合支援法」とは、「障害者の日常生活及び社会生活を総合的に支援するための法律」のことである。
　　　2 「女性支援新法」とは、「困難な問題を抱える女性への支援に関する法律」のことである。

問題 50 「令和6年版地方財政の状況」(総務省)が示す2022年度(令和4年度)の地方財政の状況に関する次の記述のうち、**適切なものを1つ**選びなさい。

1 地方公共団体の歳入純計決算額をみると、前年度に比べて地方税は減少したが、国庫支出金は増加した。

2 国内総生産(名目)の支出主体別の構成比をみると、公的部門においては、国が地方の約2.7倍となっている。

3 歳出決算額を団体種類別にみると、都道府県の民生費は市町村の民生費の2倍以上の規模となっている。

4 都道府県と市町村を通じた民生費の財源構成をみると、一般財源等の割合が最も大きく、国庫支出金の約2倍となっている。

5 介護保険事業の保険事業勘定の歳出決算の状況をみると、保険給付費の割合が最も大きく、全体の6割を占めている。

問題 51 福祉計画の策定・変更の際の手続きに関する次の記述のうち、**正しいものを1つ**選びなさい。

1 都道府県は、都道府県地域福祉支援計画を定め、又は変更しようとする際には、地域住民の意見を反映させるようにしなければならない。

2 市町村は、市町村老人福祉計画を定め、又は変更しようとする際には、市町村議会の意見を聴かなければならない。

3 都道府県は、都道府県障害福祉計画を定め、又は変更しようとする際は、協議会の意見を聴かなければならない。

4 市町村は、市町村介護保険事業計画を定め、又は変更しようとする際には、被保険者の意見を反映させるようにしなければならない。

5 都道府県は、医療計画を定め、又は変更しようとする際には、都道府県医療審議会、市町村、「高齢者医療確保法」に基づく保険者協議会の意見を聴くよう努めなければならない。

（注） 「高齢者医療確保法」とは、「高齢者の医療の確保に関する法律」のことである。

問題 52 「令和4年生活のしづらさなどに関する調査(全国在宅障害児・者等実態調査)」における障害者の生活実態に関する次の記述のうち、**正しいものを1つ**選びなさい。
1 障害者手帳所持者は、500万人を超えていない。
2 精神障害者保健福祉手帳所持者の割合を等級別にみると、1級が最も多い。
3 身体障害者手帳所持者の割合を年齢階級別にみると、約5割が65歳以上の高齢者となっている。
4 身体障害者手帳所持者の割合を障害種別にみると、肢体不自由が最も多い。
5 療育手帳所持者の割合を年齢階級別にみると、65歳以上の高齢者が最も多い。

問題 53 「障害者情報アクセシビリティ・コミュニケーション施策推進法」に関する次の記述のうち、**正しいものを1つ**選びなさい。
1 基本理念において、障害の種類・程度にかかわらず、同一の手段を選択できるようにすることが示されている。
2 この法律における「障害者」とは、「障害者総合支援法」に規定する障害者をいう。
3 地方公共団体は、基本理念にのっとり、障害者による情報の取得および利用、並びに意思疎通に係る施策を総合的に策定し、および実施する責務を有する。
4 事業者の責務として、障害者が必要とする情報を十分に取得および利用、並びに円滑に意思疎通を図ることができるようにすることが義務づけられた。
5 国および地方公共団体は、障害者による情報の取得等に係る施策を講ずるにあたり、障害者、障害児の保護者その他の関係者の意見を聴き、その意見を尊重するよう努めなければならない。

(注) 「障害者情報アクセシビリティ・コミュニケーション施策推進法」とは、「障害者による情報の取得及び利用並びに意思疎通に係る施策に関する法律」のことである。

問題 **54** 事例を読んで、特別支援学校の生徒に対する地域障害者職業センターの就労支援として、**最も適切なもの**を１つ選びなさい。

〔事　例〕

　特別支援学校高等部に在学中のH君(高校３年生)は、公共職業安定所(ハローワーク)と地域障害者職業センターの協力を得て、一般の事業所で実習を行った。その事業所から、一定の就労支援があれば、採用してもよいとの内諾を得た。

1　就労支援員による支援
2　職場適応援助者(ジョブコーチ)による支援
3　障害者職業カウンセラーによる支援
4　就労継続支援事業による支援
5　地域活動支援センターによる支援

問題 **55** 事例を読んで、相談支援専門員が行う支援に関する次の記述のうち、**最も適切なもの**を１つ選びなさい。

〔事　例〕

　Jさん(37歳、男性)は、知的障害があり、現在、就労継続支援事業所(A型)で働いている。両親は健在だが、グループホームに入り、自立することを希望している。Jさんの両親は、経済的な問題や金銭管理を含めた身の回りの世話のことなど、１人でやっていけないのではないか、と心配しており、自分達の亡き後も考え、将来は障害者支援施設を利用することを希望している。

1　Jさんの両親に知らせずに、Jさんだけにグループホームのサービスの内容について情報提供する。
2　Jさんの両親に、Jさんがグループホームに入所しないように説得することを約束する。
3　Jさんに、経済的な問題もあり、金銭管理や身の回りのことを自分ではできないので、グループホームは無理だと伝える。
4　経済的問題を解決するために、就労継続支援事業所の工賃を上げるように交渉する。
5　Jさんが、金銭管理を含めた身の回りのことを自分でできるように訓練を始めるための支援をする。

問題 56 「令和 5 年度障害者の職業紹介状況等」に関する次の記述のうち、**正しいものを 1 つ選びなさい。**

1 ハローワークを通じた障害者の就職率をみると、7 割を超えている。

2 産業別の就職件数をみると、「製造業」が最も多い。

3 障害種別の就職率をみると、身体障害者が最も高い。

4 障害種別の新規求職申込件数をみると、精神障害者が最も多い。

5 ハローワークを通じた障害者の就職件数は、年々減少傾向にある。

問題 57 「精神保健福祉法」に関する次の記述のうち、**正しいものを 1 つ選びなさい。**

1 法の目的の一つとして、精神障害の発生の予防その他国民の精神的健康の保持増進がある。

2 法に定義される「精神障害者」とは、統合失調症、精神作用物質による急性中毒又はその依存症その他の精神疾患を有する者であり、知的障害を含まない。

3 精神障害者保健福祉手帳は、保健所の判定のもと、都道府県知事又は政令指定都市市長によって交付される。

4 精神障害者保健福祉手帳の有効期限は 3 年である。

5 精神保健福祉センターは、障害者介護給付費等不服審査会の事務を担当する。

（注） 「精神保健福祉法」とは、「精神保健及び精神障害者福祉に関する法律」のことである。

刑事司法と福祉

問題 58 更生保護制度の概要に関する次の記述のうち、**正しいもの**を**1つ**選びなさい。

1 更生保護制度は、「更生保護」の語を法律において初めて用いた司法保護事業法により創設された。

2 更生保護は、犯罪をした者及び非行のある少年に対し、社会内で適切な処遇を行うことにより再犯を防ぎ又は非行をなくし、自立と改善更生を助けるものである。

3 更生保護は、民間篤志家である保護司や更生保護施設が、その責任において自発的に行うものである。

4 司法福祉とは、行政的機能と福祉的機能を併せ持つ福祉事務所の査察指導員による少年事件や家庭事件への関与を中心とする実践領域である。

5 更生保護法の目的を達成するため、国民にはその地位と能力に応じた寄与をすることが義務づけられている。

問題 59 2021年(令和3年)5月に成立した少年法の改正内容に関する記述のうち、**正しいもの**を**1つ**選びなさい。

1 少年の定義は、18歳未満の者とされた。

2 16歳以上の者を、特定少年と位置づけた。

3 重大な事件を犯した場合は、家庭裁判所ではなく、地方裁判所に送られる。

4 選挙権年齢や成人年齢との整合性を図るため、2022年(令和4年)4月から施行された。

5 起訴後の実名報道は見送られた。

問題 60 社会復帰調整官に関する次の記述のうち、**正しいもの**を**1つ**選びなさい。

1 保護観察所及び地方更生保護委員会の事務局に配置される。

2 「精神保健福祉法」によって、その任用資格は精神保健福祉士とされている。

3 地方裁判所で行われる当初審判で、生活環境の調査を基に対象者の処遇を決定する。

4 精神保健福祉の観点から、審判において必要な意見を述べる。

5 入院中から退院後の円滑な地域移行を目指し、生活環境の調整を行う。

(注) 「精神保健福祉法」とは、「精神保健及び精神障害者福祉に関する法律」のことである。

問題　61　更生保護施設に関する次の記述のうち、**正しいものを2つ選びなさい。**

1　更生保護事業法において更生保護施設とは、被保護者が社会生活に適応するための専門的な処遇を行うことを目的とする建物及び設備を有するものをいう。

2　更生保護施設を運営するのは、更生保護法人又は社会福祉法人のいずれかでなければならない。

3　更生保護施設は、被保護者に対して、宿所や食事の提供だけでなく、SST（社会生活技能訓練）などの処遇も行う。

4　更生保護施設の補導員は、保護司を兼ねることができる。

5　保護観察所の長の委託に基づき更生保護施設が行う更生緊急保護の期間は最大3か月であり、特に必要性が認められるときは、さらに3か月を超えない範囲で延長できる。

問題　62　「医療観察法」が定める医療観察制度に関する次の記述のうち、**正しいものを1つ選びなさい。**

1　医療観察制度における医療は、都道府県知事が指定する指定入院医療機関または指定通院医療機関で行われる。

2　医療観察制度の対象者は、心神喪失または心神耗弱の状態で、殺人、放火、強盗などの重大な他害行為を行い、心神喪失者または心神耗弱者と認められて不起訴処分となった者などである。

3　精神保健観察に付される期間は、裁判所から通院決定や退院決定を受けた日から原則10年間とされている。

4　「医療観察法」の制定により、「精神保健福祉法」に規定された措置入院は廃止となった。

5　精神保健観察に付された者は、その居住地を管轄する市町村長に当該居住地を届け出るなどの「守るべき事項」が規定されている。

（注）　1　「医療観察法」とは、「心神喪失等の状態で重大な他害行為を行った者の医療及び観察等に関する法律」のことである。

　　　　2　「精神保健福祉法」とは、「精神保健及び精神障害者福祉に関する法律」のことである。

問題 63 事例を読んで、この場合の仮退院に関する次の記述のうち、**最も適切なもの**を1つ選びなさい。

〔事 例〕

　家庭裁判所の判決で1年の懲役刑を言い渡され、少年院に収容されていたKさんは、仮退院の審理の対象となった。

1　仮退院の許否や取消しの判断は、家庭裁判所が行う。
2　改悛の状があり、法定期間を過ぎていることが、仮退院の要件となる。
3　仮退院の期間中は、保護観察が付される。
4　特別遵守事項の内容は、保護観察所長が定める。
5　仮退院が許可された場合、Kさんは1号観察の対象となる。

ソーシャルワークの基盤と専門職

問題 64 社会福祉士及び介護福祉士法に規定されている社会福祉士に関する次の記述のうち、**正しいもの**を1つ選びなさい。

1 相談援助に関する知識と技能の向上に努めなければならない。

2 秘密保持の義務は、社会福祉士でなくなった後においては適用されない。

3 地域における総合的かつ包括的な援助を行うために、福祉サービスを提供する事業者やボランティアへの助言、指導をしなければならない。

4 業務を行うに当たり地域格差が生じないよう配慮し、公平かつ公正な福祉サービスの提供に努めなければならない。

5 所属する勤務先の立場を優先して業務を行わなければならない。

問題 65 「ソーシャルワークのグローバル定義」(2014年)に関する次の記述のうち、**適切なもの**を1つ選びなさい。

1 自民族中心主義の促進を強調する。

2 個人的正義の原理に基づく。

3 自己変革の促進を目指す。

4 人々のエンパワメントと解放を促す。

5 歴史的な科学的植民地主義と覇権を肯定する。

(注) 「ソーシャルワークのグローバル定義」とは、2014年7月の国際ソーシャルワーカー連盟(IFSW)と国際ソーシャルワーク学校連盟(IASSW)の総会・合同会議で採択されたものを指す。

問題 66 アメリカにおけるソーシャルワークの専門職化に関する次の記述のうち、**正しい**ものを**1つ**選びなさい。

1 1889年にアダムス(Addams, J.)は、ハル・ハウスを開設し、「生活困窮者のためではなく、共に生きる」を標語とした。

2 1915年にグリーンウッド(Greenwood, E.)は、「ソーシャルワークはまだ専門職ではない」と論じた。

3 1954年にパールマン(Perlman, H.)は、ケースワークと社会科学の連携を訴えて、「リッチモンドに帰れ」と主張した。

4 1957年にフレックスナー(Flexner, A.)は、「ソーシャルワークはすでに専門職である」と論じた。

5 1967年にマイルズ(Miles, A.)は、効果測定の結果を受けて、「ケースワークは死んだ」との論文を発表した。

問題 67 社会福祉士の倫理綱領に関する次の記述のうち、**正しい**ものを**2つ**選びなさい。

1 社会福祉士は、利用者に必要な情報を適切な方法、専門的な表現を用いて提供し、利用者の意思を尊重する。

2 社会福祉士は、不当な批判を受けることがあれば、専門職として連帯し、その立場を擁護する。

3 社会福祉士は、関係者から記録の開示の要求があった場合、本人又は家族に記録を開示する。

4 社会福祉士は、業務の遂行に際して、利用者の利益を最優先に考える。

5 社会福祉士は、相互の専門性を尊重し、他の専門職の領域には踏み込まない。

問題　68　事例を読んで、Lさんの尊厳に配慮するための対応方針として、M生活相談員(社会福祉士)が行う提案に関する次の記述のうち、**最も適切なもの**を1つ選びなさい。

〔事　例〕

　　特別養護老人ホームに入所しているLさん(75歳、男性)は、関節リウマチが進行し、痛みが強くなり、体を動かせる範囲が狭まってきた。そして介護職員に対して、感情的な発言が頻繁にみられるようになった。要求が多くなり、介護職員が対応に困ることもあった。そこで、カンファレンスで、M生活相談員がLさんへの対応方針を提案することにした。

1　職員は、Lさんの関節リウマチの痛みのことには触れないようにする。

2　施設として、個室に移ってもらい、他の入所者への介護職員の対応が見えないようにする。

3　職員は、Lさんからの要求に対して、できないことはできないとはっきりと伝える。

4　職員が対応に困る利用者なので、なるべく早期に退所させることを施設の方針とする。

5　関節リウマチが進行する現実をLさんが認められるように、辛さを受け止めながら支えるようにする。

問題　69　事例を読んで、児童相談所のN児童福祉司(社会福祉士)の対応として、**最も適切なもの**を1つ選びなさい。

〔事　例〕

　　A病院から児童相談所に虐待通告があった。N児童福祉司は、同僚とともにPちゃん(当時5歳)の主治医やA病院のソーシャルワーカーと面談した。その結果、Pちゃんは全身に打撲があり、日常的に母親から暴力を振るわれていることがわかった。

1　法令に照らして、母親の気持ちについて考慮する必要はなく、母親の養育の仕方は虐待に当たることを毅然と告知する。

2　母親の養育の仕方が虐待に当たると告知することは、母親の自己決定の機会を奪うので、避ける。

3　母親の気持ちを理解しながらも、母親の養育の仕方が虐待に当たることを告知する。

4　母親との対立関係を避けるために、母親の養育の仕方が虐待に当たることを告知することはせず、「お母さんが楽になるまで、しばらく預かりましょう」と提案する。

5　母親の養育の仕方が虐待に当たると告知することは避け、母親の気持ちに寄り添う。

ソーシャルワークの理論と方法

問題 70 ソーシャルワークにおけるシステム理論に関する次の記述のうち、**正しいものを2つ**選びなさい。

1 自己組織性とは、周囲の環境の変化に応じて、自らのシステムを維持・変動させ適応に向かおうとする性質をいう。

2 開放システムの変容の最終状態は、その作用によって結果が異なる。

3 クライエント・システムは、援助主体のソーシャルワーカーとソーシャルワーカーが所属する機関や組織、職員を指す。

4 ウィーナー(Wiener, N.)は、著書『人―環境のソーシャルワーク実践』において、人と環境の相互作用について、特に環境アセスメントを重視することを提唱した。

5 サイバネティクスは、システムが外界の影響を受けないように自己制御しようとする仕組みを指す。

問題 71 ソーシャルワークのアプローチに関する次の記述のうち、**正しいものを1つ**選びなさい。

1 課題中心アプローチは、標的とする問題を確定し、その問題を解決していくために取り組むべき課題を設定し、期間を限定しないで進められる。

2 問題解決アプローチは、学習理論をケースワーク理論に導入したもので、条件反射の消去あるいは強化によって、特定の問題行動の変容を目標に働きかける。

3 危機介入アプローチは、精神保健領域で発達してきた危機理論をソーシャルワーク理論に導入したもので、危機状況に直面したクライエントへの迅速な効果的対応を行う。

4 エンパワメントアプローチは、クライエントが語るストーリーを重視して、新たな意味の世界を創り出すことを援助する。

5 解決志向アプローチは、精神分析の手法をソーシャルワークに援用したもので、課題を解決するための志向そのものに着目する。

問題 72 事例を読んで、ソーシャルワーカーが用いるモデルやアプローチとして、**最も適切なもの**を1つ選びなさい。

〔事　例〕

　　2年前の交通事故で高次脳機能障害の後遺症があるQさん（28歳、女性）は、知人に勧められて障害者の相談支援事業所を訪ねた。そこでQさんが話したのは、「今は生きている意味を見いだせない」ということばかりであった。

1　ナラティブアプローチを用いて、Qさんが、解決のイメージをソーシャルワーカーとの協働作業の中で作り上げられるよう、短期的に問題解決を図る。

2　機能的アプローチを用いて、Qさんが、自分が使うことのできる機能を自発的に活用できるように援助する。

3　危機介入アプローチを活用し、残存機能と強みに力点を置いて援助する。

4　ストレングスモデルを活用し、障害や心理的不安定さの除去を目標に援助を展開する。

5　行動変容アプローチを活用し、Qさん自身の語りを通して、オルタナティブストーリーを構築する。

問題 73 相談援助の過程におけるプランニングに関する次の記述のうち、**正しいもの**を2つ選びなさい。

1　効果があればアセスメントせずに計画する。

2　支援計画は、援助者のみで立案する。

3　実現不可能でも、目標をもって計画することが重要である。

4　目標には量・時間・期間等を明確に記述する。

5　長期目標と短期目標は、クライエントの状況に応じて期間を設定する。

問題　74　ケアマネジメントに関する次の記述のうち、**正しいもの**を**1つ**選びなさい。

1　高齢者が自宅で日常生活を長く維持できることを目的とし、対象を高齢者援助に限った多職種による地域ケアの技術である。

2　クライエントに提供可能なサービスをプランニングするため、サービス提供者側の立場に立った考え方に基づく。

3　サービス提供における効率性や効果性は重要視されない。

4　ケアマネジメントにおける「ケア」には、身辺の世話をすることだけではなく、クライエントの自立生活支援に必要な社会資源の調整も含まれている。

5　利用者の生活諸側面の総合的アセスメントをするという特徴から、社会福祉士以外の者がその業務を行うことはできない。

問題　75　事例を読んで、この場面でのワーカーの発言に関する次の記述のうち、**最も適切なもの**を**1つ**選びなさい。

〔事　例〕

　W児童養護施設では、毎年4月の1か月間、入所している中学3年生を対象に「中学校卒業後の進路について」というテーマでグループワークを行っている。2回目のグループワークの場面で、あまり成績が良くないR君が「僕も、絶対高校に行きたい。勉強は得意じゃないけど」と発言したのに対し、S君が「今のR君の成績じゃ無理だよ。高校はあきらめた方がいいよ」と発言した。

1　「確かにS君の言う通り、今のR君の成績では高校進学は厳しいよね」

2　「S君だって人のことを言える成績じゃないだろ。そんなこと言っちゃだめだよ」

3　「S君がそう言いたくなる気持ち、とてもよく分かるよ」

4　「R君は、自分の成績のことをどう思っているのかな？」

5　「希望を大切にしたいので、R君の今の気持ちをみんなで大切にしようよ」

問題 76 自助グループの特性に関する次の記述のうち、**最も適切なもの**を1つ選びなさい。

1　メンバー間の序列を重視する。

2　特定の専門機関の継続的な援助を基本とする。

3　法人格の取得を原則とする。

4　メンバー本人たちの相互援助を重視する。

5　全てのグループで匿名性を徹底する。

問題 77 スーパービジョンに関する次の記述のうち、**正しいもの**を1つ選びなさい。

1　ソーシャルワーカーがコンサルテーションを受ける場合、コンサルタントはコンサルティであるソーシャルワーカーの業務に責任を持つ。

2　スーパービジョンの主たる役割は、教育的機能、管理的機能、統制的機能により、スーパーバイジーに対する組織内統制を図ることにある。

3　スーパービジョンには、ソーシャルワーカーが、医師や看護師等、他分野・他領域の専門的な知識や技術について助言を受けることも含まれる。

4　グループ・スーパービジョンとは、複数のスーパーバイザーと一人のスーパーバイジーによるスーパービジョンのことをいう。

5　スーパービジョンには、バーンアウト防止や自己覚知促進の機能がある。

問題 78 相談援助の記録に関する次の記述のうち、**正しいもの**を1つ選びなさい。

1　ワーカーとクライエントの関係を中軸に行われる実践の記録では、事実関係に加えて、ワーカーの判断やその根拠を記述する。

2　記録は文字情報として残されるので、状況や援助課程を明確に把握・伝達するために図式化は控え、文章で説明する。

3　クライエントに開示することがあるため、不愉快な思いをさせないよう、本人に不利益な情報は記載しないようにする。

4　クライエントから要望があった場合には、内容にかかわらず開示する。

5　客観性を保つ観点から、クライエントやその家族からの情報は、正式な記録とはならない。

社会福祉調査の基礎

問題 79 社会調査と統計法に関する次の記述のうち、**正しいものを2つ**選びなさい。

1 社会調査とは、人口調査や工業調査など、もっぱら数値データに着目し、集計分析を行って事象を明らかにする一連の行為を指す。

2 総務大臣は、必要があると認めるときは、臨時の国勢調査を行い、国勢統計を作成することができる。

3 患者調査は、基幹統計の一つであり、厚生労働省により行われる。

4 統計法は、行政機関や株式会社等の民間団体が作成する統計についての取り扱いを定めた法律である。

5 基幹統計とは、国勢統計と国民経済計算及び行政機関が作成する統計のうち、重要なものとして内閣総理大臣が指定した統計をいう。

問題 80 ある地域の老人福祉センターで開催された英会話教室に参加した人の性別及び年齢を調査したところ、男性が62歳、68歳、71歳の3名、女性が63歳、65歳、69歳、71歳、75歳、78歳、81歳の7名であった。

次のうち、調査結果の読み方として、**正しいものを2つ**選びなさい。

1 参加者全体の年齢の範囲は、19である。

2 女性参加者の年齢の中央値は、71である。

3 男性参加者の年齢の平均値は、68である。

4 参加者全体の年齢の最頻値は、2である。

5 男性参加者の年齢の分散と女性参加者の年齢の分散は等しい。

問題 81 社会調査における倫理と個人情報保護に関する次の記述のうち、**正しいものを1つ選びなさい。**

1 調査を行う前にICレコーダーなどの記録機材を使うことに同意を得ていれば、その後いかなる場合にもデータを破棄する必要はない。

2 社会調査協会の倫理規程では、調査対象者が20歳未満であれば、保護者や学校長等の責任ある成人の承諾を得なければならないと定められている。

3 社会福祉士の行動規範では、事例研究のためにデータを使用する場合は、関係者に同意を取り、実名等の提示など可能な限り事実に即したデータを提供するべきと定めている。

4 海外で社会調査を行う場合には、日本国内における法規を遵守するだけでは不充分である。

5 調査目的の説明は、調査のデータに影響を与える場合に限り、あいまいになることが認められている。

問題 82 量的調査の集計と分析に関する次の記述のうち、**最も適切なものを1つ選びなさい。**

1 気温を集計したデータは、比例尺度として扱われる。

2 所得を集計したデータは、比例尺度として扱われる。

3 独立変数とは、結果となる事柄を示す変数である。

4 円グラフは、時系列でのデータの変化を示すのに適している。

5 ヒストグラムは、全体の割合を視覚化する際によく利用される。

問題 83 社会調査における面接法に関する次の記述のうち、**適切なものを1つ選びなさい。**

1 面接法では、データの客観性を確保するため、調査者と調査対象者との間にラポールが形成されることは望ましくない。

2 面接における会話を録音できない場合は、面接記録の正確性を確保するため、面接時には会話の書き取りを優先することが必要である。

3 深層面接は、精神分析や臨床心理学の専門家が行うものであり、社会調査においては用いられない。

4 フォーカス・グループインタビューは、あるテーマについて参加者全員による合意形成がなされることを目標とする。

5 アクティヴ・インタビューでは、調査対象者を調査者との相互行為によって意味を積極的に作成する者として捉える。

問題　84　質的調査の記録の方法や留意点に関する次の記述のうち、**正しいもの**を**1つ**選びなさい。

1　統制的観察とは、観察の方法は自由に決めるが、調査者はあくまで観察者に徹して、見聞きした情報を収集する調査方法である。

2　参与観察において、生活や活動の参加の度合いが一番高いのは、「参加者としての観察者」とされる。

3　インタビューの方法として、質問項目や質問順序をあらかじめ決めておく手法は「構造化面接」といわれる。

4　質的調査を行う場合、精緻な情報を得るために、個別インタビューが可能であれば、グループインタビューに優先して行われるべきである。

5　調査時にICレコーダー等の記録機器を使うことがわかると調査結果に影響が出るため、インタビュー時には機器を使うことを秘密にしておくことが望ましい。

第1回　予想問題

専門科目

（注意）

1　専門科目の試験問題数は、上記の45問です。

2　解答時間は、試験センターから公表されていませんので、1時間30分を目安としてください。

3　出題形式は五肢択一を基本とする多肢選択形式となっています。各問題には1から5まで5つの答えがありますので、そのうち、問題に対応した答えを解答用紙に解答してください。

高齢者福祉

問題　85　「国民生活基礎調査(2022年)」に関する次の記述のうち、**正しいものを1つ選び**なさい。

1　世帯構造別にみると、「夫婦のみの世帯」が最も多い。

2　世帯類型別にみると、「母子世帯」の割合は、5％を下回っている。

3　65歳以上の者のいる世帯は、全世帯の7割を超えている。

4　「高齢者世帯」の「単独世帯」を男女別にみると、女性よりも男性の割合が高い。

5　「高齢者世帯」の「単独世帯」を年齢構成別にみると、男女ともに「75～79歳」の割合が最も高くなっている。

問題　86　地域支援事業に関する次の記述のうち、**正しいものを1つ選び**なさい。

1　包括的支援事業の第1号介護予防支援事業は、居宅の要支援被保険者を対象としたサービスである。

2　認知症総合支援事業で設置される認知症初期集中支援チームは、医療の専門職のみで構成される。

3　2020年(令和2年)の介護保険制度改正において、総合相談支援業務に就労的活動支援コーディネーターの配置が規定された。

4　介護予防・日常生活支援総合事業では、実施主体である市町村が独占的にサービスを提供している。

5　任意事業には、介護給付費等適正化事業や家族介護支援事業がある。

問題　87　介護医療院に関する次の記述のうち、**正しいものを2つ**選びなさい。

1　要介護者に対し、長期療養のための医療と日常生活上の世話を一体的に提供する。

2　介護医療院の開設者は、医療法人及び社会福祉法人に限られている。

3　入所要件は、原則として要介護3以上とされている。

4　入所者数が100人未満の介護医療院にあっては、介護支援専門員を配置しなくてもよい。

5　療養室の床面積は、内法による測定で入所者1人当たり8平方メートル以上とされている。

問題　88　事例を読んで、高齢者の支援に関する組織・団体の役割として、**正しいものを1つ**選びなさい。

〔事　例〕

　　Aさん(92歳、女性)は、10年前に夫を亡くした後は一人暮らしである。要介護2の認定を受け、週1回の訪問介護と月1回の理髪サービスを受けている。近隣に住む息子夫婦が朝夕の見守りに訪ねることを除き、食事の支度や掃除、洗濯も自ら行っている。しかし、最近は出歩く距離が短くなり、外出がおっくうになってきた。

1　Aさんは、介護予防・日常生活支援総合事業の通所型サービスが利用できる。

2　Aさんが利用する介護保険サービスの介護給付費請求書の審査は、国民健康保険団体連合会が設置する介護給付費等審査委員会で行われる。

3　Aさんが受けている理髪サービスは、訪問介護の上乗せサービスである。

4　Aさんは、介護予防・日常生活支援総合事業のその他の生活支援サービスが利用できる。

5　社会福祉協議会は、息子夫婦にAさんのような高齢者を支える仕組みである住民同士のつながりを活かした「ふれあい・いきいきサロン」を紹介した。

問題　89　老人福祉法に関する次の記述のうち、**正しいもの**を**1つ**選びなさい。

1　市町村による特別養護老人ホームへの措置入所の権限はない。

2　老人福祉法により「高齢社会対策大綱」の策定が規定されている。

3　老人クラブは相互扶助の自主組織であるが、市町村による直接的な援助も行われている。

4　市町村老人福祉計画とは、老人福祉事業の供給体制の確保に関する計画である。

5　健康については、自己努力だけでは解決しない問題を含むため、老人福祉法では、高齢者自身が取り組む健康を保つ努力には触れていない。

問題　90　「令和4年度『高齢者虐待の防止、高齢者の養護者に対する支援等に関する法律』に基づく対応状況等に関する調査結果」(厚生労働省)に示されている高齢者虐待の実態に関する次の記述のうち、**正しいもの**を**1つ**選びなさい。

1　養介護施設従事者等による高齢者虐待について、施設・事業所の種別でみると、「特別養護老人ホーム(介護老人福祉施設)」において虐待の事実が認められた事例が最も多い。

2　養介護施設従事者等による高齢者虐待の種別をみると、「介護等放棄」が最も多く、次いで「心理的虐待」となっている。

3　養護者による高齢者虐待において、「家族・親族」から相談される事例が最も多く、全体の約3割を占めている。

4　養護者による高齢者虐待について、被虐待高齢者の「認知症の程度」と「虐待種別」の関係をみると、認知症が重度になるほど「心理的虐待」を受ける割合は高くなる。

5　養護者による高齢者虐待への対応として、「虐待者から分離を行った事例」が約5割を占め、「被虐待高齢者と虐待者を分離していない事例」は1割に満たない。

児童・家庭福祉

問題 91 「令和4年度児童相談所における児童虐待相談の対応件数（速報値）」に関する次の記述のうち、**正しいもの**を1つ選びなさい。

1　2022年度（令和4年度）の児童虐待相談の対応件数は約7万件で、前年度に比べ約5千件減少している。

2　ネグレクトの件数は、2022年度（令和4年度）は2013年度（平成25年度）に比べて減少している。

3　「相談の種別」では、「心理的虐待」が最も多く、次いで「身体的虐待」となっている。

4　心理的虐待の件数は、2022年度（令和4年度）は2013年度（平成25年度）に比べて3倍に増加している。

5　「相談の経路別」では、「近隣・知人」よりも「児童本人」の方が多い。

問題 92 こども基本法に関する次の記述のうち、**正しいもの**を1つ選びなさい。

1　児童福祉法と同様に、児童の権利に関する条約の精神にのっとって制定された法律である。

2　こどもについて、満18歳に満たない者と定義している。

3　小学生以上のこどもについて、年齢及び発達の程度に応じ、意見が尊重され、最善の利益が優先して考慮されるとしている。

4　政府は、こども施策を総合的に推進するため、こども大綱を策定しなければならない。

5　内閣府に、内閣総理大臣を会長とする、こども政策推進会議が設置された。

問題 93 母子健康包括支援センター（子育て世代包括支援センター）に関する次の記述のうち、**正しいもの**を1つ選びなさい。

1　妊娠期の支援に特化しており、子育て支援は行っていない。

2　都道府県は、必要に応じて設置するように努めなければならない。

3　地域住民の健康を支える中核となる施設で、疾病の予防、衛生の向上など、地域住民の健康の保持増進に関する業務を行っている。

4　母子保健に関する各種の相談、母性並びに乳幼児の保健指導などを行っている。

5　地域の児童の福祉に関する家庭や市町村からの相談・要請に対して、専門的・技術的な助言などを行っている。

問題 94 事例を読んで、B社会福祉士がCさんに紹介するサービスとして、**最も適切なも
の**を1つ選びなさい。

〔事　例〕

　C（33歳）さんは、仕事をしながら3歳の長男を育てていたが、半年前、夫（29歳）の転勤を
機に仕事をやめ、現在の居住地に転居してきた。Cさんにとっては初めての土地で、話し相
手もできず、育児に不安を感じながらの毎日だった。Cさんは、仕事が忙しい夫に、辛い気
持ちを打ち明けることもできなかった。ある日、市の広報で「育児相談」の案内を読んだC さ
んは、市役所の窓口を訪れた。対応したB社会福祉士は、現在のCさんの思いや生活状況な
どを聞き、子育てを支援するサービスを紹介した。Cさんの反応は、サービスについてもっ
と詳しく聞いた上で、ぜひ利用してみたいというものだった。

1　地域子育て支援拠点事業
2　一時預かり事業
3　子育て援助活動支援事業
4　病児保育事業
5　居宅訪問型保育事業

問題 95 「DV防止法」に関する次の記述のうち、**正しいもの**を1つ選びなさい。

1　配偶者とは、現に婚姻関係のある者をいうと規定されている。
2　市町村は、その設置する適切な施設において、当該各施設が配偶者暴力相談支援センター
としての機能を果たすよう努めるものとされている。
3　配偶者暴力相談支援センターの業務である一時保護について、被害者が連れてきた子ども
に関する規定はない。
4　DV被害者の相談に応じ、必要な指導を行うことができる者として家庭生活支援員が規定
されている。
5　裁判所は、被害者から申出があった場合、都道府県に対して被害者を保護するよう保護命
令を発することができる。

（注）　「DV防止法」とは、「配偶者からの暴力の防止及び被害者の保護等に関する法律」のこと
である。

問題 96 事例を読んで、児童相談所によるD君やその家族への対応に関する次の記述のうち、**最も適切なもの**を1つ選びなさい。

〔事　例〕

　D君（4歳）は、1歳で実母死亡の後、父方の祖母宅に預けられた。父親の再婚を機に、父親と継母の3人で暮らすようになった。継母は父親に嫌われたくないと思い努力してD君に向き合っていたものの、自分になつかないD君に戸惑い、次第に疎ましくなっていた。D君の通う幼稚園では、何度かD君のほおに叩かれたあざがあることに気づき、児童相談所に通告した。

1　祖母に育児を手伝うように促す。
2　児童発達支援センターの利用を勧める。
3　地域子育て支援拠点事業の利用を勧める。
4　D君を一時保護する。
5　D君を乳児院に措置する。

貧困に対する支援

問題 97 「生活保護の被保護者調査(2022年度確定値)」(厚生労働省)による次の記述のうち、**正しいものを1つ**選びなさい。

1　被保護世帯及び被保護実人員数ともに前年度より増加している。

2　保護の開始の主な理由のうち、最も多いのは、「傷病による」である。

3　保護の廃止の主な理由のうち、最も多いのは、「働きによる収入の増加・取得・働き手の転入」である。

4　保護の種類別に扶助人員をみると、「生活扶助」の占める割合が最も高い。

5　被保護世帯数を世帯類型別にみると、「高齢者世帯」と「母子世帯」が前年度より増加している。

問題 98 生活保護法が規定する基本原理、原則に関する次の記述のうち、**正しいものを1つ**選びなさい。

1　日本国憲法第25条の生存権理念に基づき、国が生活に困窮するすべての国民に対し、その困窮の程度に応じ、必要な保護を行い、その最低限度の生活を保障することを目的としている。

2　生活保護制度では、生活困窮者の信条、性別、社会的身分等による差別的な取扱いを禁じている。

3　土地や家屋などの資産を処分しなければ、生活保護を受給することができない。

4　生活保護の申請ができる者は、要保護者、その扶養義務者、その他の親族である。

5　保障される最低限度の生活は、肉体的能率が維持できるものでなければならない。

問題 99 事例を読んで、生活保護制度と介護保険制度との関係について、**正しいものを1**つ選びなさい。

〔事 例〕

Eさん(64歳、男性)は、脳内出血で右半身麻痺のある兄のFさん(71歳、無年金、要介護3)と、医療扶助を含む生活保護を受けながらP市内のアパートで生活している。Eさんは腰痛がひどく、兄の介護を十分に行うことができないため、Fさんは介護保険制度の訪問介護を利用している。

1 Fさんが利用している訪問介護の自己負担金は、介護扶助で賄われている。
2 Fさんが利用している訪問介護の費用は、全額介護扶助で賄われている。
3 Fさんの介護保険料は、介護扶助に含まれている。
4 Eさんは、P市を保険者とする介護保険の第2号被保険者である。
5 Eさんの介護扶助は、原則、金銭給付で行われる。

問題 100 事例を読んで、生活保護制度における実施責任に関する次の記述のうち、**適切なものを2つ**選びなさい。

〔事 例〕

Gさん(64歳、男性)は、Q市内のアパートで一人暮らしをしながら近くのクリーニング店に勤めていたが、閉店となってしまった。それ以降は特に働きもせず、蓄えもギャンブルに消費してしまい、滞納した家賃の免除と引き換えにアパートを引き払ってしまった。住民票はQ市のままになっている。

Gさんは、隣町のR市内の公園などに寝泊りしていたが、近くに住む友人の家へ相談に向かっている途中、S県T町の駅の階段で転倒し、救急車でU市内の病院に搬送された。Gさんは左足骨折のため長期の入院が必要となったが、所持金がなく医療費の支払いができないため生活保護の申請を行った。なお、S県T町は、福祉事務所を設置していない。

1 Gさんの生活保護の実施機関は、住民票の登録があるQ市である。
2 Gさんの生活保護の実施機関は、入院先の病院のあるU市である。
3 Gさんの生活保護の実施機関は、転倒した駅の所在地であるT町である。
4 Gさんの生活保護の実施機関は、T町を管轄しているS県の福祉事務所である。
5 T町長は、急迫した事態に応急的な措置として必要な保護を行わなければならない。

問題 101 福祉事務所の組織体系に関する次の記述のうち、**正しいものを1つ**選びなさい。

1 都道府県及び市町村は、福祉事務所を設置しなければならない。

2 福祉事務所長が自ら兼任できると判断した場合は、指導監督を行う所員(査察指導員)を配置しなくてもよい。

3 都道府県福祉事務所は、福祉六法の事務をつかさどる。

4 福祉事務所の所員の定数は社会福祉法に規定されている。

5 現業員は、査察指導員の指揮監督を受けて、援護等を要する者の家庭を訪問し、又は訪問しないで、これらの者に面接し、本人の資産、環境等を調査し、保護その他の措置の必要の有無及びその種類を判断し、本人に対し生活指導を行う等の事務をつかさどる。

問題 102 低所得者対策に関する次の記述のうち、**正しいものを1つ**選びなさい。

1 子どもの貧困対策の推進に関する法律は、子どもの将来が生まれ育った環境によって左右されることのないよう、健やかに育成される環境整備や教育の機会均等を図るため、子どもの貧困対策を総合的に推進することを目的としている。

2 生活福祉資金貸付制度の対象世帯の一つである障害者世帯とは、身体障害者手帳、療育手帳、精神障害者保健福祉手帳の交付を受けた者が属する世帯である。

3 社会福祉法に規定されている「無料低額宿泊事業」や「無料低額診療事業」は、いずれも第一種社会福祉事業である。

4 ホームレスの自立の支援等に関する特別措置法に規定するホームレスの自立の支援に関する基本方針は、厚生労働大臣が全国調査を踏まえて策定する。

5 公営住宅は、公営住宅法に基づき、地方公共団体が供給を行う賃貸住宅であるが、その対象者は収入が一定額以下の高齢者である。

保健医療と福祉

問題　103　「令和３年度国民医療費の概況」(厚生労働省)に基づく、日本の医療費に関する次の記述のうち、**正しいもの**を１つ選びなさい。

1　国民医療費は約60兆円であり、国内総生産(GDP)に対する比率は10%となっている。

2　制度区分別国民医療費では、後期高齢者医療給付分の次に比率が大きいのは、医療保険等給付分である。

3　国民医療費の財源別構成割合を大きい順に並べると、保険料、公費、その他(患者負担等)となる。

4　65歳以上の国民医療費は、国民医療費全体の３割を占めている。

5　国民医療費の傷病分類別医科診療医療費の構成割合上位３つは、循環器系の疾患、新生物、呼吸器系の疾患の順となる。

問題　104　日本の診療報酬制度に関する次の記述のうち、**正しいもの**を１つ選びなさい。

1　診療報酬の改定は、５年に１回行われる。

2　診療報酬点数に対する価格は、全国一律で１点10円と定められている。

3　診療報酬は出来高払いであり、医療費適正化のため包括払いの導入が検討されている。

4　診療報酬は、審査支払機関に１年単位で請求する。

5　診療報酬改定により、社会福祉士が診療報酬点数上に位置づけられるようになったのは2000年(平成12年)からである。

問題　105　医療法に規定される医療提供施設に関する次の記述のうち、**正しいもの**を１つ選びなさい。

1　介護医療院は、医療法上の医療提供施設である。

2　医療法上、診療所とは、20床以下の病床を有する医業又は歯科医業を行う施設のことである。

3　特定機能病院の承認要件には、地域の医療従事者の資質の向上を図るための研修を行わせる能力を有することが含まれる。

4　都道府県知事が、地域医療支援病院の承認をするに当たっては、あらかじめ、社会保障審議会の意見を聴かなければならない。

5　療養病床を有する診療所は、厚生労働省令の定めるところにより、集中治療室を有しなければならない。

問題 **106** 「医療ソーシャルワーカー業務指針」(2002年(平成14年)改正)に関する次の記述のうち、**正しいものを2つ**選びなさい。

1 　医師の指示の下に、身体障害者や精神障害者に対して、主としてその応用的動作能力または社会的適応能力の回復を図るため、手芸、工作その他の作業を行わせる。

2 　身体上もしくは精神上の障害があるなどの理由により日常生活を営むのに支障がある者の福祉に関する相談などを行う。

3 　医師の指示の下に、身体障害者に対して、主としてその基本的動作能力の回復を図るため、治療体操その他の運動を行わせる。

4 　受診・受療援助として、患者の生活と傷病の状況に適切に対応した医療の受け方などの情報提供等を行う。

5 　社会復帰援助として、患者の社会復帰を円滑に進めるための関係機関、関係職種との連携や訪問活動などを行う。

問題 **107** 医療・福祉の専門職に関する次の記述のうち、**正しいものを1つ**選びなさい。

1 　保健師は、傷病者若しくはじょく婦に対する療養上の世話又は診療の補助を行うことを業とする専門職である。

2 　薬剤師は、薬剤の処方を行うことを業とする専門職である。

3 　理学療法士の業務の手段に、マッサージは含まれていない。

4 　作業療法の対象となる者には、精神に障害のある者は含まれない。

5 　言語聴覚士の行う嚥下訓練は、保健師助産師看護師法の規定にかかわらず、診療の補助としての位置づけがなされている。

問題　108　事例を読んで、地域連携に関する次の記述のうち、**適切なもの**を**1つ**選びなさい。

〔事　例〕

　Hさん(76歳、女性、要介護1)は体調不良が続いたため、かかりつけのV医院を受診したところ、地域医療支援病院であるW病院を紹介された。脳梗塞と診断されたHさんは、そのままW病院に入院して治療を受け、3週間後に退院することができた。自宅に戻ったHさんは、在宅生活の継続を望んでおり、在宅療養支援診療所であるV医院が、Y訪問看護ステーションと連携し、Hさんの在宅療養を支援することになった。

1　W病院は、地域の医療従事者に対する研修を年6回以上主催しなければならない。

2　W病院は、救急医療を提供する能力を有していなければならない。

3　V医院の医師は、Y訪問看護ステーション等との連携により、24時間訪問看護の提供が可能となる体制を確保するよう努めなければならない。

4　Y訪問看護ステーションがHさんへの訪問看護の提供を始めるには、V医院の医師から訪問看護計画書を受けることが必要である。

5　Hさんは要介護者であるため、Y訪問看護ステーションによる訪問看護は、すべて介護保険から給付されることになる。

ソーシャルワークの基盤と専門職（専門）

問題 109 相談援助の対象理解に関する次の記述のうち、**正しいもの**を**1つ**選びなさい。

1　地域包括ケアを基盤とした地域社会の変化を促すための支援は、ミクロレベルに特化している。

2　ソーシャルワーカーに求められる力量は、ミクロ、メゾ、マクロ、いずれかのレベルに対する特別なアプローチができることである。

3　ソーシャルワークにシステム理論を導入することで、ミクロレベルでの心理的な側面に焦点化した対象理解が強化された。

4　家族システムアプローチの視点における対象理解では、家族について「家族員が相互につながりをもち相互連関関係を築いている」と捉える。

5　対象理解では、ケースワーク、グループワーク、コミュニティ・オーガニゼーションの3領域ごとに区分けして行う。

問題 110 多職種チームによるアプローチに関する次の記述のうち、**適切なもの**を**1つ**選びなさい。

1　ボランティアは、多職種チームのメンバーにはなれない。

2　インターディシプリナリーは、緊急性の高い問題に対して有効である。

3　多職種チームでは、メンバーが同一の施設や機関に所属している必要がある。

4　多職種がもつ価値観や視点の差異から生じる葛藤は、チーム・コンピテンシーの低下につながるため、表面化しないよう調整する。

5　多くのチームメンバーとの交流により、参加する専門職の力量が上がる。

問題 111 マクロレベルのソーシャルワークの機能に関する次の記述のうち、**適切なもの**を**2つ**選びなさい。

1　心理的ニーズの高い高齢者に向けた治療的なアプローチ

2　介護保険の被保険者に向けた総合相談窓口の設置

3　医療ソーシャルワーカーによる外国人に対する入院費用等の個別相談

4　災害発生時のボランティアの募集

5　社会福祉協議会の社会福祉士による成年後見制度の利用に関する面接

問題 **112** 福祉行政等における専門職に関する次の記述のうち、**正しいものを1つ選びなさい**。

1 身体障害者福祉司は、都道府県に設置された福祉事務所の所員に対して技術的・専門的な指導を行う。

2 知的障害者福祉司は、市町村が設置する福祉事務所に配置が義務づけられている。

3 家庭支援専門相談員は、社会福祉士もしくは精神保健福祉士の資格を有する者でなければならない。

4 里親支援専門相談員は、児童養護施設、乳児院及び児童自立支援施設に配置される。

5 幼保連携型認定こども園に勤務する保育士は、幼稚園教諭も取得していることが原則とされている。

問題 **113** 事例を読んで、多職種連携の観点から、この時点でのY市社会福祉協議会のJ社会福祉士の対応として、**適切なものを1つ選びなさい**。

〔事 例〕

K民生委員から、一人暮らしのLさん(85歳、女性)のことでY市社会福祉協議会に相談があった。Lさんは、2か月前ほどに夫と娘を交通事故で亡くし、そのショックから立ち直れずに自宅に閉じ籠もりがちである。Lさんはこれまで要介護認定・要支援認定は受けていない。J社会福祉士がLさんの自宅を訪問してアセスメントしたところ、Lさんの認知機能に低下はみられなかったが、食事を十分に摂っていないようで、体重が減少し、フレイルの状態にあると推測された。

1 日常生活自立支援事業の利用を検討するため、専門員に相談する。

2 居宅療養管理指導を利用し、管理栄養士による栄養指導を検討するため、介護支援専門員に相談する。

3 成年後見制度の利用を検討するため、検察官に相談する。

4 ふれあい・いきいきサロンの利用を検討するため、Y市社会福祉協議会の福祉活動専門員に相談する。

5 特別養護老人ホームへの入所を検討するため、医師に相談する。

問題　114　事例を読んで、M医療ソーシャルワーカーのNさんへの対応として、**最も適切な**ものを2つ選びなさい。

〔事　例〕

　　Nさん(72歳、女性)は、5年前に夫を亡くし、一人暮らしをしている。最近、腹部の不調を感じて病院で検査したところ、大腸がん(ステージⅡ)と診断された。医師からは治療法に関する詳細な説明を受けた後で、現時点での有益な治療法として手術を勧められた。NさんはM医療ソーシャルワーカーに対して、「医師の説明は理解できたが、手術や入院にかかる費用が心配なので、手術は受けない。また、大腸がんが見つかったことは隣県に住む娘には伝えないでほしい」と訴えた。

1　Nさんの了解なしには、娘に大腸がんのことは言わないと約束した。
2　一度治療方針を決定した場合、Nさんの意向で変更することは難しいと伝えた。
3　Nさんに求められるまま、病期(ステージ)について説明した。
4　Nさんの希望を尊重し、手術拒否を受け入れた。
5　想定される医療費と医療費助成に関する制度について説明した。

ソーシャルワークの理論と方法（専門）

問題 115 援助関係の形成に関する次の記述のうち、**正しいもの**を**1つ**選びなさい。

1 援助関係において、感情の転移はラポール形成に役立つ場合もあるが、逆転移は避けた方がよい。

2 相談援助活動は日常生活に関わる援助を行うため、その援助関係は家族や友人とのような関係を形成することが必要である。

3 クライエントの権利を守るために、権威的な関係の構築と保持に努めなければならない。

4 援助者はクライエントにとっての保護者であることを、クライエントが認識できるように支援する。

5 援助者には自己覚知が必要とされるが、この自己覚知とは利用者に利用者自身の置かれている現状を自覚させるという意味である。

問題 116 社会資源の活用・調整・開発に関する次の記述のうち、**正しいもの**を**1つ**選びなさい。

1 利用者のニーズを充足させるために動員される社会資源は、まずフォーマルな社会資源を優先して活用する。

2 インフォーマルな社会資源は、身近な人から提供されることが多いため、臨機応変に対応してもらいやすい。

3 社会福祉士や医師、警察官、弁護士といった複数の専門職がネットワークを組んで支援することをソーシャルサポートネットワークという。

4 地域にどのような社会資源があればよいかを把握するためには、住民一人ひとりに個別インタビューを行ってニーズを把握するのが最も適切な方法である。

5 地域ケア会議を開く中で、今後開発が求められる社会資源について意見が出されることはない。

問題　117　面接技術の方法に関する次の記述のうち、**適切なもの**を1つ選びなさい。

1　アイメッセージとは、クライエントの抱く感情を、援助者が言葉にして返すことである。

2　自己開示とは、援助者の個人的経験や感情を開示することである。

3　傾聴とは、クライエントが感情で表現したことを、援助者が言葉で返すことである。

4　開かれた質問とは、クライエントが「はい」や「いいえ」で答えられる質問方法である。

5　支持とは、クライエントの気持ちに対し、援助者自身の感情で受け止め、理解しようとすることである。

問題　118　事例を読んで、地域包括支援センターのP社会福祉士によるQさんへの援助に関する次の記述のうち、**最も適切なもの**を1つ選びなさい。

〔事　例〕

　軽度の認知症のある一人暮らしのQさん(78歳、女性)について、民生委員から「最近はゴミ出しもできていない様子で、外で見かけることがほとんどなくなったので気になっている」との連絡を受けた。P社会福祉士は、民生委員と共にQさん宅を訪ねた。

1　Qさん自身も一人暮らしに不安を抱いていると判断し、施設入所を勧める。

2　地域のサロンの情報を提供し、翌日から利用できるよう手続きをとる。

3　特に気になる点はないため、後のことは民生委員に任せる。

4　「民生委員だけでは心配なので、様子うかがいに来た」とQさんに来訪の目的を伝える。

5　地域包括支援センターでは、いつでも相談可能であることを伝える。

問題　119　事例を読んで、X市社会福祉協議会のR社会福祉士が用いた面接技法として、**適切なものを1つ**選びなさい。

〔事　例〕

　　X市社会福祉協議会に、母親(39歳)と二人で暮らすSさん(18歳、女性)が相談に訪れた。3年前に母親が若年性認知症と診断され、離職した。Sさんは受験勉強をしながら家事と母親の介護を行っている。「勉強したいのに、母の介護に追われる毎日で、精神的にもう限界です……」と吐露するSさんに、R社会福祉士は「大変な思いをされながらも、毎日、必死に介護をされているんですね」と伝えた。

1　要約
2　感情の明確化
3　言い換え
4　繰り返し
5　感情の反映

問題　120　事例を読んで、女性相談支援センターにおけるT相談員(社会福祉士)の面接場面での応答に関する次の記述のうち、**最も適切なものを1つ**選びなさい。

〔事　例〕

　　Uさん(35歳、女性)は、夫のアルコール依存と暴力のことで、これまでに女性相談支援センターでT相談員による2回の面接を受けている。3回目の今回は、「夫はアルコールが入ると暴力がひどくなり、私も辛いのですが、普段は優しいのです。私が我慢さえすればよいのだと思います。もう大丈夫だと思っているのですが」と発言している。

1　「Uさんの言われるように、我慢強く過ごしてみてはいかがですか」
2　「またご主人から暴力を受ける可能性が高いので、速やかに配偶者暴力相談支援センターの一時保護の手続きを始めましょう」
3　「大丈夫だということですが、もう少し今の問題やこれからの生活について一緒に考えていきませんか」
4　「ご主人は重度のアルコール依存症だと思いますので、一刻も早く精神科を受診させることが先決です」
5　「ご主人は優しい方なのですね。今後は仲良く過ごされるとよいですね」

問題　121　事例を読んで、アウトリーチに関する **V** 相談員（社会福祉士）の対応として、**適切なものを2つ**選びなさい。

〔事　例〕

　公営の集合住宅に住む **W** さん（62歳、女性）は、中等度の知的障害のある長男と二人暮らしである。自治会長より「以前は近所づき合いもよかった **W** さんが、最近は元気もなく人目を避けるようになった。特別支援学校を卒業したと思われる長男をほとんど見かけることがない」との相談が入り、ひとり親家庭相談センターの **V** 相談員が関わることとなった。

1　**W** さんからの直接の相談ではないので対応は難しいと判断する。
2　自治会長と一緒に **W** さん宅を訪問する。
3　緊急性が高いと判断し、**W** さんの了承なしに特別支援学校の担任に連絡する。
4　人目を避けたいという **W** さんの気持ちを尊重し、訪問は1回限りとする。
5　自治会長や民生委員と連携しながら **W** さんの見守り体制を整える。

問題　122　事例を読んで、**X** ソーシャルワーカー（社会福祉士）が行った活動に対応する語句として、**適切なものを1つ**選びなさい。

〔事　例〕

　P 社会福祉法人が運営している知的障害者の就労移行支援事業所に勤務する **X** ソーシャルワーカーは、利用者の就労支援のために、かねてより社員として雇用してくれる企業を探していた。このたび障害者雇用に積極的な **Q** 食品会社と交渉したところ、事業所の利用者のうち3名を缶詰製造部門の社員としてトライアル雇用し、その中で適応できた人を正規雇用してもよいとの内諾を得た。

1　ブレインストーミング
2　ケアプランの作成
3　モニタリング
4　アグレッシブケースワーク
5　社会資源の開発

問題 123 ネットワーキングに関する次の記述のうち、**正しいものを1つ**選びなさい。

1 ソーシャルサポートネットワークとは、インフォーマルな支援とフォーマルな支援を統合して、総合的に支援を展開する体制のことをいう。

2 マグワイア(Maguire, L.)は、ソーシャルサポートネットワークの方法を個人ネットワーク法、ボランティア連結法、相互援助ネットワーク法、近隣地区援助者法、地域活性化法の5つに分類した。

3 ソーシャルサポートネットワークは、クライエント個人に焦点化して形成されるので、クライエントのニーズ充足後に当該ネットワークは活用しない。

4 ホリス(Hollis, F.)による生態学的アプローチでは、クライエントの生活問題を、クライエントを取り巻く環境全体のネットワークとして読み取ろうとする。

5 ネットワーキングとは、専門職同士や公的サービスのネットワークを構築することで、地域住民やボランティア等のインフォーマルサポートは含まない。

福祉サービスの組織と経営

問題 124 「育児・介護休業法」に関する次の記述のうち、**正しいものを2つ**選びなさい。

1 有期契約労働者は、雇用期間にかかわらず育児休業を取得することができない。

2 介護休暇は、対象家族1人につき、所定労働時間の時間単位で取得することができる。

3 本人または配偶者が妊娠・出産の申出をした労働者に対して、事業主は個別の制度周知および休業の取得意向の確認のための措置を講ずることが義務づけられている。

4 育児休業は、3回まで分割取得することが認められている。

5 子の看護休暇は、中学校就学前の子を養育する労働者に適用される。

(注) 「育児・介護休業法」とは、「育児休業、介護休業等育児又は家族介護を行う労働者の福祉に関する法律」のことである。

問題 125 組織形態に関する次の記述のうち、**正しいものを1つ**選びなさい。

1 トップから下位への指揮命令系統が明確で、意思決定は「トップダウン型」となっている組織のことを逆ピラミッド型組織という。

2 顧客重視の考え方を徹底し、管理者が担当者の行動や意思決定を支援することを前提として形成される組織形態のことをライン組織という。

3 現代の大企業の基本形態で、専門化の原則を取り入れた組織形態のことをライン・アンド・スタッフ組織という。

4 事業部を基本にした組織形態で、製品や地域ごとに事業部がおかれる組織形態のことをファンクショナル組織という。

5 生産、販売、経理、研究開発等の各機能を別々の部門に担当させ、専門化を目指す組織形態のことを事業部制という。

問題　126　リーダーシップに関する次の記述のうち、**正しいもの**を**2つ**選びなさい。

1　フィードラー（Fiedler, F. E.）のコンティンジェンシー理論では、リーダーシップ行動を「タスク志向型」と「人間関係志向型」に区分する。

2　オハイオ州立大学の研究によれば、リーダーシップ行動は「構造づくり」と「配慮」から説明することができる。

3　三隅二不二のPM理論によれば、期限までに仕事を完成するように要求するリーダーの言動は、M機能である。

4　レヴィン（Lewin, K.）は、リーダーシップを専制型、放任型、民主型の3つに類型化したが、民主型リーダーシップは実質的なリーダーシップの不在を意味する。

5　ブレイク（Blake, R.）とムートン（Mouton, J.）のマネジリアル・グリッド論によれば、仕事に対する部下の成熟度によって、有効なリーダーのスタイルは異なる。

問題　127　社会福祉法人の経営等に関する次の記述のうち、**適切なもの**を**1つ**選びなさい。

1　社会福祉法人は非営利組織であることから、自主的に経営基盤の強化を図る必要はない。

2　社会福祉法人は、毎会計年度終了後1か月以内に、計算書類等を所轄庁に届け出なければならない。

3　社会福祉法人における資金の流れのうち、事業運営に伴う経常的な資金の流れは、貸借対照表に示される。

4　アカウンタビリティとは、元来、企業が資金提供者である株主に対して企業の経営状況を説明すること及びその義務を示す会計上の用語である。

5　土地のように価値が変動する資産は減価償却の対象であり、計算書類において毎期一定の方法により償却計算を行わなくてはならない。

問題 **128** サービスマネジメントに関する次の記述のうち、**正しいもの**を**1つ**選びなさい。

1 顧客が感じるサービスの品質の度合いは、事前期待からサービスの実績を差し引くことで求められる。

2 サービス提供過程には利用者も参加することになるが、利用者の参加の態度や行動がサービスの質に影響を与えることはない。

3 サービス提供過程の標準化を効果的に進めるためには、PDCAサイクルの一部を現場の従業員に担わせることが必要である。

4 福祉サービスにおいては、人と人が接する部分が重要な要素であって、施設や設備といった物的環境は、サービスの品質に影響を与えることはない。

5 サービスには、同時性や無形性といった特徴があるため、モノ(製品)と比べると、利用者がその質を評価することは難しい。

問題 **129** 事例を読んで、Yさんと妻に対するZ医療ソーシャルワーカー(社会福祉士)の対応として、**最も適切なもの**を**1つ**選びなさい。

〔事 例〕

Yさん(57歳、男性)は、妻(56歳)と二人暮らしである。約1年前からたびたび物忘れを自覚するようになり、最近では仕事にも支障をきたすようになった。病院を受診したところ、若年性アルツハイマー型認知症と診断された。大きなショックを受けたYさんと妻は、医師に勧められZ医療ソーシャルワーカーを訪ねた。

1 Yさんの症状を確認するため、Yさんに了解をとってから医療スタッフに対する聞き取りを行う。

2 Yさんが、より専門的な治療を行っている他の病院への転院を希望したため、Yさんの同意を得ずにその病院の医療ソーシャルワーカーへ情報を提供する。

3 今後は職場との連携が不可欠と考え、Yさんの気持ちを考慮し、あえてYさんの了解は得ずに、職場と病院との二者によるカンファレンスを計画する。

4 Yさんの判断能力の低下を考慮し、個人情報に関する同意や確認は、全て妻に行う。

5 Yさんからカルテ開示の要求があっても、判断能力が低下していることを理由に一切開示はしないこととする。

【問題冊子ご利用時の注意】

　「問題冊子」は、この**色紙を残した**まま、**ていね**
いに抜き取り、ご利用ください。

●抜き取り時のケガには、十分お気をつけください。
●抜き取りの際の損傷についてのお取替えはご遠慮願います。

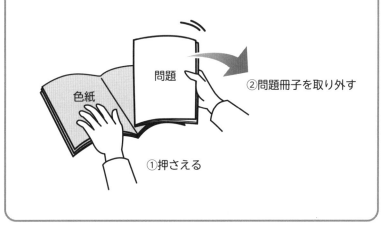

TAC出版

TAC PUBLISHING Group

第2回　予想問題

共通科目

（注意）

1　共通科目の試験問題数は、上記の84問です。

2　解答時間は、試験センターから公表されていませんので、第36回国家
　　試験当時の2時間15分を目安としてください。

3　出題形式は五肢択一を基本とする多肢選択形式となっています。各問
　　題には1から5まで5つの答えがありますので、そのうち、問題に対応
　　した答えを解答用紙に解答してください。

◉共通科目

医学概論

問題　1　人体の器官の構造と機能に関する次の記述のうち、**正しいもの**を**1つ**選びなさい。

1　咽頭蓋(軟口蓋)は気管の入り口にあり、呼吸時は開いているが嚥下時は閉じて誤嚥を防止する。

2　胆汁は膵臓でつくられ、十二指腸から消化管の中に流れ込んで脂肪の消化を助ける。

3　腎臓には、血圧の調整や、造血作用、骨の発育を助ける作用などの機能はない。

4　骨には、造血機能がある。

5　筋肉には横紋筋と平滑筋があり、自分の意思で動かせない内臓などの筋肉は、横紋筋に属する。

問題　2　身体の標準的な成長・発達に関する次の記述のうち、**正しいもの**を**1つ**選びなさい。

1　生後3か月頃、指を使って積み木がつかめるようになる。

2　生後6か月頃、つかまり立ちができるようになる。

3　1歳頃、クーイングが現れ始める。

4　2歳頃、二語文を話すようになる。

5　3歳頃、愛着(アタッチメント)が形成され始める。

問題　3　老化に伴う身体的機能の変化に関する次の記述のうち、**適切なもの**を**1つ**選びなさい。

1　肺活量や残気量が低下し、息切れすることが多くなる。

2　尿の濃縮力が高まり、夜間に頻尿を起こしやすくなる。

3　高血圧や動脈硬化が起こりやすくなり、心臓は萎縮する。

4　消化液の分泌が減少し、腸の蠕動運動が低下する。

5　筋力や持久力は、比較的保たれる。

問題　4　健康に関する次の記述のうち、**正しいもの**を**1つ**選びなさい。

1　WHO憲章では、「健康とは、病気や虚弱ということだけではなく、肉体的にも、精神的にもすべてが満たされた状態をいう」と定義された。

2　プライマリヘルスケアの理念は、WHOの第1回健康促進会議で採択されたオタワ憲章で提唱された。

3　ロコモティブシンドローム（運動器症候群）は、運動器の障害のために自立度が低下し、介護が必要になる危険性が高い状態のことをいう。

4　健康日本21（第三次）の基本的な方向は、平均寿命の延伸である。

5　特定健康診査の対象者は、30歳以上65歳未満の医療保険加入者で、メタボリックシンドローム対策を目的としている。

問題　5　生活習慣病に関する次の記述のうち、**適切なもの**を**1つ**選びなさい。

1　脳内出血は、休息中に突然起こることが多い。

2　くも膜下出血では、激しい頭痛、意識障害、嘔吐といった症状が出現する。

3　糖尿病による高血糖では、意識障害は起きない。

4　胃がんは、糖分のとりすぎが主な原因で発症する。

5　がんによる日本人の死亡者数を部位別にみると、最も多いのは胃である。

問題　6　肢体不自由を伴う疾患に関する次の記述のうち、**最も適切なもの**を**1つ**選びなさい。

1　脳性麻痺は、幼児期に何らかの原因で受けた脳損傷の結果、姿勢・運動面に異常をきたしたものをいう。

2　脳性麻痺のうち、筋がつっぱる痙性運動麻痺を示すのは、アテトーゼ型である。

3　筋ジストロフィーのうち最も多いデュシェンヌ型筋ジストロフィーは、15歳を過ぎても歩行可能な軽症タイプである。

4　二分脊椎は、胎児期における器官発生障害で、主に腰の脊椎の癒合不全によって脊髄が腰から突き出した状態をいう。

5　脊髄損傷は、スポーツでの事故や交通事故などによって脊髄が損傷を受け、損傷部位から上の脊髄機能が失われた状態をいう。

心理学と心理的支援

問題 7 マズロー(Maslow, A. H.)の欲求階層説に関する次の記述のうち、**正しいものを1つ選びなさい。**

1 生理的欲求は、経験や学習から獲得される欲求である。

2 安全の欲求は、最も基底にある欲求である。

3 承認・自尊の欲求とは、自分自身の価値を自己で認めることである。

4 生理的欲求から承認・自尊の欲求までを、欠乏欲求という。

5 最上位の自己実現の欲求は、発達欲求といわれている。

問題 8 防衛機制に関する次の記述のうち、**正しいものを1つ選びなさい。**

1 本当は好きな子に対して悪口を言う、非難するなどの意地悪をすることなどは、知性化の例である。

2 抑圧とは、自分の中にある欲求や感情が他人の中にもあるように思うことである。

3 一人っ子であった家庭で新たに弟妹ができた際に、それまでみられなかった赤ちゃん返りのような行動をみせることを退行という。

4 合理化とは、そのままでは満たされにくい欲求や衝動を、社会的に認められる形で満たそうとすることをいう。

5 欲しい洋服が売り切れてしまっていたため、似たようなデザインの別の洋服を購入するのは、置き換えの例である。

問題　9　ハヴィガースト（Havighurst, R.）の示した児童期の発達課題に関する次の記述のうち、**正しいもの**を1つ選びなさい。

1　善悪の区別を習得する。

2　両親や他の大人たちから情緒面で自立する。

3　読み書き計算などの基礎的技能を習得する。

4　排泄のコントロールを習得する。

5　社会的に責任のある行動をとる。

問題　10　ストレスに関する次の記述のうち、**正しいもの**を1つ選びなさい。

1　汎適応症候群における抵抗期のショック相では、体温や血圧の上昇や心拍数の増加などの症状がみられる。

2　ストレスフルな状況において、カラオケなどをして気分転換することは、問題焦点型コーピングである。

3　精力的に活動してきた介護者が、無気力な態度をみせるようになっても、仕事を続けていれば、バーンアウトの可能性は考えにくい。

4　ストレッサーの中でもライフイベントは、自分の生活が大きく変化する出来事ほど大きな影響を与えやすいとされている。

5　労働安全衛生法の改正に基づくストレスチェック制度では、ストレスチェックを行うのは労働者が100人以上の事業所とされている。

問題 11 人格に関わる心理検査に関する次の記述のうち、**正しいものを1つ**選びなさい。

1 P−Fスタディ（絵画欲求不満検査）では、様々な見方のできる人物によるいろいろな場面が描かれた絵を見せて、自由に物語を作らせ、隠れた欲求やコンプレックスを明らかにして人格特徴を分析する。

2 日本版MMPIは、抑うつ、心気症などの人格的、社会的不適応の種別と程度を尺度により客観的に判定することで、人格特徴を多角的に捉えることができる。

3 TAT（絵画・主題統覚検査）では、A4判の白紙に「1本の実のなる木」の絵を描かせることで、性格や欲求を分析する。

4 バウム・テストでは、短い刺激語の後に自由に言葉を補い文章を完成させ、性格や価値観などを分析する。

5 SCT（文章完成法検査）では、結果を5つの自我状態に分け、そのグラフのパターンから性格を診断する。

問題 12 心理療法に関する次の記述のうち、**正しいものを1つ**選びなさい。

1 箱庭療法は、子どものみが対象の心理療法で、砂箱に好きなミニチュア人形などを置いて作品を作らせ、それが心の中をイメージしていると考える心理療法である。

2 即興劇を通して人間関係や内的な葛藤状態や思い悩むことを体験することで、個人の創造性や自発性の発展を促すことを目的としている方法を動作療法という。

3 家族療法には、様々なアプローチ方法があるが、抱えている問題を個人の問題だと捉える方法が主流である。

4 精神分析療法は、フロイト（Freud, S.）によって創始された心理療法であり、イド（エス）、自我（エゴ）、超自我（スーパーエゴ）が働いているとした。

5 行動療法における適切な反応や行動に対してトークンを与えることで、目標としている行動へと導く方法をモデリング法という。

社会学と社会システム

問題 13 社会移動に関する次の記述のうち、**正しいものを1つ**選びなさい。

1 親の主たる職業と子が従事している職業が異なることを世代内移動という。

2 個人が最初に就いた職業と現在従事している職業が異なることを純粋移動という。

3 階層間の移動を伴う社会移動を垂直移動という。

4 既成エリートがエリートの基準を定め、その基準に合う次世代の者を早期に選抜して、上昇移動を保障することで生まれる移動を競争移動という。

5 事実移動とは、垂直移動と水平移動を合計したものである。

問題 14 都市化や過疎化と地域社会に関する次の記述のうち、**正しいものを1つ**選びなさい。

1 ヴェーバー(Weber, M.)は、都市は発達するに従って、中央商業地域を中心に、同心円的な構造をなして膨張するという同心円地帯理論を提唱した。

2 ワース(Wirth, L.)は、人口量が多い、人口密度が高い、住民の社会的異質性が高いといった条件がそろったときに、都市に特有な生活様式が生まれると考え、これをアーバニズム論と名づけた。

3 コンパクトシティとは、財政難に悩む自治体が、公が果たす役割や機能を小さくして民間の力を活用しようとする取組のことを指す。

4 消滅可能性都市とは、人口減少が進む農村部の地域に起こる現象であり、農村部以外では生じない。

5 ジェントリフィケーションとは、農村部が宅地造成などにより開発され、近隣から人が流入し、人口が増加する現象を指す。

問題　15　人々の働き方に関する次の記述のうち、**正しいものを１つ**選びなさい。

1　日本では、事業場の過半数労働組合等との労使協定を締結することで、業務を限定せずに「専門業務型裁量労働制」を導入することができる。

2　経済不況が続くと、生活のためにシャドウ・ワークと呼ばれる夜間の副業を行う者が増える。

3　ワークシェアリングとは、働くすべての人が、「仕事」と育児や介護、趣味など「仕事以外の生活」の両立を図り、多様な働き方・生き方を目指す考え方をいう。

4　日本女性の年齢階級別労働力率のグラフをみると、U字カーブになることが知られている。

5　日本におけるフルタイム労働者の男女間賃金格差は、欧米の主要諸国のそれと比較して、大きくなっている。

問題　16　人と社会との関係に関する次の記述のうち、**正しいものを１つ**選びなさい。

1　パットナム(Putnam, R.)は、ソーシャルキャピタルを「拡散型」と「橋渡し型」の２つに整理した。

2　グラノヴェッター(Granovetter, M.)は、新しく価値ある情報は、社会的なつながりが弱い人よりも、強い人から寄せられることが多いと述べている。

3　閉鎖的で密度が高い社会ネットワークでは、排他が生じることがある。

4　社会的包摂の考えは、日本の福祉政策において、まだ取り入れられていない。

5　ソーシャル・インクルージョンが広まったきっかけは、知的障害者が、大規模施設の中で人間らしい生活を送れていないことが明らかになったためである。

問題 17 社会的ジレンマに関する次の記述のうち、**正しいもの**を**2つ**選びなさい。

1 「共有地の悲劇」は、オープンアクセスの状態にある共有資源が適切に管理されず、過剰摂取のために枯渇する状況を指す。

2 最小集団におけるジレンマである「囚人のジレンマ」は、ゼロサムゲームの代表例とされる。

3 社会的ジレンマの存在を人々に認知させ、いずれの組織・機関にも属さない自由な立場で解決を目指す地域の担い手を「フリーライダー」という。

4 「外部不経済」とは、経済活動に伴い、直接関係していない第三者が受ける不利益のことで、公害問題がその典型例である。

5 オルソン(Olson, M.)は、社会的ジレンマの解決法として、協力的行動に対して報酬を与えることで規範意識を醸成することを示した。

問題 18 ジェンダーに関連した日本の社会現象・社会問題に関する次の記述のうち、**正しいもの**を**1つ**選びなさい。

1 2022年度(令和4年度)の「高齢者虐待調査結果」によれば、養介護施設従事者等及び養護者による被虐待高齢者の状況を性別にみると、ともに男性が多い。

2 「国民生活基礎調査(2022年)」によれば、後期高齢者の段階において子と同居している者の比率は、男性よりも女性の方が多い。

3 自殺者数を男女別にみると、2000年(平成12年)以降、一貫して女性の方が多くなっている。

4 2022年度(令和4年度)の「高齢者虐待調査結果」によれば、在宅高齢者に対する虐待の加害者は「娘」が最も多い。

5 ドメスティック・バイオレンスとは、夫(男性パートナー)による妻(女性パートナー)に対する暴力をいう。

(注) 「高齢者虐待調査結果」とは、「高齢者虐待の防止、高齢者の養護者に対する支援等に関する法律に基づく対応状況等に関する調査結果」(厚生労働省)のことである。

社会福祉の原理と政策

問題　19　社会福祉の概念・思想に関する次の記述のうち、**正しいもの**を**1つ**選びなさい。

1　孝橋正一は、社会政策と社会事業を区別し、社会事業の対象は、資本主義社会との連携を断たれ脱落した「経済秩序外的存在」であるとした。

2　竹内愛二は、援助の過程において、人間関係を基盤に駆使される専門的な援助技術の体系を一般社会事業と呼び、社会事業の中核概念としている。

3　仲村優一は、所得保障、医療、教育、住宅、司法等の一般施策を補充する制度として社会福祉の必要性を論じている。

4　糸賀一雄は、社会福祉を生活権保障の制度・政策、人権保障の社会的実践と捉え、生活問題を重視し、社会福祉要求運動を社会福祉政策発展の契機として位置づけている。

5　一番ヶ瀬康子は、社会の福祉の単なる総量ではなく、個人の福祉が保障されることを重要視している。

問題　20　福祉の思想や原理に関する次の記述のうち、**正しいもの**を**1つ**選びなさい。

1　セン(Sen, A.)は、最も恵まれない人が有利となるような資源配分が、正義にかなうと主張した。

2　ローズ(Rose, R.)は、「準市場」という概念を打ち出し、公共的な政策領域にいろいろな市場競争的要素を取り込み、国民にとって効率的で質の高いサービスが提供されることが望ましいと主張した。

3　エスピン－アンデルセン(Esping-Andersen, G.)は、福祉レジーム理論で、福祉国家は、社会的階層化のパターン形成に重要な役割を演じると論じた。

4　ルグラン(Le Grand, J.)は、福祉ミックス論の前提となる考え方として、社会における福祉の総量は、H(家族福祉)とM(市場福祉)とS(国家福祉)の総量であると問題提起した。

5　ロールズ(Rawls, J.)の主張したケイパビリティ(潜在能力)とは、現実的な選択の機会(自由や可能性)のことをいう。

問題 21 ニーズ(必要)に関する次の記述のうち、**正しいものを1つ選びなさい。**

1 ニーズ(必要)充足のために平等な資源の量を分配すべきであるという考え方を、貢献原則と呼ぶ。

2 同じ量の資源を用いても、ニーズ(必要)の充足のされ方は個人の健康状態や生活水準などに応じて異なる。

3 サービス情報が公開されていれば、ニーズが潜在化することはない。

4 充足すべきニーズ(必要)の把握は、行政や専門職が行い、本人や家族がこれに関与することはない。

5 社会福祉実践は、ニーズ(必要)のうち、その人が自覚し具体的に支援を求めるものを対象にする。

問題 22 社会的排除と社会的包摂に関する次の記述のうち、**正しいものを1つ選びなさい。**

1 社会的包摂は、1960年代にヨーロッパ社会でみられた社会的排除に対抗する理念・思想である。

2 イギリスでは、サッチャー政権の下、ソーシャル・エクスクルージョン課(Social Exclusion Unit)が設置された。

3 ヴァルネラビリティとは、「社会的に弱い立場」「社会的弱者」を意味する。

4 ソーシャル・インクルージョンは、ホームレスや障害者、犯罪歴のある人などを対象とした理念であり、外国籍の人は含まない。

5 障害者の権利に関する条約には、「自立生活及び地域社会の包容」というソーシャル・エクスクルージョンに関する内容が規定されている。

問題 23 貧困に関する次の記述のうち、**正しいものを1つ選びなさい。**

1 リスター(Lister, R.)は、相対的剥奪の概念を用いて「見えない貧困」を明らかにした。

2 ブース(Booth, C.)は、ロンドン貧困調査から「貧困線」という概念を示した。

3 ピケティ(Piketty, T.)は、貧困者には共通した「貧困の文化」があることを明らかにした。

4 ルイス(Lewis, O.)は、「格差の構造」を明らかにし、資産格差は貧困の世代間連鎖をもたらすと論じた。

5 タウンゼント(Townsend, P.)は、絶対的貧困・相対的貧困の二分法による論争に終止符を打つことを目指した。

問題 24 福祉政策の構成要素に関する次の記述のうち、**正しいもの**を**1つ**選びなさい。

1 ラショニングとは、公的な機関・施設を民営化することである。

2 市町村には、地域福祉計画の策定が義務づけられており、かつ計画は、住民の意見を反映したものでなければならないとされている。

3 ニューパブリックマネジメントとは、これまでの縦割り行政を見直し、各省庁との間で横断的な政策を展開することである。

4 選別主義とは、ミーンズ・テスト（資力調査）を受けることが前提となる考えであり、日本では失業給付が該当する。

5 タウンミーティングとは、行政の担当者や政治家などと地域住民が対話集会を行うことである。

問題 25 福祉サービスにおける準市場（疑似市場）に関する次の記述のうち、**適切なもの**を**1つ**選びなさい。

1 自治体が、利用者へのサービスを選択して分配する。

2 自治体が、福祉サービスの購入者となるのが原則である。

3 サービスの質は、自治体が保証するため、モニタリングは必要ない。

4 営利事業者やNPOが参入できないよう、規制される。

5 介護保険制度は、準市場に該当する。

問題　26　福祉サービスの提供の仕組みに関する次の記述のうち、**正しいものを１つ**選びなさい。

1　介護保険制度は、利用者と事業者との直接契約方式なので、市町村は事業者に対し権限を持たない。

2　認可保育所における保育サービスの利用は、利用者と行政との間接的な契約による。

3　国及び地方公共団体は、福祉サービスを利用しようとする者が必要な情報を容易に得られるように、必要な措置を講じなければならない。

4　社会福祉事業の経営者は、福祉サービスの利用契約が成立したときには、その利用者に遅滞なく口頭で契約事項を説明しなければならない。

5　公費負担（税）方式は、受益と負担の対応関係が社会保険方式より明確である。

問題　27　福祉関連政策としての労働政策に関する次の記述のうち、**正しいものを１つ**選びなさい。

1　「若者雇用促進法」において、若者の採用・育成に積極的に取り組んでいる優良な中小企業は、「ユースエール企業」として認定される。

2　雇用保険法は、メンタルヘルス不調を未然に防ぐため、従業員50人以上の事業所に対してストレスチェックを義務づけている。

3　2016年（平成28年）４月から、高齢者の就業を増やすため、65歳以降に新たに雇用される者も雇用保険の適用対象になった。

4　介護離職ゼロを目指し、仕事と介護の両立が可能な労働環境を整備する一環として、介護休業93日間を２回を上限として分割取得することができるようになった。

5　「女性活躍推進法」では、女性の活躍の見える化を図るため、全ての一般事業主に対して、女性の職業生活における活躍に関する情報の公表を義務づけている。

（注）　1　「若者雇用促進法」とは、「青少年の雇用の促進等に関する法律」のことである。

　　　　2　「女性活躍推進法」とは、「女性の職業生活における活躍の推進に関する法律」のことである。

社会保障

問題 28 日本の雇用状況と労働環境に関する次の記述のうち、**正しいものを1つ選びなさ**い。

1 「労働力調査」(総務省)によれば、2023年(令和5年)平均において、若年無業者は50万人を超えている。

2 「労働力調査」(総務省)によれば、2023年(令和5年)平均において、役員を除く雇用者に占める非正規の職員・従業員の割合は5割を超えている。

3 「令和4年度雇用均等基本調査」(厚生労働省)によれば、「勤務できる(制度が就業規則等で明文化されている)」事業所が5割を超えている。

4 「令和4年度雇用均等基本調査」(厚生労働省)によれば、男性の育児休業取得率は約20%となっている。

5 65歳までの安定した雇用の確保を図るため、事業主は、必ず定年を65歳まで引き上げなければならない。

問題 29 社会保障の歴史に関する次の記述のうち、**正しいものを1つ選びなさい。**

1 ドイツでは、1880年代に世界で最初の社会保険制度を実施する一方で、社会主義運動を厳しく弾圧する「飴と鞭」の政策が行われた。

2 イギリスでは、1601年に制定されたエリザベス救貧法により、劣等処遇の原則が導入されるとともに、救貧行政の中央集権化が確立された。

3 スウェーデンにおいて1930年代に制定された社会保障法は、社会保障という言葉を世界で最初に用いた法律とされている。

4 イギリスでは、1990年代にサッチャー政権が効率と公正の両立を目指す「第三の道」を掲げ、就労支援を重視する施策を展開した。

5 日本では、社会保険としての医療保険、年金保険、労災保険、失業保険は、いずれも第二次世界大戦前又は大戦中から制度化され、実施されてきた。

問題　30　日本における社会保障の負担と給付に関する次の記述のうち、**正しいものを1つ**選びなさい。

1　後期高齢者医療制度における国と地方自治体の負担割合は、1対1である。

2　「令和3年度社会保障費用統計」(国立社会保障・人口問題研究所)によれば、社会保障財源に占める公費負担割合は、約50%である。

3　「令和3年度社会保障費用統計」(国立社会保障・人口問題研究所)によれば、公費負担の内訳は、国の方が地方自治体より大きい。

4　児童扶養手当の費用は、国が全額負担する。

5　児童手当の費用は、国と地方自治体が半分ずつ負担し、事業主の負担はない。

問題　31　社会保険と社会扶助の基本的性格や両者の関係に関する次の記述のうち、**正しいものを1つ選びなさい。**

1　社会保険は、貧困の発生に対して事後に対処するための制度であり、救貧的機能を有している。

2　社会扶助方式の長所は、社会保険方式に比べて給付の権利性が強く、受給する際にスティグマが伴わない点である。

3　公的扶助の給付は、社会保険等による各種の所得保障に係る給付に先行させるのが原則である。

4　社会保険の給付の開始は申請に基づくが、社会扶助は事故の発生に伴い自動的に給付が開始される。

5　我が国の生活保護法では、一般扶助主義を採用しながら、資力調査によってその要件を確認している。

問題　32　労働者災害補償保険(労災保険)に関する次の記述のうち、**正しいものを1つ選び**なさい。

1　適用対象者は正社員のみで、パートやアルバイトなどは含まれない。

2　保険料は、事業主と労働者が折半して負担する。

3　保険者は、都道府県である。

4　障害厚生年金が支給される場合、障害補償年金は減額支給される。

5　個人事業主は加入できない。

問題 33 公的年金制度に関する次の記述のうち、**正しいものを2つ**選びなさい。

1 日本国外に居住していても、国民年金第3号被保険者となることができる。

2 国民年金と厚生年金保険の併給は認められている。

3 遺族基礎年金は、国民年金の被保険者等が死亡した場合に、その者の子を有しない配偶者には支給されない。

4 厚生年金の適用対象は、適用事業所に常時使用される75歳未満の者である。

5 20歳以上の学生は、本人の所得が一定以下である場合、学生納付特例制度を申請することができる。

問題 34 事例を読んで、年金制度に関する次の記述のうち、**適切なものを1つ**選びなさい。

〔事　例〕

　Aさん(40歳、女性)は、20歳の時、父親が死亡して家業(和菓子店)の経営を引き継ぎ、20年間働いてきた。夫は事情があって就職せず、もっぱら家事と16歳になる娘の世話をしている。Aさんは、店の経営状態が芳しくなかった4年間、国民年金の保険料免除手続きを行ったが、保険料を納付した期間は10年間ある。この数年間は店の経営が軌道に乗り、保険料も納付していたが、配達途中の交通事故で障害を負い、働くことが困難となってしまった。

1 Aさんの被扶養配偶者と認められれば、Aさんの夫は国民年金の第3号被保険者となる。

2 Aさんが保険料を納付した期間は10年間であり、加入期間20年間の3分の2に満たないため、障害基礎年金を受給することはできない。

3 Aさんが1級の障害基礎年金を受給することになった場合、その額は老齢基礎年金の満額の1.25倍となる。

4 Aさんの障害が国民年金法に定める障害等級に該当しない場合でも、障害手当金を受給できる場合がある。

5 Aさんの娘は義務教育を修了しているため、受給する障害基礎年金には、子の加算はない。

問題　35　雇用保険に関する次の記述のうち、**正しいものを1つ**選びなさい。

1　1週間の所定労働時間が20時間未満の者でも、同一事業に継続して31日以上雇用されていれば、雇用保険が適用される。

2　65歳以後に新たに雇用された労働者は、雇用保険の適用対象となる。

3　求職者給付（基本手当）の支給額は、年齢や被保険者期間にかかわらず、一律である。

4　雇用保険の保険料について、失業等給付については事業主の保険料負担はなく、労働者の保険料で賄っている。

5　育児休業を取得した労働者には、雇用継続給付から育児休業給付金が支給される。

問題　36　医療保険制度に関する次の記述のうち、**正しいものを1つ**選びなさい。

1　市町村国民健康保険の保険料は、20歳以上の家族員一人ひとりが市町村に納付する。

2　世帯主が市町村国民健康保険、その子が協会けんぽ（全国健康保険協会管掌健康保険）の場合でも、高額療養費制度の世帯合算が適用される。

3　公的医療保険制度のうち、最も加入者が多いのは、市町村国民健康保険である。

4　生活保護の受給者（停止中の者は除く）は、国民健康保険の被保険者になることはない。

5　市町村国民健康保険には、健康保険と同様に移送費、出産手当金、傷病手当金がある。

権利擁護を支える法制度

問題　37　行政法に関する次の記述のうち、**正しいもの**を１つ選びなさい。

1　不服申立前置主義によって、行政事件訴訟ではまず行政不服を申し立てた後に行政事件訴訟を提起できる。

2　行政不服申立制度には、審査請求と再審査請求の２類型がある。

3　公務員の不法行為によって損害が生じた場合、日本国憲法第17条に基づく国家賠償とともに民法（不法行為責任）に基づく損害賠償を請求できる。

4　行政法に違反する行為に対する処罰（行政罰）は、刑事罰と同じような死刑は適用されない。

5　行政法の適法性の判断は、行政機関が優先権を持つ。

問題　38　民法に規定されている親権及び未成年後見人に関する次の記述のうち、**正しいもの**を１つ選びなさい。

1　親権者は、子どもの監護及び教育をするに当たり、体罰や心身の健全な発達に有害な影響を及ぼす言動をしてはならない。

2　家庭裁判所が親権停止の審判をするときは、１年を超えない範囲内で親権を停止する期間を定める。

3　父母が協議離婚しても、親権は共同して行わなければならない。

4　未成年後見人は１人でなければならない。

5　法人は、未成年後見人になることはできない。

問題　39　基本的人権に関する次の記述のうち、最高裁判所の判例の趣旨に即して**適切なもの**を１つ選びなさい。

1　人は、自己の容貌等を描写した「イラスト画」をみだりに公表されない人格的利益を有するとはいえない。

2　国は、法律によって公務員の政治的行為を禁止することはできない。

3　裁判所は、名誉を毀損した者に対し、謝罪広告を命ずることはできない。

4　拘置所長は、未決拘禁者の新聞紙の閲読の自由を制限することができる。

5　取材源の秘匿は、取材の自由を確保するために必要とまではいえず、重要な社会的価値を有するものとはいえない。

問題　40　成年後見制度に関する次の記述のうち、**正しいもの**を**1つ**選びなさい。

1　身寄りがないなどの理由で申立てをする人がいない場合には、市町村長が任意後見監督人の選任を家庭裁判所に申し立てる。

2　成年被後見人のなした日常生活に関する法律行為については、成年後見人が取り消すことができる。

3　2013年(平成25年)の公職選挙法等の改正によって、成年被後見人は選挙権・被選挙権を回復し、成年後見人による代理投票が認められた。

4　任意後見は、本人が任意後見受任者と契約を締結した時点から効力が発生する。

5　法定後見開始の審判の請求権者に検察官も含まれる。

問題　41　日常生活自立支援事業に関する次の記述のうち、**正しいもの**を**1つ**選びなさい。

1　実施主体は、地域包括支援センターである。

2　相談開始から契約締結前の初期相談までの相談支援には、利用料が発生する。

3　社会福祉施設に入所している者も利用することができる。

4　日用品等の代金を支払うための預金の払い戻しなどの金銭管理は、援助内容に含まれない。

5　契約締結に当たって、本人の判断能力に疑義がある場合は、運営適正化委員会が利用の可否を判断する。

問題　42　事例を読んで、任意後見契約に関する次の記述のうち、**正しいもの**を**1つ**選びなさい。

〔事　例〕

　Bさん(59歳、男性)は、業務中に脳梗塞の発作が起き、会社の近くにある救急病院に搬送された。すぐに意識が戻り、後遺症もほとんど残らなかったが、Bさんは後々のことを考えて、任意後見契約を締結することにした。

1　Bさんは、自分の配偶者や兄弟姉妹を任意後見人とすることはできない。

2　Bさんが任意後見契約を締結するには、公正証書の作成が必要である。

3　Bさんの任意後見契約の登記後、Bさんの事理弁識能力が不十分になれば、家庭裁判所は職権で任意後見監督人を選任することができる。

4　任意後見人とBさんとの利益が相反する場合、任意後見監督人があっても特別代理人を選任しなければならない。

5　任意後見監督人の選任後、Bさんは、いかなる事由があっても任意後見契約を解除することはできない。

地域福祉と包括的支援体制

問題　43　コミュニティの定義等に関する次の記述のうち、**正しいものを1つ**選びなさい。

1　ワース(Wirth, L.)は、コミュニティをコミュニケーションを欠いた無意識的協同によるもの、ソサエティをコミュニケーションに支えられたものと分類した。

2　パットナム(Putnum, R.)は、社会関係資本を経済資本、文化資本、象徴資本と共に、社会階級上の位置を特徴づけるものと考えた。

3　ウェルマン(Wellman, B.)が説いた「弱い紐帯の強み」とは、社会的つながりが緊密な者より、弱い社会的つながりを持つ者の方が、有益で新規性の高い情報をもたらしてくれる可能性が高いという仮説である。

4　マッキーヴァー(MacIver, R.)は、コミュニティを一定の地域性、共同生活、共属感情という3つの指標を満たす集団と考えた。

5　ヒラリー(Hillery, G.)は、コミュニティの定義を分析し、対面性と価値観の共有の2つの特徴を見出した。

問題　44　イギリス及びアメリカの地域福祉の発展過程に関する次の記述のうち、**正しいものを1つ**選びなさい。

1　シーボーム報告は、1970年成立の地方自治体社会サービス法の根拠となった報告である。

2　ウルフェンデン報告では、コミュニティを基盤としたケースワークやネットワークの活用・開発・組織化を行うコミュニティ・ソーシャルワークを提唱した。

3　バークレイ報告を受けて、ボランティアを含む非営利組織の役割の重要性が位置づけられるようになった。

4　グリフィス報告では、コミュニティ・オーガニゼーションの基本的な体系をまとめ、「資源とニーズを調整する」ことを目標とした。

5　レイン報告では、コミュニティの財政責任や、市場原理、ケアマネジメントの導入が提言された。

問題　45　事例を読んで、連絡会での意見を踏まえて**C**福祉活動専門員（社会福祉士）が今後考えるべき課題に関する次の記述のうち、**最も適切なもの**を**1つ**選びなさい。

〔事　例〕

　　N町の社会福祉協議会の**C**福祉活動専門員は、住民座談会で最近気になる福祉や保健問題について自由に意見を述べてもらった。その後、住民たちの努力の結果、社会福祉協議会の呼び掛けで、自治会の役員、民生委員、老人クラブの人たちが協力して「福祉連絡会」を立ち上げた。

1　福祉連絡会では限界があるので、専門機関のみで活動した方がよいと判断した。

2　福祉連絡会が機能すれば、社会福祉協議会内の総合相談窓口は縮小しても問題ない。

3　関係機関の連携の必要性が明らかになったので、関係者全員が遵守すべきプライバシーについて話し合うことも必要である。

4　住民による個々の高齢者への安否確認や緊急対応は必要だが、地域レベルでの保健福祉ニーズを察知し、対応できるような組織づくりは必要ではない。

5　小地域福祉活動と関係専門機関の連携は難しいので、どちらを優先するか検討する必要がある。

問題　46　民生委員・児童委員に関する法律の規定に関する次の記述のうち、**適切なもの**を**1つ**選びなさい。

1　民生委員は、担当区域内のすべての住民について、その生活状態を把握しておくこととされている。

2　民生委員の任期は5年とされている。

3　補欠で着任した民生委員・児童委員の任期は、前任者の残任期間とされている。

4　民生委員の推薦は、各都道府県に設置された民生委員推薦会と都道府県知事が厚生労働大臣に対して行う。

5　市町村長は、都道府県知事が定める区域ごとに、民生委員協議会を組織しなければならない。

問題　47　事例を読んで、Ｐ市社会福祉協議会のＤ福祉活動専門員（社会福祉士）がとるべき対応として、**最も適切なもの**を１つ選びなさい。

〔事　例〕

　Ｐ市社会福祉協議会のＤ福祉活動専門員は、民生委員から、近所に住む一人暮らしのＥさん（82歳、女性）についての相談を受けた。Ｄ福祉活動専門員が、民生委員と共にＥさん宅を訪ねると部屋は散らかっており、使った食器もそのままとなっていた。Ｅさんから話を聞くと、以前はできていた家事の手順を思い出せないことが多いなど、今の暮らしに不安を感じており、どうしていいのか自分でも分からないと切々と訴えた。

1　Ｅさんの生活状況について、Ｐ市の地域包括支援センターに情報提供をするとともに、訪問を依頼する。

2　Ｅさんから聞いた情報を詳細に地区の福祉委員や自治会長に伝えるとともに、彼らによるＥさんへの支援を求めるよう民生委員に助言する。

3　Ｅさんに対してＰ市の地域包括支援センターへ相談するように助言し、自分は関わらないようにする。

4　Ｅさんのような一人暮らし高齢者に対する支援を行うために、どのような方法が考えられるか情報収集を行うように民生委員に依頼する。

5　Ｅさんのような一人暮らし高齢者に対する支援を地区内で行うため、民生委員に対し地域での相互支援の会の立ち上げについて検討するよう依頼する。

問題 48　地域における福祉サービス等の評価に関する次の記述のうち、**正しいものを1つ**選びなさい。

1　社会福祉法によると、社会福祉事業の経営者は、自らその提供する福祉サービスの質の評価を行うこととされている。

2　社会福祉法によると、市町村は福祉サービスの質の公正かつ適切な評価の実施に資するための措置を講ずるように努めなければならない。

3　福祉サービス第三者評価事業を行う評価者となるには、国が設立する第三者評価機関の認証が必要である。

4　「福祉サービス第三者評価の指針」によると、評価調査者は、市町村が実施する評価調査者養成研修を受講しなければならない。

5　「福祉サービス第三者評価の指針」によると、福祉サービス向上のための評価基準として、自己評価と利用者評価、第三者評価の3種の評価が義務づけられている。

(注)　「福祉サービス第三者評価の指針」とは、「福祉サービス第三者評価事業に関する指針について(平成30年4月1日)」のことである。

問題 49　福祉行政における専門職に関する次の記述のうち、**正しいものを1つ**選びなさい。

1　福祉事務所の現業員及び査察指導員は、社会福祉法に規定する職務にのみ従事し、他の社会福祉又は保健医療に関する事務を行うことはできない。

2　児童福祉司は、その担当区域を管轄する児童相談所長が定める基準に適合する研修を受けなければならない。

3　都道府県は、その設置する身体障害者更生相談所に、身体障害者福祉司を置くことができる。

4　市町村は、その設置する福祉事務所に、知的障害者福祉司を置かなければならない。

5　児童家庭支援センターには、相談・支援を担当する職員と心理療法等を担当する職員を置くものとされている。

問題　50　「令和6年版地方財政の状況」（総務省）が示す2022年度（令和4年度）の地方公共団体の民生費に関する次の記述のうち、**正しいもの**を1つ選びなさい。

1　目的別歳出のうち、総務費の割合は民生費の割合よりも大きい。

2　目的別歳出の民生費のうち、児童福祉費の割合は老人福祉費の割合よりも大きい。

3　目的別歳出総額に占める民生費の割合は、市町村よりも都道府県の方が大きい。

4　都道府県の目的別歳出のうち、最大の費目は民生費である。

5　民生費の性質別内訳をみると、人件費の割合は扶助費の割合よりも大きい。

問題　51　福祉計画の法定事項に関する次の記述のうち、**適切なもの**を1つ選びなさい。

1　市町村介護保険事業計画には、介護サービスの公表に関する事項を定めなければならないこととされている。

2　市町村障害福祉計画には、各年度の指定障害者支援施設の必要入所定員総数を定めるよう努めることとされている。

3　市町村子ども・子育て支援事業計画には、保護を要する子どもの養育環境の整備、障害児に対する保護・指導・知識技能の付与に関する事項を定めなければならないこととされている。

4　市町村地域福祉計画には、社会福祉を目的とする事業に従事する者の確保又は資質の向上に関する事項を定めることとされている。

5　医療計画には、医療従事者の確保に関する事項を定めなければならないこととされている。

問題　52　「障害者差別解消法」に関する次の記述のうち、**正しいものを1つ選びなさい。**

1　行政機関等に対して、障害者に対する合理的配慮の提供を努力義務としている。

2　事業者に対して、障害を理由とした不当な差別的取扱いの禁止を努力義務としている。

3　法の対象は、障害者手帳の所持者に限られる。

4　合理的配慮とは、障害者の性別、年齢及び障害の状態に応じて、行政機関等や事業者に過度な負担がかかることがない範囲で、社会的障壁を取り除くことを指す。

5　差別に関する具体的な定義が示されている。

(注)　「障害者差別解消法」とは、「障害を理由とする差別の解消の推進に関する法律」のことである。

問題　53　障害者の人権についての国際的な動向に関する次の記述のうち、**正しいものを1つ選びなさい。**

1　世界人権宣言(1948年)では、すべて人は、社会保障を受ける権利を有し、各国の組織及び資源にかかわりなく、自己の尊厳と自己の人格の発達のための経済的・社会的・文化的権利の実現に対する権利を有すると定められている。

2　障害者の権利宣言(1975年)において、ノーマライゼーションの理念が提唱された。

3　障害者の権利宣言(1975年)の後、障害種別ごとの権利宣言として、知的障害者の権利宣言が採択された。

4　国際障害者年(1981年)のテーマは「完全参加と平等」である。

5　障害者の権利に関する条約(2008年発効)について、日本は2007年(平成19年)に批准した。

問題 54 「障害者総合支援法」に関する次の記述のうち、**適切なもの**を**1つ**選びなさい。

1 法の目的に、障害者及び障害児の「基本的人権を享有する個人としての尊厳」が明記されている。

2 基本理念として、共生する社会の実現、社会参加の機会の確保、社会的障壁の除去に資することを旨として、それぞれの課題を個別に解決するものとしている。

3 障害支援区分の認定は都道府県が行い、認定調査は80項目による共通の調査項目によって実施する。

4 国は、地域生活支援事業に要する費用等の100分の25以内を補助しなければならない。

5 介護保険法と「障害者総合支援法」の両方のサービスが利用できるときは、原則として、「障害者総合支援法」を優先して適用する。

(注) 「障害者総合支援法」とは、「障害者の日常生活及び社会生活を総合的に支援するための法律」のことである。

問題 55 事例を読んで、Fさんに対する相談支援専門員の支援に関する次の記述のうち、**最も適切なもの**を**1つ**選びなさい。

〔事 例〕

Fさん(女性、35歳)は、視聴覚障害者で、地元の聾学校高等部を卒業後、一般企業に就職していたが、徐々に視覚障害が進行して退職に至った。身体障害者手帳を所持して障害基礎年金(1級)を受給している。家族は、父(68歳)、母(65歳)、Fさんの3人で、経済的には両親の老齢基礎年金とFさんの障害基礎年金が家計収入である。Fさんは、地域で両親と生活したいと考えているが、盲ろう重複障害による様々な不安があり地域で暮らしていける自信がないと、障害者地域生活支援事業を行っている事業者を訪問して、相談支援専門員に相談した。

1 コミュニケーションや移動の安全のために社会適応訓練(生活訓練)を受けるよう勧める。

2 今後さらに視覚障害が進行することも考えられることから、施設入所を検討する。

3 地域の生活施設の安全な利用のために行動援護サービスを利用する。

4 福祉サービス利用援助事業を利用する。

5 結婚相談所に登録し、新たな出会いを求めることを支援する。

問題　56　「精神保健福祉法」に基づく入院形態に関する次の記述のうち、**正しいものを1つ**選びなさい。

1　任意入院では、精神保健指定医の診察により、必要があれば、12時間を限度に退院を制限できる。

2　措置入院とは、精神保健指定医の診察を経て、自傷他害のおそれがあると認められた場合に、72時間を限度として行われる入院である。

3　緊急措置入院とは、精神保健指定医の診察を経て、市町村長の措置で行われる入院である。

4　応急入院とは、本人の同意に基づく入院である。

5　医療保護入院では、家族等の全員が同意・不同意の意思表示ができないなどの場合には、本人の居住地等の市町村長の同意があれば、本人の同意がなくても入院させることができる。

（注）　「精神保健福祉法」とは、「精神保健及び精神障害者福祉に関する法律」のことである。

問題　57　「令和4年度障害者虐待対応状況調査」（厚生労働省）に関する次の記述のうち、**正しいものを1つ選びなさい。**

1　養護者による虐待の種別・類型別（複数回答）では、「経済的虐待」が最も多い。

2　養護者による虐待において、被虐待障害者の障害種別では、知的障害が最も多い。

3　養護者による虐待では、被虐待障害者は、男性と女性でほぼ同数である。

4　障害者福祉施設従事者等による虐待では、被虐待障害者は、男性より女性の方が多い。

5　障害者福祉施設従事者等による虐待の種別・類型別（複数回答）では、「心理的虐待」が最も多い。

（注）　「令和4年度障害者虐待対応状況調査」とは、「令和4年度『障害者虐待の防止、障害者の養護者に対する支援等に関する法律』に基づく対応状況等に関する調査結果報告書」のことである。

刑事司法と福祉

問題 58　保護観察に関する次の記述のうち、**正しいもの**を**1つ**選びなさい。

1　保護観察の目的は、犯罪者、非行少年に対し、矯正施設内及び社会内において適切な処遇を行うことで、その再犯防止と改善更生を図ることである。

2　保護観察の実施機関は、家庭裁判所と保護観察所である。

3　保護観察は、保護観察所と地方更生保護委員会に配置された保護観察官が実施する。

4　保護観察の対象者である1号観察は、家庭裁判所で保護観察に付された者をいう。

5　刑の一部執行猶予制度の対象となった者は、執行猶予期間中、必ず保護観察に付される。

問題 59　保護観察官及び保護司に関する次の記述のうち、**正しいもの**を**1つ**選びなさい。

1　保護観察官は、保護観察所のみに配置されている。

2　保護司は、保護観察官で十分でないところを補うこととされている。

3　保護司は、保護観察所の長の指揮監督を受けずに所掌事務に従事できる。

4　保護司には、給与が支給される。

5　保護観察官は呼出し面接によって、保護司は訪問面接によって保護観察を行うこととされている。

問題 60　少年司法における連携に関する次の記述のうち、**正しいもの**を**1つ**選びなさい。

1　警察官又は保護者は、虞犯少年について、直接児童相談所に通告することはできない。

2　家庭裁判所は、審判を行うに当たり、児童相談所に命じて、少年、保護者又は参考人の取調その他の必要な調査を行わせることができる。

3　少年院の長は、懲役又は禁錮の刑の執行のため収容している者について、法に定める期間が経過したときは、地方裁判所に対し、仮釈放の申請をしなければならない。

4　家庭裁判所は、触法少年に対し、少年院送致の保護処分をすることはできない。

5　家庭裁判所は、調査及び観察のため、警察官、保護観察官、保護司、児童福祉司又は児童委員に対して、必要な援助をさせることができる。

問題　61　更生保護における近年の取組に関する次の記述のうち、**正しいものを１つ選びな**さい。

1　地域生活定着促進事業では、高齢又は障害により福祉的支援を必要とする矯正施設退所者等に対し、地域生活定着支援センターが相談支援を実施している。

2　刑の一部執行猶予制度の対象者は、刑期途中から社会に出て、精神保健観察を受けながら立ち直りを図る。

3　自立更生促進センターでは、保護司の処遇活動の支援、関係機関・団体との連携、犯罪・非行の予防活動等が行われている。

4　自立準備ホームでは、刑務所からの仮釈放者や少年院からの仮退院者等を宿泊させ、指導監督や就労支援を実施している。

5　更生保護サポートセンターでは、住居の確保が困難な保護観察対象者等にNPO法人等が管理する施設の空きベッド等を活用することで住居を提供している。

問題　62　更生緊急保護に関する次の記述のうち、**正しいものを１つ選びなさい。**

1　実施期間は、原則として３年を超えない範囲内とされている。

2　更生保護法人などへの委託は認められていない。

3　懲役、禁錮または拘留の刑の執行が終わった者は、更生緊急保護を受けることができる。

4　対象者からの申し出がない場合は、保護観察所長が職権で行うことが認められている。

5　実施内容に、金品の給与または貸与は含まれない。

問題　63　事例を読んで、**G**社会復帰調整官の業務として、**最も適切なものを１つ選びなさい。**

〔事　例〕

保護観察所の**G**社会復帰調整官は、医療観察対象者である**H**さん(28歳)を担当することになった。**H**さんは、指定入院医療機関に入院し、専門的治療を受けた。その後、退院し、現在は指定通院医療機関に通院している。

1　ケア会議を開催し、**H**さんの退院許可を決定する。

2　通院状況や生活状況などから、**H**さんの指定通院医療機関による医療の終了を決定する。

3　入院中の**H**さんの生活環境の調整を保護司に委託する。

4　**H**さんの精神保健観察中に、「守るべき事項」を適宜追加する。

5　**H**さんの通院状況を見守る。

ソーシャルワークの基盤と専門職

問題 64 社会福祉士及び介護福祉士法に定められた社会福祉士の義務に関する次の記述のうち、**正しいもの**を**1つ**選びなさい。

1 業務に関して知り得た秘密を漏らした場合、1年以下の懲役又は30万円以下の罰金に処せられる。

2 クライエントが施設を離れて地域で自立生活を営めるよう、その業務を行わなければならない。

3 業務を行うに当たり、福祉サービス関係者等との連携を保つよう努めなければならない。

4 クライエントに主治の医師があるときは、その指導を受けなければならない。

5 その業務を行うに際し、医療が必要になった場合の医師を、あらかじめ、確認するよう努めなければならない。

問題 65 相談援助における利用者本位の基本原則に関する次の記述のうち、**正しいもの**を**1つ**選びなさい。

1 利用者に判断能力の低下が疑われる場合は、専門職が主導して支援の在り方を決めなければならない。

2 利用者が自己決定できるように、専門的知識や情報を提供するなど、決定の過程を支援しなければならない。

3 入所施設では施設の効率的な経営に、支障をきたさない範囲で利用者の要望に応えることが必要である。

4 利用者が快適に過ごせることを目指して、能力の如何を問わず利用者全員に同等なサービスを提供できるようにする。

5 利用者及び他のサービス利用者の安全を守ることを目的とする利用者への身体拘束は、「切迫性」及び「一時性」という2つの要件を満たせば認められる。

問題　66　日本におけるソーシャルワークの形成過程に関する次の記述のうち、**正しいもの**を1つ選びなさい。

1　民間慈善事業として、石井十次は滝乃川学園を設立した。

2　日本のセツルメント活動の先駆けは、留岡幸助が設立したキングスレー館である。

3　笠井信一は、貧民の保護・救済を目的として、小学校区を単位とした方面委員制度を創設した。

4　明治期から第二次世界大戦までの社会福祉事業は、国が中心となって取り組んでいた。

5　第二次世界大戦後の日本の社会福祉は連合国軍最高司令官総司令部(GHQ)の主導で行われた。

問題　67　アドボカシー(権利擁護)に関する次の記述のうち、**正しいもの**を1つ選びなさい。

1　ソーシャルワーカーは、マイノリティなど特定のグループに属する人々の利益を主張・代弁する活動は行わない。

2　福祉サービスの提供者が利用者のアドボカシーを行うことは、所属する機関への利益相反行為に当たり、専門職倫理から逸脱する。

3　ソーシャルワーカーは、利用者の権利を擁護するためにまず法的手段を行使して、利用者の権利を主張し、必要なサービスを要求する。

4　ソーシャルワーカーは、利用者にとって最適な選択を専門的見地から決定し、利用者を説得する。

5　ソーシャルワーカーは、利用者が自分の権利や生活ニーズを表明できないときに、サービス提供者や行政機関などに対し、利用者に代わって要求する。

問題　68　事例を読んで、この状況における社会福祉協議会のJ福祉活動専門員（社会福祉士）の対応として、**最も適切なもの**を**1つ**選びなさい。

〔事　例〕

　S町の社会福祉協議会では、最近、地域に増加してきた外国人労働者とその家族からのトラブルの相談が増加している。地域の小学校や公園で、外国人労働者の子どもたちが仲間外れにされており、親同士が言い争う場面もみられるとのことであった。社会福祉協議会が開催し、地域福祉の関係者が参加する情報交換会で、この問題が取り上げられ、J福祉活動専門員が、これらの問題への対応について検討を開始することとなった。

1　地域の問題は自治会に任せ、小学校の問題は、スクールソーシャルワーカーに任せる。

2　異なる文化を持つ住民同士、学校や自治会などが問題を話し合う場を設ける。

3　公園の問題は福祉事務所に、いじめの問題は児童相談所に対応を依頼する。

4　外国人労働者の子どもたちと日本人の子どもたちの遊ぶ場所を分離する。

5　社会福祉協議会は、民間の社会福祉法人なので、対応を行政（S町）に依頼する。

問題　69　1960年代以降のソーシャルワークの展開に関する次の記述のうち、**正しいもの**を**1つ**選びなさい。

1　シュワルツ（Schwartz, W.）は、生態学を基に、生活モデルと生態学的アプローチを提唱し、人と環境との交互作用に焦点を当てた。

2　バートレット（Bartlett, H.）は、価値や知識、介入技術はソーシャルワーク実践の共通基盤であるとし、三者の均衡が重要であると論じた。

3　アプテカー（Aptekar, H.）は、個人と社会の関係は共生的な相互依存関係であるとし、ソーシャルワーカーの媒介機能を重視する相互作用モデルを展開した。

4　ジャーメイン（Germain, C.）とギッターマン（Gitterman, A.）は、多様な実践モデルやアプローチを整理し、それぞれの理論は相互に影響を及ぼし合い、結びついていると論じた。

5　ターナー（Turner, F.）は、機能主義の立場に立ちつつ、診断主義の理論を積極的に取り入れ、ケースワークとカウンセリングを区別した。

ソーシャルワークの理論と方法

問題 70 システム理論とシステム理論に基づくソーシャルワークの特性に関する次の記述のうち、**正しいもの**を**1つ**選びなさい。

1 ターゲット・システムとは、変革を達成するために実行活動に参加するクライエントを含む全ての人々や資源を指し、実行活動のチームワークを構成することをいう。

2 リッチモンド(Richmond, M.)は、システム理論に基づくソーシャルワーク実践に関する4つのサブシステムについて提唱した。

3 個人は、その環境との間で常に交互作用を行っており、個人と環境との適合のあり方に焦点を当てて働きかけることが必要である。

4 個人と環境とをシステムとして一体的に捉えることは困難なため、環境の問題は個人と切り離して働きかける。

5 一般システム理論では、生物体を含むほとんどは閉鎖システムに分類される。

問題 71 ストレングスモデルに関する次の記述のうち、**正しいもの**を**1つ**選びなさい。

1 エビデンスよりも、クライエントのナラティブを尊重する。

2 クライエントの弱さや問題点を指摘し、その不足や欠点を補うことを重視する。

3 パワーレスを生み出す構造(マクロレベル)への働きかけを重視する。

4 クライエントが社会的役割を遂行する上で生じる葛藤の問題を重視する。

5 問題の因果関係や客観的事実ではなく、解決への志向となる解決構築を重視する。

問題 72 心理社会的アプローチに関する次の記述のうち、**正しいもの**を**1つ**選びなさい。

1 心理社会的アプローチは、生活モデルの理論構築に大きな影響を与えた。

2 心理社会的アプローチにおける支援の焦点は、パーソナリティの変容にある。

3 スモーリー(Smalley, R.)は「状況の中の人」の概念を提示し、アプローチにおける重要な視点と位置づけた。

4 心理社会的アプローチは、社会構成主義を理論的背景と位置づけて発展した。

5 援助の過程を「初期の局面、中期の局面、終期の局面」という時間的経過に従い区分している。

問題　73　機能的アプローチの成立の背景に関する次の記述のうち、**正しいものを１つ**選びなさい。

1　人種差別や貧富の差といった社会問題が噴出した時代のアメリカにおいて生まれ、主体的な存在としての人間を強調し、苦悩を必須のものとする考え方を理論的基盤とする。

2　臨床心理学で用いられるブリーフセラピー(短期療法)の流れを汲むアプローチであり、直接的因果論や客観的事実を否定する立場に立つ。

3　診断主義アプローチへの批判として生まれた経緯があり、意志心理学などに強い影響を受けている。

4　精神分析理論から強い影響を受けたソーシャルワークへの批判から生まれた経緯があり、学習理論を基盤としているほか、認知行動療法に基づく知見が導入されている。

5　伝統的な科学主義・実証主義への批判から生まれた経緯があり、現実は人間関係や社会の産物であり、それを人々は言語によって共有しているとする認識論の立場に立つ。

問題　74　相談援助の過程におけるインテーク段階に関する次の記述のうち、**適切なものを２つ**選びなさい。

1　クライエントの直面している問題や悩みを明らかにするため、その立場や心情を共感的に受け止め、傾聴する。

2　クライエントの社会生活の全体性をみて、多様な環境と人との相互作用のうち、どれが問題に関連しているかを検討する。

3　将来新たな問題が生じたときには、再び援助関係を結ぶことが可能であることや、受入れ準備があることなどを伝える。

4　クライエントやその環境及びその両者への介入を行い、状況に応じて社会資源の開発などを行う。

5　自施設・機関の機能と照らし合わせ、クライエントに適切な援助を提供できないときには、他の施設や機関を紹介する。

問題 75 事例を読んで、生活相談員（社会福祉士）のアセスメントに関する次の記述のうち、**より適切なもの**を**2つ**選びなさい。

〔事　例〕

　Kさん（80歳、男性）は、3週間前から火曜と金曜の週2回、通所介護（デイサービス）の利用を始めた。通所するなり職員に対して「自宅に帰りたい」と訴え、他の利用者とも馴染めていない状況が続いている。

1　Kさんの希望どおり、通所介護の利用を停止する手続きを取る。

2　Kさんと面接し、現在の気持ちや希望の聞き取りをする。

3　他の利用者との関係が悪いと判断し、別の曜日に利用できるよう調整する。

4　Kさんの家族に連絡し、通所介護の利用継続を説得してもらう。

5　介護支援専門員に連絡し、Kさんの在宅生活の情報を収集し、通所介護に対するニーズを把握する。

問題 76 ケアマネジメントの方法に関する次の記述のうち、**最も適切なもの**を**1つ**選びなさい。

1　社会資源の調整では、ニーズの充足を優先させるため、できる限りクライエントの費用負担は意識しない方がよい。

2　ケアプランに含まれる社会資源やサービスは、フォーマル資源のみを盛り込む。

3　ケアマネジメントの過程は、相談援助の過程とは大きく異なるため、介護支援専門員に限定された援助方法である

4　マッチングとは、クライエントのニーズに適合したサービスを提供する組織を探し、サービスや提供方法などについて交渉・調整をすることである。

5　ケアプランの作成では、「サービス優先のアプローチ」が必要である。

問題 77 集団を活用した相談援助に関する次の記述のうち、**正しいものを1つ**選びなさい。

1 「波長合わせ」とは、ソーシャルワーカーが、特定のメンバーの行動や判断を、他のメンバーが期待する方向に変化させることをいう。

2 ソーシャルワーカーは、グループに所属する個人のみを対象とし、グループ全体の動きに焦点を当てる必要はない。

3 グループワークにおける個別化の原則とは、クライエントの個別化とグループの個別化の2つの側面を含んでいる。

4 コイル(Coyle, G.)はグループワークの母とも呼ばれ、グループワークの基本原理14項目を挙げるなど、重要な概念を提起した。

5 トレッカー(Trecker, H. B.)は、集団援助技術を「集団援助技術とは、自発的なグループ参加を通して、個人の成長と社会適応を図る教育的過程である」と定義した。

問題 78 相談援助の終結と効果測定に関する次の記述のうち、**正しいものを1つ**選びなさい。

1 効果測定の方法として、1980年代以降は、単一事例実験計画法に代わり統制群実験計画法が注目されるようになった。

2 まだ支援が必要でもクライエントが援助のネットワークから離脱する際は、支援の終結と判断する。

3 グランプリ調査法とは、相談援助の結果を援助方法によって分類し、それぞれを比較する調査法である。

4 エバリュエーションとは、支援開始後の経過を観察・評価することである。

5 メタ・アナリシス法とは、複数の事例を対象とし、調査期間を特定の一時点に限定して状況を調査する方法である。

社会福祉調査の基礎

問題 79 社会調査における調査票を用いた方法に関する次の記述のうち、**正しいものを1つ選びなさい。**

1 個別面接調査法は、調査者が個々の調査対象者に直接面接して行う自計式の調査である。

2 留置調査法は、調査者が調査対象者を訪問して調査票を配布するため、確実に対象者本人に回答してもらえるというメリットがある。

3 郵送調査法は、調査対象者が広範囲に散在している場合に適しているが、回収率が低くなることへの配慮が必要となる。

4 RDD（Random Digit Dialing）法による電話調査法では、調査地域の電話帳に掲載されている者を調査対象とする。

5 集合調査法は、調査対象者を1か所に集めて調査票の配布と説明を行い、一定期間後に再度集めて調査票を回収するため、本人の回答かどうかの確証が得にくい。

問題 80 社会調査を実施する際の倫理的配慮に関する次の記述のうち、**最も適切なものを1つ選びなさい。**

1 調査活動は、常に「調査される側」よりも専門的な「調査する側」の立場から行われる必要がある。

2 仮説と異なるデータが得られた場合は、そのデータを削除して報告書をまとめることが望ましい。

3 テープレコーダーなどの記録機材を使用した記録は、内容の一貫性を保持する必要があるため、調査対象者の要請があっても破棄・削除してはならない。

4 インフォームドコンセントが必要であるかどうかは、調査者の判断による。

5 調査者は、調査対象者の求めに応じて、調査データの提供先及び使用目的を知らせなければならない。

問題　81　量的調査の方法に関する次の記述のうち、**正しいもの**を**1つ**選びなさい。

1　無作為抽出法では、ランダムに調査対象者を選ぶために母集団の状況を統計学的に予想することは非常に困難となる。

2　横断調査は、対象者を固定して行うため、対象者の死亡などの理由で調査対象が脱落していくことがある。

3　他計式調査は、自計式調査より調査員を多数必要とする。

4　留置調査法は、調査員が訪問するために郵送調査より回収率が低くなることが多い。

5　インターネットを利用した社会調査は、多様な対象に対して調査を行う際に最適な方法である。

問題　82　質問紙の作成に関する次の記述のうち、**正しいもの**を**1つ**選びなさい。

1　質問紙における回答の形式は、選択肢法を主とし、必要に応じて自由回答法を用いることが望ましい。

2　調査目的を達成するために、キャリーオーバー効果が十分に上がるよう質問の配置を工夫する。

3　調査対象者が回答しやすくなるよう、質問文にステレオタイプ化された用語を使うとよい。

4　「あなたは介護報酬のプラス改定に賛成ですか、反対ですか」と聞く代わりに、「賛成ですか」と聞くと、表現が簡潔になるので望ましい。

5　「休日は、スポーツ観戦や映画鑑賞に出かけますか？(はい／いいえ)」のように、1つの質問で2つの事柄を聞くのが効率的である。

問題　83　社会調査における観察法に関する次の記述のうち、**適切なもの**を**１つ**選びなさい。

1　観察法では、文字により記録したデータを主たる分析対象とするため、写真や音声などは分析対象とはしない。

2　参与観察は、調査者が調査対象者とラポールを形成することができるため、他の調査方法よりも客観的な結果を得ることができる。

3　観察法では、マジックミラー（ワンウェイミラー）を使った観察を行ってはならないとされている。

4　参与観察における調査者の立場は、観察に徹する「完全な観察者」と参加に徹する「完全な参加者」との間で行き来することがある。

5　統制的観察と非統制的観察の違いは、観察に当たって、調査者が観察対象者に具体的な指示を出すか出さないかである。

問題　84　調査方法に関する次の記述のうち、**正しいもの**を**１つ**選びなさい。

1　KJ法とは、川喜田二郎が文献収集で得られたバラバラのデータをまとめるために考案した手法である。

2　KJ法は、ブレインストーミングの一環として行われる。

3　KJ法は、支援困難事例のカンファレンス等にも利用される。

4　グラウンデッド・セオリー・アプローチは、グレイザー（Glaser, B.）とストラウス（Strauss, A.）が開発した量的データの分析手法である。

5　グラウンデッド・セオリー・アプローチにおける理論的飽和とは、カテゴリーの関係を図解化し、図を基に文章化を行っていく段階のことを指す。

第2回　予想問題

専門科目

（注意）

1　専門科目の試験問題数は、上記の45問です。

2　解答時間は、試験センターから公表されていませんので、1時間30分を目安としてください。

3　出題形式は五肢択一を基本とする多肢選択形式となっています。各問題には1から5まで5つの答えがありますので、そのうち、問題に対応した答えを解答用紙に解答してください。

高齢者福祉

問題 85 「令和6年版高齢社会白書」（内閣府）における高齢者の就労等に関する次の記述のうち、**正しいもの**を**1つ**選びなさい。

1 労働力人口に占める65歳以上の高齢者の割合は1割に満たない。

2 高齢者の就業状況をみると、65～69歳の男性の就業者の割合は、5割を超えている。

3 高齢者の雇用形態をみると、男性の雇用者の場合、非正規の職員・従業員の比率は、65～69歳で9割を超えている。

4 現在収入のある仕事をしている60歳以上の者のうち、「働けるうちはいつまでも」働きたいと回答した者の割合は8割を超えている。

5 従業員21人以上の企業約24万社のうち、「高年齢者雇用確保措置」の実施済企業の割合は5割に満たない。

（注）「高年齢者雇用確保措置」とは、「高年齢者等の雇用の安定等に関する法律」に規定される、企業にいずれかの措置を講じるよう義務づけている「定年制の廃止」、「定年の引き上げ」、「継続雇用制度の導入」のことである。

問題 86 介護保険の要介護認定とサービスに関する次の記述のうち、**適切なもの**を**1つ**選びなさい。

1 要介護認定の申請は、本人以外は認められていない。

2 居宅介護支援は、サービス費用の1割が自己負担となる。

3 要介護認定には有効期間があり、新規・区分変更申請の場合は原則として24か月である。

4 手すりの取付けや段差の解消などを対象とする住宅改修費の支給限度基準額は20万円で、再支給は認められていない。

5 市町村は、介護認定審査会の判定結果に基づき要介護認定を行い、被保険者に結果を通知する。

問題 87 事例を読んで、Aさんに対する介護保険の適用に関する次の記述のうち、**正しいもの**を1つ選びなさい。

〔事　例〕

Y市在住のAさん(65歳、男性)は、以前から患っていたパーキンソン病が悪化し、日常生活に支障が生じたため、初めて要介護認定の申請を行った。申請から30日後に、Y市から要支援2の認定結果の通知があった。Aさんは、介護保険サービスを利用して、今後も在宅での生活を続けることを希望している。

1　Aさんが要介護認定を受けるに当たり、その障害が何に起因するものであるかは問われなかった。

2　要介護認定の認定結果に不服がある場合、AさんはY市に置かれている介護保険審査会に対して審査請求を行うことができる。

3　Aさんへの給付対象となる介護保険サービスには、定期巡回・随時対応型訪問介護看護などの地域密着型サービスが含まれる。

4　Aさんが、要介護認定の申請日よりも前に、緊急的にサービスを利用した場合、介護保険から給付を受けることはできない。

5　介護保険によりAさんが貸与を受けることのできる福祉用具には、腰掛便座や入浴補助用具などがある。

問題 88 地域包括支援センターの役割と実際に関する次の記述のうち、**正しいもの**を1つ選びなさい。

1　地域包括支援センター運営協議会の委員に利用者は加わらない。

2　地域包括支援センターは、地域住民に対し、健康相談、保健指導及び健康診査その他地域保健に関し必要な事業を行うことを目的とする施設である。

3　機能強化型センターは、過去の実績等を踏まえて機能を強化することで、他のセンターの後方支援も担う。

4　標準的な地域ケア会議は、地域包括支援センターが市町村(保険者)単位で開催し、困難事例等の個別ケースの支援内容を通じて地域支援ネットワークの構築などを行う。

5　認知症初期集中支援チームは、地域包括支援センターのみに配置される。

問題 89 事例を読んで、各職種の対応に関する次の記述のうち、**最も適切なもの**を1つ選びなさい。

〔事 例〕

　Bさん(74歳、男性)は、訪問介護員として働く妻(65歳)と二人暮らしをしており、隣町で暮らす一人娘は介護福祉士として働いている。

　最近、Bさんの言動に変化がみられ、不安を覚えた妻は娘と相談し、かかりつけ医を受診したところ、アルツハイマー型認知症と診断された。要介護認定は未認定である。診断を行った病院の医療ソーシャルワーカー(社会福祉士、以下MSW)は、妻から自宅での介護に関する相談を受けた。

1　MSWは、Bさん本人に代わって要介護認定の申請代行を行うため、申請代行のための代行申請費用(報酬)を説明した。
2　申請を受けた市町村は、指定居宅介護支援事業者に認定調査を委託した。
3　妻は訪問介護員なので、妻による訪問介護が可能である。
4　介護福祉士であっても、娘による訪問介護は認められない。
5　MSWは福祉用具専門相談員指定講習を受講していないが、介護保険制度における福祉用具を選定するにあたっての助言を行うことができる。

問題 90 「認知症基本法」に関する次の記述のうち、**正しいもの**を1つ選びなさい。
1　厚生労働省に認知症施策推進本部を設置する。
2　都道府県と市町村には、認知症施策推進計画の策定が義務づけられている。
3　政府は、認知症施策推進基本計画案の作成にあたって、専門家のみで構成される認知症施策推進関係者会議の意見を聴くこととされている。
4　公共交通事業者等や金融機関などはサービスを提供するにあたり、認知症の人に対して必要かつ合理的な配慮をすることが義務づけられている。
5　国民の間に広く認知症についての関心と理解を深めるため、認知症の日及び認知症月間が規定されている。

(注)　「認知症基本法」とは、「共生社会の実現を推進するための認知症基本法」のことである。

問題　91　「保育所等関連状況取りまとめ(令和5年4月1日)」(こども家庭庁)に示されている2023年(令和5年)4月1日時点における待機児童の状況等に関する次の記述のうち、**正しいもの**を**1つ**選びなさい。

1　年齢区分別の保育所等利用児童の割合(保育所等利用率)をみると、「3歳以上児」よりも「3歳未満児」の方が大きい。

2　保育所等待機児童数は3万人を超えており、前年より6千人以上増加している。

3　待機児童がいる市区町村数は、全市区町村のおよそ半数となっている。

4　都市部の待機児童数を合計すると、全待機児童の6割を占めている。

5　都市部の待機児童率は5%を超えている。

(注)　1　「保育所等」とは、従来の保育所に加えて、特定教育・保育施設(幼保連携型認定こども園、幼稚園型認定こども園、地方裁量型認定こども園)と特定地域型保育事業(うち2号・3号認定)を含む。

　　　2　「都市部」とは、ここでは首都圏(埼玉・千葉・東京・神奈川)、近畿圏(京都・大阪・兵庫)の7都府県(指定都市・中核市含む)とその他の指定都市・中核市を指す。

問題　92　児童相談所に関する次の記述のうち、**正しいもの**を**1つ**選びなさい。

1　療育手帳に係る判定事務は行っていない。

2　児童相談所には児童福祉司が配置されるが、精神保健福祉士は児童福祉司の任用要件とされていない。

3　一時保護は、原則として2週間を超えてはならない。

4　児童虐待防止対策の強化を図るため、児童相談所に弁護士を配置することが義務づけられている。

5　中核市や特別区は、児童相談所を設置することができる。

問題　93　児童福祉施設や事業に関する次の記述のうち、**正しいものを１つ**選びなさい。

1　放課後等デイサービスとは、保護者が労働等により昼間家庭にいない小学校に就学している児童について、授業の終了後に児童厚生施設等の施設において適切な遊びや生活の場を与え、その健全な育成を図る事業をいう。

2　病児保育事業は、小学校に就学している児童は対象としていない。

3　家庭的保育事業は、満３歳未満(必要に応じて３歳以上)の保育を必要とする乳児・幼児について、施設(利用定員19人以下)において、家庭的な保育を行う事業をいう。

4　児童自立支援施設は、障害児を入所させて日常生活の指導や、自立に必要な知識技能の付与を行う施設である。

5　幼保連携型認定こども園は、子どもに対する学校としての教育及び児童福祉施設としての保育を行う。

問題　94　児童等の定義に関する次の記述のうち、**正しいものを１つ**選びなさい。

1　児童福祉法にいう乳児とは、２歳未満の者を意味する。

2　児童虐待の防止等に関する法律にいう児童とは、15歳未満の者を意味する。

3　母子及び父子並びに寡婦福祉法にいう児童とは、18歳未満の者を意味する。

4　母子保健法にいう幼児とは、満１歳から小学校就学の始期に達するまでの者を意味する。

5　児童の権利に関する条約にいう児童とは、15歳未満の者を意味する。

問題 95 事例を読んで、Cさんに対するN市の対応として、**より適切なものを2つ**選びなさい。

〔事　例〕

　　Cさん（30歳）は契約社員として働いていたが、妊娠を機に退職し、現在は求職中である。N市の行う1歳6か月児健診でCさんは、子どもが泣き続けるとどうしたらよいかわからなくなってしまい、大きな声で怒鳴りつけてしまう、と涙ぐんで話した。健診の結果、子どもの発達に心配な点はみられなかった。地区の児童委員によれば、Cさんの夫は、休みの日にはパチンコ店に入り浸っているらしいとのことだった。

1　児童扶養手当の申請を勧める。
2　母子・父子福祉センターの利用を勧める。
3　居宅訪問型保育の利用を勧める。
4　地域子育て支援拠点事業の利用を勧める。
5　保健師がCさん宅を訪問する（養育支援訪問事業）。

問題 96 事例を読んで、児童相談所が行った処置として、**最も適切なものを1つ**選びなさい。

〔事　例〕

　　中学3年生のD子は、学校の定期健康診断をきっかけに妊娠5か月であることが分かった。学校からの連絡を受けた両親が聞いたところ、胎児の父親は、D子の実姉で隣県に住むF子の夫Eであった。D子には軽度の知的障害があり、Eの名前は聞き出すことができたが、詳細は不明であった。D子の妊娠が判明したことで、F子はEとの離婚を決意し、実家に戻ってきた。F子は激しい怒りをD子にぶつけ、D子と胎児が危険な状態になったため、中学校から相談を受理していた児童相談所は、協議の上、速やかに処置を行った。

1　D子を助産施設に入所させた。
2　受け入れてくれる親戚の家庭にD子を預けた。
3　家庭裁判所に、D子に対する親権停止の審判を請求した。
4　D子を付設の一時保護所において保護した。
5　D子を女性自立支援施設に保護させた。

問題 97 生活保護制度における保護の種類と範囲に関する次の記述のうち、**正しいものを 1つ選びなさい。**

1 生活扶助の第1類費は世帯の共通的経費であり、第2類費は個人が消費する費用である。

2 高等学校の授業料は、教育扶助により給付される。

3 住宅扶助は、原則、現物給付により行われる。

4 医療扶助には、転院の際の移送費が含まれている。

5 葬祭扶助は、原則、現物給付により行われる。

問題 98 事例を読んで、Gさんの世帯についての生活保護の受給等に関する次の記述のうち、**正しいものを1つ選びなさい。**

〔事　例〕

　Gさん(46歳、男性)と長女のH子(16歳、高校2年)、長男のJ男(14歳、中学2年)、次男のK君(7歳、小学1年)は4人で暮らしている。Gさんは昨年妻と死別し、ひとり親家庭となった。現在、Gさんは体調が思わしくないので仕事をしていない。そのため、生活保護を受給している。H子は公立高校に通っており、スーパーで週2日アルバイトをしている。

1 Gさんは児童扶養手当を受給でき、手当の額は収入認定される。

2 Gさんが受給できる児童手当の額は2万円である。

3 H子のアルバイト料は、収入として申告しなくてもよい。

4 最低生活費の計算では、3人分の教育扶助費が加算される。

5 父子家庭であるので、最低生活費の計算に生活扶助の母子加算は加算されない。

問題 99 事例を読んで、Lさんが入所した保護施設の種類として、**適切なもの**を**1つ**選びなさい。

〔事　例〕

　Lさん(45歳、男性)は、軽い精神疾患があるため、これまで生活保護を受給しながら公営住宅で一人暮らしをしていた。しかし、Lさんは最近になって病状が進み、日常生活を営むことが困難になってきたので、生活扶助を行うことを目的としている施設に入所することにした。

1　救護施設
2　更生施設
3　医療保護施設
4　授産施設
5　宿所提供施設

問題 100 福祉事務所に関する次の記述のうち、**正しいもの**を**1つ**選びなさい。
1　福祉事務所に置かれる社会福祉主事は、20歳以上の者でなければならない。
2　生活保護の指導監督を行う所員(査察指導員)は、都道府県知事又は市町村長の指揮監督を受けて福祉事務所の所務を掌理する。
3　生活保護の現業を行う所員(地区担当員)は、保護の開始、変更、停止、廃止、被保護者への指導又は指示に関する権限を委任されている。
4　生活保護の指導監督を行う所員(査察指導員)は、生活保護業務における管理的機能と現業を行う所員(地区担当員)に対する教育的機能と支持的機能を果たすことが求められている。
5　都道府県及び市町村は、福祉事務所を設置しなければならない。

問題　101　生活保護の実施体制に関する次の記述のうち、**正しいものを1つ選びなさい。**

1　厚生労働大臣は、生活保護法に基づき、国及び国以外が開設した医療機関について指定と取消、又は期間を定めて、その指定の全部若しくは一部の効力を停止する権限を有する。

2　国は、市町村及び都道府県が支弁した保護費、保護施設事務費、委託事務費の2分の1を負担しなければならない。

3　生活保護基準を定める権限は、都道府県知事が有する。

4　民生委員は、生活保護法の施行について、市町村長、福祉事務所長又は社会福祉主事の事務の執行に協力するものとする。

5　生活保護法では、都道府県知事及び福祉事務所を管理する市町村長が保護を決定し実施することとしている。

問題　102　生活困窮者自立支援法の規定に関する次の記述のうち、**正しいものを1つ選びな**さい。

1　「生活困窮者」とは、現に経済的に困窮し、最低限度の生活を維持することができない者をいう。

2　自立相談支援事業の実施主体は、都道府県等（都道府県、市及び福祉事務所を設置する町村）であり、その事務の全部又は一部を委託することができる。

3　住居確保給付金給付事業は、任意事業とされている。

4　就労準備支援事業は、必須事業とされている。

5　2018年（平成30年）の改正により、家計相談支援事業が家計改善支援事業と改称され、必須事業となった。

問題　103　医療保険の高額療養費制度に関する次の記述のうち、**正しいものを1つ選びなさい**。

1　高額療養費制度における自己負担限度額は、被用者保険と国民健康保険とで異なっている。

2　高額療養費は現金給付を原則とするが、現物給付も可能である。

3　高額療養費の支給を受ける権利の消滅時効は、診療を受けた月の翌月の初日から3年である。

4　高額療養費における自己負担額の「世帯合算」では、被保険者とその被扶養者の住所が異なる場合は合算できない。

5　同一世帯で、直近12か月間に高額療養費の支給が4回以上あったときは、5回目から自己負担限度額がさらに引き下げられる。

問題　104　診療報酬制度に関する次の記述のうち、**正しいものを1つ選びなさい**。

1　診療報酬には、医科診療報酬、歯科診療報酬、看護報酬、調剤報酬がある。

2　診療報酬の改定は、社会保険診療報酬支払基金の答申を経て行われる。

3　診療報酬の算定では、実際に行った医療行為ごとに点数を合計して計算する包括払い方式が一般的である。

4　緩和ケア病棟入院料の算定要件の一つに、緩和ケアを担当する常勤の医師1名以上の配置がある。

5　診療報酬では、混合診療はすべて禁止されている。

問題　105　事例を読んで、地域医療支援病院に関する次の記述のうち、**正しいものを１つ選**びなさい。

〔事　例〕

　　体調不良を訴えたＭさん(50歳、男性)は、かかりつけ医であるＱクリニックで検査を受けたところ、悪性腫瘍の疑いがあると診断された。さらに詳しい検査をするために、紹介された地域医療支援病院であるＲ病院に入院した。検査の結果、胆嚢がんが見つかり、緊急手術をすることとなった。

1　Ｒ病院は、200床以上の病床数を有している。

2　Ｒ病院は、地域の医療機関を支援する病院として厚生労働大臣の承認を受けている。

3　Ｒ病院は、地域の医療機関からの紹介率が90％以上であることが求められる。

4　Ｒ病院は、高度な先進医療の提供や高度の医療に関する研修を行う。

5　Ｑクリニックは、地域のかかりつけ医、かかりつけ歯科医を支援する。

問題　106　医療法に関する次の記述のうち、**正しいものを１つ選びなさい。**

1　診療所に病床を設けようとするときは、当該診療所の所在地の市町村長の許可を受けなければならない。

2　病院又は診療所の開設者は、その病院又は診療所が医業をなすものである場合は臨床研修等修了医師に、これを管理させなければならない。

3　開設の許可を受けた病院、診療所若しくは助産所が、正当な理由なく１年以上業務を開始しないときは、開設者に対し、期間を定めてその閉鎖を命ずることができる。

4　医療計画において定めるべき医療の確保に必要な事業に関する事項の対象に、後期高齢者医療が含まれている。

5　市町村は、医療の安全に関する情報の提供、研修の実施、意識の啓発その他の医療の安全の確保に必要な措置を講ずるため、医療安全支援センターを設けなければならない。

問題　107　インフォームドコンセントに関する次の記述のうち、**正しいものを１つ選びなさ**い。

1　医療法には、インフォームドコンセントに関する医療者の責務についての文言がないため、明文化する法改正が検討されている。

2　「医師の職業倫理指針（第３版）」（日本医師会）は、医師が、病名を含めた診断内容を患者に告げないことは、いかなる場合も許されないとしている。

3　我が国では、日本弁護士連合会がインフォームドコンセントについて「説明と同意」という訳語を提唱し、その理念が医療分野に広がっていった。

4　医療機関の管理者には、患者の退院後の療養に関する書面を作成・交付し、適切な説明を行うことが医療法で義務づけられている。

5　入院時支援加算は、入院予定の患者に対し、入院中に行われる治療・検査の説明や入院生活の説明を行うことなどが算定の要件になる。

問題　108　「医療ソーシャルワーカー業務指針」（2002年（平成14年）改正）に関する次の記述のうち、**正しいものを１つ選びなさい。**

1　医療ソーシャルワーカーの行う退院援助は、病院の経営に協力し、平均在院日数の短縮に貢献する目的で行われる。

2　医療ソーシャルワーカーは、患者からの求めがあった場合には、医療に関する情報を含め、患者についての情報をできる限り説明してよい。

3　医療ソーシャルワーカーは、地域のボランティアを育成・支援することも役割の一つとされている。

4　業務指針では、社会復帰援助として復学を援助することは含まれていない。

5　患者の退院後の生活相談に関しては、医療ソーシャルワーカーではなく介護支援専門員が担当する。

ソーシャルワークの基盤と専門職（専門）

問題　109　相談援助に関わる職種の根拠法に関する次の記述のうち、**正しいものを1つ選び**なさい。

1　医療ソーシャルワーカーは、「社会福祉士及び介護福祉士法」に規定されている。

2　精神保健福祉士は、「精神保健福祉法」に規定されている。

3　民生委員は、「社会福祉法」に規定されている。

4　知的障害者福祉司は、「障害者総合支援法」に規定されている。

5　社会福祉主事は、「社会福祉法」に規定されている。

（注）　1　「精神保健福祉法」とは、「精神保健及び精神障害者福祉に関する法律」のことである。
　　　　2　「障害者総合支援法」とは、「障害者の日常生活及び社会生活を総合的に支援するための法律」のことである。

問題　110　多職種チームに関する次の記述のうち、**正しいものを1つ選びなさい。**

1　緊急性のない慢性的な疾患を抱えるクライエントには、高度に制度化された専門技能の階層構造を持つ指揮命令型のチームによる対応が有効である。

2　パーマネント・チームは、チームの機動性が高いため、地域生活支援に適している。

3　多職種連携では、職種が持つ価値や視点の差異から生じる葛藤を乗り越えて、チーム・コンピテンシーが向上する可能性がある。

4　多職種チームにおけるグループ過程の基本的要素には、タスク機能とメンテナンス機能があり、両者は別々に機能し評価される。

5　利用者参加型チームのカンファレンスでは、最大限の基本的協働の原則に従い、利用者とメンバーが個別に時間をかけてコミュニケーションを図るべきである。

問題　111　社会福祉士の職域に関する次の記述のうち、**適切なもの**を2つ選びなさい。

1　独立型社会福祉士として、個別の相談業務やコンサルティング、トレーニングプログラムの提供などを行う。

2　医療ソーシャルワーカー(MSW)として、精神障害者やその家族の生活上の相談にのり、社会生活に関する助言や指導、援助を行う。

3　デジタル技術の進展は、社会福祉士の職域に影響を及ぼすことはない。

4　高齢者領域は介護福祉士の職域であり、社会福祉士が関わることはない。

5　虐待や家庭内の問題に関わるケースワーカーとして、児童相談所や家庭裁判所での業務に携わっている。

問題　112　ジェネラリスト・アプローチの特徴に関する次の記述のうち、**正しいもの**を1つ選びなさい。

1　クライエント個人に働きかけていく。

2　主体者は援助者である。

3　クライエントのストレングスを活かした援助の展開を行う。

4　特定のクライエントのニーズだけに対応する。

5　クライエントの生活の管理統制につながることはない。

問題　113　事例を読んで、Y病院のN医療ソーシャルワーカー(社会福祉士)が行う介入レベルごとのソーシャルワーク実践として、**最も適切なものを1つ**選びなさい。

〔事　例〕

　　Z市にあるY病院には、患者の退院支援などに取り組む複数の医療ソーシャルワーカーが配置されている。近年、経済的に困窮している患者の数が増加傾向にあることを知ったN医療ソーシャルワーカーは、こうした患者に対する総合的かつ包括的な援助活動や、支援体制の構築に向けた活動を始めた。

1　メゾレベルの介入として、経済的に困窮している患者と退院前に面接を行う。

2　メゾレベルの介入として、Z市と福祉事務所との総合的な連携のあり方について協議する。

3　ミクロレベルの介入として、経済的に困窮している患者が退院する際、個別に生活困窮者自立相談支援事業の活用を提案する。

4　ミクロレベルの介入として、民生委員児童委員協議会と経済的に困窮している世帯への支援方法を協議する。

5　マクロレベルの介入として、病院に、無料低額診療事業の実施を提案する。

問題　114　事例を読んで、この場面におけるO社会福祉士の発言として、**最も適切なものを1つ**選びなさい。

〔事　例〕

　　Pさん(85歳、男性)は、自宅で妻Qさん(80歳)と二人暮らしをしている。Pさんは要支援2で日常生活には、一定の介助が必要である。これまでPさんの身の回りの世話はQさんが行ってきたが、Qさんが持病を悪化させ、半年ほど入院することになった。Qさんは、Pさんを近隣の施設へ入所させる意向がある。夫婦には他県に住んでいる息子Rさんがおり、Pさんを自分のところに引き取り、同居することを望んでいる。そこで、地域包括支援センターのO社会福祉士と、Pさん、Qさん、Rさんの話し合いがもたれた。

1　息子さんと同居するのがよいと思います。

2　近隣の施設に入居するのがよいと思います。

3　Pさんが一人で決めるのがよいと思います。

4　Pさんはこれからどのように暮らしていきたいと思われますか。

5　意見が分かれているようなので、専門職として私が決めさせていただけませんか。

ソーシャルワークの理論と方法(専門)

問題 115 相談援助における社会資源に関する次の記述のうち、**適切なものを1つ選びなさ**い。

1 社会資源とは、施設や制度、資金のことを指し、知識や情報は含まれない。

2 自助グループは、重要な社会資源の一つであり、社会福祉士はその設立と運営を担う。

3 既存の社会資源が十分に活用されていない場合は、新規に開発する必要がある。

4 ソーシャルアクションは、社会資源の開発に当たって、住民自身が問題解決能力を高めることを目的とする活動である。

5 社会資源の供給主体には、インフォーマルなセクターが含まれる。

問題 116 ソーシャルワークにおけるアウトリーチに関する次の記述のうち、**正しいものを1つ選びなさい。**

1 アウトリーチを行うことで、ニーズの発見と掘り起こし、ネットワークの構築の2点の効果が期待できる。

2 相談機関を訪れたクライエントや家族などが対象になる。

3 クライエントがサービス利用に消極的・拒否的である場合、サービスに関する情報を提供することは控える。

4 消極的・拒否的なクライエントに対しては、受容的態度や丁寧な働きかけを通して粘り強く対応する。

5 関係機関や地域住民に対する啓発活動は、アウトリーチには含まれない。

問題 117 事例を読んで、この場面における S 医療ソーシャルワーカー(社会福祉士)の応答として、**最も適切なもの**を 1 つ選びなさい。

〔事 例〕

　独身で一人暮らしの T さん(50歳、女性)は、乳がんの治療で入院し、手術で片方の乳房を切除した。手術の後、日常生活に強い不安を感じている T さんに、医師が S 医療ソーシャルワーカー(27歳、女性)を紹介した。面接で T さんは、「ワーカーさんはおいくつですか。相談したいことがないわけじゃないけど、あなたにそれを話すのがいいのかどうか…」と言って目をそらした。

1 「私が若いので無理だとおっしゃりたいのですね」
2 「心配いりませんよ。きっと大丈夫です」
3 「お話しされることに躊躇がおありなのですね」
4 「私は専門家ですよ。とにかくお任せください」
5 「ワーカーとしての力量は、年齢には関係ないものです」

問題 118 事例を読んで、A 居宅介護支援事業所の U 介護支援専門員(社会福祉士)の用いた面接技法を示すものとして、**正しいもの**を 1 つ選びなさい。

〔事 例〕

　A 居宅介護支援事業所の U 介護支援専門員は、要介護高齢者やその家族の様々な相談に応じている。ある日、W さん(69歳、女性)が夫の介護のことで相談に訪れた。70歳の夫は半年前に脳梗塞で倒れ、W さんが一人で介護を続けている。「私、夫の介護に疲れてしまって…。介護保険は申請したのですが、どうしていいのか分からなくて…」と黙り込んだ W さんに、U 介護支援専門員は、「介護にお疲れになったのですね」と伝えた。

1 感情の反映
2 自己開示
3 要約
4 直面化
5 開かれた質問

問題 **119** 事例を読んで、Ｖ市社会福祉協議会の**X**福祉活動専門員（社会福祉士）が今後とるべき対応として、**より適切なもの**を**2つ**選びなさい。

〔事 例〕

　Ｖ市社会福祉協議会では、地区内の高齢者の実態把握を行うこととなった。その結果、支援が必要な一人暮らしの高齢者が多数いることが判明した。そこで、**X**福祉活動専門員は民生委員とともに、地区内の福祉委員や町内会・自治会に対し、そのような高齢者の支援に取り組むことを提案した。協議の結果、地域住民の参加による一人暮らし高齢者を支援するための地域のネットワークづくりへの取組が決まった。

1　地域のネットワークづくりに関する地区住民の活動拠点を確保するための情報収集を行う。

2　地域のネットワークづくりに対する地区住民の参加意向を把握するための方法について検討を開始する。

3　強力なリーダーシップを発揮できる人を探し、その人を中心に地域のネットワークづくりを推進していけるよう調整する。

4　地域のネットワークづくりにおける先進地区の見学及び交流会を企画し、関係者である住民全員に参加を指示する。

5　地域のネットワークづくりを推進するに当たって、地区住民が地区内の一人暮らし高齢者に関する情報をいつでも閲覧できるようなデータベースシステムの構築を企画する。

問題 **120** バイステック（Biestek, F. P.）が示す援助関係の原則に沿ったソーシャルワーカーの態度に関する次の記述のうち、**正しいもの**を**1つ**選びなさい。

1　「受容」とは、クライエントの反社会的行動・逸脱なども含んだ全ての行動に対し、同調・許容することである。

2　「統制された情緒的関与」とは、クライエントの感情を十分に吟味した上で関わることである。

3　「個別化」とは、クライエント自身のことは個別的に捉え、問題や課題についてはできるだけ一般化することである。

4　「意図的な感情表出」とは、クライエントがあらゆる感情を自由に表出できるように働きかけることである。

5　「非審判的態度」とは、判断能力が不十分なクライエントの自己判断を否定せず、クライエントに代わって意思決定を行うことである。

問題　121　事例を読んで、地域包括支援センターのY社会福祉士が行う援助として、**最も適切なものを1つ**選びなさい。

〔事　例〕

　U市の地域包括支援センターに、民生委員のZさんから次のような相談が寄せられた。「一人暮らしのお年寄りは一人きりで不安そうなので、誰か話し相手が必要だ。ボランティアで訪問してくれる人がいたらよいと思うが、自分ひとりでは何もできない。なんとかできないものか」。この相談を受けて、Y社会福祉士は、一人暮らし高齢者に対する傾聴ボランティアを育成しようと検討を始めた。

1　一人暮らし高齢者の収入や税金の支払い状況の情報を得るために、U市の高齢福祉課に掛け合い、個人情報の提供を求める。

2　このケースは社会福祉士の役割なので、他の職種には相談しないで進める。

3　ボランティアの育成は、社会福祉協議会の役割であるため、地域包括支援センターは関与しないようにする。

4　関係機関と協力して、ボランティア育成講座の開催を企画する。

5　ボランティアはインフォーマルな社会資源なので、行政機関等との連携はできるだけしない。

問題 **122** 事例を読んで、この場面での**A**ソーシャルワーカー（社会福祉士）の対応に関する次の記述のうち、**最も適切なもの**を**1つ**選びなさい。

〔事 例〕

　Bさん（75歳、男性）は、半年前に脳出血で倒れて以来、入院を続けている。後遺症により、歩行が困難となっており、重度の失語症も生じている。3か月前から月20万円の負担金が未払いとなっているという連絡を医事課から受けた**A**ソーシャルワーカーは、保証人である一人息子の**C**さん（48歳）と面接を行った。**C**さんは疲れて落ち着かない様子で、「無理やり父に継がされた会社が倒産し、その後始末に追われていて。自宅を売却して返済に充てても追いつかず、一日中督促の電話があって…」と話してため息をついた。**A**ソーシャルワーカーが「**B**さんの病院の支払いが滞っていますが、大丈夫ですか」と尋ねると、**C**さんは目線を合わせずに、「どうにかします」と答えるだけであった。

1　**C**さんの置かれた状況について時間をかけて傾聴し、受容するよりも、**B**さんの療養環境を守ることについて、代弁機能を発揮して説得していく。

2　「どうにかする」根拠について尋ねる場合、**C**さんに対しては、開かれた質問法よりも、閉じられた質問法を用いる。

3　「**B**さんのためにも、**C**さんが頑張っていけば状況は変わります」と言って**C**さんを励ます。

4　「どうにかします」と言った**C**さんの言語による表現だけでなく、落ち着かない様子や目線を合わせないという非言語的な表現に着目する。

5　「どうにかする……」と言葉の反復を行い、**C**さんが説明し始めるのを沈黙のうちに待つよりも、「どうしますか」「あてはあるのですか」と矢継ぎ早に様々な視点から聞く。

問題 123　事例を読んで、この場面での**D**ソーシャルワーカー（社会福祉士）の対応に関する次の記述のうち、**最も適切なもの**を**1**つ選びなさい。

〔事　例〕

　W福祉事務所の**D**ソーシャルワーカーは、度重なる夫の暴力から逃れるため、1か月前から女性相談支援センターで一時保護を受けている**E**さん（21歳）と一人息子（3歳）の支援を行うことになった。これからの生活を立て直すため、母子生活支援施設への入所を勧められた**E**さんは、受理面接のためW福祉事務所に来所した。**D**ソーシャルワーカーは自己紹介の後、これからどのように生活していきたいのかを**E**さんに尋ねた。**E**さんは、「今は何も考えることができない。人生に希望や目的があるわけではないし…。女性相談支援センターから勧められた母子生活支援施設に入所する決心もつかなくて…」と疲れた表情で話した。

1　**E**さんのこれからの生活の立て直しのために、生活技能訓練のグループを紹介し、参加を勧める。
2　**E**さんが夫から度重なる暴力を受けてきたことについての洞察を深める援助を行い、精神科の受診を勧める。
3　**E**さんが経済的に自立して、安定した生活を送ることができるよう、母子福祉資金について説明し、利用を勧める。
4　**E**さんに母子生活支援施設への入所の必要性を説得し、女性相談支援センターには**E**さんに代わって施設への入所の意向を伝える。
5　**E**さんのこれまでのつらさに共感し、ソーシャルワーカーが一緒に考えていくことを確認し合う。

福祉サービスの組織と経営

問題 124 社会福祉法人の制度に関する次の記述のうち、**正しいもの**を**1つ**選びなさい。

1 社会福祉法人は、公益事業と収益事業を行うことができるが、特にそれらの事業を実施するにあたって制限は設けられていない。

2 社会福祉法人を設立する際には、定款の作成のほか、所轄庁の認証が必要となっている。

3 社会福祉法人に設置される評議員会は、法人事業の執行機関として位置づけられている。

4 社会福祉法によると、社会福祉法人の理事・監事の任期は3年以内と定められている。

5 2016年(平成28年)の社会福祉法の改正により、社会福祉法人は、社会福祉事業又は公益事業を行うに当たり、日常生活又は社会生活上支援を要する者に対する無料又は低額の料金で福祉サービスを提供する責務が規定された。

問題 125 コンプライアンスとガバナンスに関する次の記述のうち、**正しいもの**を**1つ**選びなさい。

1 コンプライアンスとは、「統治」と訳され、経営に関しての不正や不法行為を阻止するための仕組みのことである。

2 ガバナンスとは、「法令遵守」と訳され、企業が法律やルールに従って公正・公平に業務を遂行することである。

3 2016年(平成28年)の社会福祉法の改正によって、社会福祉法人のガバナンスの強化が求められるようになった。

4 公益通報者保護法は、組織のガバナンス強化を目的として、2016年(平成28年)の社会福祉法の改正と同時期に施行された。

5 公認会計士や監査法人など第三者の立場で行われる監査のことを内部監査という。

問題　126　組織に関する次の記述のうち、**正しいもの**を**1つ**選びなさい。

1　メイヨー(Mayo, G. E.)らは、ホーソン実験の結果から、職場集団において物理的環境条件が悪化すると生産効率が低下することを示した。

2　サイモン(Simon, H. A.)は、1人の孤立した個人は、極めて合理性の程度の高い行動をとることが可能であると主張した。

3　ヴェーバー(Weber, M.)は、官僚制が持つルールや手続き、専門化と分業といった特徴が、組織を有効に機能させる上ではデメリットになると論じた。

4　バーナード(Barnard, C.)は、相互に意思を伝達できる人々がいて、それらの人々が組織への貢献意欲をもって、共通目的の達成を目指すことが組織成立の要件とした。

5　シャイン(Schein, E.)は、組織の成員が個々にもっている多様な価値の総体を組織文化と呼んだ。

問題　127　個人情報保護に関する次の記述のうち、**正しいもの**を**1つ**選びなさい。

1　「個人情報保護法」における「個人情報」とは、生存しているか否かを問わず、氏名、生年月日その他の記述等により特定の個人を識別できるものをいう。

2　国の機関や地方公共団体は、「個人情報保護法」における「個人情報取扱事業者」に含まれない。

3　「医療・介護関係事業者におけるガイダンス」によれば、診療録等の形態に整理されていないものは、個人情報に該当しない。

4　個人情報取扱事業者は、本人から開示請求があった場合で、第三者の権利利益を侵害するおそれがあっても、本人にその情報を開示しなければならない。

5　社会福祉士が業務上知り得た秘密の保持は、その業務に従事している期間に限られる。

(注)　1　「個人情報保護法」とは、「個人情報の保護に関する法律」のことである。
　　　　2　「医療・介護関係事業者におけるガイダンス」とは、「医療・介護関係事業者における個人情報の適切な取扱いのためのガイダンス」(平成29年4月14日厚生労働省)のことである。

問題 128 介護老人福祉施設の主任生活相談員であるＦ社会福祉士は、部下である職員に対し、適切な人材育成につなげていく目的で人事考課を行うこととなった。Ｆ社会福祉士は、主任生活相談員に昇格して初めて人事考課を行うため、まだ不慣れな状況である。Ｆ社会福祉士は、試行錯誤で今回の人事考課を行ったが、終了後、今回記入した人事評価表を見て「ほとんどの項目において、ABC評価で『Ｂ』にチェックを入れている」ことが判明し、改めて人事考課の難しさを感じている。

このように、可もなく不可もなくという気持ちで評価結果が真ん中の評価に偏るエラーとして、**最も適切なもの**を１つ選びなさい。

1　寛大化傾向
2　ハロー効果
3　中心化傾向
4　論理誤差
5　対比誤差

問題 129 「福祉サービスにおける危機管理(リスクマネジメント)に関する取り組み指針～利用者の笑顔と満足を求めて～」(厚生労働省)におけるリスクマネジメントに関する次の記述のうち、**正しいもの**を１つ選びなさい。

1　リスクマネジメントは職員全体で取り組むべきことなので、経営者の強いリーダーシップは不要である。
2　利用者から苦情が寄せられたときは、迅速に対応しなければならない。
3　利用者の自立的な生活を重視するほどリスクは高まるため、利用者の自由を制約するのはやむを得ない。
4　重大な事故に至らないものであれば、その内容を記録化し、分析する必要はない。
5　事故が発生した場合、職員は周囲に動揺を与えぬよう、事故内容をできる限り秘匿すべきである。

MEMO

MEMO

第1回
共通科目
解答・解説

第1回　共通科目・解答一覧

医学概論　　／6点

問題	①	②	③	④	⑤
1	●				
2				●	
3			●		
4		●			
5					●
6		●			

心理学と心理的支援　　／6点

問題	①	②	③	④	⑤
7	●				
8			●		
9		●			
10					●
11					●
12	●				

社会学と社会システム　　／6点

問題	①	②	③	④	⑤
13		●			
14			●	●	
15	●				
16				●	
17			●		
18	●				

社会福祉の原理と政策　　／9点

問題	①	②	③	④	⑤
19				●	
20					●
21				●	
22					●
23			●		
24		●			
25	●				
26				●	
27				●	

社会保障　　／9点

問題	①	②	③	④	⑤
28		●			
29			●		
30	●				
31					●
32			●		
33				●	
34					●
35			●		
36					●

権利擁護を支える法制度　　／6点

問題	①	②	③	④	⑤
37	●				
38	●				
39		●			
40			●		
41			●		
42				●	

地域福祉と包括的支援体制　　／9点

問題	①	②	③	④	⑤
43			●		
44			●		
45				●	
46					●
47		●			●
48				●	
49		●			
50				●	
51				●	

障害者福祉　　／6点

問題	①	②	③	④	⑤
52				●	
53					●
54		●			
55					●
56				●	
57	●				

刑事司法と福祉　　／6点

問題	①	②	③	④	⑤
58		●			
59				●	
60					●
61			●	●	
62		●			
63			●		

ソーシャルワークの基盤と専門職　　／6点

問題	①	②	③	④	⑤
64	●				
65				●	
66	●				
67		●		●	
68					●
69			●		

ソーシャルワークの理論と方法　　／9点

問題	①	②	③	④	⑤
70	●	●			
71			●		
72		●			
73				●	●
74				●	
75					●
76				●	
77					●
78	●				

社会福祉調査の基礎　　／6点

問題	①	②	③	④	⑤
79		●	●		
80	●	●			
81				●	
82		●			
83					●
84			●		

※頻出項目解説〔(4)〜(17)ページ〕の各科目の目標得点が取れるまで、繰り返し解いてみましょう。

合　計	／84点

● 共通科目

医学概論

| 問題1 | 正解　1　●──老化 | 重要度 ★★ |

●老化によって、視覚や聴覚などの感覚機能が低下していく。これらは、身体機能の低下と相まって、事故の原因ともなるため、変化の内容を理解することが重要である。

☞ 教科書(共) CHAPTER 1・SECTION 1

1　○　老化に伴う視覚の変化として、**近方視力**が低下することにより、老眼になる。また、**視野**が狭くなり、色や明るさによる識別能力が低下するといった特徴も挙げられる。

2　×　老化に伴う聴覚の変化として、特に**高音域**の音が聞き取りにくくなる。

3　×　老化に伴う味覚の変化として、特に感受性が低下するのは、**塩味**である。

4　×　老化に伴う嗅覚の変化として、**においを感じ取りにくくなる**。

5　×　老化に伴う皮膚感覚の変化として、**熱さ・冷たさ**、**痛み**などに対する感覚が低下する。

| 問題2 | 正解　4　●──高齢者によくみられる疾患 | 重要度 ★★ |

●老化には個人差があるが、徐々に自立度が低下し、様々な疾患がみられるようになる。糖尿病や関節リウマチ、心筋梗塞など、高齢者によくみられる疾患について、特徴を押さえておくことが必要である。

☞ 教科書(共) CHAPTER 1・SECTION 4

1　×　**1型糖尿病**は、自己免疫などによる**インスリンの分泌障害**によるもので、子どもや若い人に多くみられる。**2型糖尿病**は、**遺伝的要因に生活習慣の要因が加わり、インスリンの分泌量の減少や機能低下**によって発症し、**中高年以降**に多くみられる。

2　×　関節リウマチは**中高年の女性**に多い疾患で、1日のなかでも**朝方に手のこわばり**がみられるのが特徴である。

3　×　疥癬は、ウイルスではなく、**疥癬虫**（ヒゼンダニ）が皮膚表面に寄生して起こる感染症である。

4　○　心筋梗塞の主症状は、**長く続く前胸部の強い痛み**や**圧迫感**だが、痛みが首や背中、左腕、上腹部に生じることもある。

5　×　糖尿病で生じる合併症は、糖尿病性**網膜症**、糖尿病性**腎症**、糖尿病性**神経症**の3つである。

正解 **3** ●——高次脳機能障害の特性 重要度 ★★★

●高次脳機能障害は、事故や病気などで脳が損傷され、話す・考える・覚える・集中する・感情をコントロールするなどが難しくなり、生活に支障をきたす状態である。外からはみえないため理解されにくく、支援が必要な障害である。

☞ 教科書(共) CHAPTER 1・SECTION 4

1　×　本人自身も**障害に気づきにくい**。

2　×　計画を立てて物事を実行することができないなどは、**遂行機能障害**である。

3　○　集中できない、気がつかないなどは、**注意障害**の例である。

4　×　新しいことを覚えることができないなどは、**記憶障害**である。失行とは、衣服の着脱ができないなど、思うような動作ができないことをいう。

5　×　すぐ怒る、落ち込む、不適切な場面で笑いだすなどは、**社会的行動障害**である。

正解 **2** ●——前頭側頭型認知症 重要度 ★★

●認知症の原因となる疾患には、アルツハイマー型認知症や脳血管性認知症、前頭側頭型認知症、レビー小体型認知症などがある。それぞれの疾患の原因や症状の特徴などについて理解しておく。

☞ 教科書(共) CHAPTER 1・SECTION 4

1　×　片麻痺は、**脳血管性認知症**で主にみられる症状である。

2　○　前頭側頭型認知症では、主に**滞続言語、常同行動、人格の変化、反社会的な行動**などの症状がみられる。

3　×　もの盗られ妄想は、**アルツハイマー型認知症**で主にみられる症状である。

4　×　具体的な幻視は、**レビー小体型認知症**で主にみられる症状である。

5　×　感情失禁は、**脳血管性認知症**で主にみられる症状である。

正解 **5** ●——国際生活機能分類（ICF） 重要度 ★★

●国際生活機能分類（ICF）を構成する基本的な要素と作用について確実に押さえる。

☞ 教科書(共) CHAPTER 1・SECTION 2

1　×　社会的な不利益（社会的不利）という障害のマイナス面を中心にした考え方は、ICFの前身である、**ICIDH（国際障害分類）**のものである。

2　×　ICFでは、障害を個人の問題として捉える**医学モデル**と、社会によって生み出される問題として捉える**社会モデル**を**統合**して、解決方法を考えることが重要だとしている。

3　×　ICFでは、3つの生活機能（**心身機能・身体構造、活動、参加**）の間において

も、**双方向的な作用**があるものとしている。

4　×　生活機能における**活動**とは、歩行・食事・排泄などの生活行為の遂行状態を指すものである。社会的役割の実行は、生活機能における**参加**に含まれる。

5　○　ICFでは、3つの生活機能に相互に影響を与えるものとして、2つの**背景因子**（環境因子・個人因子）が示されている。

| 問題6 | 正解　2　●──リハビリテーション | 重要度 ★★ |

●リハビリテーションの理念と目的、及び種類と方法を確認しておくこと。

☞ 教科書（共）CHAPTER 1・SECTION 4

1　×　リハビリテーションという言葉を語源からみると、「再び（re）」「適した、ふさわしい（habilis）」「すること（ation）」からなり、「**再び適した状態にすること**」を意味する。

2　○　記述のとおりである。リハビリテーションの対象は、**視覚・聴覚・言語障害、肢体不自由、内部障害**の全てを含む。

3　×　医学的リハビリテーションは、疾患の**急性期**から実施されることもある。特に**脳血管疾患**では、医師の指示の下、できる限り早期から行うことで、**後遺症の軽減**につながっている。

4　×　教育的リハビリテーションは、障害児を対象とした障害児教育以外に、**中途障害者**を対象として、更生援護施設、自立生活センターなどで実施されている。

5　×　社会的リハビリテーションは、**社会生活力**を高めることを目的としたプロセスである。記述は、**職業リハビリテーション**の説明である。

心理学と心理的支援

| 問題7 | 正解 **1** ●──知覚 | 重要度 ★★ |

●知覚とは感覚情報を基にして外界の様子を知る働きのことをいう。人が利用する知覚情報の約8割が視覚情報だといわれている。

☞ 教科書(共) CHAPTER 2・SECTION 1

1 ○ 錯視とは**目の錯覚**で、見え方が物理的性質と異なってしまうことである。

2 × 知覚の体制化とは、知覚世界を意味づけて、**まとまりのあるものへと作り上げること**をいう。記述は、**知覚の恒常性**についての説明である。

3 × 知覚の恒常性とは、物理的刺激にもかかわらず、大きさ、形、色、明るさを**同一に保とうとする働き**のことをいう。記述は、**知覚の体制化**についての説明である。

4 × 明順応とは、暗い場所から急に明るい場所に出ると、最初は周囲がよく見えない状態でも**徐々に見えるようになる現象**をいう。記述は、暗順応の説明である。

5 × 知覚的補完とは、対象の物理的視覚情報が一部欠如していても、**欠如した視覚情報を補って知覚されること**をいう。

| 問題8 | 正解 **3** ●──記憶 | 重要度 ★★★ |

●記憶は、記銘(情報を入力)、保持(入力した情報を保つ)、想起(保った情報を引き出す)の3つの過程をたどる。

☞ 教科書(共) CHAPTER 2・SECTION 1

1 × 作動記憶とは、例えば暗算をするために、計算に必要な数字を覚えておきながら計算をするなど、短期記憶における作業をする際に**必要な情報を短時間だけ保つ記憶**のことをいう。

2 × 長期記憶の容量は**無限**といわれている。7±2チャンクは**短期記憶の容量**である。

3 ○ 記述のとおりである。意味記憶は**長期記憶**に分類される。

4 × 手続き記憶とは、自転車の運転や技能など**体で覚えた記憶**のことをいう。記述は、**エピソード記憶**の説明である。

5 × 展望記憶とは、「○月○日に友人と会う」など、**今後の予定に関する**記憶のことで、将来の目標のことではない。

<table>
<tr><td>問題9</td><td>正解　2　●——集団</td><td>重要度 ★★★</td></tr>
</table>

●集団とは、影響を与え、与えられながら関係（相互作用）する2人以上の集合体のことをいう。集団から受ける影響についての代表的な理論を押さえておくこと。

☞ 教科書(共) CHAPTER 2・SECTION 1

1　×　同調行動とは、集団の多数派の影響や期待により、個人の行動や判断基準、価値基準などを**集団の傾向に合わせてしまう現象**をいう。記述は、**社会的促進**の説明である。

2　○　記述のとおりである。社会的抑制は、**複雑な作業**で起こりやすい。

3　×　社会的促進とは、周囲で見ている人がいると作業が速くなるなど、**個人の作業成績が向上する現象**をいい、**単純な作業**や課題で起こりやすい。記述は、**社会的補償**の説明である。

4　×　社会的ジレンマとは、集団の成員の多くが**個人の利益を追求**することで、**集団全体として大きな不利益となる**結果が生じることをいう。記述は、**社会的手抜き**の説明である。

5　×　社会的手抜きとは、集団作業の成果が自分に対する影響が小さいと判断されると、個人の作業量や努力が**低下**することをいう。記述は、**同調行動**の説明である。

<table>
<tr><td>問題10</td><td>正解　5　●——発達の概念</td><td>重要度 ★★★</td></tr>
</table>

●発達において、いくつかの特徴をもつ時期をまとめたものを発達段階という。また、各発達段階において、越えていかなくてはならない課題のことを 発達課題という。

☞ 教科書(共) CHAPTER 2・SECTION 2

1　×　ボウルビィは、**アタッチメント理論**という愛着について唱えた人物である。記述は、**エリクソンの発達理論**の説明である。

2　×　ピアジェは、思考・認知の**発達段階説**を唱えた人物である。記述は、**ゲゼル**（Gesell, A. L.）の理論である。

3　×　ワトソンは、**環境説**を唱えた人物である。記述は、**シュテルン**（Stern, W.）の**輻輳説**の説明である。

4　×　ハーローは、**アカゲザルの代理母の実験**から、アタッチメントにはスキンシップなどが重要であることを唱えた。記述は、**ピアジェ**の理論である。

5　○　記述のとおりである。老年期の発達課題と危機は、「**自我統合**」と「**絶望**」である。

●心理検査とは、人間に起こる心理的現象について測定することをいい、人格検査、知能検査、発達検査などがある。各検査の特徴を押さえておくこと。

☞ 教科書(共) CHAPTER 2・SECTION 4

1 × 矢田部・ギルフォード（Y-G）性格検査は、**12の人格特性に関する各10項目の質問を120問行う**人格検査である。記述は、**新版TEG-Ⅱ（東大式エゴグラム）**の説明である。

2 × ロールシャッハテストは、**左右対称のインクの染みの図版**から何が見えたか反応を聞くことで、被検者の内面を分析する**人格検査**である。記述は、**新版K式発達検査2001**の説明である。

3 × 改訂長谷川式簡易知能評価スケールは、**認知症の診断や進行具合を判断する際**に使用される知能検査である。

4 × 遠城寺式乳幼児分析的発達検査は、運動、社会性、言語を軸として聞き取りや観察を行う。記述は、**TAT（絵画・主題統覚検査）**の説明である。

5 ○ 記述のとおりである。

●心理療法とは、心に問題を抱えていたり、何らかの不適応状態にある人に対して改善や解決を行うための援助技法の総称である。

☞ 教科書(共) CHAPTER 2・SECTION 4

1 ○ 記述のとおりである。森田療法は、森田正馬によって創始された心理療法で、不安や葛藤を取り除くような配慮を行わず、**あるがままの状態**で活動を行う。

2 × 認知行動療法では、**認知再構成法（認知的再体制化）**を用いて、クライエントの自己評価の低さや自己非難に伴う否定的な感情に注目し、**認知の歪みや信念を修正する**。記述は、**動作療法**の説明である。

3 × ブリーフセラピーは、**短期間（ブリーフ）**で、効率的、効果的な治療を行うことによって、課題の解決を図る。ブリーフ・サイコセラピーとも呼ばれる。

4 × シェーピング法は、**目標としている行動**を細かく段階的に設定（スモールステップ）し、達成したら次の段階へと導いていく方法である。記述は、**系統的脱感作法**の説明である。

5 × 社会生活技能訓練（SST）は、**対人関係の対応が困難な人**を対象に、モデリング（観察学習）とロールプレイ（役割演技）を基本にして、社会生活の場面を想定して行うことにより、実際の対人関係で適切に対応できることを目的とする訓練である。記述は、**エンカウンターグループ**の説明である。

社会学と社会システム

問題13	正解 **2** ●──社会階級と社会階層	重要度 ★★

●「階級」とは、生産手段を所有するか否かで区別され、支配−被支配の関係にある集団をいう。「階層（社会階層）」とは、人々の社会的地位等の序列をいい、階層が複数集まった状態を「社会成層」と呼ぶ。

☞ **教科書(共)** CHAPTER 3・SECTION I

1 × 階級を生産手段の所有と非所有によって区別されるとしたのは、**マルクス**（Marx, K.）である。

2 ○ **ソローキン**（Sorokin, P. A.）は、階級の概念と区別するために階層（社会階層）という概念を示した。階層の分析は、社会資源分配の不均等の度合いを、様々な尺度により測るために行われる。

3 × 階層の分析では、「収入」や「学歴」などの尺度を用いて連続的な区分を行う。そのため、**それぞれの階層は上下関係をなしてはいるが**、階級間のような対立関係は、階層間にはみられない。

4 × 階層間の移動を意味する社会移動については、職業の変化として捉えることが多い。個人が職業を変えることを「**世代内移動**」、親と子で職業が異なることを「**世代間移動**」と呼び、「世代間移動」の増加は階層の**流動化**を示すものである。

5 × 階層構造の分析方法には、職業や学歴等に基づく「**客観的方法**」、当事者がその属する階層を評価する「**主観的方法**」、地域社会において住民が相互に階層を評価する「**声価法（相互評価法）**」がある。ウォーナーのヤンキー・シティ調査は、声価法によるものである。

問題14	正解 **3・4** ●──官僚制の特徴	重要度 ★★★

●近代社会において、行政のみならず、会社や学校、役所などの大規模組織にみられる、位階・階層構造をもった管理運営の体系を「官僚制」という。

☞ **教科書(共)** CHAPTER 3・SECTION I

1 × 官僚制では、**専門的訓練を受け**、**専門的知識を備えた**職員が任用される。

2 × 官僚制の逆機能として、秘密主義や権威主義といったマイナスの働きを挙げたのは、**マートン**（Merton, R.）である。

3 ○ 官僚制では、職員がその**感情を排除**し、規則や手続きに従って職務を遂行する。そのため、組織内の人間関係は**没人格的**である。

4 ○ **明確に成文化**された規則による職務の配分や、文書による事務処理などが官僚制の特徴である。

5 × 官僚制では、権限の上下関係がピラミッド状の階梯（**ヒエラルキー**）をなしている（**官僚階層制**）。

| 問題15 | 正解 **1** ●──家族 | 重要度 ★★★ |

●家族とは、夫婦関係や血縁関係を中心に、親子、兄弟姉妹、近親者によって構成される集団のことをいい、同居の有無は問わない。

☞ 教科書(共) CHAPTER 3・SECTION 3

1 ○ 生殖家族とは、**親の立場からみた家族**のことを指す。自分が子どもとして生まれ育った家族のことは**定位家族**という。

2 × 国勢調査において核家族とは、❶夫婦のみの世帯、❷夫婦と子どもからなる世帯、❸男親と子どもからなる世帯、❹女親と子どもからなる世帯、を指す。

3 × 記述のような、連れ子のある親の再婚で誕生する血縁関係のない親子を含めた家族の形態は、**ステップファミリー**と呼ばれる。既婚者の核家族が、その親の核家族と結びつき、複数の核家族を集団内にもつものを**拡大家族**という。

4 × 「性別役割分業モデル」を提唱したのは、マードックではなく、**パーソンズ**（Parsons, T.）である。パーソンズは、家族の中に生じる課題達成に向かう役割を**手段的役割**、人間相互の関係調整に向かう役割を**表出的役割**と名づけた。

5 × オグバーン（Ogburn, W.）は、「**家族機能縮小論**」を提唱している。それによれば、産業化以前、家族には、経済、地位付与、教育、保護、宗教、娯楽、愛情の7つの機能があったが、産業化の進展に伴って**愛情**だけが残り、それ以外の6つの機能は専門機関が吸収し、弱体化した。

| 問題16 | 正解 **4** ●──社会的行為 | 重要度 ★★ |

●社会的行為とは、社会の中で人が行う行為を指し、人が他者と関係しながら生きているのであれば、それは社会的行為をしながら生きていることになる。

☞ 教科書(共) CHAPTER 3・SECTION 4

1 × 行為とは、行為者自身が何らかの意味をもって行う振る舞いをいう。これを、行為者にとっての主観的意味から、**目的合理的行為、価値合理的行為、感情的行為、伝統的行為**の4つに類型化したのは、ヴェーバーである。

2 × 感情的行為とは、感情や気分によりなされる行為である。結果を度外視し、自分の信じる絶対的価値に基づいてなされる行為は、**価値合理的行為**である。

3 × 目的合理的行為とは、目的を達成するために**最も合理的な手段を選択**してなされる行為である。

4 ○ 伝統的行為とは、身についた習慣によってなされる行為であり、昔から家族や

地域共同体等で行われてきた季節ごとの行事や**慣習的な行為**等を意味する。

5 × ホモ・エコノミクス（経済人）とは、**最小のコストで自己の利益を最大限に追求するため**、合理的に行動する人間の類型をいう。つまり、ホモ・エコノミクスの行為は、目的合理的行為の典型例である。

問題17 **正解 3** ●——社会的役割 **重要度 ★★**

●その人が占める社会的地位に対して期待される行動様式を社会的役割という。社会的役割の概念について整理しておく。

☞ 教科書(共) CHAPTER 3・SECTION 4

1 × 場面にあったふさわしい行為を示すことが求められることは「**役割期待**」という。

2 × 他者からの期待を認識し、それを取り入れることで自分の役割行為を形成することは「**役割取得**」という。

3 ○ 多くの場合、人は夫や父親、銀行員、上司など複数の役割をもっている。これらの個々に異なる期待が要求されるなかで、どの期待に応じるかジレンマに陥ることを「**役割葛藤**」という。

4 × 夫や妻など相互に相手の役割を演じ合うことによって、相手の立場や考え方を理解することは「**役割交換**」という。

5 × 他者の期待と少しずらした形で行動することは、役割から距離を置くことを意味し、これは「**役割距離**」という。距離を置くことで、他者の期待からの相対的な自由と自己の自律性を確保することができる。

問題18 **正解 1** ●——社会病理や逸脱に関する理論 **重要度 ★★**

●社会病理や逸脱に関する理論には様々なものがある。逸脱の生成要因などについて、代表的な理論をひと通り押さえておくことが大切である。

☞ 教科書(共) CHAPTER 3・SECTION 2

1 ○ キツセ（Kitsuse, J.）とスペクター（Spector, M.）に代表される**構築主義**では、社会問題は客観的に存在するものではなく、**人々の主張を通して認識される**ものとした。

2 × オグバーンの文化遅滞論では、**物質文化に対する非物質文化・制度的文化の遅れ**によって**文化遅滞**というズレが生じ、そこから問題が発生すると考える。

3 × ラベリング理論では、ある行為に対して、周囲が「**逸脱**」という**ラベルを貼る**ことが逸脱の生成要因と考える。つまり、犯罪者をつくるのは、社会の側の対応の仕方による。記述は、サザーランド（Sutherland, E. H.）らによる**分化的接触**

理論の説明である。

4　×　マートンは、文化的目標とそれを達成するための制度的手段の**不一致**がアノミ
　　　ー（無規範状態）を生み、逸脱の原因になると考える。

5　×　シャー（Schur, E. M.）らは、売春、賭博、違法薬物、不法移民、武器所持と
　　　いった被害者がいない（ように見える）犯罪を「**被害者なき犯罪**」と呼んだ。

社会福祉の原理と政策

問題19	正解 **4** ●──福祉国家	重要度 ★

●社会福祉の原理となる哲学と倫理について、学者とその理論を押さえておきたい。

☞ 教科書（共） CHAPTER 4・SECTION 2

1 × 　ケインズは、**公共事業**などを通して、政府が介入することを主張した。政府
の介入を否定し、市場メカニズムを重視する考えは**スミス**（Smith, A.）である。
著書に『**国富論**』がある。

2 × 　ロールズは、「最も恵まれない人の便益を最大化すること」を**格差原理**と呼んだ。

3 × 　潜在能力とは、「人が善い生活や善い人生を生きるために、どのような状態
（being）にありたいのか、そしてどのような行動（doing）をとりたいのかを結
びつけることから生じる**機能**（functioning）の**集合**」を意味する。

4 ○ 　マーシャルは、論文「シティズンシップと社会階級」で、シティズンシップを
３つに分類し、**市民的権利**から**政治的権利**、そして**社会的権利**へと「社会権」が
発展する過程を考察した。

5 × 　ルグランは、**ブレア政権**の政策に関わった。

問題20	正解 **5** ●──社会福祉制度の歴史	重要度 ★★★

●日本の救貧制度の歴史的展開では、現行生活保護法が制定されるまでの時代背景と、
恤救規則や救護法、旧生活保護法の対象や制度の内容などについて理解することが必要
である。

☞ 教科書（共） CHAPTER 4・SECTION 1

1 × 　**恤救規則**では、「**無告ノ窮民**」として扶養を受けられない者に制限され、**極貧**
の労働不能者、**70歳**以上または**15歳**以下の労働不能者、**13歳**以下の扶養する者
がいない孤児を救済の対象とした。65歳以上の就労できない者は含まれていな
い。

2 × 　**軍事救護法**とは、傷病兵及び戦死者の**遺族**を対象とした救護法である。当時は
内縁の妻が認められていなかったため、救済の対象には含まれなかった。

3 × 　**救護法**の対象は、**65歳以上の老衰者**、**13歳以下の児童**、**妊産婦**、心身の障害
により**労務に支障のある者**とされていた。労働能力のある失業者は含まれていな
い。

4 × 　**旧生活保護法**では、欠格条項に素行が**不良**または**怠惰**な者には救護を行わない、
あるいは救護の取消しができるとされていた。

5 ○ 　**扶養義務者の扶養**は、生活保護法による保護に優先されるが、それでも急迫し

た事由がある場合には、**必要な保護を妨げない**と定めている。

| 問題21 | 正解　**4**　●──需要とニーズの概念、定義 | 重要度 ★★★ |

●ニーズは、望ましい状況と現状が乖離しており、改善が社会的に認められる場合に発生するといえる。

☞ 教科書（共）CHAPTER 4・SECTION 4

1　✕　社会生活上の基本的要求は、記述の4つに加え、**職業的安定の要求、医療の機会の要求、文化・娯楽の機会の要求**の7つである。

2　✕　高齢化により、介護などの**人的サービスのニーズは増大**している。

3　✕　感得されたニード（felt need）とは、利用者本人がニードを**自覚していること**である。記述は、**規範的ニード**（normative need）の説明である。

4　○　トールは、所得の高低、疾病や障害の有無、老若男女を問わず、「人々のもつ**基本的要求は変わらない**」と唱えている。

5　✕　ニーズの原理としては、記述の2つに、**経済的アプローチ、温情主義的アプローチ**を加えた4つが提唱されている。

| 問題22 | 正解　**5**　●──社会的排除と社会的包摂 | 重要度 ★★★ |

●社会的包摂（ソーシャル・インクルージョン）とは、全ての人々を孤立や孤独、排除や摩擦から援助し、健康で文化的な生活の実現につなげるよう、社会の構成員として包み支え合うという考え方である。

☞ 教科書（共）CHAPTER 4・SECTION 3

1　✕　**社会的排除**（ソーシャル・エクスクルージョン）は、多次元的な要因によって引き起こされる「状態」であるとともに、排除に至る**プロセス**（過程）も含めた概念である。

2　✕　保険料を滞納したり、受給要件を満たさなかったりした場合は、制度から除外される場合もあり得る。

3　✕　**社会的包摂政策**は、社会参加の機会を促進するだけでなく、**所得の保障までを**含む政策である。

4　✕　**社会的排除がケイパビリティを剥奪**し、**社会的包摂がケイパビリティを強化**することはあり得る。

5　○　社会福祉士は、「人々をあらゆる差別、貧困、抑圧、排除、暴力、環境破壊などから守り、**包含的な社会を目指すように努める**」としている。

| 問題23 | 正解 3 | ●──福祉政策における政府の役割 | 重要度 ★★★ |

●人々の基本的ニーズを充足し、豊かで、幸せな生活を保障することが政府の中心的な役割である。政府の役割を理解するには、社会福祉法に規定される国や地方公共団体、地方社会福祉審議会、社会福祉法人などの責務や役割についても把握しておく必要がある。

☞ 教科書(共) CHAPTER 4・SECTION 5

1 × 社会福祉法第6条第1項により必要な措置を**講じなければならない**。努力義務ではない。

2 × 社会福祉法第6条第2項により必要な措置を**講ずるよう努めなければならない**。義務ではない。

3 ○ 記述のとおりである。社会福祉法第7条第2項に規定されている。

4 × 社会福祉法第11条により、民生委員審査専門分科会と身体障害者福祉専門分科会は設置されるが、老人福祉専門分科会は「**置くことができる**」と規定されている。

5 × 社会福祉法第89条第1項により、**基本指針**を定めるのは、**厚生労働大臣**である。

| 問題24 | 正解 2 | ●──女性活躍推進法 | 重要度 ★ |

●「女性活躍推進法」は、女性の職業生活における活躍の推進を図る法律として、2016(平成28)年4月に施行された。国や地方公共団体、一般事業主に対し、女性の活躍推進に向けた行動計画の策定や公表などについて定めている。

☞ 教科書(共) CHAPTER 3・SECTION 3

1 × 常時雇用する労働者の数が**100人**を超える場合、国及び地方公共団体以外の事業主（以下、一般事業主）は、**一般事業主行動計画**を策定することが義務づけられている（2022〈令和4〉年4月から、従来の300人超から**100人超**に拡大）。

2 ○ なお、労働者の数が**300人**以下の一般事業主は、その事業における女性の職業生活における活躍に関する情報を定期的に**公表するよう努めなければならない**とされている。

3 × 一般事業主行動計画では、❶**計画期間**、❷女性の職業生活における活躍の推進に関する取組の実施により**達成しようとする目標**、❸実施しようとする女性の職業生活における活躍の推進に関する取組の**内容及びその実施時期**、を定めなければならない。

4 × 特定事業主は、毎年少なくとも1回、**特定事業主行動計画**に基づく取組の実施の状況を**公表**しなければならないとされている。

5 × 都道府県または市町村は、**都道府県推進計画**または**市町村推進計画**を変更した

ときは、**遅滞なく**、これを**公表**しなければならないとされている。

| 問題25 | 正解 **1** ●──政策評価 | 重要度 ★★ |

●政策評価とは、行政機関が政策の効果を測定・分析し、客観的な判断を行うことによって政策の実施に役立てる情報を提供するものである。政策評価には事前評価と事後評価がある。

☞ 教科書(共) CHAPTER 4・SECTION 5

1 ○ **費用便益分析**は、公共政策の効果を貨幣額で表示し、それを投入した費用を比較して評価する分析方法である。

2 × 「政策評価法」では、定性的方法ではなく**定量的方法**で行うこととされた。

3 × アカウンタビリティとは、**説明責任**のことである。

4 × プログラム評価は一般的に❶論点設定、❷データ分析、❸評価作成、❹報告、という4つの段階によって実施されるもので、事前に評価するものではない。

5 × ベンチマークは**基準となる指標**のことである。達成目標基準をベンチマークとして使用する場合は**ベンチマーク方式**と呼ばれるが、実施過程をベンチマークとして使用することはない。

| 問題26 | 正解 **4** ●──福祉利用過程 | 重要度 ★★ |

●福祉サービスを必要とする利用者へより良いサービスを提供するには、その利用過程における情報の非対称性やスティグマなどの理解が重要になる。

☞ 教科書(共) CHAPTER 4・SECTION 5

1 × **情報の非対称性**とはサービスの提供者がもつ情報と利用者がもつ情報が違っていることである。

2 × 選別主義では、スティグマは軽減できない。スティグマを軽減するためには、**普遍主義的なサービス利用の仕組みが有効**である。

3 × **パブリックコメント**は、評価結果を公表する制度ではなく、**住民の意見**を募集して聞く制度である。

4 ○ 社会福祉法第82条に社会福祉事業の経営者の**努力義務**として規定されている。

5 × このような規定はなく禁止されていない。

| 問題27 | 正解 **4** ●──福祉政策と住宅政策 | 重要度 ★★ |

●みなし仮設住宅は、災害救助法に基づく応急仮設住宅のひとつとして制度化された住宅である。また、住宅政策については、公営住宅法や高齢者住まい法、住生活基本法、

住宅セーフティネット法などの内容も把握しておく必要がある。

☞ 教科書(共) CHAPTER 4・SECTION 6

第1回
共通科目
解 答

● 社会福祉の原理と政策

1　×　公営住宅は、**敷金**はあるが**礼金**がない。

2　×　「高齢者住まい法」ではなく、**被災者生活再建支援制度**によって**支援金が支給**
　　される。

3　×　住生活基本法第17条において、国が策定する全国計画に即して都道府県が**都
　　道府県計画**を定めることが義務づけられている。

4　○　「みなし仮設住宅」は、被災者が公的補助を受けて無償で入居する**民間の賃貸
　　住宅**である。

5　×　「無料低額宿泊所」は、保護施設ではなく**宿所提供施設**である。

社会保障

正解 2 ●──人口動態 重要度 ★★★

●総務省の「人口推計（令和5年10月1日現在）」によると、総人口に占める割合は、年少人口（0〜14歳）が11.4%、生産年齢人口（15〜64歳）が59.5%、65歳以上人口が29.1%、75歳以上人口が16.1%となっている。

☞ 教科書（共） CHAPTER 5・SECTION 1

1　×　「日本の将来推計人口（令和5年中位推計）」によれば、日本の65歳以上人口は緩やかに上昇し続け、2070（令和52）年には**約4割（38.7%）**になると推計されている。

2　○　厚生労働省の人口動態統計によれば、2022（令和4）年の合計特殊出生率は**1.26**で、**前年の1.30を下回った**。

3　×　2022（令和4）年の死亡数を死因別にみると、第1位は悪性新生物、**第2位は心疾患**で、**脳血管疾患は第4位**であった。

4　×　「令和4年簡易生命表」によれば、2022（令和4）年の平均寿命は、男性が81.05年、女性が87.09年である。前年と比較すると、**男性は0.42年、女性は0.49年下回っている**。

5　×　「日本の地域別将来推計人口（令和5年推計）」によれば、2040（令和22）年までに**東京都を除く**46道府県で65歳以上人口割合が**3割**を超えると推計されている。

正解 3 ●──社会保障制度の発達 重要度 ★★

●1973（昭和48）年は、70歳以上の高齢者の医療費無料化（老人医療費支給制度）が導入され、年金の物価スライド制など、経済優先から福祉優先への転換が図られ、福祉元年と呼ばれた。

☞ 教科書（共） CHAPTER 5・SECTION 2

1　×　1995（平成7）年の勧告では、「社会保険はその保険料の負担が全体として給付に結び付いていることから、その負担について国民の同意を得やすく、また給付がその負担に基づく権利として確定されていることなど、多くの利点をもっているため、（中略）増大する**社会保障の財源として社会保険料負担が中心となる**のは当然である」と強調されている。

2　×　記述は、**1950（昭和25）年の勧告**である。1950年勧告当時、社会保障制度の目的は**貧困からの救済と予防**という点にあった。1962（昭和37）年の勧告では、国民を貧困階層、低所得階層、一般所得階層に分類し、各階層に対する**救貧ない**

し**防貧**という**観点**から社会保障制度の体系化が構想された。

3 ○ 記述のとおりである。高度経済成長による豊富な税収を背景に、当時の田中角栄内閣は、**1973（昭和48）年を福祉元年**と位置づけ、社会保障の大幅な拡充を行った。

4 × 失業保険法は、**1947（昭和22）年に制定**された。1974（昭和49）年に失業保険法が廃止され、代わって**雇用保険法**が制定された。

5 × 第二次世界大戦終結前の日本の社会保険は、1922（大正11）年制定の**健康保険法**や1938（昭和13）年制定の**(旧)国民健康保険法**による医療保険のほか、1941（昭和16）年制定の**労働者年金保険法**により**公的年金**も制度化されていた。

問題30	正解 1 ●──社会保障給付費	重要度 ★★★

●社会保障給付費とは、ILO（国際労働機関）が定めた基準に基づき、社会保障や社会福祉等の社会保障制度を通じて、1年間に国民に給付される金銭またはサービスの合計額である。

☞ 教科書（共）**CHAPTER 5・SECTION 3**

1 ○ 「令和3年度社会保障費用統計」（国立社会保障・人口問題研究所）によれば、2021（令和3）年度の社会保障給付費の総額は**138兆7,433億円**である。国民1人当たりの社会保障給付費は110万5,500円となる。

2 × 2021（令和3）年度の**社会保障給付費の対国民所得比は35.04%**である。

3 × 社会保障給付費のうち、高齢者関係給付費（年金保険給付費、高齢者医療給付費、老人福祉サービス給付費及び高年齢雇用継続給付費を合わせた額）の占める割合をみると、2003（平成15）年度及び2004（平成16）年度の70.2%をピークとして、2011（平成23）年度の66.7%まで低下が続いた。その後は、60%台後半を**微増減で推移**していたが、2020（令和2）年度から低下傾向となり、2021（令和3）年度は60.1%となっている。

4 × 社会保障給付費の部門別推移をみると、1980（昭和55）年度までは「医療」の方が「年金」よりも大きかったが、**1981（昭和56）年度以降は逆転**した。なお、2021（令和3）年度では「年金」が給付費全体の40.2%、「医療」が34.2%、「福祉その他」が25.6%となっている。

5 × 2021（令和3）年度の社会支出を政策分野別にみると、「**保健**」が全体の42.3%（約**4割**）で最も大きく、続いて「**高齢**」が34.1%であり、この2つで約8割を占めている。

正解 **5** ●──健康保険の傷病手当金　　　重要度 ★★★

●傷病手当金は、病気やケガによる休業中に被保険者とその家族の生活を保障するために設けられた制度で、被保険者が会社を休み、事業主から十分な報酬が受けられない場合に支給される。

☞ 教科書(共) CHAPTER 5・SECTION 5

1　×　傷病手当金は、**自宅療養の期間**についても支給対象となる。

2　×　傷病手当金は、業務外の事由による病気やケガで休業している期間について生活保障を行うことを目的としているため、**給与が支払われている間は支給されない**。ただし、給与の支払いがあっても、傷病手当金よりも少ない場合は、その**差額**が支給される。

3　×　傷病手当金は、仕事を休んだ日から連続して**3日の待機期間**の後、**4日目**から**最長で1年6か月**の間支給される。

4　×　資格喪失後の継続給付は、❶被保険者の資格を喪失した日の前日（退職日）までに、**継続して1年以上の被保険者期間**（健康保険の任意継続被保険者の期間を除く）があること、❷資格喪失時に傷病手当金を受けているか、または受ける条件を満たしていること、という2点を満たしていれば受けることができる。なお、健康保険の任意継続被保険者である期間中に発生した病気・ケガについては、傷病手当金は支給されない。

5　○　障害手当金が受けられる場合は、傷病手当金の額の合計額が**障害手当金の額に達する日**まで傷病手当金は支給されない。また、傷病手当金を受ける期間が残っている場合でも、同じ病気やケガで**障害厚生年金**を受けることになったときは、原則として傷病手当金は支給されない。

正解 **3** ●──労災保険制度の概要　　　重要度 ★★★

●労働者災害補償保険は、労働者が業務上の事由または通勤によって負傷したり、障害が残ったり、病気にかかったり、死亡した場合に被災労働者や遺族を保護するために必要な保険給付を行うものである。

☞ 教科書(共) CHAPTER 5・SECTION 5

1　×　保険給付は、❶労働者の業務上の負傷、疾病、障害または死亡（**業務災害**）に関する保険給付、❷労働者の通勤による負傷、疾病、障害または死亡（**通勤災害**）に関する保険給付、❸**二次健康診断等給付**の3種類がある。

2　×　保険給付は、労災保険と雇用保険のそれぞれで行われるが、**保険料の納付等については一体のもの**として取り扱われている。

3　○　労働者を一人でも使用する事業（国の直営事業や官公署の事業などを除く）は、

労災保険の**適用事業**として保険料を納付しなければならない。

4 × 労働者には、正規職員、非正規職員、パート、アルバイト等、使用されて賃金を支給される人全てが含まれる。よって、正規職員以外の労働者も補償を受給できる。

5 × 審査請求は、都道府県（労働局）に置かれている**労働者災害補償保険審査官**に行う。さらに、審査決定に不服がある場合は**再審査請求**ができ、厚生労働省の**労働保険審査会**に対して行う。これらの行政処分に不服がある場合、不服申立ての手続きを経ることなく、裁判所に出訴することができる。

問題33 | 正解 **4** ●──年金保険制度 | 重要度 ★★★

●日本は基本的に20歳以上60歳未満の全ての国民が、何らかの公的年金制度に強制加入する国民皆年金制度である。

☞ 教科書(共) CHAPTER 5・SECTION 5

1 × 国民年金には、併給できないものもある。例えば、障害基礎年金は他の厚生年金と併給できるが、**遺族基礎年金は遺族厚生年金とだけ併給**できる。

2 × 老齢基礎年金の支給要件は、原則、保険料納付済期間＋保険料免除期間＋合算対象期間（カラ期間）＝受給資格期間で、これまでは25年以上必要であったが、2017（平成29）年8月から**10年以上**に短縮された。合算対象期間には、海外在住期間、国民年金任意加入対象者の未加入期間などが含まれる。

3 × 障害基礎年金の支給対象者は、障害等級が**1級または2級**の者で、**3級は対象外**である。3級は、障害厚生年金のみの支給となる。また、障害厚生年金では、3級より軽い場合、一時金として**障害手当金**が支給される。

4 ○ 遺族基礎年金を受けることができる遺族とは、被保険者等が死亡したとき、**その者によって生計を維持されていた子のある配偶者、または子**である。子とは、18歳になって最初の年度末までの子、または20歳未満の障害基礎年金の障害等級1級または2級の子である。

5 × 現在の日本の公的年金は、基本的に「**賦課方式**」で運営されており、現役世代が納めた保険料は、そのときの年金受給者への支払いにあてられている。一方、「**積立方式**」とは、民間保険と同様に、現役時代に積み立てた積立金を原資とすることにより、運用収入を活用する方式をいう。

　正解　**5**　●──諸外国における社会保障制度　　　重要度 ★★

●先進諸国（スウェーデン、ドイツ、フランス、イギリス、アメリカ）における社会保障制度（年金、医療、介護）について、方式や財源、給付内容などをまとめておくとよい。

☞ 教科書(共) **CHAPTER 5・SECTION 6**

1　×　スウェーデンでは、介護サービスの利用者に自己負担が課せられる。利用者負担上限額（月額）は**マックスタクサ**と呼ばれ、社会サービス法に規定されている。

2　×　ドイツの介護保険法は1994年4月に成立し、その翌年に施行された。2000（平成12）年に施行された日本の介護保険制度は、5年先行して始まった**ドイツの介護保険制度を1つの参考**として、制度設計がなされた。

3　×　国民医療サービス（NHS）の財源の**約8割は租税**となっており、残りは国民保険からの拠出金と患者の一部負担である。

4　×　フランスでは、年金保険及び医療保険は共に**職域**を基礎として、多くの制度が分立している。また、介護は社会保険方式ではなく、**税方式**に基づき、高齢者自立手当（APA）の支給と在宅サービス及び施設サービスの提供が行われている。

5　○　アメリカでは、2010年に当時のオバマ大統領が医療保険制度改革を断行し、公的医療保障を受けられる国民の範囲が一気に拡大した。改革の一環として制定された**医療保険改革法**は、保険加入条件の緩和と助成を行い、国民に民間保険への加入を義務づけるもので、無保険者の10%減少につながったとされている。

　正解　**3**　●──後期高齢者医療制度　　　　重要度 ★★

●後期高齢者医療制度は、75歳以上の高齢者（後期高齢者）などを被保険者とし、医療給付を行う社会保険方式の制度である。財源は、患者の自己負担分を除き、公費（国・都道府県・市町村の負担）、後期高齢者支援金（現役世代の保険料）、被保険者の保険料で賄われている。

☞ 教科書(共) **CHAPTER 5・SECTION 5**

1　×　患者の自己負担割合は**原則1割**とされ、一定以上所得者（現役並み所得者以外）は**2割**、現役並み所得者は**3割**である。

2　×　根拠法は、2006（平成18）年に「老人保健法」から改称、改正された「高齢者の医療の確保に関する法律」（**高齢者医療確保法**）である。

3　○　被保険者は、❶**後期高齢者医療広域連合**（広域連合）の区域内に住所をもつ**75歳以上の高齢者**、❷一定の障害があると広域連合に認定された**65〜74歳**の高齢者である。

4　×　後期高齢者医療制度の運営主体は、**都道府県**を単位に全ての市町村が加入して設立する**広域連合**である。

5　×　生活保護受給者に対する医療は、**生活保護制度から給付**（医療扶助）されるため、後期高齢者医療制度の被保険者には**含まれない**。

| 問題36 | 正解　**5**　●──社会手当 | 重要度 ★★★ |

●社会手当は、家族扶養のために国や地方自治体などが支給する手当である。社会手当制度のうち、試験で問われやすい児童手当、児童扶養手当の概要について押さえておく。

☞ **教科書（共）　CHAPTER 5・SECTION 5**

1　×　児童手当の費用は、**所属庁**（国家公務員の場合は**国**、地方公務員の場合は**地方自治体**）が全額負担する。

2　×　児童手当の支給要件は、小学校修了ではなく、**中学校修了までの児童**である。なお、児童手当法の改正により2024（令和6）年10月分からは、**高校修了まで**に拡充される。

3　×　児童手当は、第2子ではなく、**第1子**から支給される。

4　×　児童手当と児童扶養手当は別の制度であり、受給要件を満たせば**併給できる**。

5　○　記述のとおりである。一定の障害の状態にある場合は、**20歳未満**まで支給される。

権利擁護を支える法制度

| 問題37 | 正解　**1**　●──相続 | 重要度 ★★ |

> ●死亡時にその者の財産などを引き継ぐことを、相続という。民法で定められた法定相続人は、配偶者に加え、子（第一順位）、直系尊属（第二順位）、兄弟姉妹（第三順位）である。上位の法定相続人がいる場合には、それより下位は法定相続人となれないことを押さえておくこと。

☞ 教科書(共) CHAPTER 6・SECTION 2

1　○　法定相続分の対象は、**T**さんが残した3,000万円から知人**U**さんに遺贈される1,000万円を引いた2,000万円となる（遺言による遺贈が優先されるため）。これに生前贈与分の1,000万円を足した3,000万円を、**B**さん、**C**さん、**D**さんが均等に相続することになる。ただし、**B**さんは生前贈与分が相殺されるため、**何ら取得できない。**

2　×　**解説1**のとおりである。

3　×　**解説1**のとおりである。

4　×　2013（平成25）年の民法改正により、法定相続分を定めた規定のうち非嫡出子の相続分を嫡出子の相続分の2分の1と定めた部分が削除され、嫡出子と非嫡出子の相続分が同等になった。したがって、**D**さんは、**1,000万円を取得する。**

5　×　**B**さんが生前贈与を受けた残額の500万円は、法定相続分の算定に直接影響を及ぼすものではなく、**B**さんが**返還する必要はない。**

| 問題38 | 正解　**1**　●──日本国憲法の基本原理の理解 | 重要度 ★★ |

> ●日本国憲法には、国民主権、権力分立、基本的人権の保障という3つの基本原理がある。なお、国の財政については、日本国憲法第83条から第92条までの内容をしっかり理解しておくことが重要である。

☞ 教科書(共) CHAPTER 6・SECTION 2

1　○　記述のとおりである。**財政処理の基本原則**として日本国憲法第83条に規定されている。

2　×　日本国憲法第60条では、「予算は、**さきに衆議院に提出**しなければならない」と規定されている。

3　×　日本国憲法第84条では、「あらたに租税を課し、又は現行の租税を変更するには、法律又は法律の定める条件によることを必要とする」と規定されている。

4　×　日本国憲法第88条では、「すべて皇室の費用は、**予算に計上して国会の議決**を経なければならない」と規定されている。

5　×　日本国憲法第87条第2項では、「すべて予備費の支出については、内閣は**事後に国会の承認**を得なければならない」と規定されている。

| 問題39 | 正解　**2**　●──行政法の理解 | 重要度 ★★★ |

●行政法とは、行政に関わる法律の総称・法分野であって、行政法という名の法律はない。そのため、行政法を理解するには、社会福祉士が関わることの多い、行政手続きや行政救済に関する法律を中心に把握していくことが重要である。

☞ 教科書(共) CHAPTER 6・SECTION 2

1　×　介護保険法第183条により、介護保険の保険給付や保険料の徴収に関する不服については、都道府県に設置されている**介護保険審査会に審査請求**することが規定されている。

2　○　介護保険法第183条により、審査請求の対象となるのは、**保険給付に関する処分**と**保険料等の徴収金などの処分**についてである。サービス提供事業者との契約に基づく内容については、審査請求の対象にならない。

3　×　障害者総合支援法第97条では、**都道府県知事**に対して審査請求することができると規定されている。なお、**障害者介護給付費等不服審査会**は、都道府県知事が条例により設置することができる機関である。

4　×　国民健康保険法第91条及び第92条では、審査請求は都道府県に設置されている**国民健康保険審査会**に対して行うことができると規定されている。

5　×　生活保護法第69条では、審査請求に対する**裁決を経た後**でなければ、訴えを提起することができないと規定されている。

| 問題40 | 正解　**3**　●──成年後見の概要 | 重要度 ★★★ |

●成年後見制度とは、認知症や障害によって十分な判断能力をもてない人々の生活を支えるための制度である。判断能力が不十分な人々を後見することで、本人の権利を擁護する「民法」に規定された制度である。

☞ 教科書(共) CHAPTER 6・SECTION 4

1　×　民法第7条に規定されている後見開始の申立人の中に**本人が含まれている**。本人以外の後見開始の申立ての場合、本人の同意は必要ない。なお、補助開始の審判には、本人の同意が必要である。

2　×　民法第738条では、**成年被後見人が婚姻するときには、成年後見人の同意を必要としない**ことが規定されている。

3　○　居住用の不動産の処分の場合は裁判所の許可が必要であるが、**居住用以外の不動産の処分の場合、裁判所の許可は必要としない**ことが規定されている。

4 × 成年後見人には、「個人」だけでなく、「**法人**」もなることができる。民法第843条第4項では、法人を選任する場合の条件等を規定している。

5 × 民法第844条では、正当な事由による辞任の場合、家庭裁判所への「届出」ではなく、「**許可**」が必要であると規定されている。

問題41 | 正解 **3** ●——成年後見制度の動向 | 重要度 ★★★

●成年後見関係事件とは、後見開始、保佐開始、補助開始、任意後見監督人選任に関係する申立てなどの手続きのことをいう。最新の動向をチェックしておくこと。

☞ 教科書(共) CHAPTER 6・SECTION 4

1 × 成年後見関係事件の申立件数で**最も多いのは後見開始**で、申立総件数の約7割（約69.2%）を占めている。任意後見監督人選任は最も少なく、約2.1%である。

2 × 申立人で最も多いのは、「**市区町村長**」である。以下、「本人」「子」「兄弟姉妹」「その他親族」「親」「配偶者」の順となっている。

3 ○ 鑑定を実施したものは約4.5%であった。

4 × 成年後見人等と本人との関係は、「親族以外」が約81.9%を占めているが、内訳では「**司法書士**」が最も多く、次いで「弁護士」「社会福祉士」の順となっている。親族では「**子**」が最も多く、次いで「その他親族」「兄弟姉妹」の順となっている。

5 × 成年後見制度の利用者数の内訳を多い順にみると、成年後見、保佐、補助、任意後見となる。成年後見は全体の約7割（約71.7%）を占めている。

問題42 | 正解 **4** ●——成年後見制度利用支援事業の概要 | 重要度 ★★

●成年後見制度利用支援事業とは、成年後見制度の利用が望ましいものの経済的な理由でそれがかなわないときに、その費用について支援する仕組みである。事業の概要を整理しておくこと。

☞ 教科書(共) CHAPTER 6・SECTION 4

1 × 高齢者においては**地域支援事業**として、障害者においては**地域生活支援事業**として実施される。

2 × 認知症高齢者については2006（平成18）年度から、知的障害者と精神障害者については2008（平成20）年度から、市町村長申立て以外の場合も対象となった。

3 × この事業は、経済的理由等で成年後見制度を利用することに制約がある場合に、かかる**費用の全部または一部を補助**する厚生労働省の事業である。

4 ○ この事業による助成対象には、申立て費用に加え、後見人、後見監督人等の**報酬**も含まれる。

5　✕　記述は、**日常生活自立支援事業**の説明である。

●権利擁護を支える法制度

地域福祉と包括的支援体制

問題43	正解 **3** ●──地域福祉の理念	重要度 ★★

●地域福祉を推進する際には、共通の理念をもって進めることが重要である。地域福祉を支える理念には、ノーマライゼーション、ソーシャル・インクルージョン、エンパワメント、利用者主体・当事者主体、アドボカシーなどがある。

☞ 教科書(共) CHAPTER 7・SECTION 1

1 × ノーマライゼーションの理念の下では、**健常者と障害者が共に地域社会の中で生活をする状態**こそがノーマルだと考える。

2 × ソーシャル・インクルージョンとは、マイノリティであることを理由に社会から差別・排除された人々をもう一度**社会に包摂**しようとする理念を指す。

3 ○ エンパワメントとは、元来もっていたものの発揮できていなかった**力を自覚し、発揮できるように支援する**ことを指す。エンパワメントの支援においては、援助者は**ストレングス視点**をもつことが重要である。

4 × 利用者主体の支援には、サービスに本人を合わせることは含まれない。

5 × 本人に判断がつかない場合には、本人に可能な方法で選択肢を示すこともアドボカシーの方法のひとつである。

問題44	正解 **3** ●──地域福祉における住民参加の意義	重要度 ★★★

●社会福祉法(第4条)において、「地域福祉の推進」や「地域住民の参加する機会」が努力義務として定められている。社会福祉法を通して「地域住民の役割」を把握することが重要である。

☞ 教科書(共) CHAPTER 7・SECTION 1

1 × 社会福祉法で福祉計画の策定が規定されているのは、**市町村地域福祉計画**である。地域福祉活動計画は、社会福祉協議会が策定する**民間計画**である。

2 × 社会福祉法第4条第2項の規定では、「**推進に努めなければならない**」という**努力義務**が規定されている。

3 ○ 記述のとおりである。学校教育法第31条に規定されている。

4 × 特定非営利活動法人の活動分野は、「**保健、医療又は福祉の増進を図る活動**」が最も多い(2024年3月31日現在)。

5 × 障害者基本法第3条第1項で、共生社会の実現は各号に掲げる事項を旨として図らなければならないとし、その第1号に「全て障害者は、**参加する機会を確保されること**」と規定されており、努力義務ではない。

問題45 正解 **4** ●——社会福祉協議会 重要度 ★★★

●社会福祉協議会は、地域福祉の推進を図ることを目的とする団体である。全国社会福祉協議会、都道府県や指定都市を単位とする都道府県・指定都市社会福祉協議会、市町村を単位とする 市町村社会福祉協議会がある。

☞ 教科書(共) CHAPTER 7・SECTION 1

1　×　社会事業に従事する者の養成や研修を行うのは、**都道府県社会福祉協議会**である。

2　×　社会福祉を目的とする事業を経営する者及び社会福祉に関する活動を行う者が参加することと定められているのは、**市町村社会福祉協議会**である。

3　×　日常生活自立支援事業は、**第二種社会福祉事業**に位置づけられている。

4　○　生活福祉資金の貸付けでは、原則として連帯保証人が必要となるが、連帯保証人がいなくても**貸付利子を有利子**にして貸付けができる資金がある。

5　×　民生委員は、市町村の民生委員推薦会で選考された後、**都道府県知事**が地方社会福祉審議会に意見を聴き、厚生労働大臣に推薦する。

問題46 正解 **5** ●——専門職や地域住民の役割と実際 重要度 ★★★

●民生委員・児童委員、福祉活動専門員、ボランティアコーディネーター、市民後見人、介護相談員、生活支援コーディネーター、認知症サポーターなどの役割を整理しておくこと。

☞ 教科書(共) CHAPTER 7・SECTION 1

1　×　民生委員が関与する住民に年齢による制限はない。Fさんの情報をどのように集め、これからどのように対応していくかを考えるのが適切である。

2　×　生活に困りごとを抱えていると思われる住民が市営住宅に住んでいるからといって、管理する住宅建設課に相談に行くよう勧めるのは適切ではない。

3　×　この段階で対応を地域包括支援センターに任せることは適切ではない。Fさんの情報を収集し、地域包括支援センターでの支援が適切だと判断した場合に引継ぎを行う。

4　×　Fさんの心身状態を把握せず、年齢だけで就労が可能だと判断することは適切ではない。

5　○　Fさんの状況を確認することは重要である。そのうえで、地域で暮らす他の人にも共通する問題があるかを検討することは有効な方策といえる。

問題47	正解	**2・5**	●──専門職や地域住民の役割と実際	重要度 ★★★

●福祉活動専門員（コミュニティワーカー）は、市町村社会福祉協議会に配置され、社会福祉活動に関する調査・企画・連絡調整などを行い、実施活動の推進にも従事する。

☞ 教科書（共）　CHAPTER 7・SECTION I

1　×　医療機関にかかっている人たちの個人情報を、医療機関から収集することはできない。

2　○　住民に、既存の社会資源を確認し、どのような社会資源が不足しているかを考えてもらう発言として、適切である。

3　×　住民には、何が必要であり、どのような活動ができるのかを考えてもらうことが必要である。この発言は、**G**福祉活動専門員による一方的な提案であり、適切ではない。

4　×　**解説3**と同様、**G**福祉活動専門員による一方的な提案である。

5　○　高齢者の生活状況や食生活について考えてもらう発言として、適切である。

問題48	正解	**4**	●──地域包括ケアシステムの構築方法と実際	重要度 ★★★

●地域包括ケアシステムとは、地域の実情に応じて、高齢者が可能な限り、住み慣れた地域で自立した日常生活を営むことができるよう、介護、医療、予防、住まい、自立した日常生活の支援が包括的に確保される体制のことである。

☞ 教科書（共）　CHAPTER 7・SECTION 4

1　×　**介護、医療、予防、住まい、生活支援・福祉サービス**が5つの構成要素として相互に関係し連携しながら在宅の生活を支えている。

2　×　単身・高齢者のみ世帯が主流になるなかで、在宅生活を選択することの意味を、本人や家族が理解し、そのための心構えをもつことが重要であるとしている。

3　×　社会福祉法第4条第3項の規定であるが、主体となるのは地方自治体ではなく**地域住民等**（地域住民、社会福祉事業を経営する者及び社会福祉に関する活動を行う者）である。

4　○　**地域包括ケア研究会報告書**に記述されている。

5　×　地域包括支援センターは、介護保険法第115条の46に規定されているが、社会福祉法で**第二種社会福祉事業**として規定されているのは、**老人介護支援センター**である。

問題49	正解	**2**	●──福祉行政の専門機関	重要度 ★★★

●福祉行政の組織・団体などの専門機関は、福祉六法や障害者総合支援法、介護保険法

などの社会福祉関係法に関して支援を実施している。それぞれ設置の根拠となる法律、設置者、設置義務の有無などを押さえておく。

☞ 教科書（共） CHAPTER 7・SECTION 2

1　×　福祉事務所は、社会福祉法に基づき設置され、指導監督を行う所員及び現業を行う所員は**社会福祉主事**でなければならないとされている（同法第15条第6項）。

2　○　記述のとおりである。児童福祉法第12条の4に規定されている。**児童相談所長**または**都道府県知事**等が必要と認める場合には、児童を児童相談所に付属する一時保護所に一時保護し、または児童福祉に深い理解と経験を有する適当な者に一時保護を委託することができる（同法第33条第1項及び第2項）。

3　×　身体障害者更生相談所は、**身体障害者福祉法**に基づき設置され、必要に応じ、巡回してその業務を行うことができるとされている（同法第11条第3項）。

4　×　女性自立支援施設は、「困難な問題を抱える女性への支援に関する法律」（**女性支援新法**）に基づき、**都道府県**に設置可能な施設である。困難な問題を抱える女性の意向を踏まえながら、入所・保護、医学的・心理学的な援助、自立の促進のための**生活支援**を行い、併せて**退所**した者についての**相談**等を行う（同伴児童の**学習・生活**も支援）。記述は、**女性相談支援センター**（都道府県は**設置義務**、指定都市は**任意設置**）の説明である。

5　×　市町村保健センターは、**地域保健法**に基づき設置され、住民に対し、健康相談、保健指導及び健康診査等の事業を行うことを目的とする施設である（同法第18条第2項）。

問題50　　正解　**4**　●──福祉財政の状況　　　　　重要度 ★★★

●地方公共団体の経費は、その行政目的によって、総務費、民生費、土木費、教育費等に大別できる。民生費は、2022（令和4）年度の地方公共団体の歳出額において全体の25.8%を占め、最大の費目となっている。

☞ 教科書（共） CHAPTER 7・SECTION 2

1　×　地方公共団体の歳入純計決算額は121兆9,452億円で、前年度と比べると4.9%減となっている。このうち、地方税は44兆522億円（36.1%）で、前年度と比べると3.9%**増加**している。一方、国庫支出金は26兆7,115億円（21.9%）で、前年度と比べると16.7%**減少**している。

2　×　2022（令和4）年度の国内総生産（名目）は566兆4,897億円で、支出主体別の構成比は、家計部門が58.5%、公的部門が26.7%、企業部門が18.9%となっている。公的部門のうち、地方が11.7%、国が4.6%を占め、**地方の構成比は国の約2.5倍**である。

3　×　地方公共団体は、児童福祉、社会福祉施設の整備及び運営、生活保護の実施等

の施策を行っており、それらに要する経費である民生費の決算額は30兆2,720億円となっている。その内訳は、都道府県が9兆2,840億円、市町村が24兆7,012億円であり、**市町村の民生費が都道府県のそれの約2.7倍**となっている。

4 ○ 民生費の財源構成をみると、**一般財源等**が19兆645億円（63.0％）で最も大きく、国庫支出金が10兆1,083億円（33.4％）、その他が1兆1,083億円（3.6％）と続く。

5 × 介護保険事業の保険事業勘定の歳出決算額は11兆6,164億円で、前年度と比べると0.7％増となっている。歳出の内訳をみると、保険給付費が10兆5,245億円で最も多く、全体の**9割**（90.6％）を占め、前年度と比べると0.8％増となっている。

問題51 **正解 4** ●──福祉計画の策定過程　　　　　**重要度 ★★★**

●福祉計画等の策定プロセス、福祉計画の策定と変更の際の手続きや留意点について整理しておくこと。

☞ 教科書（共）CHAPTER 7・SECTION 3

1 × 都道府県は、都道府県地域福祉支援計画を定め、または変更しようとする際には、あらかじめ住民その他の者の意見を反映させるために**必要な措置を講ずるよう努める**こととなっている。

2 × 市町村老人福祉計画を定め、または変更しようとする際には、あらかじめ**都道府県の意見**を聴かなければならないとされている。

3 × 協議会の設置は義務ではない。協議会を設置したときには、あらかじめ**協議会の意見を聴くよう努めなければならない**とされている。

4 ○ 記述のとおり、あらかじめ、被保険者の意見を反映させるために**必要な措置を講ずる**こととされている。

5 × 都道府県は医療計画を定め、または変更しようとする際には、あらかじめ都道府県医療審議会、市町村、高齢者医療確保法に基づく保険者協議会の**意見を聴かなければならない**とされている。

障害者福祉

問題52 | **正解　4** ●──生活のしづらさなどに関する調査 | **重要度 ★★**

●厚生労働省は、在宅の障害児・者等の生活実態とニーズを把握することを目的として、「生活のしづらさなどに関する調査」をおおむね5年に1回行っている。障害別の特徴と傾向を把握しておく。

☞ 教科書(共) **CHAPTER 8・SECTION 2**

1 × 2022（令和4）年の調査によると、障害者手帳所持者は610万人となっており、500万人を**超えている**。

2 × 精神障害者保健福祉手帳所持者の割合を等級別にみると、**2級（中度）**が最も多く（50.5%）、次いで軽度の3級（26.4%）、重度の1級（13.7%）の順となっている。

3 × 身体障害者手帳所持者の割合を年齢階級別にみると、**約7割が65歳以上の高齢者**となっている。

4 ○ 記述のとおりである。このうち、身体障害児（0〜17歳）の割合だけをみても、**肢体不自由**が最も多くなっている。

5 × 療育手帳所持者の割合を年齢階級別にみると、**17歳以下**が最も多く（24.7%）、次いで20〜29歳（20.1%）、65歳以上（14.6%）の順となっている。

問題53 | **正解　5** ●──障害者情報アクセシビリティ・コミュニケーション施策推進法 | **重要度 ★★★**

●2022（令和4）年5月25日に「障害者情報アクセシビリティ・コミュニケーション施策推進法」が公布・施行された。概要を確認しておこう。

☞ 教科書(共) **CHAPTER 8・SECTION 2**

1 × 「障害者情報アクセシビリティ・コミュニケーション施策推進法」の基本理念において、障害の**種類・程度に応じた手段を選択できる**ようにすることが示されている。

2 × 同法における「障害者」とは、**障害者基本法**第2条第1号に規定する障害者（身体障害、知的障害、精神障害（発達障害を含む。）その他の心身の機能の障害がある者であって、障害および社会的障壁により継続的に日常生活または社会生活に相当な制限を受ける状態にあるもの）をいう。

3 × 地方公共団体は、基本理念にのっとり、その**地域の実情**を踏まえ、障害者による情報の取得および利用、並びに意思疎通に係る施策を策定し、および実施する責務を有する。記述は、国の責務である。

4 × 事業者は、障害者が必要とする情報を十分に取得および利用、並びに円滑に意思疎通を図ることができるようにするよう**努めなければならない**。義務ではなく

努力義務である。

5　○　記述のとおりである。

問題54　正解　**2**　●──地域障害者職業センターの就労支援　重要度 ★★★

●特別支援学校とは、障害のある幼児・児童・生徒の自立や社会参加に向けた主体的な取組を行い、生活や学習上の困難を改善または克服するために特別な指導及び必要な支援を行う学校である。

☞ 教科書（共）CHAPTER 8・SECTION 4

1　×　**就労支援員**は、**生活困窮者自立相談支援事業**において、ハローワークや協力企業などと連携をとり、生活困窮者への就労支援を行う者である。

2　○　**ジョブコーチ**は、障害者の勤務する事業所に派遣され、就労の場で直接仕事を覚える手助けや職場との調整をする者である。**事業所**と**障害者**の両者に対する支援として最も適切である。

3　×　**障害者職業カウンセラー**は、障害者職業センターで、**職業評価**（能力評価とリハビリテーション計画の策定）、**職業準備支援**（職場のルール・職場での態度・労働習慣等の体得や職場見学や講演）などを行う。なお、事業所に派遣されるのは、ジョブコーチである。

4　×　**就労継続支援事業**は、一般就労ではなく、**福祉的就労を継続**するための支援である。

5　×　**地域活動支援センター**は、創作活動、生産活動、社会との交流を行う場である。

問題55　正解　**5**　●──相談支援専門員の役割　重要度 ★★

●相談支援専門員とは、障害のある人が自立した日常生活や社会生活を送ることができるよう障害福祉サービスなどの利用計画の作成、地域生活への移行・定着に向けた支援、住宅への入居等の支援、成年後見制度に関する支援など、全般的な相談支援を行う者である。

☞ 教科書（共）CHAPTER 8・SECTION10

1　×　Jさんの両親に知らせずに、Jさんのみに**情報提供**するのは不適切である。

2　×　本人の**自己決定**を尊重せず、Jさんの知らないところで両親に約束することは不適切である。

3　×　本人の自己決定を尊重せず、現状で無理だと決めつけるのは**審判的態度**であり、不適切である。

4　×　障害者の事業所の工賃引き上げには限界がある。検討を依頼する程度ならまだしも、Jさんに代わって交渉するのは不適切である。

5　○　両親の心配を解消するためにも、グループホームによる生活のためにも、**自立生活の訓練**は有効である。

| 問題56 | 正解　4　●——障害者の職業紹介状況等 | 重要度　★ |

●障害者の就職や雇用について、本調査や「障害者雇用実態調査」など、最新統計等で把握しておくこと。

☞ 教科書（共）　**CHAPTER 8・SECTION10**

1　×　ハローワークを通じた障害者の就職率は**44.4%**（前年度差0.5ポイント増）となっており、7割を超えていない。

2　×　産業別の就職件数をみると、「**医療、福祉**」が4万4,153件（構成比39.9%）で最も多く、次いで「製造業」が1万3,098件（同11.8%）、「卸売業、小売業」が1万1,623件（同10.5%）、「サービス業」が1万1,520件（同10.4%）の順となっている。

3　×　障害種別の就職率をみると、**知的障害者**が最も高く、59.2%（前年度差1.4ポイント増）となっている。

4　○　記述のとおりである。精神障害者の新規求職申込件数は13万7,935件（前年度比11.6%増）、身体障害者は5万9,202件、知的障害者は3万7,515件となっている。

5　×　ハローワークを通じた障害者の就職件数は、2008（平成20）年度以降増加し続けていたが、2020（令和2）年度に12年ぶりに減少した（前年度比12.9%減）。その後は再び**増加**に転じ、2023（令和5）年度には11万756件（前年度比8.0%増）で過去最高となっている。

| 問題57 | 正解　1　●——精神保健福祉法の概要 | 重要度　★★ |

●「精神保健福祉法」は、精神障害者の医療や保護、また、「障害者総合支援法」とともに、精神障害者が社会復帰するために必要な施策の規定、さらに精神疾患の発生の予防や精神的健康を保てるようにするための施策について規定している。

☞ 教科書（共）　**CHAPTER 8・SECTION 6**

1　○　「精神保健福祉法」には、「精神障害者の**医療及び保護**」の実施、精神障害者の「**社会復帰の促進**及び**自立と社会経済活動への参加**の促進のために必要な援助」を行う、精神障害の「**発生の予防その他国民の精神的健康の保持及び増進に努める**」ことにより、「精神障害者の福祉の増進及び**国民の精神保健の向上を図ること**」を目的とすることが規定されている。なお、2022（令和4）年12月10日の法改正により目的規定における権利擁護が明確化され、「障害者基本法の基本的な理念にのっとり、精神障害者の権利の擁護を図りつつ」という文言が追加された（施行は同年12月16日）。

2 ×　精神障害者の定義として、同法第5条に「統合失調症、精神作用物質による急性中毒又はその依存症、**知的障害**その他の精神疾患を有する者」と規定されている。ただし知的障害者の福祉については知的障害者福祉法の規定に沿う。

3 ×　精神障害者保健福祉手帳は、**都道府県知事**または**政令指定都市市長**により交付されるが、**判定は精神保健福祉センター**で行われる。

4 ×　精神障害者保健福祉手帳の有効期限は**2年**である。

5 ×　精神保健福祉センターは、**精神医療審査会**の事務を担当する。障害者介護給付費等不服審査会は、**障害者総合支援法**で規定されている。

刑事司法と福祉

| 問題58 | 正解　**2**　●──更生保護制度の概要 | 重要度 ★★★ |

●更生保護制度は、1949（昭和24）年制定の犯罪者予防更生法により国の制度として創設され、現行制度は、同法と執行猶予者保護観察法を整理・統合して成立した更生保護法により基礎づけられている。

☞ 教科書(専)　CHAPTER 9・SECTION 2

1　×　更生保護制度は、「更生保護」の語を法律において初めて用いた**犯罪者予防更生法**（1949〈昭和24〉年制定）により、国の制度として創設された。なお、司法保護事業法（1939〈昭和14〉年制定）では、司法保護団体や司法保護委員の制度化が規定された。

2　○　更生保護法第1条は、同法の目的として、記述の内容のほか、恩赦の適正な運用や犯罪予防の活動の促進等によって、**社会を保護**し、**個人及び公共の福祉を増進**することも挙げている。

3　×　更生保護は国の制度である。**国がその責任において**、更生保護ボランティアと呼ばれる保護司や更生保護施設などとの協力の下、関係機関・団体との幅広い連携によって推進する。

4　×　司法福祉とは、**司法的機能**と**福祉的機能**を併せ持つ**家庭裁判所調査官**による少年事件や家庭事件への関与を中心とする実践領域である。

5　×　更生保護法第2条第3項は、国民に対し、同法の目的を達成するため、「その地位と能力に応じた寄与をするように努めなければならない」としている。これは**努力義務**であって、義務づけられてはいない。

| 問題59 | 正解　**4**　●──少年法 | 重要度 ★★ |

●社会情勢の変化および少年による犯罪の実情に鑑み、2021（令和3）年5月に少年法が改正された（2022〈令和4〉年4月施行）。第37回試験で出題される可能性があるので、改正内容を押さえておこう。

☞ 教科書(専)　CHAPTER 9・SECTION 1

1　×　少年の定義は、従来どおり、**20歳未満の者**とされている。

2　×　16歳以上ではなく、**18歳以上の者**を特定少年と位置づけた。

3　×　事件の軽重を問わず、全事件を**家庭裁判所**に送致する**全件送致主義**は従来どおりであるが、これまでの16歳以上で故意の犯罪行為で被害者を死亡させた事件に加え、**1年以上の懲役・禁錮に当たる罪**（強盗や強制性交など）を犯した**特定少年**も、**検察官送致（逆送）**とすることとされた。

4 ○ 公職選挙法の改正により、2016（平成28）年から選挙権年齢が**18歳**に引き下げられたことや、2022（令和4）年4月から成人年齢が**18歳**に引き下げられた**民法**との整合性を図るため、少年法の改正も2022（令和4）年4月から施行された。

5 × 特定少年が検察官送致後に起訴された場合、氏名、年齢、職業などを新聞等で報道することが**解禁**された。

| 問題60 | 正解 **5** | ●──社会復帰調整官 | 重要度 ★★ |

●社会復帰調整官は、医療観察制度の処遇に従事する専門スタッフとして、医療観察法に基づいて保護観察所に配置されている。

☞ 教科書（専） CHAPTER 9・SECTION 4

1 × 社会復帰調整官は、「心神喪失等の状態で重大な他害行為を行った者の医療及び観察等に関する法律」（医療観察法）に基づき、**保護観察所に配置**される。地方更生保護委員会の事務局には配置されない。

2 × 社会復帰調整官の任用資格については、医療観察法第20条第3項により「精神保健福祉士その他の精神障害者の保健及び福祉に関する専門的知識を有する者として政令で定めるもの」とされている。

3 × 当初審判で処遇を決定するのは、**裁判官**と**精神保健審判員**各1名からなる**合議体**である。社会復帰調整官は、生活環境の調査などを実施して審判に関する情報収集の役割を担うが、処遇の決定を行う立場にはない。

4 × 審判において、裁判所が必要と認めた場合に意見を述べるのは**精神保健参与員**である。精神保健参与員は、厚生労働大臣があらかじめ作成した精神障害者の保健及び福祉に関する専門的知識及び技術を有する精神保健福祉士等の名簿の中から、地方裁判所が事件ごとに指定する。

5 ○ 裁判所による入院の決定を受けた対象者は、指定入院医療機関において入院による医療を受けるが、その円滑な社会復帰のためには、入院治療の段階から退院に向けた**継続的な取組**が必要となる。その中心的役割を担うのが**社会復帰調整官**で、対象者やその家族等の相談に応じ、関係機関と連携しながら、**退院後の生活環境の調整**を行う。

| 問題61 | 正解 **3・4** ●——更生保護施設 | 重要度 ★★ |

●更生保護施設は、生活基盤をもたないなどの理由ですぐに自立更生ができない者を一定期間保護し、宿泊場所や食事などを提供したり、自立に向けた指導や援助、酒害・薬害教育やSSTなどの専門的な処遇を行う。

☞ 教科書（専） CHAPTER 9・SECTION 3

1　×　更生保護事業法において更生保護施設とは、被保護者の**改善更生に必要な保護**を行う施設のうち、**被保護者を宿泊させること**を目的とする建物及びそのための設備を有するものをいう（第2条第7項）。

2　×　更生保護施設の運営は、**更生保護法人と社会福祉法人に限定されない**。2023（令和5）年4月現在、全国に102ある更生保護施設のうち、99施設は更生保護法人が運営し、社会福祉法人、NPO法人、一般社団法人がそれぞれ1施設を運営している。

3　○　更生保護施設は、宿泊場所や食事の提供など、被保護者（入所者）が自立の準備に専念できる生活基盤を提供するだけでなく、**社会生活に適応するための生活指導**など、地域社会の一員として円滑に社会復帰するための指導なども行う。

4　○　更生保護施設において、入所者の指導や援助を行う補導員は、**保護司を兼ねる**ことができる。

5　×　更生緊急保護は、対象者が刑事上の手続きまたは保護処分による身体拘束を解かれた後、**最大6か月**の間行うが、その改善更生を保護するため特に必要があると認められるときは、**さらに6か月を超えない範囲内**で、これを行うことができる（更生保護法第85条第4項）。

| 問題62 | 正解 **2** ●——医療観察制度 | 重要度 ★★★ |

●医療観察制度では、対象者に対し、継続的かつ適切な医療並びにその確保のために必要な観察及び指導を行うことによって、病状の改善及びこれに伴う同様の行為の再発の防止を図り、社会復帰を促進することを目的としている。

☞ 教科書（共） CHAPTER 9・SECTION 4

1　×　医療観察制度における医療は、都道府県知事ではなく、**厚生労働大臣が指定**する指定入院医療機関または指定通院医療機関で行われる。

2　○　医療観察制度の対象者は、**心神喪失**または**心神耗弱**の状態で**重大な他害行為**を行い、❶心神喪失者または心神耗弱者と認められて**不起訴処分**となった者、❷心神喪失を理由として**無罪**の裁判が確定した者、❸心神耗弱を理由として刑を**減軽**する旨の裁判が確定した者（実刑になる者は除く）のいずれかに該当する者である。重大な他害行為とは、❶殺人、❷放火、❸強盗、❹不同意わいせつ、❺不同

意性交等（これらの未遂等も含む）、❻傷害（軽微なものを除く）にあたる行為をいう。

3 × 精神保健観察に付される期間は、医療観察制度の処遇の終了までであり、原則、裁判所において通院決定や退院決定を受けた日から**3年間**とされている。

4 × 「医療観察法」は2003（平成15）年に制定されているが、「精神保健福祉法」による措置入院は**廃止されていない**。ただし、医療観察制度導入の背景には、❶「精神保健福祉法」に基づく措置入院での対応では**専門的な治療が困難**である、❷退院後の**継続的医療の確保**に関する実効性のある仕組みがない、❸精神保健指定医の負担が大きい、❹都道府県を越えた**連携の確保が困難**であるなどの問題があった。

5 × 精神保健観察に付された者は、その居住地を管轄する**保護観察所の長**に当該居住地を届け出るほか、❶一定の**住居**に居住すること、❷住居を**移転**し、または長期の**旅行**をするときは、あらかじめ、保護観察所の長に届け出ること、❸保護観察所の長から**出頭**または**面接**を求められたときは、これに応ずることという「**守るべき事項**」が規定されている。

| 問題63 | 正解 **3** | ●──仮釈放等 | 重要度 ★★ |

●更生保護制度における保護観察の流れ、仮釈放等の種類と流れ、関係機関の役割について理解しておく。

教科書（共） CHAPTER 9・SECTION 2

1 × 仮退院の許否や取消しの判断は、家庭裁判所ではなく、**地方更生保護委員会**が行う。

2 × 記述は、**仮釈放**の説明である。少年院からの仮退院の要件は、❶処遇の**最高段階**に達した者については、保護観察に付することが本人の**改善更生**のために相当であると認めるとき、❷処遇の最高段階に達していない場合においては、その努力により成績が向上し、保護観察に付することが改善更生のために特に必要であると認めるときである。

3 ○ 少年院からの仮退院の期間中は、保護観察（**2号観察**）が付される。

4 × 少年院仮退院者における特別遵守事項の内容は、保護観察所長ではなく、**地方更生保護委員会**が定める。

5 × **解説3**のとおりである。1号観察は、**家庭裁判所**の決定により**保護観察処分**に付された少年に対する保護観察を指す。

ソーシャルワークの基盤と専門職

| 問題64 | 正解　**1** | ●——社会福祉士及び介護福祉士法 | 重要度 ★★★ |

●社会福祉士及び介護福祉士法は、社会福祉士及び介護福祉士の資格を定めて、その業務の適正を図り、もって社会福祉の増進に寄与することを目的とする法律である。社会福祉士の定義や欠格事由などは確実に押さえておくこと。

☞ 教科書(共) CHAPTER10・SECTION 1

1　○　「**社会福祉士**又は介護福祉士は、社会福祉及び介護を取り巻く環境の変化による業務の内容の変化に適応するため、**相談援助**又は介護等に関する**知識**及び**技能**の向上に努めなければならない」とされている。

2　×　**秘密保持の義務**は、社会福祉士でなくなった後においても適用される。

3　×　社会福祉士は、**福祉サービスを提供する者**または医師その他の**保健医療サービスを提供する者**その他の関係者との**連絡及び調整**その他の援助を行うことは規定されているが、ボランティアへの助言や指導については規定されていない。

4　×　**社会福祉士**は、その業務を行うに当たって、その担当する者に、**福祉サービス**及び**保健医療サービス**その他のサービスが総合的かつ適切に提供されるよう、**地域に即した創意と工夫を行いつつ**、福祉サービス関係者等との**連携を保たなければならない**とされている。

5　×　**社会福祉士**及び**介護福祉士**は、その担当する者が個人の尊厳を保持し、自立した日常生活を営むことができるよう、**常にその者の立場に立って、誠実にその業務を行わなければならない**とされている。

| 問題65 | 正解　**4** | ●——ソーシャルワークのグローバル定義 | 重要度 ★★ |

● 「ソーシャルワークのグローバル定義」において、ソーシャルワークは、社会変革と社会開発、社会的結束、及び人々のエンパワメントと解放を促進する、実践に基づいた専門職であり学問であると定義している。

☞ 教科書(共) CHAPTER10・SECTION 2

1　×　**自民族中心主義**とは、他の文化を低めたり、否定的に判断したりすることである。グローバル定義では、多様性の尊重と地域・民族固有の知を強調している。

2　×　個人的正義ではなく、**社会正義の原理**に基づいている。

3　×　自己変革ではなく、**社会変革の促進**を目指している。

4　○　ソーシャルワーク専門職は、社会変革と社会開発、社会的結束、及び人々の**エンパワメント**と解放を促進する、実践に基づいた専門職であり学問である。

5　×　ソーシャルワークは、西洋の歴史的な科学的植民地主義と覇権を**是正しようと**

するものである。

正解　1　●──ソーシャルワークの形成過程　　　重要度 ★★

●ソーシャルワークの形成過程を理解するには、ソーシャルワークの起源から発展期までの歴史的動向を把握する必要がある。ソーシャルワークが統合化されるまでの形成過程は体系的に覚えることが重要である。

☞ 教科書(共) CHAPTER10・SECTION 4

1　○　**ジェーン・アダムス**は、シカゴに**ハル・ハウス**を開設（1889年）し、「生活困窮者のためではなく、共に生きる」の標語を掲げてセツルメント活動を展開した。

2　×　1915年に「ソーシャルワークはまだ専門職ではない」と論じたのは、**フレックスナー**である。

3　×　1954年に「リッチモンドに帰れ」と主張したのは、**マイルズ**である。

4　×　1957年に「ソーシャルワークはすでに専門職である」と論じたのは、**グリーンウッド**である。

5　×　1967年に「ケースワークは死んだ」との論文を発表したのは、**パールマン**である。

正解　2・4　●──社会福祉士の倫理綱領　　　重要度 ★★★

●倫理綱領とは、価値に基づく実践を行うために専門職がとるべき行動の基準を定めたもの。社会福祉士の倫理綱領は、「前文」「価値と原則」「倫理基準」から構成されている。

☞ 教科書(共) CHAPTER10・SECTION 5

1　×　倫理基準Ⅰ利用者に対する倫理責任の4（**説明責任**）の規定であるが、「専門的な表現」ではなく「**わかりやすい表現**」である。

2　○　倫理基準Ⅳ専門職としての倫理責任の4（**専門職の擁護**）に規定されている。

3　×　倫理基準Ⅰ利用者に対する倫理責任の9（**記録の開示**）の規定であるが、「関係者から記録の開示の要求があった場合、本人又は家族」ではなく、「**利用者から記録の開示の要求があった場合、本人**」に記録を開示すると規定されている。

4　○　倫理基準Ⅰ利用者に対する倫理責任の2（**利用者の利益の最優先**）に規定されている。

5　×　倫理基準Ⅱ実践現場における倫理責任の2（**他の専門職との連携・協働**）の規定であるが、「他の専門職の領域に踏み込まない」ではなく、「**他の専門職等と連携・協働**する」ことが規定されている。

問題68 | 正解 **5** ●——尊厳の保持 | 重要度 ★★

●尊厳の保持とは、その人が人としてかけがえのない存在として認識され、その権利が尊重されることである。社会福祉士にとって最も大切な倫理である。

☞ 教科書(共) CHAPTER10・SECTION 3

1 × 痛みが強くなっている現実に対し、関節リウマチの痛みに触れないで済ますのは不適切である。

2 × 感情的な発言や要求が多くなり、対応に困るLさんに対して、他の利用者の目に触れないように隔離する、あるいは他の利用者への対応を見せないようにするのは不適切な対応である。

3 × 衰えていく利用者の心理的葛藤が感情的発言の原因と考えるべきである。できないことをはっきり伝えるよりも、信頼関係を構築するための方策を考えるべきである。

4 × 対応に困るからといって利用者を早期に退所させるのは、施設の方針として好ましくない。施設の理念や評判にも関わることなので、慎重な対応を要する。

5 ○ Lさんの感情的発言の原因は、痛みや体を動かせる範囲が狭まってきたことへの心理的葛藤だと思われる。辛さを受け止めながら支えるという方針は適切である。

問題69 | 正解 **3** ●——福祉行政等における職員 | 重要度 ★★★

●児童福祉司は、児童福祉法に基づき、児童相談所に配置される専門職員である。主に児童及び妊産婦の保護・保健などの福祉に関する事項について相談に応じ、指導を行う。

☞ 教科書(共) CHAPTER 7・SECTION 2

1 × 虐待は可能性での**通告義務**があるが、すでに通告された虐待に関して、児童福祉司の対応としては、今後の母親との人間関係にも配慮すべきである。

2 × 虐待の告知に、母親の自己決定は関係ない。母子分離に関しても、**児童相談所**で判断すべきであって、母親の自己決定による判断ではない。

3 ○ 母親の養育が**虐待**に該当することは**告知**すべきである。ただし、今後の母子関係改善に向けて、母親との人間関係にも配慮することが大切である。

4 × 母親の養育が虐待に該当することは告知すべきである。母親に虐待している自覚がない場合もあるため、**一時的に保護**しても、また虐待を繰り返す可能性がある。

5 × 母親の気持ちに寄り添うことは大切であるが、母親の養育が虐待に該当することは告知すべきである。

ソーシャルワークの理論と方法

| 問題70 | 正解 1・2 ●──システム理論 | 重要度 ★★★ |

●システム理論では、それぞれのシステムが関係し合いながら全体を構成していると考え、その交互作用に着目しながら全体に働きかける視点をもっている。代表的な理論を押さえておく。

☞ 教科書（共） CHAPTER11・SECTION1

1 ○ 記述のとおりである。人のつくり出す社会的なシステムも、生物に備わっているホメオスタシス（**恒常性**）と同様の性質をもつとする考え方である。

2 ○ ベルタランフィ（Bertalanffy, L.）が提唱した**一般システム理論**には、**開放システム**と**閉鎖システム**がある。開放システムは、外部との情報やエネルギーのやり取り(交換)があることから、変容の最終状態はその作用によって結果が異なる。

3 × クライエント・システムは、**ピンカス**（Pincus, A.）と**ミナハン**（Minahan, A.）によって提唱された、ソーシャルワーク実践において関心をもつべき4つのサブシステムの1つで、**援助対象**とする**個人**、**家族**、**集団**、**地域**などを指すものである。記述は、4つのサブシステムのうち、**チェンジ・エージェント・システム**（ワーカー・システム）の説明である。

4 × ウィーナーは、**サイバネティクス**を提唱した人物である。記述は、**ケンプ**（Kemp, S.）らが提唱した。

5 × サイバネティクスは、システムが外界との関係に対応しながら、目的達成のために最適行動をとるように**自己制御**しようとする仕組みである。

| 問題71 | 正解 3 ●──各実践モデル・アプローチの特徴 | 重要度 ★★★ |

●ソーシャルワークの発展とともに、様々な実践モデルやアプローチが提唱されてきた。代表的なものについて、提唱者とアプローチの特徴をまとめておくことが必要である。

☞ 教科書（共） CHAPTER11・SECTION2

1 × 課題中心アプローチは、標的とする問題を確定し、その問題を解決していくために取り組むべき課題を設定し、**期間を限定して**進められる。

2 × 記述は、**行動変容アプローチ**の説明である。問題解決アプローチは、デューイ（Dewey, J.）の合理的問題解決論や、社会学の役割理論などの知見を取り入れながら体系化させたもので、クライエントが主体的に問題解決しようとする「過程」をケースワークと捉え、**ワーカビリティ**を重視する。

3 ○ 危機介入アプローチは、身近な人との別れや自然災害など、**様々な危機**（身体的・精神的な急性の感情的混乱）**に直面**し、強い不安やショック状態にあるクラ

イェントへの援助として導入された。

4　×　記述は、**ナラティブアプローチ**の説明である。エンパワメントアプローチは、クライエント自身が、問題解決に必要な知識やスキルを習得することを支援する。

5　×　解決志向アプローチは、臨床心理学で用いられている**ブリーフセラピー**（**短期療法**）をソーシャルワークに援用したもので、課題を解決するための志向そのものに着目する。

| 問題72 | 正解　**2**　●──各実践モデル・アプローチの特徴 | 重要度 ★★★ |

●様々な実践モデル・アプローチを理解し、対応する事例に合わせた援助を行うことが重要である。

☞ 教科書（共）　CHAPTER11・SECTION 2

1　×　記述は、**解決志向アプローチ**に関する内容である。解決志向アプローチは、直接的因果論や客観的事実を否定し、現在・未来志向の**短期処遇**が特徴である。

2　○　記述のとおり、機能的アプローチは、クライエントが、機関のもつ機能を**自発的に活用**できるように援助するという特徴がある。

3　×　記述は、**ストレングスモデル**に関する内容である。ストレングスモデルでは、クライエントの**長所**や**強み**に着目して援助を行う。

4　×　記述は、**医学モデル**に関する内容である。医学モデルでは、問題の原因と結果という**因果関係に着目**し、原因を特定して**除去**することで問題解決を図る。

5　×　クライエント自身の語りを通して、問題解決のための物語（オルタナティブストーリー）を構築するアプローチは、**ナラティブアプローチ**である。

| 問題73 | 正解　**4・5**　●──支援の計画（プランニング） | 重要度 ★★ |

●プランニングでは、主に❶目標設定、❷具体的な支援内容と方法、❸期間や頻度を検討する。

☞ 教科書（共）　CHAPTER11・SECTION 3

1　×　計画を立案する際には、**適切なアセスメントが不可欠**である。必ずアセスメントをして、援助の具体的な方法を検討する。

2　×　支援計画は、援助者のみで立案するのではなく、**クライエントと協働して行う**ことが望ましい。

3　×　目標は、クライエントの課題解決のためのものであり、**実現可能な目標**を設定する。

4　○　いつまでに目標を達成するのか、どのくらいの頻度で支援するか、といった**具体的な数値**を示すことで、より具体的で現実的な計画となる。

5 ○ 目標は、長期と短期に分け、段階を追った設定をする。短期目標では月単位、長期目標は月〜年単位で達成したいものを掲げる。特に長期目標では、「将来どうありたいのか」という**人生の希望や目標**を設定する。

| 問題74 | 正解　**4**　●──ケアマネジメント | 重要度 ★★★ |

●ケースマネジメントとケアマネジメントはほぼ同義で用いられ、援助者がクライエントと社会資源などを結びつけ、調整する様々な活動をいう。イギリスでケアマネジメントと表現されるようになって以降、その名称が多用される傾向にある。

☞ 教科書（共）　CHAPTER11・SECTION 5

1 × 1970年代以降、アメリカにおいて、精神疾患がある人に対する脱施設化の動きに伴い、地域生活移行に向けたプログラムとしてケースマネジメントが定着し、その後、**高齢者分野、障害者福祉分野**全般へと拡大していった。日本でも、**ケアマネジメントの概念と手法は高齢者分野（介護保険制度）**で導入され、**障害者ケア**にも取り入れられている。

2 × ケアマネジメントの基盤となるのは**クライエントのニーズ**である。つまり、「ニーズありき」の考え方に基づき、クライエントにとって必要なサービスを適切に提供することが求められる。

3 × 近年、福祉サービスの提供主体が多元化するとともに、サービスの内容もますます多様化し、利用者は多くのサービスから選択して利用することが必要となっている。サービスの選択・利用を支援するケアマネジメントでは、類似サービスの二重利用を排し、サービスの**効率性**や**費用対効果**を重視することが求められている。

4 ○ ケアマネジメントは、社会的交流の促進や環境の整備といったクライエントの自立生活支援に必要な社会資源などをクライエントと結びつけ、調整する様々な活動をいう。

5 × ケアマネジメントは、社会福祉や介護、保健医療に係る専門職が担うもので、社会福祉士のみが行う業務ではない。

| 問題75 | 正解　**5**　●──グループダイナミックス | 重要度 ★★★ |

●グループダイナミックスは「集団力学」といわれるもので、集団によって生み出される力のことをいう。個人は、自分の考えや価値観、行動規範などについて集団の影響を受け、個人が集団に影響を与えることもあるため、援助者は十分注意して援助を行う必要がある。

☞ 教科書（共）　CHAPTER11・SECTION 6

1　×　グループワークでは、メンバーが互いの感情を理解し合い、許容的な雰囲気が醸成されることで連帯感が生じる。そのための援助は、ワーカーの重要な役割である。この発言はS君の判断を肯定し、結果的にR君を否定することでグループに緊張や敵意を生じさせる原因となる不適切なものである。

2　×　この発言はS君を批判するものであり、本来、メンバーが自由かつ率直に語り合う場であるグループワークに、ワーカー自身が緊張を生じさせるものである。

3　×　S君への共感を示すことで、結果的にR君を否定することにつながる発言である。

4　×　S君の判断を受けた発言で、R君にとっては素直に応答することが難しい。R君がどのように応じたとしても、グループに緊張や葛藤を生じさせる原因になりかねない。

5　○　R君もS君も否定・批判することなく、メンバー全員に呼びかけることでグループに**連帯感**を生じさせる発言である。

問題76	正解　**4**　●――自助グループ	重要度 ★★★

●自助グループは、援助者などの専門職から独立したグループで、クライエント（メンバー）の自主性に基づき形成されたグループである。なお、専門職は、自助グループの形成過程や形成後の側面支援に関与する。

☞ 教科書（共）　CHAPTERⅡ・SECTION 6

1　×　自助グループ（セルフヘルプグループ）のメンバーは**対等な関係**である。

2　×　自助グループは、専門職や専門機関から援助を受けることもあるが、特定の専門機関の継続的な援助を基本とするものではない。

3　×　自助グループの中には、NPOといった法人格をもつものもあるが、法人格の取得を原則とするものではない。

4　○　自助グループは、同じ課題や目標をもつ者同士が参加するため、自分が援助されると同時に援助する立場にもなる。リースマン（Riessman, F.）は、この援助し、援助される関係を「**ヘルパー・セラピー原則**」（**援助者治療原則**）と名づけた。

5　×　自助グループは、**名前を名乗らなくても参加できる**という匿名性をもっている。グループによっては匿名性を徹底しているものもあるが、全てのグループにおいて匿名性を徹底するものではない。

問題77	正解　**5**　●――スーパービジョン	重要度 ★★★

●スーパービジョンとは、熟練した援助者（スーパーバイザー）から、経験が少なく未熟な援助者（スーパーバイジー）に対し、3つの機能（管理的機能、教育的機能、支持

的機能）を提供する過程をいう。

☞ 教科書（共） CHAPTER11・SECTION 7

1 ×　コンサルタントとコンサルティの関係は**任意で対等**なため、業務に責任は負わない。また、管理的機能をもたない点でスーパービジョンとは異なる。
2 ×　スーパービジョンには、**教育的機能、管理的機能、支持的機能**がある。それらの目的は、組織内統制を図ることではなく、クライエントへのより良い援助の提供のためである。
3 ×　他分野、他領域の専門的な知識や技術について助言を受けることは**コンサルテーション**といい、スーパービジョンとは異なる機能を有する。
4 ×　グループ・スーパービジョンは、**一人のスーパーバイザー**に対し、**複数のスーパーバイジー**の形態で実施するスーパービジョンのことをいう。
5 ○　スーパービジョンの支持的機能により、**バーンアウトの防止**や**自己覚知の促進**、**ストレスマネジメント**などが期待できる。

問題78　正解　**1**　●──記録　　　　　　　　　　　重要度 ★★★

●相談援助の記録については、記録の意義、目的、倫理的配慮、記録方法などの理解が重要となる。「社会福祉士の倫理綱領」には、記録に関する項目が多く示されているので、併せて把握しておくとよい。

☞ 教科書（共） CHAPTER11・SECTION 4

1 ○　実践の記録では、事実関係だけでなく、ワーカーの**判断**やその**根拠**の記述が必要である。記録する際には、**客観的な事実**と、**ワーカー自身の主観**による見解とを明確に区別する**説明体**による記述が適している。
2 ×　記録する内容によっては、文章だけでなく、**図や表**を活用して**視覚的**に理解しやすくするなどの工夫も重要となる。
3 ×　本人に**不利益な情報**であっても、事実は**正確に記録**しておく必要がある。援助に必要ない情報は記録しないことが原則であるが、不利益でも必要な情報であれば記録する。
4 ×　「内容にかかわらず」開示することはできない。**個人情報保護**の観点からも、**権利や財産**を害するおそれがあるかどうかを確認してから開示を検討すべきである。
5 ×　**クライエント**やその**家族**からの情報は重要であり、**正式な記録**となる。

社会福祉調査の基礎

問題79 正解 **2・3** ●──社会調査と統計法 重要度 ★★

●統計法は、公的統計（国の行政機関や地方公共団体などが作成する統計）の作成及び提供に関して、基本となる事項を定めた法律である。

☞ 教科書（共） CHAPTER12・SECTION 1

1 × 社会調査は、数値データだけではなく、少数の対象者に対するインタビューや一定の社会集団への参加に基づく記録など、いわゆる**質的データ**も対象にする。

2 ○ 国勢調査は**10年ごとに大規模調査**が行われ、その中間である**5年ごとに簡易調査**が行われる（統計法第5条第2項）が、これ以外に必要があると認めるときは、総務大臣は**臨時の国勢調査**を行い、国勢統計を作成することができる（同法第5条第3項）。

3 ○ 記述のとおりである。厚生労働省が行う基幹統計としては、他に人口動態統計や社会保障費用統計等がある。

4 × 統計法は、行政機関や独立行政法人等が作成する**公的統計**について定めたものであり、株式会社等が私的に行う統計調査については定められていない。

5 × 基幹統計とは、**総務大臣**の指定した統計をいう。

問題80 正解 **1・2** ●──量的調査のデータの分析方法 重要度 ★★★

●データの特性を数値で表したものを基本統計量といい、データの代表的な値を示すもの（最頻値、中央値など）と、データの散布度を示すもの（範囲、分散など）がある。それぞれ、主な基本統計量の定義を理解しておく。

☞ 教科書（共） CHAPTER12・SECTION 4

1 ○ 値の**範囲**は、**最大値と最小値の差**を指す。設問文を読むと、最大値（最も年齢の高い参加者）は**81**（歳）、最小値（最も年齢の低い参加者）は**62**（歳）であるから、参加者全体の年齢の範囲は**19**となる。

2 ○ **中央値**とは、データを低いものから順に並べ、**ちょうど真ん中にくる**値をいう。女性参加者7名を年齢順に並べると、真ん中に位置するのは**71歳**の参加者となる。

3 × **平均値**とは、**データの総和をデータの数で割った**値をいう。男性参加者の年齢の総和は201で、それを参加者数で割った**67**が男性参加者の年齢の平均値となる。

4 × **最頻値**とは、**最も頻繁に出現する**値をいう。全参加者10名の年齢をみると、71歳が男女各1名ずつの**2名**おり、他の年齢は男女を通じて1名ずつしかいな

い。したがって、参加者全体の年齢の最頻値は**71**となる。

5　× 　**分散**とは、各データが平均値からどれくらい散らばっているか、その程度を測るものである。男性参加者と女性参加者とでは、データの範囲も平均値も異なっているため、**年齢の分散が等しいとはいえない**。

問題81　正解　**4**　●──社会調査における倫理、個人情報保護　重要度 ★★

　●社会調査においては、日本社会福祉士会が定めた社会調査に関する倫理規程と社会調査協会が定めた社会調査に関する倫理規程を理解したうえで行わなければならない。

☞ 教科書(共)　CHAPTER12・SECTION 2

1　× 　データ取得後に調査対象者から**破棄の要請**があった場合には、当該部分を破棄または削除する必要がある。

2　× 　社会調査協会の倫理規程では、調査対象者が**15歳未満**の場合は、責任ある成人の承諾を得る必要があると定められている。

3　× 　社会福祉士の行動規範では、関係者の同意を得るほかに、**人物を特定できないような配慮**を行わなければならないと定められている。

4　○ 　海外で調査を行う場合には、**実施国における国内法規を遵守**し、その国の信頼を損なうような行為は行わないことが求められる。

5　× 　いかなる場合でも調査目的について明確に**説明**し、**同意**を得ることが必要となる。

問題82　正解　**2**　●──量的調査の集計方法、データの分析方法　重要度 ★★★

　●量的データは間隔尺度と比例尺度に分類することができ、質的データは名義尺度と順序尺度に分類することができる。

☞ 教科書(共)　CHAPTER12・SECTION 4

1　× 　気温は、**間隔尺度**として扱われる。間隔尺度には絶対ゼロ点がなく、マイナスの値も存在し、データ同士の割合には意味がない（例：30℃と10℃では、温度差が20℃とはいえるが、3倍とはいえない。マイナスの気温も存在する）。

2　○ 　所得は、**比例尺度**として扱われる。比例尺度は**絶対ゼロ点**をもち、マイナスの値はとり得ない。そのため、データ同士の割合にも意味がある（例：3kgは1kgの3倍の重さ）。

3　× 　独立変数は、**原因**となる事柄を示す変数である。結果となる事柄を示す変数は、**従属変数**と呼ばれる。

4　× 　円グラフは、全体の中での**個々の項目の割合**を示す際に用いられる。時系列の変化については、**折れ線グラフ**で示すのが一般的である。

5 × ヒストグラムは、データの**散らばり**や**最頻値**の確認に適している。割合の視覚
化には、**円グラフや帯グラフ**などがよく使用される。

問題83 正解 **5** ●──面接法　　　　　　　　　　　重要度 ★★★

●面接法とは、調査者が直接質問をし、調査対象者が回答をするやり取りを中心に情報
を収集する調査方法で、大きく個別インタビューとグループインタビューに分けること
ができる。

🖙 **教科書(共)** CHAPTER12・SECTION 5

1 × 面接法では、調査者と調査対象者との間に一定のラポール（信頼関係）を構築
していくことが重要である。ただし、客観的な視点を損なう可能性がある**オーバ
ーラポール**（**過度な信頼関係**）とならないように注意する。

2 × 面接時は、会話の書き取りを優先するのではなく、調査対象者の話を**傾聴**し、
相づちや発言を展開させるような質問をするなどして、より多くの情報の収集を
図ることに重点を置く。

3 × 深層面接は、精神分析や臨床心理学の領域だけではなく、社会調査においても
用いられる。**調査者と調査対象者が1対1**で向き合い、質問を重ねることで対象
者の深層心理を探るものである。

4 × 少人数のグループに対して行うフォーカス・グループインタビューは、座談会
形式により、**多様性のある意見の収集を目的**とする。

5 ○ アクティヴ・インタビューでは、調査対象者を単に情報収集のための対象とみ
なすのではなく、調査者との相互行為によって意味を積極的に作成する者として
捉える。

問題84 正解 **3** ●──観察法、面接法　　　　　　　　重要度 ★★★

●観察法とは調査対象者に対して、視覚的な観察や対象者に関連する資料などを用いて、
全体的に調査対象者のことを理解していく調査方法で、面接法とは、調査者が直接質問
をし、調査対象者が回答をするやり取りを中心に情報を収集する調査方法である。

🖙 **教科書(共)** CHAPTER12・SECTION 5

1 × 統制的観察は、観察の場面や方法を**事前**に**厳密に定めて**行うものである。

2 × 参加の度合いが一番高いのは、「**完全な参加者**」である。

3 ○ 記述のとおりである。なお、質問項目や質問順序をあいまいに決めておく場合
は「**半構造化面接**」、まったく決めない場合は「**非構造化面接**」という。

4 × グループインタビューは、一人ひとりのインタビュー時間は少なくなるが、**メ
ンバーの相互作用**により、個別インタビューでは得られない知見も得られる場合

があるため、必ずしも個別インタビューを優先すべきであるとはいえない。

5　×　記録機器を使う際には、**前もって調査協力者の同意を得る**必要がある。

第1回
専門科目
解答・解説

第1回　専門科目・解答一覧

高齢者福祉 ／6点

問題	85	①	❷	③	④	⑤
問題	86	①	②	③	④	❺
問題	87	❶	②	③	④	❺
問題	88	①	❷	③	④	⑤
問題	89	①	②	❸	④	⑤
問題	90	❶	②	③	④	⑤

児童・家庭福祉 ／6点

問題	91	①	②	❸	④	⑤
問題	92	①	②	③	❹	⑤
問題	93	①	②	③	❹	⑤
問題	94	❶	②	③	④	⑤
問題	95	①	❷	③	④	⑤
問題	96	①	②	③	❹	⑤

貧困に対する支援 ／6点

問題	97	①	②	③	❹	⑤
問題	98	①	❷	③	④	⑤
問題	99	❶	②	③	④	⑤
問題	100	①	②	③	❹	❺
問題	101	①	❷	③	④	⑤
問題	102	❶	②	③	④	⑤

保健医療と福祉 ／6点

問題	103	①	②	❸	④	⑤
問題	104	①	❷	③	④	⑤
問題	105	❶	②	③	④	⑤
問題	106	①	②	③	❹	❺
問題	107	①	②	③	④	❺
問題	108	①	❷	③	④	⑤

ソーシャルワークの基盤と専門職（専門） ／6点

問題	109	①	②	③	❹	⑤
問題	110	①	②	③	④	❺
問題	111	①	❷	③	❹	⑤
問題	112	①	②	③	④	❺
問題	113	①	②	③	❹	⑤
問題	114	❶	②	③	④	❺

ソーシャルワークの理論と方法（専門） ／9点

問題	115	❶	②	③	④	⑤
問題	116	①	❷	③	④	⑤
問題	117	①	❷	③	④	⑤
問題	118	①	②	③	④	❺
問題	119	①	②	❸	④	⑤
問題	120	①	②	❸	④	⑤
問題	121	①	❷	③	④	❺
問題	122	①	②	③	④	❺
問題	123	❶	②	③	④	⑤

福祉サービスの組織と経営 ／6点

問題	124	①	❷	❸	④	⑤
問題	125	①	②	❸	④	⑤
問題	126	❶	❷	③	④	⑤
問題	127	①	②	③	❹	⑤
問題	128	①	②	③	④	❺
問題	129	❶	②	③	④	⑤

合　　　計	／45点

※頻出項目解説〔(18)〜(25) ページ)〕の各科目の目標得点が取れるまで、繰り返し解いてみましょう。

高齢者福祉

| 問題85 | 正解　**2**　●──国民生活基礎調査 | 重要度 ★★★ |

● 「国民生活基礎調査」は本試験で頻繁に出題されている調査である。毎年公表される内容のうち「世帯数と世帯人員の状況」と、3年ごとに公表される「介護の状況」については、近年の傾向を押さえておく。

☞ 教科書(専)　CHAPTER 1・SECTION 2

1　×　世帯構造別にみると、「**単独世帯**」が1,785万2,000世帯(全世帯の32.9%)で最も多く、次いで「**夫婦と未婚の子のみの世帯**」が1,402万2,000世帯(同25.8%)、「**夫婦のみの世帯**」が1,333万世帯(同24.5%)となっている。

2　○　世帯類型別にみると、「母子世帯」の割合は**1.0%**で、5%を**下回っている**。

3　×　65歳以上の者のいる世帯は2,747万4,000世帯で、全世帯(5,431万世帯)の**50.6%**となっている。全世帯の7割を**超えていない**。

4　×　単独世帯の性別の割合は、男性35.9%、女性64.1%で、男性よりも**女性**の割合が高くなっている。

5　×　単独世帯の性・年齢構成別にみると、女性は「**85歳以上**」の割合が24.1%で最も高く、男性は「**70〜74歳**」の割合が28.7%で最も高くなっている。

| 問題86 | 正解　**5**　●──地域支援事業 | 重要度 ★★★ |

●地域支援事業は、高齢者が要介護・要支援状態になることを予防し、地域で自立した日常生活を継続していくことができるよう支援することを目的としている。必須事業である包括的支援事業と介護予防・日常生活支援総合事業については、対象者と事業の概要を確実に押さえる。

☞ 教科書(専)　CHAPTER 1・SECTION 6

1　×　包括的支援事業の第1号介護予防支援事業は、**基本チェックリスト該当者**を対象としたサービスである。

2　×　認知症総合支援事業に基づく認知症初期集中支援チームは、認知症の人やその家族に早期に関わる、**医療・介護・福祉**の専門職で構成される。

3　×　2020(令和2)年の介護保険制度改正において、**就労的活動支援コーディネーター**の配置が規定されたのは、総合相談支援業務ではなく、**生活支援体制整備事業**である。

4　×　介護予防・日常生活支援総合事業では、ボランティアやNPOなどの地域の様々な人・機関が関わり、多様なサービスを充実させることで、高齢者の社会参加や、地域の支え合い体制づくりを推進していくことを目指している。

5　○　記述のとおりである。任意事業にはこのほか、**成年後見制度利用支援事業、介護相談員派遣等事業**などがある。

　正解　1・5　●──介護医療院　**重要度 ★★★**

●介護医療院は、2017（平成29）年の介護保険法の改正により、新たな介護保険施設として創設された。2024（令和6）年3月末までに廃止される介護療養型医療施設の転換先のひとつとして注目されている。

🐟 教科書（専）　CHAPTER 1・SECTION 5

1　○　介護医療院は、主として**長期の療養が必要な要介護者**に、施設サービス計画に基づき、療養上の管理、看護、医学的管理の下における介護及び機能訓練その他必要な医療並びに日常生活上の世話を行う施設である（介護保険法第8条第29項）。

2　×　介護医療院は、**地方公共団体**（都道府県、市町村）、医療法人、社会福祉法人などの非営利団体が、**都道府県知事の許可**を受けて開設することができる。

3　×　介護医療院の入所要件は、**要介護1以上**である。記述は、**介護老人福祉施設**の説明である。

4　×　人員に関する基準では、介護支援専門員について、その業務に専ら従事する常勤の者を1名以上配置することとされている。したがって、入所者数100人未満であっても、**1人は配置しなければならない。**

5　○　施設に関する基準では、療養室の**定員は4人以下**で、床面積は、内法による測定で入所者**1人当たり8平方メートル以上**とされている。

　正解　2　●──高齢者の支援に関する組織・団体の役割　**重要度 ★★★**

●地域包括ケアシステムにおいては、高齢者が可能な限り住み慣れた地域で生活を継続することができるよう包括的な支援・サービス提供体制の構築を目指している。そのためには、「自助・互助・共助・公助」のそれぞれで役割分担しながら取り組んでいくことが必要である。

🐟 教科書（専）　CHAPTER 1・SECTION 8

1　×　介護予防・日常生活支援総合事業の介護予防・生活支援サービス事業の対象は、要支援者、基本チェックリスト該当者のほか、2021（令和3）年4月からは**要介護者も追加**された。ただし、要介護者については、**認定前から**介護予防・生活支援サービスにおける市町村の補助により実施されるサービス（住民主体のボランティアなど）を**継続的に利用していた人**に限定されている。事例からは、要介護2の**A**さんが認定前から総合事業の通所型サービスを利用していたことが読み取

れないため、該当しない。

2　○　介護給付費等審査委員会は、サービス担当代表者、市町村代表、公益代表が同数で構成し、委員の任期は**2年**となっている。

3　×　理髪サービスは、**横出しサービス**（法定給付以外に給付される独自のサービス）である。上乗せとは、**支給限度基準額に市町村独自で上乗せ**することをいう。

4　×　**解説1**のとおり、**A**さんはその他の生活支援サービスを利用できない。

5　×　記述は、「**小地域ネットワーク活動**」の説明である。「**ふれあい・いきいきサロン**」とは、全国社会福祉協議会が1994（平成6）年に提案した介護予防の取組である。

問題89　正解　**3**　●──老人福祉法　　　　　　　　　　　　重要度 ★★

●老人福祉法の制定により、それまでの生活保護法に基づく救貧施策から、保健・医療・福祉にわたる高齢者の生活向上のための施策へと転換した。制定から現在に至るまでの過程とその変遷を押さえておくとよい。

☞ 教科書（専）CHAPTER I・SECTION 9

1　×　やむを得ない事由により、介護保険法に規定する地域密着型介護老人福祉施設または介護老人福祉施設に入所することが著しく困難である場合には、市町村は、**特別養護老人ホームに措置入所**させることができる。

2　×　高齢社会対策大綱は、**高齢社会対策基本法**によって政府に作成が義務づけられているものである。

3　○　老人福祉法において、老人福祉の増進のための事業として「老人クラブその他当該事業を行う者に対して、**適当な援助をするように努めなければならない**」と規定されている（第13条第2項）。

4　×　記述は、**都道府県老人福祉計画**の説明である。市町村老人福祉計画は、**老人居宅生活支援事業及び老人福祉施設による事業**の供給体制の確保に関する計画である。

5　×　老人福祉法の基本的理念として、「老人は、老齢に伴って生ずる心身の変化を自覚して、常に**心身の健康を保持**し、又は、その知識と経験を活用して、**社会的活動に参加**するように努めるものとする」と規定されている（第3条第1項）。

問題90　正解　**1**　●──高齢者虐待の実態　　　　　　　　　重要度 ★★★

●高齢者虐待に関する出題も多い。高齢者虐待に関する定義、虐待の実態等について、関連法律や最新の調査結果に目を通しておくことが必要である。

☞ 教科書（専）CHAPTER I・SECTION10

1　○　虐待の事実が認められた事例を**施設・事業所の種別**でみると、「特別養護老人

ホーム（介護老人福祉施設）」が274件（32.0％）で最も多く、次いで「**有料老人ホーム**」が221件（25.8％）、「認知症対応型共同生活介護（グループホーム）」が102件（11.9％）、「介護老人保健施設」が90件（10.5％）である。

2　×　養介護施設従事者等による虐待において特定された被虐待高齢者1,406人のうち、**虐待の種別**では「**身体的虐待**」が810人（57.6％）で最も多く、次いで「**心理的虐待**」464人（33.0％）、「**介護等放棄**」326人（23.2％）の順である（複数回答）。

3　×　養護者による虐待における**相談・通報者**4万678人のうち、「**警察**」が1万3,834人（34.0％）で最も多く、次いで「**介護支援専門員**」が1万187人（25.0％）である。「家族・親族」は3,035人（7.5％）で、**1割に満たない**。

4　×　被虐待高齢者の「**認知症の程度**」と「**虐待種別**」の関係をみると、被虐待高齢者の認知症の程度が重度になるほど「**介護等放棄**」を受ける割合が高くなり、「**心理的虐待**」では逆の傾向がみられる。

5　×　高齢者虐待への対応として、「**被虐待高齢者と虐待者を分離していない事例**」が52.9％を占め、「**虐待者から分離を行った事例**」が20.1％、「虐待判断時点で既に分離状態の事例」が14.3％である。

児童・家庭福祉

<table>
<tr><td>問題91</td><td>正解　3　●──児童虐待の実態</td><td>重要度 ★★</td></tr>
</table>

●児童・家庭の福祉需要に関するデータとして、最新の福祉行政報告例における「児童相談所における相談の種類別対応件数」や「児童相談所における児童虐待相談の対応件数」について押さえておくこと。

☞ 教科書（専）CHAPTER 2・SECTION 5

1　×　2022（令和４）年度中に児童相談所が対応した養護相談のうち**児童虐待相談の対応件数は21万9,170件**で、前年度に比べ**1万1,510件（5.5％）増加**しており、年々増加している。

2　×　ネグレクトの件数は、2013（平成25）年度は1万9,627件、2022（令和４）年度は3万5,556件で、**増加している**。

3　○　「**相談の種別**」をみると、「**心理的虐待**」が12万9,484件と最も多く、次いで「身体的虐待」が5万1,679件、「保護の怠慢・拒否（ネグレクト）」が3万5,556件となっている。

4　×　心理的虐待の件数は、2013（平成25）年度は2万8,348件、2022（令和４）年度は12万9,484件で、**約4.6倍に増加**している。

5　×　「**相談の経路別**」をみると、「**警察等**」が11万2,965件（構成割合51.5％）と最も多く、次いで「**近隣・知人**」が2万4,174件（同11.0％）となっている。「**児童本人**」は2,822件（同1.3％）に過ぎず、「**近隣・知人**」よりも少ない。

<table>
<tr><td>問題92</td><td>正解　4　●──こども基本法</td><td>重要度 ★★</td></tr>
</table>

●こども基本法は、2022（令和４）年に制定され、翌2023（令和５）年に施行された法律である。法の目的、基本理念などを押さえておこう。

☞ 教科書（専）CHAPTER 2・SECTION 1

1　×　こども基本法は、**日本国憲法及び児童の権利に関する条約**の精神にのっとって制定された法律である。

2　×　同法において「こども」とは、「**心身の発達の過程にある者**をいう」と定義されている。

3　×　同法の基本理念では、「**全ての**こどもについて、その年齢及び発達の程度に応じて、その**意見が尊重**され、その**最善の利益が優先**して考慮されること」としている。

4　○　記述のとおりである。また、政府には、わが国におけるこどもをめぐる状況及び政府が講じたこども施策の実施の状況に関する**年次報告**及びその**公表**も義務づ

けられた。

5　✕　内閣総理大臣を会長とする**こども政策推進会議**は、2023（令和5）年4月1日に内閣府の外局として創設された**こども家庭庁**に設置された。なお、こども家庭庁の根拠法は、**こども家庭庁設置法**である。

問題93　　正解　**4**　●──母子健康包括支援センター　　　　重要度 ★★

●母子健康包括支援センターは、2016（平成28）年の母子保健法の改正により、母子健康センターから現在の名称に改められた。設置目的や業務内容について押さえておく。

☞ 教科書（専）　CHAPTER 2・SECTION 8

1　✕　母子健康包括支援センターは**母子保健法**に基づいて設置される施設で、**妊娠期**から**子育て期**にわたる切れ目のない支援を提供する**ワンストップ拠点**である。

2　✕　母子健康包括支援センターは、都道府県ではなく**市町村**が設置する（**努力義務**）。

3　✕　記述は、**地域保健法**に基づく**保健所**の業務内容である。

4　○　母子健康包括支援センターは、母性や乳幼児の健康の保持と増進について**包括的な支援**を行うことを目的として、母子保健に関する各種の**相談**、母性並びに乳幼児の**保健指導**のほか、**健康診査**、**助産**その他の母子保健に関する事業の実施などの業務を行っている。

5　✕　記述は、**児童福祉法**に基づく**児童家庭支援センター**の業務内容である。

問題94　　正解　**1**　●──子育て支援事業　　　　重要度 ★★★

●児童福祉法では、子育て支援事業として、放課後児童健全育成事業、子育て短期支援事業、乳児家庭全戸訪問事業、養育支援訪問事業、地域子育て支援拠点事業、一時預かり事業等を規定している。

☞ 教科書（専）　CHAPTER 2・SECTION 4

1　○　地域子育て支援拠点事業は、乳幼児及びその保護者が相互の交流を行う場所を開設し、子育てについての**相談**、**情報の提供**、**助言**その他の援助を行う事業である。話し相手もできず、育児に不安を感じている**C**さんに紹介するサービスとして適切である。

2　✕　一時預かり事業は、家庭での保育が**一時的に困難**となった乳幼児を、主として昼間に、認定こども園、幼稚園、保育所、地域子育て支援拠点などで一時的に預かり、必要な保護を行う事業である。**C**さんの長男は、家庭での保育が一時的に困難となったわけではない。

3　✕　子育て援助活動支援事業は、乳幼児や小学生等の児童がいる子育て中の保護者を会員として、**児童の預かり等の援助を受けることを希望する者**と、援助を行う

ことを希望する者との相互援助活動に関する連絡、調整を行う事業である。**C**さ
んは、預かり等の援助を受けることを希望しているわけではない。

4 × 病児保育事業は、保育を必要とする乳幼児または保護者の労働や疾病などによ
り家庭で保育を受けることが困難な小学生で、**疾病にかかっているもの**について、
保育所、認定こども園、病院、診療所などで保育を行う事業である。**C**さんの長
男は、病児ではない。

5 × 居宅訪問型保育事業は、**障害や疾病**などにより**集団保育が著しく困難**と認めら
れる乳幼児などについて、乳幼児の居宅で、家庭的保育者による1対1の個別保
育を行う事業である。したがって、**C**さんの長男は、この事業の対象にはならない。

問題95 | 正解 **2** ●──DV防止法の概要 | 重要度 ★★★

●配偶者間の暴力（ドメスティック・バイオレンス〈DV〉）が深刻化してきたことを背
景に制定された「DV防止法」について、概要や支援内容、改正内容などを整理しておく
こと。

☞ 教科書(専) CHAPTER 2・SECTION 6

1 × DV防止法における配偶者は、婚姻の届けを出していない**事実上婚姻関係**と同
様の者も含む（第1条第3項）。

2 ○ 記述のとおりである。2007(平成19)年の改正(2008〈平成20〉年施行)において、
市町村における**配偶者暴力相談支援センター**の設置が努力義務とされた（第3条
第2項）。

3 × **被害者及びその同伴する家族**についても**一時保護**することが規定されている
（第3条第3項第3号）。

4 × DV被害者の相談に応じ、必要な指導を行うことができる者は、**女性相談支援
員**である（第4条）。

5 × 保護命令は、被害者からの申出によって、**裁判所が加害者に発する命令**であり、
被害者への**接近禁止命令**や**電話等禁止令**などが定められている（第10条）。

問題96 | 正解 **4** ●──児童相談所の活動の実際 | 重要度 ★★★

●虐待事例における児童相談所の役割を押さえておくこと。

☞ 教科書(専) CHAPTER 2・SECTION13

1 × 祖母と継母の関係や祖母の生活実態が不明な現在の状況において、**D**君の育児
を手伝うよう祖母に促すことは適切とはいえない。

2 × 児童発達支援センターは、障害児を日々保護者の下から通わせて、支援を提供
する施設である。**D**君は障害があるかどうか不明であること、また、継母との生

活が継続することから適切とはいえない。

3　×　地域子育て支援拠点事業は、保護者と乳幼児が一緒に利用する事業であり、**D**君の状況から適切とはいえない。

4　○　**D**君は、何度も継母に暴力を振るわれていることが疑われることから、安全確保のため**一時保護**を行うことが適切である。

5　×　乳児院は、保健上、安定した生活環境の確保その他の理由により特に必要にある場合は幼児も対象としているが、入所措置するかどうかの決定までには診断や判定が必要となり、適切ではない。

貧困に対する支援

| 問題97 | 正解　**4**　●──生活保護の動向 | 重要度 ★★★ |

● 「生活保護の被保護者調査」では、被保護実人員数、保護率、被保護世帯数、保護開始・廃止の主な理由の割合やその増減について確実に押さえておきたい。

☞ 教科書(専) CHAPTER 3・SECTION 1

1　×　2022（令和4）年度の**被保護実人員**の総数は202万4,586人で前年度より1万3,971人**減少**しているが、**被保護世帯数**の総数は164万3,463世帯で前年度より1,951世帯**増加**している。

2　×　2022（令和4）年度中に保護を開始した世帯の主な理由は「**貯金等の減少・喪失**」が46.1％で最も多く、次いで、「傷病による」が18.8％、「**働きによる収入の減少・喪失**」が18.1％となっている。

3　×　2022（令和4）年度中に保護を廃止した世帯の主な理由は「**死亡**」が50.6％で最も多く、次いで、「その他」を除くと、「**働きによる収入の増加・取得・働き手の転入**」が14.3％となっている。

4　○　保護の種類別に扶助人員をみると、**生活扶助**が176万7,591人と最も多く、次いで、**住宅扶助**が173万6,256人、**医療扶助**が170万6,665人となっている。

5　×　被保護世帯数を世帯類型別にみると、「**高齢者世帯**」と「**母子世帯**」は前年度より**減少**しているのに対して、「障害者・傷病者世帯」と「その他の世帯」は、いずれも前年度より**増加**している。

| 問題98 | 正解　**2**　●──生活保護法の概要 | 重要度 ★★★ |

●最終的なセーフティネットである生活保護制度について、生活保護法の内容を理解しておくことが大切である。

☞ 教科書(専) CHAPTER 3・SECTION 2

1　×　最低限度の生活保障だけではなく、**自立助長**も生活保護法の目的となっている。

2　○　記述のとおりである。また、生活困窮に陥った**原因**による**差別も否定**している。

3　×　土地や家屋などの資産は売却を基本としているが、資産が生活維持のために活用され、処分するよりも利用している方が**自立助長に実効的**である場合などは保有できる。**処分価値＜利用価値**の場合に保有が認められる（障害がある場合の自家用車の保有など）。

4　×　要保護者、その扶養義務者またはその他の**同居の親族**が保護の申請をできることとなっている。また、要保護者が急迫した状況にあるときは、保護の申請がなくても、必要な保護を行うことができると、例外的に**職権保護**も認めている。

5　×　保障される最低限度の生活は、**健康で文化的な生活水準を維持**することができるものでなければならないと規定されている。

問題99　正解　**1**　●——保護の種類と内容　重要度 ★★★

●生活保護受給者が介護保険の被保険者の場合、保護の補足性の原理により、介護保険給付（9割）が優先され、自己負担分（1割）が介護扶助の対象となる。

☞ **教科書（専）** CHAPTER 3・SECTION 2

1　○　記述のとおりである。自己負担金が**介護扶助**として支給される。

2　×　Fさんは、P市が保険者である介護保険の第1号被保険者であり、**保護の補足性の原理**に基づき、介護保険から**9割**給付され、残りの1割の自己負担金が介護扶助で賄われる。

3　×　Fさんは、無年金であるため、介護保険料は**生活扶助の介護保険料加算**で賄われることになる。

4　×　第2号被保険者の要件は、40歳から65歳未満の**医療保険加入者**となる。Eさんは、**医療扶助**を受けており、医療保険未加入者であるため、第2号被保険者ではない。

5　×　生活保護法第34条の2の規定により、介護扶助は、原則、**現物給付**である。

問題100　正解　**4・5**　●——保護の実施機関　重要度 ★★

●保護の実施機関として、居住地がない、または明らかではない要保護者に対して、福祉事務所を設置しない町村の長による応急保護が行われた場合は、保護が行われた現在地の都道府県が保護の実施責任を担う。

☞ **教科書（専）** CHAPTER 3・SECTION 6

1　×　Q市には、住民票の登録があるだけでアパートはすでに引き払っており、居住の実体がないため、生活保護の実施機関にならない。

2　×　事例のケースの場合、Gさんが転倒して左足を骨折した**T町を管轄するS県が生活保護の実施機関**となる。病院のあるU市は現在地ではあるが、実施機関にはならない。

3　×　**解説2**のとおりである。

4　○　**解説2**のとおりである。

5　○　記述のとおりである。生活保護法第19条の6に規定されている。

| 問題101 | 正解 2 ●──福祉事務所の組織体系 | 重要度 ★★★ |

●生活保護制度の保護の実施機関は、都道府県知事、市長、福祉事務所を管理する町村長となっているが、実際の運営実施事務は福祉事務所長に委任されている。

☞ 教科書（専） CHAPTER 3・SECTION 6

1 ×　福祉事務所の設置義務は、**都道府県**と**市**にある。町村は福祉事務所を設置することができる（**任意設置**）。

2 ○　記述のとおりである。社会福祉法第15条に規定されている。

3 ×　福祉六法の事務を担当するのは、**市町村福祉事務所**である。都道府県福祉事務所は、**生活保護法、児童福祉法、母子及び父子並びに寡婦福祉法**の三法の事務を担当している。福祉六法とは、上記三法に、**知的障害者福祉法、身体障害者福祉法、老人福祉法**を加えたものである。

4 ×　福祉事務所の所員の定数は、**条例**で規定することになっている。所員のうち現業員については、社会福祉法に標準数が規定されており、**標準数をもとに条例で定数を規定**する。

5 ×　現業員は、**福祉事務所長**の指揮監督を受けて業務にあたることとなっている。

| 問題102 | 正解 1 ●──低所得者対策 | 重要度 ★★ |

●様々な理由から低所得者となっている人への貧困対策について、根拠法とともに整理しておくとよい。

☞ 教科書（専） CHAPTER 3・SECTION 4

1 ○　記述のとおりである（子どもの貧困対策の推進に関する法律第1条）。本法は2014（平成26）年1月に施行された。

2 ×　「障害者世帯」には、各手帳の交付を受けている人の属する世帯だけではなく、障害者総合支援法によるサービスを利用している人など、**障害者と同等と認められる人の世帯**も含まれる。

3 ×　いずれも社会福祉法上の**第二種社会福祉事業**である。「無料低額宿泊事業」は、宿所だけでなく**食事の提供**や**就労支援**を行う場合もある。

4 ×　**厚生労働大臣及び国土交通大臣**が、全国調査結果を踏まえて基本方針を策定しなければならない。なお、都道府県または市町村は、必要があると認められるときは基本方針や地域の実情に応じて実施計画を策定しなければならない。

5 ×　公営住宅の対象は、**収入が一定額以下の者**となっており、高齢者に限定されていない。

保健医療と福祉

<table>
<tr><td>問題103</td><td>正解　3</td><td>●──国民医療費の概況</td><td>重要度 ★★★</td></tr>
</table>

● 「国民医療費」は、当該年度内の医療機関等における保険診療の対象となる傷病の治療に要した費用を推計したもので、医科診療や歯科診療に係る診療費、薬局調剤医療費、入院時食事・生活医療費、訪問看護医療費等が含まれる。その総額は、2013（平成25）年度に初めて40兆円を超えた。

☞ 教科書（専）CHAPTER 4・SECTION 1

1　×　2021（令和3）年度の**国民医療費**は45兆359億円で、**国内総生産（GDP）**に対する比率は**8.18%**となっている。

2　×　制度区分別国民医療費では、**医療保険等給付分の比率が最も大きく**（45.7%）、次に大きいのが**後期高齢者医療給付分**（34.9%）である。

3　○　国民医療費の財源別構成割合を大きい順に並べると、**保険料**（50.0%）、**公費**（38.0%）、**その他**（12.1%）となる。

4　×　年齢階級別にみると、65歳以上の国民医療費は27兆3,036億円で、全体の約6割を占めている。

5　×　傷病分類別医科診療医療費の構成割合上位3つは、**循環器系の疾患**、**新生物**、**筋骨格系及び結合組織の疾患**の順となる。

<table>
<tr><td>問題104</td><td>正解　2</td><td>●──診療報酬制度の概要</td><td>重要度 ★★★</td></tr>
</table>

●医療機関が受け取る報酬のことを診療報酬という。保険診療の仕組みを理解しておくこと。

☞ 教科書（専）CHAPTER 4・SECTION 2

1　×　診療報酬の改定は、2年に1回行われ、介護報酬の改定は、3年に1回行われる。そのため、医療と介護のダブル改定は6年に1回行われることになる。

2　○　記述のとおりである。具体的な点数の設定については、**社会保障審議会医療保険部会**及び**医療部会**で決定された基本方針に基づき、**厚生労働大臣**が**中央社会保険医療協議会**（中医協）に諮問して決定する。

3　×　包括払い方式は、DPC（診断群分類別包括評価）などがすでに導入されている。

4　×　診療報酬は、審査支払機関（社会保険診療報酬支払基金、国民健康保険団体連合会）に1か月単位で請求する。

5　×　初めて社会福祉士が診療報酬点数上に位置づけられるようになったのは2008（平成20）年の診療報酬改定からである。

問題105　**正解　1**　●──医療提供施設　　　　重要度 ★★★

●日本の医療提供施設は、医療法によって様々な機能や特性に応じて分類されている。
医療提供施設とは、病院、診療所、介護老人保健施設、介護医療院、調剤薬局等をいう。

☞ 教科書(専) CHAPTER 4・SECTION 3

1　○　医療法第１条の２第２項は、病院、診療所、介護老人保健施設、介護医療院、調剤を実施する薬局その他の医療を提供する施設を「**医療提供施設**」としている。

2　×　医療法第１条の５第２項は、医師または歯科医師が、公衆または特定多数人のため医業または歯科医業を行う場所であって、**入院のための施設を有しないもの**または入院のための病床数が**19床以下**の施設を有するものを「診療所」としている。

3　×　地域の医療従事者の資質の向上を図るための**研修**を行わせる能力を有することは、**地域医療支援病院の承認要件**のひとつである（医療法第４条第１項第３号）。

4　×　都道府県知事が、地域医療支援病院の承認をするに当たっては、あらかじめ、**都道府県医療審議会**の意見を聴かなければならない（医療法第４条第２項）。

5　×　療養病床を有する診療所は、厚生労働省令の定めるところにより、**機能訓練室**を有しなければならない（医療法第21条第２項第２号）。

問題106　**正解　4・5**　●──医療ソーシャルワーカーの役割　　重要度 ★★★

●医療ソーシャルワーカー（MSW）の業務の範囲や業務の方法は、「医療ソーシャルワーカー業務指針」によって定められている。主な業務について確認しておく。

☞ 教科書(専) CHAPTER 4・SECTION 6

1　×　記述は**作業療法士**の役割である。

2　×　記述は**社会福祉士**の役割である。なお、保健医療領域で働く社会福祉士のことを、**医療ソーシャルワーカー（MSW）**と呼ぶ。

3　×　記述は**理学療法士**の役割である。

4　○　記述のとおりである。**受診・受療援助**ではこのほか、①診断、治療を拒否するなど医師等の医療上の指導を受け入れない場合の心理的・社会的問題についての**情報収集**と**解決**を援助、②診断、治療内容に関する不安がある場合における患者、家族の**理解**への援助、③診療に参考となる情報収集と医師、看護師等への**情報提供**などを行う。

5　○　記述のとおりである。**社会復帰援助**ではこのほか、患者の職場や学校との**調整**をし、復職、復学の援助を行う。

●リハビリテーション医療では、医師、看護師、保健師、医療ソーシャルワーカー等のみならず、各リハビリテーション専門職が連携し、チームで対応する。リハビリテーション専門職は、看護師・准看護師に認められている診療補助業務について、『保健師助産師看護師法』の規定にかかわらず、診療の補助としてそれぞれの業を行うことができる。

☞ 教科書（専）CHAPTER 4・SECTION 5

1　×　保健師は、厚生労働大臣の免許を受けて、保健師の名称を用いて、**保健指導に従事することを業とする保健師助産師看護師法**に基づく専門職である。

2　×　薬剤の処方を行うのは、**医師、歯科医師**である。薬剤師は、**調剤、医薬品の供給**等を行う。

3　×　**理学療法**は、「身体に障害のある者に対し、主としてその基本的動作能力の回復を図るため、**治療体操**その他の**運動**を行わせ、及び**電気刺激、マッサージ、温熱**その他の物理的手段を加えることをいう」と規定されている（理学療法士及び作業療法士法第2条第1項）。

4　×　**作業療法**は、「**身体又は精神に障害のある者**に対し、主としてその応用的動作能力又は社会的適応能力の回復を図るため、手芸、工作その他の作業を行わせることをいう」と規定されている（理学療法士及び作業療法士法第2条第2項）。

5　○　言語聴覚士は、診療の補助として、**医師または歯科医師の指示の下**に、嚥下訓練、人工内耳の調整その他厚生労働省令で定める行為を行うことができると規定されている（言語聴覚士法第42条第1項）。

●医療と介護の両方を必要とする高齢者が、住み慣れた地域で自分らしい暮らしを続けていくためには、在宅医療と介護の一体的提供の実現に向けた関係者の連携が不可欠である。地域連携の担い手と実際について理解を深めておきたい。

☞ 教科書（専）CHAPTER 4・SECTION 3

1　×　地域医療支援病院では、地域の医療従事者に対する研修を**年12回以上**主催することが承認要件のひとつである。

2　○　**救急医療**を提供する能力を有することは、地域医療支援病院承認の要件のひとつである（医療法第4条第2号）。

3　×　在宅療養支援診療所は、当該診療所において、または他の保険医療機関、訪問看護ステーション等の看護職員との連携により、**24時間訪問看護の提供が可能な体制を確保**しなければならない。

4　×　訪問看護ステーションが利用者への訪問看護の提供を始めるには、主治医から

訪問看護指示書を受けることが必要である。指示書に基づき訪問看護ステーションが作成するのが**訪問看護計画書**である。なお、訪問看護ステーションは、主治医と連携を図り、適切な訪問看護を提供するため、定期的に訪問看護計画書及び訪問看護報告書を主治医に提出しなければならない。

5　×　要介護者及び要支援者に対する訪問看護は、原則として**介護保険**から給付されるが、急性増悪時、末期の悪性腫瘍その他厚生労働大臣が定める疾病等の患者に対する訪問看護等は、**医療保険から給付**される。

ソーシャルワークの基盤と専門職（専門）

<table>
<tr><td>問題109</td><td>正解 4 ●──相談援助の対象理解</td><td>重要度 ★★</td></tr>
</table>

●ソーシャルワーク実践におけるミクロ、サブ、メゾ、エクソ、マクロの各レベルの対象について押さえておくこと。

☞ 教科書（専）CHAPTER 5・SECTION 2

1　×　ミクロレベルの支援は、**個人**や**家族**を対象とする。地域社会全体へのアプローチであれば、**メゾ**から**エクソレベル**の支援と考えられる。

2　×　今日のソーシャルワーカーには、各レベルのみに特化した支援ではなく、どのレベルにおいても支援できる**ジェネラリスト**としての力量が求められている。

3　×　システム理論では、人と環境が交互作用していると考えることから、ミクロレベルだけでなく、メゾ、マクロを含む、**全体的**かつ**包括的**な対象理解をする。

4　○　家族システムアプローチでは、家族構成員が相互連関関係を保ちながら、全体としての家族を構成していると捉える。家族の一員に課題が生じている場合、家族の課題に対する考えや行動によって問題の捉え方や解決方法が異なる。

5　×　3領域に区分けすることは、対象者理解の幅を狭め、援助者が対象者を選別することにつながる。そのため、現在ではこの3区分で対象を捉えるのではなく、**ミクロ**、**メゾ**、**マクロ**の各レベルで対象を理解することが求められている。

<table>
<tr><td>問題110</td><td>正解 5 ●──多職種チーム</td><td>重要度 ★★★</td></tr>
</table>

●多職種チームの意義と形態、チームアプローチの利点と留意点について理解する。

☞ 教科書（専）CHAPTER 5・SECTION 3

1　×　ボランティアは、多職種チームの**メンバーの一員**である。チームアプローチのためには、保健、医療、福祉のサービスにとどまらず、家族、近隣住民、ボランティアといった**インフォーマルな社会資源**の力も重要である。

2　×　インターディシプリナリーは、チームメンバー全員が秩序のあるレベルで情報を共有しているチーム形態をいい、**在宅支援**などで有効である。記述は、**マルチディシプリナリー**の説明である。

3　×　クライエントに対して、地域生活を想定した**総合的**かつ**包括的**な援助を実践するため、所属機関内で形成されるチームだけでなく、**地域**や**他機関**に所属する複数の援助者とのチームアプローチが必要になる。

4　×　多職種チームは様々な専門職等で構成されるため、それぞれの価値観や視点の違いからチーム内で差異が生じることがある。このようなときは、チームが抱える葛藤を**共有**することで、チーム・コンピテンシーはより**向上**する。

5 ○ 記述のとおりである。また、複数の専門職が集まることにより**多角的**な見方から得られた情報をチームで共有できるので、クライエントに対する支援の質も**向上**する。

問題111 | 正解 **2・4** ●──マクロレベルのソーシャルワーク 重要度 ★★★

●マクロレベルのソーシャルワークとは、生活課題の背景にある社会的問題の解決に向け、地域社会、国家、制度・政策、社会規範、地球環境等を対象として援助を行うものである。5つの機能について理解を深めておく。

☞ **教科書（専）** CHAPTER 5・SECTION 2

1 × 記述は、**集団**を媒介としており、**メゾレベル**のソーシャルワークに該当する。

2 ○ 記述は、介護保険の被保険者が介護保険サービスを積極的に利用できるための手段をつくり、充実・改善させる「地域における**情報の流れの円滑化**」にあたり、**マクロレベル**のソーシャルワークの機能に該当する。

3 × 記述は、**個人**を対象としており、**ミクロレベル**のソーシャルワークに該当する。

4 ○ 記述は、地域社会全体に呼びかけて、福祉サービスへの参加を促す「新しいサービスの**開発**、現行サービスの**充実・改善**」にあたり、**マクロレベル**のソーシャルワークの機能に該当する。機能にはこのほか、「特定の利用者集団へのサービスや**資源の開発**」「利用者集団の**権利擁護**」「サービスの**制度化**への広報・啓発活動」がある。

5 × 記述は、**個人**を対象としており、**ミクロレベル**のソーシャルワークに該当する。

問題112 | 正解 **5** ●──福祉行政等における専門職 重要度 ★★

●福祉行政等における専門職について、配置される機関、職務内容、配置義務の有無などをまとめておくことが大切である。

☞ **教科書（専）** CHAPTER 5・SECTION 1

1 × 身体障害者福祉司は、**市町村**が設置する福祉事務所の所員に対して技術的・専門的な指導を行う。都道府県が設置する**身体障害者更生相談所**に配置される場合は、**市町村**に対して技術的・専門的な指導を行う。

2 × 知的障害者福祉司は、**都道府県**が設置する**知的障害者更生相談所**に配置が義務づけられている。市町村が設置する福祉事務所への配置は**任意**である。

3 × 家庭支援専門相談員の資格要件は、❶**社会福祉士**もしくは**精神保健福祉士**の資格を有する者、❷児童養護施設等において児童の養育に５年以上従事した者、❸**児童福祉司**の任用資格を有する者のいずれかである。

4　×　里親支援専門相談員は、**児童養護施設及び乳児院**に配置される。児童自立支援施設には配置されない。

5　○　記述のとおりである。幼保連携型認定こども園では、幼稚園教諭と保育士の両方の資格を取得している場合、**保育教諭**という名称の職員として配置される。

問題113　正解　**4**　●──多職種連携　重要度 ★★

・・・
●フレイルとは、高齢になって、筋力や活動が低下している状態をいう。健康と病気の中間の段階で、進行すると寝たきりや廃用症候群になるおそれがある。適切な介入・支援があれば、健常に近い状態への改善や進行を遅らせることができる可能性があるため、適度な運動、適切な食事、社会活動への参加を促す支援が重要である。
・・・

☞ 教科書（専）　CHAPTER 5・SECTION I

1　×　日常生活自立支援事業は、認知症高齢者、知的障害者、精神障害者等のうち**判断能力が不十分**であっても、福祉サービスや日常的金銭管理サービスの内容についての判断ができる人の地域での自立生活を支える事業である。Lさんの認知機能に低下はみられないため、日常生活自立支援事業の利用を検討するために専門員に相談することは、J社会福祉士の対応として適切ではない。

2　×　Lさんは要介護認定・要支援認定を**受けていない**ため、介護支援専門員に相談することは、J社会福祉士の対応として適切ではない。

3　×　成年後見制度は、精神上の障害（認知症、知的障害、精神障害など）によって十分な**判断能力をもてない**人々の生活を支えるための制度である。Lさんの認知機能に低下はみられないため、成年後見制度の利用を検討するために検察官に相談することは、J社会福祉士の対応として適切ではない。

4　○　ふれあい・いきいきサロンは、高齢者等の孤独感の解消や閉じ籠もり防止など**介護予防**の推進を図る活動である。市町村社会福祉協議会に配置される**福祉活動専門員**は、市町村区域における民間社会福祉活動の推進方策について調査、企画及び連絡調整を行うとともに、広報や指導などの実践活動の推進に従事しており、サロンなど地域の社会資源を熟知しているため適切である。

5　×　事例文からは、Lさんの施設入所に対する意向については読み取れないため、J社会福祉士の対応として適切ではない。

| 問題114 | 正解 1・5 ●──医療ソーシャルワーカーの業務 重要度 ★★ |

●医療ソーシャルワーカーの業務の範囲や業務の方法は、1989（平成元）年に厚生省
（現厚生労働省）が「医療ソーシャルワーカー業務指針」によって定めている（2002〈平
成14〉年に改訂）。

☞ 教科書（専） CHAPTER 5・SECTION I

1 ○ 「医療ソーシャルワーカー業務指針」では、第三者との連絡調整を行うために
本人の状況を説明する場合も含め、本人の**了解なし**に個人情報を漏らしてはなら
ないことが示されている。たとえ娘であっても、伝えるにはNさんの了解が必要
である。

2 × Nさんが一度決めた治療方針であっても、変更することは**可能**である。

3 × 患者からの求めがある場合、できるだけ情報を提供することは大切だが、医療
に関する情報については説明の可否を含め、**医師**の指示を受けなければならない。

4 × Nさんが手術を拒否する理由として、「手術に対する心配」がある。医療ソー
シャルワーカーには、患者の不安感を除去するなど**心理的問題**の**解決**を援助する
ことが求められる。

5 ○ Nさんが手術を拒否する理由として、「入院にかかる費用が心配」もある。医
療ソーシャルワーカーには、患者が医療費などに困っている場合は、社会福祉、
社会保険等の機関と連携を図りながら、福祉、保険等関係諸制度を活用できるよ
う援助することが求められる。

ソーシャルワークの基盤と専門職（専門）

ソーシャルワークの理論と方法（専門）

問題115 | 正解 **1** ●──援助関係の形成方法 | 重要度 ★★

●良好な援助関係を形成するためには、コミュニケーション能力やラポール形成、援助者自身の感情への配慮を含む自己覚知などが重要となる。

📖 教科書（専） CHAPTER 6・SECTION 1

1 ○ 援助過程で生じる感情には、クライエントがかつて抱いていた様々な感情を、援助者に向ける（投映する）「**転移**」と、援助者がかつて抱いていた様々な感情を、クライエントに向ける「**逆転移**」などがある。前者はラポールの形成に活用することもできるが、後者は避けた方がよいとされている。

2 × 相談援助における援助関係とは、援助を必要とする人（クライエント）と援助を提供する人（援助者）との関係であり、家族や友人との関係とは異なる**専門的な関係**である。

3 × 相談援助活動の基本原理は、人間としての尊厳の重視であり、権威的な関係の構築と保持はこの原理に反するものである。

4 × 相談援助活動において、クライエントと援助者はあくまでも**対等な関係**である。

5 × 自己覚知とは、**援助者が**、**自身のもつ感情を自覚し理解すること**である。クライエントに対する共感的な理解と公平な視点をもつためには、自らの価値観や援助観、思考傾向の特徴を知っておくことが大切である。

問題116 | 正解 **2** ●──地域における社会資源の活用・調整・開発 | 重要度 ★★★

●利用者の福祉ニーズを充足させるために用いられる、あらゆる物的・人的資源を総称して社会資源という。既存の社会資源では対応できない場合には、新たに社会資源を開発することも求められる。

📖 教科書（専） CHAPTER 6・SECTION 2

1 × 社会資源を活用する際に、フォーマルな社会資源、インフォーマルな社会資源の優先順位はない。利用者の**状態やニーズに応じて**適切に選択する。

2 ○ インフォーマルな社会資源は、臨機応変に利用できるだけでなく、利用する人にとっても親しみを感じやすい場合が少なくない。

3 × ソーシャルサポートネットワークとは、フォーマルなサービスとインフォーマルなサポートの**双方が含まれるネットワーク**を指す。

4 × ニーズを把握するのに一人ひとりに個別インタビューを行うと時間がかかり、多くの人から意見を集めることは困難である。**住民懇談会**を開いたり、住民に質問紙調査をしたり、当事者グループなどを対象に**グループインタビュー**を行った

りする方がより適切といえる。

5　×　地域ケア会議の機能のひとつとして、新たな**社会資源の開発**の検討がある。

問題117　正解　**2**　●──基本的な面接技法　　　　重要度 ★★★

●クライエントと援助者のラポールを形成していくうえで不可欠な面接技術の方法を理解する。

☞ 教科書(専)　CHAPTER 6・SECTION 1

1　×　アイメッセージとは、援助者を**主語**として、**主観的な意見**を伝えることをいう。記述は、**感情の明確化**の説明である。

2　○　記述のとおりである。自己開示を適切に行うことで、クライエントが援助者を**身近**に感じ、感情を**表出**しやすくなる。

3　×　傾聴とは、クライエントの話に**耳を傾ける**ことである。記述は、**感情の反映**の説明である。

4　×　開かれた質問とは、Why（どうして）やHow（どのように）を聞き、クライエントから幅広く**自由な答え**を引き出す質問方法である。記述は、**閉じられた質問**の説明である。

5　×　支持とは、クライエントの思いや感情を受け止め、クライエントを**支えていく**姿勢を示すことである。記述は、**共感**の説明である。

問題118　正解　**5**　●──援助関係の意義と概念　　　　重要度 ★★

●援助者は、クライエントの抱える課題や困難な状況を解決するために、両者の相互作用を活用しながらクライエント自身が問題解決できるように支援することが重要である。

☞ 教科書(専)　CHAPTER 6・SECTION 1

1　×　**Q**さんの意向も確認しないまま、独断で施設入所を勧めることは適切ではない。パターナリズムに陥らないように注意することが必要である。

2　×　話の流れから、サロンの情報提供をする可能性もあるが、翌日から利用できるように手続きするのは時期尚早といえる。

3　×　緊急援助の必要性がなかったとしても、民生委員に丸投げすることは適切ではない。民生委員と協力しながら見守りを続ける姿勢が必要である。

4　×　普段から関わりのある民生委員と共に訪問することは効果的ではあるが、「民生委員だけでは心配」との発言は不適切である。援助関係を形成するうえでは、クライエントと環境との関係を見極めて丁寧に関わることが必要である。

5　○　最も適切である。地域包括支援センターという専門機関がいつでも相談や対応可能であることを伝えることは、**Q**さんにとっての安心にもつながる。

問題119 　正解　**3**　●──基本的な面接技法　　　　　　　　　　重要度 ★★

●言い換えや要約などの基本的な面接技法を用いることで、効果的な面接を行うことができる。それぞれの内容を押さえておこう。

☞ 教科書(専) CHAPTER 6・SECTION I

1 ×　要約は、クライエントの重要な発言に**焦点化**して短縮させ応答することで、状況の整理をするのに有効な面接技法である。選択肢は、Ｓさんの発言を焦点化していないため、適切でない。

2 ×　感情の明確化は、クライエントの抱く**感情**を、援助者が**言葉**にして返すことで、うまく表現できていない感情を**明確**にできる面接技法である。選択肢は、Ｓさんの感情を明確にしているわけではないため、適切でない。

3 ○　言い換えは、クライエントが発言した言葉を、援助者の言葉で言い換えることで、クライエントの**気づき**を促すのに有効な面接技法である。選択肢は、Ｓさんの発言を援助者の言葉で言い換えており、適切である。

4 ×　繰り返しは、クライエントの発言を**そのままの表現で言い返す**ことで、傾聴、受容、共感的理解のメッセージが強く伝わる面接技法である。選択肢は、Ｓさんの発言を繰り返していないため、適切でない。

5 ×　感情の反映は、クライエントが**感情**で表現したことを、援助者が**言葉**で返すことで、共感的理解と状況の整理や気づきの促しにつながる面接技法である。選択肢は、Ｓさんの感情を言語化しているわけではないため、適切でない。

問題120 　正解　**3**　●──面接技術の方法・留意点　　　　　　　重要度 ★★★

●傾聴、共感、支持を通して、クライエントとラポールを形成し、様々な面接技法を用いて効果的な面接を行うことが大切である。そのためにもしっかりと面接技法を身につけておきたい。

☞ 教科書(専) CHAPTER 6・SECTION I

1 ×　Ｕさんの発言の真意を慎重に把握すべきである。**面接技法を活用**し、Ｕさんの**言葉の裏側にある気持ち**などを丁寧に確認することが必要である。

2 ×　夫からの暴力の可能性は否定できないが、Ｕさんの思いを十分にアセスメントしないまま一時保護を勧めるのは、適切な対応とはいえない。

3 ○　Ｕさんは大丈夫だと考えているが、夫の暴力の問題は未解決のままである。ここでは、**継続して相談できるような働きかけ**が必要である。

4 ×　アルコール依存の課題はあるが、アルコール依存症を中心的な課題として捉え、早急の受診を促すのは、この時点での適切な対応とはいえない。

5 ×　仲良く過ごすように助言するのは適切ではない。状況を客観的に把握し、Ｕさ

んが安全に生活できる方法を専門職の視点で考えることが必要である。

| 問題121 | 正解　**2・5**　●──アウトリーチ | 重要度 ★★ |

●具体的なアウトリーチの方法として、❶家庭への個別訪問による実態把握、❷自治会や民生委員とのネットワーク形成、❸関係機関や地域住民に対する啓発活動（出前相談や出張講座の開催）などが挙げられる。

☞ **教科書(専)　CHAPTER 6・SECTION 1**

1　✕　近隣住民からの相談は、援助のプロセスにおける入口となる。これをきっかけに関わりを開始し、必要な援助を提供することが必要である。

2　○　Wさんにとって馴染みのある自治会長と一緒に訪問するのは有効である。Wさんからの相談を待つのではなく、**積極的に出向く姿勢**が求められる。

3　✕　いずれ、特別支援学校との連携が必要となることも想定されるが、Wさんの了解なしに連絡をすることは適切ではない。

4　✕　1回目の訪問では関わりを拒否される可能性もある。その場合であっても、粘り強く関わり続け、関係構築を目指すことが大切である。

5　○　自治会長や民生委員と連携することは適切な対応である。Wさんにとっての身近な存在である地域住民とのつながりをつくり、連携・協働しておくことは、アウトリーチを展開するうえでも有効である。

| 問題122 | 正解　**5**　●──社会資源の開発 | 重要度 ★★ |

●社会資源とは、クライエントのニーズを充足し、問題解決を図るために活用される人材、物質、資金、制度、方法、知識など、援助に利用できるもの全てをいう。

☞ **教科書(専)　CHAPTER 6・SECTION 2**

1　✕　**ブレインストーミング**とは、自由な発言、批判厳禁、質より量、結合改善などのルールに基づき行われる、**新しいアイデアを創出**するための会議方法である。

2　✕　ケアプランの作成とは、介護支援専門員（ケアマネジャー）等が**介護サービス計画**を作成することである。

3　✕　モニタリングとは、援助の実施期間に行われる**経過観察**（中間評価）である。

4　✕　**アグレッシブケースワーク**とは、インボランタリー（消極的な）クライエントに対し、ワーカー側から出向いて働きかけることである。**アウトリーチ、リーチアウト**ともいう。

5　○　就労移行支援事業所の利用者の中から、一般企業に就労移行するための提携先を開拓することは、社会資源の開発に該当する。

●ネットワーキングにより、高齢、障害、児童といった分野間の垣根や制度の谷間をなくし、柔軟で横断的な連携と協働の可能性が広がる。既存の制度や施策、あるいはネットワークだけでは対応しきれない場合は、新しくネットワークを構築し、ネットワーキングを発展させることが必要である。

☞ 教科書（専）CHAPTER 6・SECTION 3

1 ○ ソーシャルサポートネットワークとは、近隣住民等のインフォーマルな支援と専門職等によるフォーマルな支援を統合した体制のことである。

2 × 記述は、**フロランド**（Froland, C.）による分類方法である。マグワイアは、**ネットワーク介入アプローチ**、**ケースマネジメントアプローチ**、**システム開発アプローチ**の3つに分類した。

3 × ソーシャルサポートネットワークの視点は、個別ニーズに合わせたネットワーク形成に留まらず、個別のニーズから地域の共通ニーズを捉え、ネットワークの維持、拡大を目指す。

4 × 記述は、**ジャーメイン**（Germain, C.）による**生活モデル**の理念で、人と交互作用する環境を、**物理的環境**と**社会的環境**（ネットワーク等）に区分した。

5 × インフォーマルサポートも含めて、地域における生活支援のネットワークを構築することが必要である。

福祉サービスの組織と経営

| 問題124 | 正解　**2・3** | ●──育児・介護休業法 | 重要度 ★★★ |

> ●育児・介護休業法で定める制度は、仕事と介護や育児の両立を支援することを目的としている。法で定める対象者、制度の内容を把握しておくことが重要である。

☞ 教科書（専）　CHAPTER 7・SECTION 4

1　×　有期契約労働者が育児休業を申し出る時点で、次の要件「子が**1歳6か月**になるまでの間に、労働契約（更新される場合には更新後の契約）の期間が満了することが**明らかでないこと**」を満たす場合は、育児休業を取得することができる。

2　○　記述のとおりである。2019（令和元）年12月に「育児・介護休業法施行規則」等が改正され、2021（令和3）年1月から、**時間単位**で取得することも可能となった。なお、2024（令和6）年の法改正により2025（令和7）年4月から、介護休暇、子の看護休暇（同年4月から「子の看護等休暇」に改称）、所定外労働の制限における雇用期間の要件が**廃止**される。

3　○　2021（令和3）年6月の「育児・介護休業法」の改正により2022（令和4）年4月から、育児休業を取得しやすい雇用環境の整備として、事業主に対し、❶雇用する労働者に対する育児休業に係る**研修の実施**や**相談体制の整備**などの措置を講ずること、❷本人または配偶者が妊娠、または出産したことを申し出た労働者に対して、個別の**制度周知**および**休業の取得意向の確認**のための措置を講ずることが義務づけられた。

4　×　育児休業の分割取得は、**2回**まで認められている。

5　×　子の看護休暇は、**小学校就学前**の子を養育する労働者に適用される。なお、2024（令和6）年の法改正により、2025（令和7）年4月から名称が**子の看護等休暇**に変更され、子の入園式、卒園式、入学式などの行事参加等の場合も取得可能となった。また、対象となる子の範囲も**小学校3年生**まで拡大される。

| 問題125 | 正解　**3** | ●──組織に関する基礎理論 | 重要度 ★★★ |

> ●組織構造をうまく機能させるための手段としてとられる各種の組織形態の概要を覚えておくこと。

☞ 教科書（専）　CHAPTER 7・SECTION 2

1　×　トップから下位への指揮命令系統が明確な組織形態は、**ライン組織**という。

2　×　管理者が担当者の行動や意思決定を支援することを前提として形成される組織形態は、**逆ピラミッド型組織**という。

3　○　ライン・アンド・スタッフ組織は、ライン組織とファンクショナル組織を融合

した組織のことであり、現代の多くの企業の基本形態となっている。

4 × 　製品や地域ごとに事業部がおかれる組織形態は、**事業部制**という。

5 × 　生産、販売、経理、研究開発等の各機能を別々の部門に担当させる組織形態は、**ファンクショナル組織（職能別組織）**という。

| 問題126 | 正解 **1・2** ●——リーダーシップ理論 | 重要度 ★★ |

●リーダーシップ理論は、特性理論（資質論）、行動理論、コンティンジェンシー理論の順に研究が展開されていった。代表的なリーダーシップ理論の提唱者と内容は、ひととおり押さえておく必要がある。

教科書（専） **CHAPTER 7・SECTION 2**

1 ○ 　**コンティンジェンシー理論（条件適合理論）**とは、組織の状況がリーダーの行動に影響を与える程度に応じて、有効なリーダーシップのあり方は異なるとする理論である。フィードラー（Fiedler, F. E.）は、リーダーシップ行動を「タスク志向型」と「人間関係志向型」に区分し、どちらが業績を高めるかは、**リーダーとメンバーの関係**（信用や尊敬の度合いが高いかどうか）、**仕事の内容**（定型的かどうか）、**リーダーの権限の強さ**によって決まるとした。

2 ○ 　オハイオ州立大学の研究によれば、リーダーシップ行動は「構造づくり」と「配慮」に分けられ、どちらの次元も高いリーダーの下で、メンバーの業績度と満足度が高まる可能性が高い。

3 × 　三隅二不二は、リーダーの行動をP機能（目標達成）とM機能（集団維持）の2つの軸で分析し、それらの次元の高低によってPM型、Pm型、pM型、pm型の4つのタイプを想定した。期限までに仕事を完成するように要求することは、**集団の目標達成の働きを促進、教化するP機能**になる。

4 × 　組織の意思決定をメンバーに任せ、リーダーは組織に対して積極的に働きかけない**放任型リーダーシップ**が、実質的なリーダーシップの不在を意味する。

5 × 　**ハーシー**（Hersey, P.）と**ブランチャード**（Blanchard, K.）は、仕事に対する部下の成熟度によって、有効なリーダーのスタイルは異なるとする**SL理論（状況的リーダーシップ理論）**を提唱した。**ブレイク**（Blake, R.）と**ムートン**（Mouton, J.）は、マネジリアル・グリッド論において、リーダーシップの行動スタイルにおける「人間に対する関心」と「業績に対する関心」の2軸に着目し、**関心の程度を9段階に分けたうえで、5つのリーダーシップ類型に分類した。**

問題127 | 正解 **4** ●──社会福祉法人の会計や経営 | 重要度 ★★★

●社会福祉法人は、計算書類及び附属明細書並びに財産目録を作成し、毎会計年度終了後2か月以内に理事会の承認を受けなければならない。そのうち、計算書類及び財産目録は、所轄庁への提出が義務づけられている。

☞ 教科書(専) CHAPTER 7・SECTION 3

1 × 社会福祉法人は、社会福祉事業の主たる担い手としてふさわしい事業を確実、効果的かつ適正に行うため、**自主的にその経営基盤の強化を図る**こととされている（社会福祉法第24条第1項）。

2 × 社会福祉法人は、**毎会計年度終了後3か月以内**に、計算書類と財産目録を所轄庁へ届け出なければならない（社会福祉法第59条）。

3 × 事業運営に伴う経常的な資金の流れや財務活動に関わる資金の流れなどは、**資金収支計算書**に示される。

4 ○ アカウンタビリティは、元来は会計学において「**会計責任**」の意味で用いられてきたが、今日では幅広く「**説明責任**」として様々な領域で用いられている。

5 × 減価償却とは、長期間にわたって使用されるパソコンや自動車などの固定資産の取得に要した金額を、**耐用年数に応じて少しずつ費用として処理**する会計上の手続きをいう。土地は、非減価償却資産であり、減価償却の対象とならない。

問題128 | 正解 **5** ●──サービスマネジメント | 重要度 ★★★

●サービスマネジメントとは、顧客のニーズに合致したサービスを提供し、品質や価値を確保するための管理・取組をいう。

☞ 教科書(専) CHAPTER 7・SECTION 3

1 × 顧客が感じるサービスの品質の度合い（**顧客満足度**）は、**サービスの実績から事前期待を差し引く**ことで求められる。

2 × サービスの提供過程と消費過程は同時に進むため、利用者は必ずサービス提供過程に参加することになる。そして、それをどう感じ、どう行動するかは、サービスの質に影響を与える。

3 × サービス提供過程における管理の精度向上には、サービス提供過程の標準化と可視化（マニュアル化等）が必要となる。このサービス提供過程の標準化を効果的に進めるには、サービスの品質の継続的な改善（一般的にPDCAサイクルとして示される）における**すべての局面**（Plan＝計画、Do＝実行、Check＝評価、Act＝改善）で、**現場の従業員が関わる**ことが重要となる。

4 × サービスの品質を規定するのは、People（**従事者**）、Physical evidence（**物的環境要素**）、Process（**サービス提供過程**）の3つであり、それぞれの頭文字をと

って「3つのP」と呼ばれる。

5 ○ 有形であるモノ（製品）の場合は、試用などによって顧客が購入前に手や目で品質を確かめることが可能である。一方、無形であるサービスの場合は、それが提供される過程と消費される過程が同時に進行するため、利用者がその質を評価することは難しい。

問題129 | **正解 1** ●──個人情報の保護に関する法律の運用 | 重要度 ★★★

●個人情報を扱う責任と自覚は、援助関係形成の基本となる。個人情報の保護に関する法律（個人情報保護法）の内容をしっかりと身につけておきたい。

☞ 教科書（専） CHAPTER 7・SECTION 3

1 ○ 援助を展開するうえで、医療スタッフとの連携は不可欠である。Yさんに個人情報の扱いに関する了解をあらかじめ得ておくことは、丁寧で適切な対応である。

2 × 本人の同意なしに第三者に個人情報を提供することはできない。

3 × Yさんの了解なしに、職場と病院で情報交換をすることは適切ではない。

4 × 判断能力の低下は懸念されるが、それだけを理由にすべて妻とやり取りをする姿勢は適切ではない。

5 × 本人から要求があった場合は、開示しなければならない。一部の例外規定はあるが、現在のYさんの状況が一切開示できない理由とはなりにくい。

第2回
共通科目
解答・解説

第2回　共通科目・解答一覧

医学概論　　　　/6点

問題	①	②	③	④	⑤
1				●	
2				●	
3				●	
4			●		
5		●			
6				●	

心理学理論と心理的支援　　　　/6点

問題	①	②	③	④	⑤
7				●	
8			●		
9			●		
10				●	
11		●			
12				●	

社会学と社会システム　　　　/6点

問題	①	②	③	④	⑤
13			●		
14		●			
15					●
16			●		
17	●			●	
18		●			

社会福祉の原理と政策　　　　/9点

問題	①	②	③	④	⑤
19			●		
20			●		
21		●			
22			●		
23		●			
24					●
25					●
26		●			
27	●				

社会保障　　　　/9点

問題	①	②	③	④	⑤
28	●				
29	●				
30			●		
31					●
32				●	
33			●		●
34			●		
35		●			
36				●	

権利擁護を支える法制度　　　　/6点

問題	①	②	③	④	⑤
37					●
38	●				
39				●	
40					●
41			●		
42		●			

地域福祉と包括的支援体制　　　　/9点

問題	①	②	③	④	⑤
43				●	
44	●				
45			●		
46			●		
47	●				
48	●				
49					●
50		●			
51					●

障害者福祉　　　　/6点

問題	①	②	③	④	⑤
52				●	
53				●	
54	●				
55	●				
56					●
57		●			

刑事司法と福祉　　　　/6点

問題	①	②	③	④	⑤
58				●	
59		●			
60					●
61	●				
62			●		
63					●

ソーシャルワークの基盤と専門職　　　　/6点

問題	①	②	③	④	⑤
64	●				
65		●			
66					●
67					●
68		●			
69		●			

ソーシャルワークの理論と方法　　　　/9点

問題	①	②	③	④	⑤
70			●		
71	●				
72		●			
73			●		
74	●				●
75		●			●
76				●	
77			●		
78			●		

社会福祉調査の基礎　　　　/6点

問題	①	②	③	④	⑤
79			●		
80					●
81			●		
82	●				
83				●	
84			●		

※頻出項目解説〔(4)～(17) ページ)〕の各科目の目標得点が取れるまで、繰り返し解いてみましょう。

合　　計	／84点

医学概論

| 問題1 | 正解　4　●——各器官等の構造と機能 | 重要度 ★★★ |

●人間に骨は約200個存在し、体の形をつくり、内臓などを保護している。骨の外側はカルシウムを含んだ固い骨質で、内側には骨髄がある。

☞ 教科書（共）CHAPTER I・SECTION 3

1　×　気管の入り口にあり、誤嚥を防止しているのは**喉頭蓋**である。

2　×　胆汁は**肝臓**でつくられ、いったん**胆嚢**に貯蔵される。そして、胆管を通じて**十二指腸**に胆汁が出され、脂肪の消化を助ける。

3　×　腎臓には、血液中の老廃物を尿として体外に排出する機能以外にも、**血圧調整、造血作用、骨の発育を助ける作用**などがある。

4　○　記述のとおりである。骨には頭部や内臓を支える身体の支柱となる支持機能以外にも、**造血機能**や、脳や臓器を保護する**保護機能**、関節・筋肉と連動した**運動機能**、カルシウムを蓄える**貯蔵機能**などがある。

5　×　筋肉には横紋筋と平滑筋があり、横紋筋はさらに**骨格筋**と**心筋**に分類される。なお、骨格筋は自分の意思で動かすことができる**随意筋**であり、心筋は自分の意思で動かすことができない**不随意筋**である。平滑筋は内臓壁、血管壁、消化管、気管支などに分布しており、自律神経の支配を受けている**不随意筋**である。

| 問題2 | 正解　4　●——人の成長・発達 | 重要度 ★★ |

●クーイングと喃語の違い、アタッチメントについても押さえておこう。

☞ 教科書（共）CHAPTER I・SECTION I

1　×　一般的に親指と人差し指全体で積み木がつかめるようになるのは**生後11か月頃**、指全体では**生後12〜14か月頃**である。生後3か月頃は**首が座り始める**時期である。

2　×　厚生労働省が実施した「2010（平成22）年乳幼児身体発育調査」によると、約半数の乳児がつかまり立ちできるようになる時期は**生後8〜9か月未満**で、ほとんどの幼児ができるようになるのは**生後14〜15か月未満**とされている。生後6か月頃は、**寝返り**ができるほか、**一人でお座りができる**ようになる時期である。

3　×　クーイングとは、「アー」「ウー」など**母音のみの発声**で声をあげることをいい、**生後2〜3か月頃**からみられるようになる。

4　○　二語文とは、「マンマ　オイシイ」「ブーブー　キタ」など、**2つの言葉をつなげて話す**ことをいい、**2歳頃**にみられるようになる。

5　×　愛着（アタッチメント）は、母親など特定の人との間に形成される**特別な関係**をいう。比較行動学では、**出生直後から愛着がみられる**としている。3歳頃は、基本的な動作が一通りできるようになり、基本的な生活習慣も**ほぼ自立する**時期である。

問題3　　正解　**4**　●──老化　　　　　　　　　　　　　重要度 ★★

●老化に伴う身体的機能の変化の特徴としては、環境の変化に対する適応力が低下し、体調を崩しやすくなる点も押さえておく。

☞ 教科書（共）　CHAPTER I・SECTION I

1　×　老化に伴う呼吸器系の変化として、**肺活量は低下**するが、**残気量は増加**し、息切れすることが多くなる。

2　×　老化に伴う泌尿器系の変化として、腎臓にある糸球体の数が減少することで**尿の濃縮力が低下**し、尿量が増加する。また、尿をためる膀胱が**萎縮**するため、夜間に**頻尿**を起こしやすくなる。

3　×　老化に伴う循環器系の変化として、高血圧や動脈硬化が起こりやすくなる。そうした症状による負荷に対応するため、**心臓の筋肉が肥大**する心肥大という状態が引き起こされる。

4　○　老化に伴う消化器系の変化として、**消化液の分泌の減少**、**腸の蠕動運動の低下**、**栄養の吸収力の低下**などが起こる。腸の蠕動運動の低下は、**便秘の原因**にもなる。

5　×　老化に伴い筋肉量が減少し、それによって**筋力**や**持久力**が低下していく。

問題4　　正解　**3**　●──健康の捉え方　　　　　　　　　重要度 ★★

●健康に関する様々な概念について整理しておくこと。また、健康日本21（第二次）についても押さえておく。

☞ 教科書（共）　CHAPTER I・SECTION 2

1　×　世界保健機関（WHO）の健康の定義は、「健康とは、病気ではないとか、弱っていないということではなく、**肉体的**にも、**精神的**にも、そして**社会的**にも、すべてが満たされた状態にあること」と定義されている。

2　×　**プライマリ・ヘルスケア**とは、全ての人にとって健康を**基本的な人権**として認め、その達成の過程において、住民の**主体的な参加**や**自己決定権**を保障する理念で、1978年にWHOとユニセフにより開催された国際会議で採択されたアルマ・アタ宣言で提唱された。**オタワ憲章**で提唱されたのは、**ヘルスプロモーション**である。

3　○　記述のとおりである。「健康づくりのための身体活動基準2013」では、身体活

動の増加でリスクを低減できるものとして、糖尿病、循環器疾患等に加え、**ロコモティブシンドローム**（運動器症候群）、**認知症**が取り上げられている。

4 × **健康日本21**（**第三次**）（2024〈令和6〉～ 2035〈令和17〉年度）の基本的な方向は、❶**健康寿命の延伸**と**健康格差の縮小**、❷個人の**行動**と**健康状態の改善**（生活習慣の改善、生活習慣病の発症予防・重症化予防、生活機能の維持・向上）、❸**社会環境の質の向上**（社会とのつながり・こころの健康の維持および向上、自然に健康になれる環境づくり、誰もがアクセスできる健康増進のための基盤の整備）、❹**ライフコースアプローチを踏まえた健康づくり**の4つである。

5 × 特定健康診査の対象者は**40歳以上75歳未満**の医療保険加入者である。

| 問題5 | 正解 **2** ●──生活習慣病 | 重要度 ★★ |

●生活習慣病は、食生活の乱れ、過剰な飲酒・喫煙、運動不足などが積み重なって引き起こされる様々な疾患の総称である。

☞ 教科書（共） CHAPTER Ⅰ・SECTION 4

1 × 脳内出血は、脳の細い血管が圧力を受けて破れ、脳内に血液が流れ出すことで発症するもので、頭痛などの症状が**活動中**に突然起こるのが特徴である。

2 ○ くも膜下出血は、くも膜と軟膜の間の血管が破れ、出血することで発症するもので、**激しい頭痛**が特徴的である。症状の進行とともに、徐々に意識障害や嘔吐といった症状がみられるようになる。

3 × 糖尿病による高血糖では脂肪の分解が進み、ケトン体という酸性物質がたまることで、**ケトアシドーシス**という状態を引き起こす。重症になると**意識障害**や**呼吸困難**、**嘔吐**などの症状が出現する。

4 × 胃がんの原因となるのは、**塩分**のとりすぎや、ヘリコバクター・ピロリ（ピロリ菌）の感染などである。

5 × 厚生労働省「令和4年（2022）人口動態統計（確定数）の概況」によると、がんによる部位別死亡者数は多い順に、第1位が**肺**、第2位が**大腸**、第3位が**胃**となっている。なお、大腸については結腸と直腸による死亡者数を合計したものである。

| 問題6 | 正解 **4** ●──肢体不自由 | 重要度 ★★ |

●肢体不自由には、先天的または後天的な原因がある。前者では脳性麻痺や二分脊髄などが多く、後者では交通事故による脊髄損傷などが多い。

☞ 教科書（共） CHAPTER Ⅰ・SECTION 4

1 × 脳性麻痺は、胎児期から新生児期の間に何らかの原因で受けた脳損傷の結果、

姿勢・運動面に異常をきたしたものをいう。

2　×　記述は、「**痙直型**」である。「**アテトーゼ型**」は、ゆっくりねじるような、あるいはふらふらする不随意運動を示すタイプである。

3　×　筋ジストロフィーのうち最も多い「**デュシェンヌ型**」は、症状が進んで15歳頃には全介助となり、さらには人工呼吸器が必要になる。15歳を過ぎても歩行可能な軽症のタイプは「**ベッカー型**」で、下腿の筋が萎縮する。

4　○　**二分脊椎**は、胎児期における器官発生障害で、主に腰の**脊椎の癒合不全**によって、脊髄が腰から突出するなどした状態をいう。

5　×　**脊髄損傷**は、スポーツでの事故や交通事故などによって脊髄が損傷を受け、**損傷部位から下**の脊髄機能が失われた状態をいう。

心理学と心理的支援

| 問題7 | 正解 **4** | ●──マズローの欲求階層説 | 重要度 ★★ |

●マズローの欲求階層説は、生理的欲求から自己実現の欲求までの5つの段階によって構成される。各段階の内容を確実に理解することが重要である。

☞ 教科書(共) CHAPTER 2・SECTION 1

1 × **生理的欲求**は、経験や学習から獲得されるものではなく、生命を維持するために必要な**本能的な欲求**である。

2 × 最も基底にある欲求は、食欲、渇き、呼吸、睡眠などの**生理的欲求**である。安全の欲求は、その次の段階の欲求となる。

3 × 承認・自尊の欲求とは、自分自身の価値を自己ではなく**他者**に認めてもらいたいと欲すことである。

4 ○ 欠乏欲求は、生理的欲求、安全の欲求、所属・愛情の欲求、承認・自尊の欲求をいう。これらの欲求は、何かが欠けていて満たせないことから生じるため、**欠乏欲求**といわれる。

5 × 最上位の自己実現の欲求は、発達欲求ではなく、**成長欲求**である。

| 問題8 | 正解 **3** | ●──防衛機制（適応機制） | 重要度 ★★★ |

●心理的に安定する状態を保つために無意識にとる行動のことを防衛機制（適応機制）という。防衛機制には良い方向へ向かうような機制（昇華など）がある一方で、適応効果の低い機制（退行など）もある。

☞ 教科書(共) CHAPTER 2・SECTION 1

1 × 知性化とは、**知的な活動**をすることや**理論的**に考えることで欲求不満や不安をコントロールすることである。記述は、「**反動形成**」の説明である。

2 × 抑圧とは、無意識に押し込めて意識しないようにすることである。記述は「**投影**」の説明である。

3 ○ 退行とは、記述のとおり、**年齢不相応な幼い行動**をとることをいう。

4 × 合理化とは、自分の欠点や失敗を**正当化**するために都合の良い言いわけをすることである。記述は「**昇華**」の説明である。

5 × 「似たようなデザインの別の洋服」の購入は、代わりに獲得しやすい方法や欲求で満たしているので「**代償**」の例である。

| 正解 **3** ●──ハヴィガーストの発達課題 | 重要度 ★★

●ハヴィガーストは、発達段階を乳幼児期、児童期、青年期、壮年期、中年期、老年期に分類し、それぞれの発達課題を示した。

☞ **教科書(共)** CHAPTER 2・SECTION 2

1 ✕ 善悪の区別の習得は、**乳幼児期**の発達課題である。

2 ✕ 両親や他の大人たちから情緒面で自立するのは、**青年期**の発達課題である。

3 ◯ 読み書き計算などの基礎的技能の習得は、**児童期**の発達課題である。児童期のそのほかの発達課題には、「集団との関わりのなかで**協調性**を習得する」「**良心や道徳観**を学び発達させる」などがある。

4 ✕ 排泄のコントロールの習得は、**乳幼児期**の発達課題である。

5 ✕ 社会的に責任のある行動をとるのは、**青年期**の発達課題である。

| 正解 **4** ●──ストレス | 重要度 ★★

●ストレスとは、セリエ(Selye, H.)によって提唱された、何らかの原因(ストレッサー)によって引き起こされる反応(ストレス反応)の一連の総称のことである。

☞ **教科書(共)** CHAPTER 2・SECTION 3

1 ✕ 記述の症状は、警告期の**反ショック相**でみられる症状である。

2 ✕ ストレスの原因(ストレッサー)に直接働きかけているわけではないので、**情動焦点型コーピング**である。

3 ✕ バーンアウト(燃え尽き症候群)は、介護福祉従事者などの対人援助職によくみられる。症状としては、疲れ果ててしまい、**無気力**でやる気のない態度がみられる。仕事は続けていても、**義務的・機械的**にこなしていることが多くなる。

4 ◯ **配偶者との死別**など、生活が大きく変化してしまうような人生の出来事は、ストレスの大きな原因となる。

5 ✕ ストレスチェック制度は、労働者が**50人以上**の事業所で実施義務がある。

| 正解 **2** ●──心理検査(人格検査) | 重要度 ★★

●心理検査のうち、人格検査は、個人の性格や欲求、適性などを把握するための検査のことで、大きく「質問紙法」「投影法」「作業法」の3つに分けることができる。

☞ **教科書(共)** CHAPTER 2・SECTION 4

1 ✕ P−Fスタディ(絵画欲求不満検査)では、欲求不満を想起させる場面が描かれた絵を見て思うことを書かせ、その反応を**攻撃方向**と**自我状態**について分類し、人格を評価する方法である。記述は、**TAT(絵画・主題統覚検査)**の説明である。

2 ○　記述のとおりである。日本版MMPI（ミネソタ多面人格目録）は、アメリカのミネソタ大学で開発されたものが日本で標準化されたものである。対象年齢は**15歳から成人**であり、**質問項目が550**と非常に多いのが特徴である。

3 ×　TAT（絵画・主題統覚検査）では、様々な見方のできる人物によるいろいろな場面が描かれた絵を見せて、自由に物語を作らせ、隠れた欲求やコンプレックスを明らかにして人格特徴を分析する。記述は、**バウム・テスト**の説明である。

4 ×　バウム・テストでは、Ａ４判の白紙に「１本の実のなる木」の絵を描かせることで、性格や欲求を分析する。記述は、**SCT（文章完成法検査）**の説明である。

5 ×　SCT（文章完成法検査）では、短い刺激語の後に**自由に言葉を補い文章を完成**させ、性格や価値観などを分析する。記述は、新版TEG－Ⅱ（**東大式エゴグラム ver.Ⅱ**）の説明である。

問題12　正解　**4**　●──心理療法の概要と実際　　　　重要度 ★★★

●各種の心理療法は頻出なので、概要をしっかりと押さえておくこと。

☞ 教科書（共）　CHAPTER 2・SECTION 4

1 ×　箱庭療法の対象は子どもだけではなく、**大人にも適用できる**ものである。

2 ×　記述は、**心理劇（サイコドラマ）**の説明である。動作療法は、**意識を自身の体に向ける**ことで心に働きかける方法のことである。

3 ×　主流は、抱えている問題を個人の問題ではなく、家族のシステムの問題だと考える**システムズ・アプローチ**である。

4 ○　記述のとおりである。精神分析療法は、フロイトによって創始され、人の精神は、イド・自我・超自我という構造をもつとされた。

5 ×　記述は、**トークンエコノミー法**の説明である。モデリングは、手本となる行動を**観察模倣**する方法である。

社会学と社会システム

| 問題13 | 正解　**3**　●──社会移動 | 重要度 ★★ |

●人々の社会的地位の変化（社会階層間の移動）を社会移動という。それぞれの用語の意味を整理しておく。

🖙 **教科書(共)** CHAPTER 3・SECTION 1

1 ×　親の主たる職業と子が従事している職業が異なることは、**世代間移動**という。

2 ×　個人が最初に就いた職業と現在従事している職業が異なることは、**世代内移動**という。**純粋移動**とは、自発的な意思で移動したと推定される移動を指す。

3 ○　記述のとおりである。なお、階層間の移動を伴わない移動は、**水平移動**という。

4 ×　競争移動とは、人の競争による上下移動を指す。記述は、**庇護移動**の説明である。

5 ×　事実移動とは、**純粋移動と強制移動を合計したもの**を指す。強制移動とは、職業構造の変化や経済的変動など社会状況の影響により生じた移動を指す。

| 問題14 | 正解　**2**　●──地域 | 重要度 ★★★ |

●都市化が進むにつれ、自然に発生したものや意図的に作られたものなど都市には様々な現象が生じる。人口の移動に伴う都市化の特徴を示す用語を理解しておくこと。

🖙 **教科書(共)** CHAPTER 3・SECTION 1

1 ×　同心円地帯理論を提唱したのは、**バージェス（Burgess, E.）** である。同心円地帯理論とは、都市が円を描くように外側へと発展していき、順に遷移地帯、労働者住宅地帯、中流階級住宅地帯、通勤者地帯に分布するというものである。

2 ○　ワースは、これらの特徴から、都市では家族や近隣を基盤とした**結合の弱体化**や、**匿名性**、**無関心**、**個人主義**などが増長すると考えた。

3 ×　コンパクトシティとは、都市部の郊外への**無秩序な拡大を抑制**し、**中心市街地の活性化**を図り、**生活に必要な機能を集約させる都市**のことをいう。

4 ×　消滅可能性都市とは、**少子化と人口減少**が進み、社会保障の維持、雇用の確保などが困難になり、**存続が危ぶまれる自治体**を指す。農村部の地域のみに起こるものではない。

5 ×　ジェントリフィケーションとは、都市において比較的貧困な層が多く住む地域が再開発や文化的活動などによって活性化し、**比較的豊かな人が流入し**、**地価が高騰すること**を指す。

92

| 問題15 | 正解 **5** ●——現代社会における働き方 | 重要度 ★★ |

●現代社会においては、働き方に関する様々な考えが存在する。労働の在り方をめぐる専門用語の意味や、労働をめぐる近年の動向を理解することが大切である。

☞ 教科書（共） CHAPTER 3・SECTION 3

1 × 「**専門業務型裁量労働制**」は、業務の性質上、遂行の手段や方法、時間配分等を大幅に労働者の裁量にゆだねる必要があるものとして厚生労働省令などにより定められた業務の中から、対象となる業務を労使で定め、労働者を実際に業務に就かせた場合、労使で**あらかじめ定めた時間働いたものとみなす制度**である。

2 × **シャドウ・ワーク**はイリイチ（Illich, I.）が提唱した概念で、産業社会にとって必要不可欠であるが、賃金が支払われない労働をいう。**家事労働**が典型例である。

3 × ワークシェアリングは、人々の間で雇用を分かち合うことをいい、労働時間の短縮によって仕事の機会を増やすのが典型的な方法である。記述は、**ワーク・ライフ・バランス**の説明である。

4 × 日本女性の労働力率（15歳以上人口に占める労働力人口の割合）は、結婚・出産期に当たる年代にいったん低下し、育児が落ち着いた時期に再び上昇するという、いわゆる**M字カーブ**を描くことが知られている。ただし、近年ではM字の谷の部分が浅くなってきている。

5 ○ 独立行政法人労働政策研究・研修機構「データブック国際労働比較2024」によると、フルタイム労働者の男女間賃金格差は、欧米の主要諸国（米、英、独、仏など）では約12〜17%であるのに対して、日本は**約22%**となっている。

| 問題16 | 正解 **3** ●——社会関係と社会的孤立 | 重要度 ★★ |

●人と人との結びつきを社会的連帯や社会関係資本（ソーシャルキャピタル）といい、近年ではこれらの有無が人の幸福感などと関連があることが明らかになってきている。

☞ 教科書（共） CHAPTER 3・SECTION 4

1 × パットナムが整理したのは、「**結束型**」と「**橋渡し型**」である。「結束型」は、同一集団内の効用を高め、他の集団に対しては排他的に作用するものであり、「橋渡し型」は、異なる集団間での効用を高めるものを指す。

2 × グラノヴェッターは、新しく価値ある情報は、家族や親友といった社会的つながりが強い人々（強い紐帯）よりも、友人のそのまた知り合いなどという社会的なつながりが弱い人々（弱い紐帯）からもたらされる可能性が高いと考え、これを「**弱い紐帯の強さ**」という言葉で表した。

3 ○ 社会ネットワークとは、友人、知人、恋人、学校や職場の同僚といった**人間の**

つながりを指す。このネットワークが**閉鎖的**でつながりが強くなると、ネットワークに加わらない人を排除する動きが生じることがある。

4 × 日本では、2008（平成20）年頃から、「**社会的排除**」に対応した取組が本格化し、2011（平成23）年1月には、「**社会的包摂戦略（仮称）**」策定に向けて「『**一人ひとりを包摂する社会**』**特命チーム**」が政府内に設置された。

5 × 知的障害者が大規模施設で人間らしい生活を送れていないことに端を発し、提唱されたのは、**ノーマライゼーション**である。ソーシャル・インクルージョンは、EU加盟国で生じていた社会的排除に対処する戦略として、提唱された。

| 問題17 | 正解 **1・4** ●——社会的ジレンマ | 重要度 ★★ |

●個人レベルでの最適な選択が、集団・社会レベルでは最適な選択とはならない状態を社会的ジレンマという。「囚人のジレンマ」などの具体的内容とともに、社会的ジレンマの解決策についても理解しておく。

☞ **教科書（共）** CHAPTER 3・SECTION 4

1 ○ 「**共有地の悲劇（コモンズの悲劇）**」は、大集団における社会的ジレンマの代表的モデルである。誰でも自由に利用できる（オープンアクセスの状態にある）牧草地に、それぞれが1頭でも多く家畜を放牧した結果、牧草が枯れ果ててしまったなど、各人による**自己利益の合理的な追求が、社会全体に不合理な結果を招く**状況を表す。

2 × ゲーム理論では、全員の得失の総和がゼロになる場合を「**ゼロサム（ゼロ和）ゲーム**」、ある1人の利益が、必ずしも他の誰かの損失にならない場合を「**非ゼロサム（非ゼロ和）ゲーム**」という。「囚人のジレンマ」は、非ゼロサムゲームの代表例である。

3 × フリーライダーとは、自分ではコストを負担することなく、利益だけを享受する者をいう。いわゆる「**ただ乗り**」であり、その発生をどのように防止するかという問題をフリーライダー問題という。フリーライダーに対する負の選択的誘因（罰則など）を設けることなどが挙げられる。

4 ○ ある経済主体の活動が、市場での取引を通さずに、他の経済主体に対して及ぼす影響を**外部効果**という。影響を受ける側からみて、望ましい影響である場合を**外部経済**、望ましくない場合を**外部不経済**という。

5 × オルソンは、社会的ジレンマの解決法として、協力的行動には報酬を、非協力的行動には罰を与えるという外的な要因によって協力的行動を選択させる方法を示し、これを**選択的誘因**と呼んだ。規範意識は報酬により醸成するものではなく、内的要因に基づく解決方法である。

| 問題18 | 正解 **2** | ●──具体的な社会問題 | 重要度 ★★★ |

●ジェンダーとは、社会的・文化的に規定された性差のことをいう。日本におけるジェンダーをめぐる諸問題（介護、DV等）の概要と、ジェンダーに関する主な用語の意味を理解しておく。

☞ **教科書(共)** CHAPTER 3・SECTION 3

1　×　被虐待高齢者の状況を性別にみると、養介護施設従事者等による虐待では男性が**27.1%**、女性が**71.7%**、養護者によるものでは男性が**24.2%**、女性が**75.8%**であり、ともに7割以上を**女性が占めている**。

2　○　性・年齢階級別にみた65歳以上の者の家族形態をみると、「75～79歳」と「80歳以上」のいずれも、子と同居している者の比率は**男性よりも女性の方が多い**。

3　×　「令和5年版自殺対策白書」（厚生労働省）によれば、警察庁の「自殺統計」において1978（昭和53）年以降、自殺者数は、一貫して**女性より男性の方が多い**。

4　×　養護者による高齢者虐待について被虐待高齢者からみた虐待者の続柄は、「**息子**」が39.0%と最も多く、次いで「夫」が22.7%、「娘」が19.3%の順であった。

5　×　日本では、ドメスティック・バイオレンスを「配偶者や恋人など親密な関係にある、またはあった者から振るわれる暴力」という意味で使うことが多いが、「配偶者からの暴力の防止及び被害者の保護等に関する法律」（DV防止法）においては、**被害者を女性には限定していない**。

社会福祉の原理と政策

正解 3 ●──福祉政策の概念と理念　　　　　　　　重要度 ★★

● 「福祉の概念」を唱えた代表的な論者の学説は覚えておくこと。

　　　　　　　　　　　　　　　　　　　　☞ 教科書（共）CHAPTER 4・SECTION 2

1　×　孝橋正一は、社会事業の対象について、資本主義社会が生み出す「**社会問題**」と「**社会的問題**」に区別して捉えた。記述は、**大河内一男**の理論である。

2　×　竹内愛二は、援助の過程において、人間関係を基盤に駆使される専門的な援助技術の体系を**専門社会事業**と呼んだ。彼のいう社会事業は、**専門的な社会福祉援助の過程並びに技術**を意味し、**ソーシャルワークの視点**が盛り込まれているところに特徴がある。

3　○　仲村優一の理念には、一般施策等の手が及ばない生活問題に対して、社会福祉の援助・支援を差し伸べるという「**補充性**」に特徴があり、❶並立的補充性、❷補足的補充性、❸代替的補充性の３つに分けている。

4　×　記述は、**一番ヶ瀬康子**の福祉理念で、社会福祉を国民の「**生活権**」を保障する１つとして捉えるとともに、福祉に対する**国民の運動**を重要視している。

5　×　記述は、**糸賀一雄**の理念である。「**近江学園**」「**びわこ学園**」を創設した。

正解 3 ●──福祉の原理をめぐる理論　　　　　　　重要度 ★★

● 福祉の原理をめぐる理論は、それを提唱した人物、年代、理論内容を全て覚えることは困難である。社会福祉の思想や原理を理解するには、その歴史的背景を通して体系的に把握することが重要である。

　　　　　　　　　　　　　　　　　　　　☞ 教科書（共）CHAPTER 4・SECTION 2

1　×　最も恵まれない人が有利となるような資源配分が正義にかなうと主張したのは、**ロールズ**である。センは、**ケイパビリティ（潜在能力）**を論じた人物である。

2　×　「**準市場**」の概念を打ち出したのは**ルグラン**である。ローズは、社会における福祉の総量を、家族福祉、市場福祉、国家福祉の合計であるとした。

3　○　エスピン－アンデルセンは、福祉国家を、**自由主義モデル**、社会民主主義モデル、**保守主義モデル**の３類型に分類した。

4　×　**福祉ミックス論**は、**ローズ**である。ルグランは「**準市場**」という概念を提唱した人物である。

5　×　ケイパビリティ（潜在能力）を論じたのは、**セン**である。ロールズは**正義論**を主張した。

| 問題21 | 正解　**2** ●──需要とニーズの概念、定義 | 重要度 ★★★ |

●ニーズは、「必要」あるいは「必要性」などの意味で訳され、様々な分野で用いられている。
ニーズの類型には、三浦文夫やブラッドショーが提唱したニーズ論があるので、しっかり理解を深めておくこと。

☞ 教科書（共）　CHAPTER 4・SECTION 4

1　×　**貢献原則**とは、その人の貢献能力に応じて資源が分配される考え方である。なお、記述は、**必要原則**の説明である。

2　○　個人の健康状態や生活水準に応じて、ニーズ（必要）の充足のされ方には**個人差**がある。同じ量の社会資源でも、その個人によって不足する場合や過多になる場合もあり得る。

3　×　ニーズは、それ自体が表面化し、ニーズとして認識されている**顕在化したニーズ**と、ニーズとして認識されていない**潜在化されたニーズ**がある。サービスの情報が公開されているだけでは、ニーズが潜在化し続ける可能性がある。

4　×　行政や専門職が判断する**規範的ニード（ノーマティブ・ニード）**だけで全てのニーズ（必要）は把握できない。本人や家族が参加して、ニーズ（必要）の把握を行う必要がある。

5　×　**社会福祉実践**は、社会資源を利用した生活支援を行い、**質（QOL）の向上**を図るものである。そのため、本人が求めた具体的な支援以外にも有効と思われる支援が提案される場合がある。

| 問題22 | 正解　**3** ●──社会的排除と社会的包摂 | 重要度 ★★★ |

●現代社会の問題に対する福祉政策の理念として、社会的排除（ソーシャル・エクスクルージョン）、社会的包摂（ソーシャル・インクルージョン）などを理解しておくこと。

☞ 教科書（共）　CHAPTER 4・SECTION 3

1　×　ヨーロッパで、移民労働者を中心に排除・排斥が行われていたのは、**1980年代**である。

2　×　記述は、**ブレア政権**で行われた政策である。ブレア政権は、失業や低所得、不健康など、複合的な問題を抱える人だけでなく、地域を含めた社会的排除に対応するため、内閣府内にソーシャル・エクスクルージョン課を設置した。

3　○　人は、老齢、失業、障害などが原因で**貧困**になる。「ヴァルネラビリティ」とは、そうした**社会的に弱い立場にある人たち**を意味する。

4　×　ソーシャル・インクルージョンは、**外国籍の人を含め、包み支え合う地域社会を目指す理念**である。

5　×　全ての障害者が他の者と**平等の機会、権利**を有し、地域社会に**包容**されること

などソーシャル・インクルージョンに関する内容が盛り込まれている。

問題23 | 正解 **2** ●──貧困の概念 | 重要度 ★★★

●貧困は、社会政策の最も中心的な福祉課題である。そのため、貧困に関する定義や理論を提唱した人物は多く存在する。相対的剥奪の概念を用いたタウンゼントや、貧困の概念をケイパビリティとしたセンなどは重要である。

☞ 教科書(共) CHAPTER 4・SECTION 3

1 × **リスター**は、絶対的貧困・相対的貧困の二分法による論争に終止符を打つことを目指した。「見えない貧困」は、**タウンゼント**の概念である。

2 ○ ブースは、1886年から1902年にかけてロンドン市民を対象に**貧困調査**を実施し、市民の30.7％が**貧困線以下**の生活であることを明らかにした。

3 × ピケティは『**21世紀の資本**』により「**格差の構造**」を明らかにした人物である。「**貧困の文化**」は、**ルイス**の概念である。

4 × 「**格差の構造**」を明らかにしたのは、**ピケティ**である。ルイスは「**貧困の文化**」を明らかにした。

5 × タウンゼントは、**相対的剥奪**の概念を用いて「**見えない貧困**」を明らかにした。

問題24 | 正解 **5** ●──福祉政策の構成要素 | 重要度 ★★

●地域の実情を把握しているのはそこで生活している住民であり、福祉政策においては、住民の政策参加の下に、様々な計画が策定されることとなる。

☞ 教科書(共) CHAPTER 4・SECTION 5

1 × ラショニングとは、**割当**の意味である。公的機関の民営化を意味する言葉は**プライバタイゼーション**である。

2 × 社会福祉法第107条に規定されている市町村地域福祉計画に関しては、策定・変更する際は、住民の意見を反映するよう求められているが、策定は**努力義務**とされている。

3 × ニューパブリックマネジメントとは、**民間の経営手法を取り入れること**である。

4 × 日本では、ミーンズ・テストを受ける必要があるのは、**生活保護制度**である。

5 ○ タウンミーティングは、対話集会のような形式であるため、住民参加の方法のひとつといえる。

問題25 | 正解 **5** ●──福祉政策における市場の役割 | 重要度 ★★★

●準市場とは、医療・介護などの公共的な対人サービス施策に市場原理を導入し、サー

ビス事業者間の競争を促すことで、効率的かつ良質なサービス提供がなされるという考え方のことである。

教科書（共）CHAPTER 4・SECTION 7

1　×　サービスを選択するのは**利用者**である。自治体がサービスを選択するのは、**措置制度**である。

2　×　サービスの購入者は利用者である。自治体がサービスを購入するのは、措置制度である。

3　×　サービスの質を監視するために**モニタリング**の仕組みがある。

4　×　営利事業者やNPOも参入できる。

5　○　**準市場**は、公的サービスに部分的に市場原理を取り入れている場合をいう。日本の介護保険制度は、公的サービスであるが、部分的に市場（競争）原理を取り入れているため準市場（疑似市場）であるといえる。

問題26　正解　**2**　●——福祉供給過程　　　　　重要度 ★★

●福祉サービスの供給過程を理解するには、公私（民）関係の考え方や、再分配や割当の仕組みなどについてしっかり把握する必要がある。

教科書（共）CHAPTER 4・SECTION 7

1　×　介護保険制度において市町村は、**保険者**として事業者に対し様々な**権限**を有し役割を担う。

2　○　保育所は**保育所方式**（行政との契約方式）と呼ばれ、利用者が行政と契約する仕組みである。

3　×　国及び地方公共団体は、福祉サービスを利用しようとする者が必要な情報を容易に得られるように、必要な措置を講ずるよう努めなければならない。

4　×　社会福祉事業の経営者は、福祉サービスの利用契約が成立したときには、その利用者に対し、**遅滞なく、書面を交付**しなければならない。

5　×　**社会保険方式**は、受益と負担の対応関係が公費負担方式より明確である。

問題27　正解　**1**　●——福祉政策と労働政策　　　重要度 ★★★

●ワークフェア（work〈労働〉とwelfare〈福祉〉）という造語があるように、福祉と労働の政策には深いつながりがある。

教科書（共）CHAPTER 4・SECTION 6

1　○　正社員として就職した新卒者などの**離職率が20％以下**、**有給休暇の平均取得日数の公表**といった基準がある。

2　×　ストレスチェックを義務づけている法律は、**労働安全衛生法**である。2015（平

成27）年12月から義務化された。

3 ✕ **2017（平成29）年1月**から雇用保険の適用対象となった。

4 ✕ 93日間の介護休業を**上限3回**として分割取得が可能になった。

5 ✕ 「**女性活躍推進法**」では、**常時雇用する労働者の数が100人を超える**一般事業
主に対し、「その事業における女性の職業生活における活躍に関する情報を**定期
的に公表**しなければならない」と規定されている（2019〈令和元〉年5月の法改
正により2022〈令和4〉年4月から、従来の300人超から**100人超**に拡大）。

社会保障

問題28 | **正解　1** ●──雇用状況と労働環境 | **重要度 ★★**

● 「高年齢者等の雇用の安定等に関する法律」（高年齢者雇用安定法）が改正され、2021（令和3）年4月から、定年を65歳以上70歳未満に定めている事業主等に対し、その雇用する高年齢者等について、70歳までの就業を支援するための高年齢者就業確保措置を講ずる努力義務が課された。改正内容は出題されやすいので、押さえておこう。

☞ 教科書（共）　CHAPTER 5・SECTION 1

1　○　「労働力調査（基本集計）令和5年（2023年）平均結果」（総務省）によれば、**若年無業者**（15〜34歳の非労働力人口のうち家事も通学もしていない者）は**59万人**である。

2　×　「労働力調査（基本集計）令和5年（2023年）平均結果」によれば、役員を除く雇用者に占める非正規の職員・従業員の割合は37.0%で、**5割を超えていない**。

3　×　「令和4年度雇用均等基本調査」（厚生労働省）によれば、多様な正社員制度の実施状況は、「勤務できる（制度が就業規則等で明文化されている）」が24.1%で、5割を超えてはいない。制度ごとの状況（複数回答）をみると、「短時間正社員」が16.8%、「勤務地限定正社員」が15.4%、「職種・職務限定正社員」が12.4%となっている。

4　×　「令和4年度雇用均等基本調査」によれば、2020（令和2）年10月1日から2021（令和3）年9月30日までの1年間に配偶者が出産した男性のうち、2022（令和4）年10月1日までに育児休業を開始した者（育児休業の申出をしている者を含む）の割合は**17.13%**である。

5　×　定年年齢を65歳未満に定めている事業主は、雇用する高年齢者の65歳までの安定した雇用を確保するため、**「65歳までの定年の引上げ」「65歳までの継続雇用制度の導入」「定年の廃止」**のいずれかの措置（高年齢者雇用確保措置）を実施しなければならない。また、法改正により2021（令和3）年4月からは、**70歳**までの就業を確保することが**努力義務**とされた。

問題29 | **正解　1** ●──社会保障制度の発達 | **重要度 ★★**

●社会保障の理念は、欧米先進諸国において宗教活動を含む文化を基盤として、産業近代化の過程、及び経済・社会政策実施の過程で生まれ、第二次世界大戦以降に各国が制度として本格的に導入していく。

☞ 教科書（共）　CHAPTER 5・SECTION 2

1　○　ドイツ（当時はプロイセン）では、社会問題となっていた貧困対策として、宰

相ビスマルク（Bismarck, O.）の下、1883年の**疾病保険**、1884年の**災害保険**、1889年の**養老及び廃疾保険**と、次々に社会保険制度を導入した。その一方、社会主義運動の台頭を抑えるために社会主義取締法を制定し、厳しく弾圧する「**飴と鞭**」の政策を推し進めた。

2　×　イギリスでは、1834年に救貧法が大改正され、**新救貧法**が成立した。この新救貧法により、**劣等処遇の原則**や救貧行政の中央集権化、**院内救済の原則**が確立された。

3　×　**社会保障法**は、世界恐慌（1929年〜1933年）への対策として**アメリカ**のルーズベルト（Roosevelt, F.）大統領が実施したニューディール政策の一環として、1935年に制定された。同法は、**世界で最初に社会保障という言葉を用いた法律**とされている。

4　×　イギリスでは、1997年に保守党から政権を奪取した労働党の**ブレア政権**が、市場における効率（生産性の向上）を重視しつつも国家の補完による公正（福祉）の確保を指向する、「**第三の道**」を標榜した。

5　×　健康保険法（1922〈大正11〉年制定）、国民健康保険法（1938〈昭和13〉年制定）、労働者年金保険法（1941〈昭和16〉年制定）は、いずれも第二次世界大戦前または大戦中から制度化され、実施されてきたが、**労働者災害補償保険法と失業保険法**が制定されたのは、第二次世界大戦後の1947（昭和22）年である。

問題30　正解　**3**　●──社会保障の財源と費用　重要度 ★★

●社会保障財源の総額と内訳について、最新の統計で確認する。また、各社会保険における国庫負担割合などをまとめておくことも重要である。

教科書(共)　CHAPTER 5・SECTION 3

1　×　後期高齢者医療制度の財源構成は、患者の自己負担分を除き、保険料が**1割**、現役世代の保険料（後期高齢者支援金）が**4割**、公費が**5割**で、このうち公費については**国：都道府県：市町村が4：1：1**の割合で負担している。したがって、国と地方自治体の負担割合は、**2：1**である。

2　×　「令和3年度社会保障費用統計」によれば、2021（令和3）年度の社会保障財源の総額は163兆4,389億円で、項目別割合をみると、**社会保険料が46.2％**、**公費負担が40.4％**、他の収入が13.3％となっている。

3　○　「令和3年度社会保障費用統計」によれば、社会保障財源である公費負担（40.4％）の内訳は、**国庫負担が29.3％**、**他の公費負担が11.2％**で、国の方が地方自治体より大きい。

4　×　児童扶養手当の支給に要する費用は、国が**3分の1**、都道府県、市、福祉事務所設置町村が**3分の2**を負担する（児童扶養手当法第21条）。

5 ✕ 　児童手当の財源は、国、地方（都道府県、市町村）、**事業主拠出金**で構成されている。民間被用者の場合、3歳未満の子に係る児童手当は、事業主が15分の7を負担し、公費負担は15分の8（国が45分の16、地方が45分の8）となる。なお、公務員の場合は、所属庁が全額を負担する。

問題31 | **正解　5** ●──社会保険と社会扶助の関係　　重要度 ★★

●社会扶助は、社会保障制度のひとつとして、社会保険と共に国民の生活や健康を最終的に保障する制度で、資力調査を要件とする貧困者向けと、所得調査を要件とする低所得者向け（社会手当、社会福祉）に大別される。

☞ 教科書(共) CHAPTER 5・SECTION 4

1 ✕ 　社会保険は、保険料の拠出を前提に、貧困に陥るのを**事前**に防止するための制度であり、**防貧的機能**を有している。

2 ✕ 　保険料の拠出が前提となる**社会保険方式**では、社会扶助方式に比べて給付の権利性が強く、受給の際に**スティグマ**（世間によって押しつけられた恥や負い目という烙印）が伴わない。

3 ✕ 　公的扶助は、社会扶助方式をとる制度のひとつで、我が国では生活保護法に基づく生活保護制度が該当する。生活保護法は、民法に定める扶養義務者の扶養及び他の法律に定める扶助が、全て生活保護に優先して行われるとして、いわゆる「**他法多施策の優先**」を規定している。

4 ✕ 　病気やケガ、老齢、出産、失業、死亡などの事故（保険事故）の発生に伴い給付が開始されるのは**社会保険**である。ただし、受給には一定の手続きが必要となる。社会扶助の受給についても、申請が必要になる。

5 ○ 　**一般扶助主義**とは、労働能力の有無や困窮の原因にかかわらず、現に困窮の状態にあれば保護の対象とする考え方である。これに対し、困窮状態にあるとしても、労働能力の有無や困窮の原因などによって保護の対象とはしない考え方を**制限扶助主義**という。

問題32 | **正解　4** ●──労災保険制度の概要　　重要度 ★★★

●労働者災害補償保険は「労災保険」ともよばれ、社会保険のひとつである。制度の適用対象者、保険料の負担などについて確実に押さえておく。

☞ 教科書(共) CHAPTER 5・SECTION 5

1 ✕ 　制度の適用対象者は、正社員だけではなく、パートやアルバイト等、雇用形態や期間にかかわらず、使用されて賃金を支給される**全ての労働者**が対象（国籍は問わない。ただし、公務員は、類似の制度があるため**適用されない**）。また、個

人事業主は**申請**により**特別加入**することができる。

2　×　保険料は、事業主が**全額負担**する。

3　×　保険者は国（政府が管掌）で、具体的な事務処理は厚生労働省の出先機関である各**都道府県労働局**とその下部機関である**労働基準監督署**が担当する。

4　○　障害厚生年金が支給される場合、障害厚生年金は**全額支給**、障害補償年金は**減額支給**される。

5　×　**解説1**のとおりである。

問題33　正解　**3・5**　●──公的年金制度　　　　　　重要度 ★★★

●公的年金制度は、老齢・障害・死亡などを原因とした所得の減少や喪失に対して、国が所得を保障するための給付を行う制度である。各公的年金制度の概要について理解を深めておく。

☞ **教科書（共）** CHAPTER 5・SECTION 5

1　×　2020（令和2）年4月1日より、国民年金第3号被保険者（第2号被保険者の被扶養配偶者）の認定要件に**国内居住要件**が追加された。これにより、日本国外に居住している者は、第3号被保険者として認められなくなった。

2　×　公的年金制度では、国民年金と厚生年金保険の併給は**認められておらず**、いずれか1つの年金を**選択**しなければならない。

3　○　遺族基礎年金の支給対象者は、死亡した者によって生計を維持されていた**子のある配偶者、子（18歳**に達する日以後の最初の3月31日まで〈中度以上の障害がある場合は**20歳未満**〉）である。

4　×　厚生年金の適用対象は、適用事業所に常時使用される**70歳未満**の者である。

5　○　記述のとおりである。学生納付特例制度では、**申請**により在学中の国民年金における保険料の納付が**猶予**され、**10年以内**であれば追納できる。また、家族の所得の多寡は**問われない**。

問題34　正解　**3**　●──障害基礎年金　　　　　　重要度 ★★★

●障害基礎年金の受給には、❶初診日に国民年金の被保険者または被保険者であった60歳以上65歳未満の国内在住者、❷保険料納付済期間（免除期間を含む）が加入期間の3分の2以上、❸一定の障害の状態、という要件を満たす必要がある。

☞ **教科書（共）** CHAPTER 5・SECTION 5

1　×　国民年金の第3号被保険者は、**被用者年金制度の被保険者**である第2号被保険者の**被扶養配偶者**である。**A**さんは、被用者年金制度の被保険者ではないので、夫は第3号被保険者とはならない。

2 ✕ 障害基礎年金は、**初診日**（障害の原因となった病気やケガについて初めて医師の診療を受けた日）の前に、保険料納付済期間と保険料免除期間を合わせた期間が、**被保険者期間の3分の2以上あること**が支給要件のひとつとなる。**A**さんの場合、納付済期間と免除期間を合わせた期間（14年間）が、被保険者期間（20年間）の3分の2以上あるので、この要件を満たしている。

3 ○ 障害基礎年金の支給額は、**2級が老齢基礎年金の満額と同額**であり、**1級が老齢基礎年金の満額の1.25倍**である。

4 ✕ 障害手当金は、初診日から5年以内に病気やケガが治り、障害厚生年金を受けるよりも軽い障害が残ったときに支給される**一時金**である。**A**さんは厚生年金保険の被保険者ではないため、障害手当金を受給することはできない。

5 ✕ 子が、18歳到達年度の末日を経過していない場合や、20歳未満で障害等級1級または2級の障害者である場合には、障害基礎年金に**子の加算**がある。

問題35 　正解 **2** ●──雇用保険制度 　　　　重要度 ★★★

> ●雇用保険制度は、失業者に対する所得保障だけではなく、労働者に望ましい雇用の確保を目指して求職活動の支援、雇用機会の増大、労働者の能力・技術の向上を図ることを目的としている。

☞ 教科書（共） CHAPTER 5・SECTION 5

1 ✕ 雇用保険の適用除外者として、1週間の所定労働時間が**20時間未満**の者と継続雇用期間**31日未満**の者が規定されている。

2 ○ 2017（平成29）年1月1日以降、**65歳以上の労働者**についても、雇用保険の適用の対象となった。

3 ✕ 基本手当（日額）は、原則として離職した日の直前6か月の賃金を基に算出され、その割合（およそ50～80％）は、**賃金が低い者ほど高く**なる。また、**年齢区分に応じて上限額**が定められている。

4 ✕ 雇用保険の事業のうち、失業等給付のための費用については、**労使折半**である。また、**雇用保険二事業**（雇用安定事業、能力開発事業）に要する費用については、**事業主が全額負担**する。

5 ✕ 育児休業を取得した労働者には、雇用継続給付ではなく、**育児休業給付**から**育児休業給付金**が支給される。育児休業給付は従来、失業等給付の雇用継続給付に含まれていたが、法改正により2020（令和2）年4月から**独立**した。

問題36 　正解 **4** ●──医療保険制度 　　　　重要度 ★★★

> ●医療保険は、病気やケガの治療に必要な医療費を保障するため、あらかじめ保険料を

拠出し、医療サービスを受けるときに医療費の一定割合について保険から給付を受ける制度である。

☞ 教科書（共） **CHAPTER 5・SECTION 5**

1　×　市町村国民健康保険の保険料は、市町村が**世帯単位で世帯主から徴収**する。よって、世帯主に納付義務が発生することになる。

2　×　高額療養費制度の**世帯合算は、同じ医療保険に加入している家族を単位**として適用される。記述の場合、世帯主とその子は、異なる医療保険に加入しているため、世帯合算はできない。

3　×　最も加入者が多いのは、**協会けんぽ（全国健康保険協会管掌健康保険）**である。

4　○　全ての地域住民は、まず市町村国民健康保険制度の被保険者になる。そして、他の公的医療保険制度（健康保険等）にカバーされる者が**適用除外**となる。生活保護を受給している世帯も、この適用除外に含まれる。

5　×　療養の給付、入院時食事療養費、移送費、高額療養費など、市町村国民健康保険と健康保険の給付内容に大きな違いはないが、**出産手当金**と**傷病手当金**については、市町村国保では**条例**で定めないと給付することができない。

権利擁護を支える法制度

| 問題37 | 正解　5　●──行政法の理解 | 重要度 ★★★ |

●まず不服申立てを経なければ行政事件訴訟を提起できない（生活保護の決定及び実施に関する処分など）例外を不服申立前置主義という。

☞ 教科書(共)　CHAPTER 6・SECTION 2

1　×　行政不服を申し立てるか、申立てをせずに訴訟とするかは、自由に選択できるのが原則である。ただし、例外として、まず行政不服を申し立てなければ行政事件訴訟を提起できない（**不服申立前置主義**）場合もある。

2　×　**審査請求、再調査の請求、再審査請求**の3類型がある。ただし、再調査の請求は**税**などを、再審査請求は**社会保険**などを対象とする、共に例外的な手続きである。

3　×　国家賠償責任により損害を賠償されるのであれば、これとは別に民法上の損害賠償は請求できない。

4　×　行政罰には、行政刑罰として**死刑、懲役、禁錮、罰金、科料**があり、秩序罰として**過料**がある。

5　○　記述は、**公定力**と呼ばれ、取消しの不服申立て等で取り消されない限り、行政行為は有効とされる。

| 問題38 | 正解　1　●──民法の理解 | 重要度 ★★★ |

●親権とは、父母の子に対する権利や義務の総称である。親権については、「監護・教育」「居所指定」「子の人格の尊重」「職業許可」「財産管理と代理権」の内容を把握することが重要である。

☞ 教科書(共)　CHAPTER 6・SECTION 2

1　○　記述のとおりである。民法第821条において、「子の**人格**を尊重するとともに、その年齢及び発達の程度に配慮しなければならず、かつ、**体罰**その他の子の心身の健全な発達に有害な影響を及ぼす**言動**をしてはならない」と規定されている。

2　×　親権停止の期間は、**2年**を超えない範囲内と規定されている。

3　×　父母が離婚するときは、**父母どちらかを親権者**と定めなければならない。

4　×　**複数の未成年後見人**が認められている。なお、かつて「未成年後見人は1人でなければならない」と規定されていたが、2012（平成24）年の民法改正で削除され、複数選任が可能となった。

5　×　2012（平成24）年の民法改正により、**法人が未成年後見人**として認められることとなった。なお、民法第840条第3項に法人を選任する場合の条件等が規定

されている。

●基本的人権に関する最高裁判所の判例の趣旨は、しばしば出題されている。生存権の保障やプライバシーの権利をめぐる主な裁判について、判例の趣旨をまとめておくことが大切である。

☞ 教科書（共）CHAPTER 6・SECTION 2

1　×　判例は、人は自己の容貌、姿態を描写したイラスト画についてみだりに公表されない**人格的利益を有する**としている（最高裁平成17年11月10日第一小法廷判決）。

2　×　判例は、公務員の政治的中立性の維持は国民全体の重要な利益であり、政治的中立性を損なうおそれのある**公務員の政治的行為を禁止する**ことは、それが**合理的で必要やむをえない限度**にとどまるものである限り、**憲法の許容するところで**あるとしている（最高裁昭和49年11月6日大法廷判決）。

3　×　判例は、人の名誉を毀損した者に対して被害者の名誉を回復するに適当な処分として謝罪広告を新聞紙等に掲載すべきことを加害者に命ずることは、従来学説判例の肯認するところであり、謝罪広告の掲載を命ずる判決は、その広告の内容が単に事態の真相を告白し陳謝の意を表明する程度のものであれば、民事訴訟法により代替執行をなし得るとしている（最高裁昭和31年7月4日大法廷判決）。

4　○　判例は、未決勾留により監獄に拘禁されている者の新聞紙等の閲読の自由については、監獄内の規律及び秩序の維持のために必要とされる場合に、目的を達するために真に**必要と認められる限度において制限されることはやむをえない**としている（最高裁昭和58年6月22日大法廷判決）。

5　×　判例は、報道機関の報道が正しい内容をもつためには、報道の自由とともに、報道のための取材の自由も、憲法第21条の精神に照らし、十分尊重に値するものであり、取材の自由のもつそのような意義に照らして考えれば、取材源の秘密は、**取材の自由を確保するために必要なものとして、重要な社会的価値を有するというべき**としている（最高裁平成18年10月3日第三小法廷判決）。

●成年後見制度における家庭裁判所の役割をはじめ、権利擁護に係る組織、団体の役割と実際について整理しておくこと。

☞ 教科書（共）CHAPTER 6・SECTION 3

1　×　市町村長の申立ては法定後見に関してである。任意後見監督人選任の申立ては、

本人、配偶者、四親等内の親族、任意後見受任者に限られている。

2　×　成年後見人は、成年被後見人がした法律行為の**取消権**をもつが、**日常生活に関する行為**については、**取り消すことはできない。**

3　×　後見人による代理投票は認められていない。投票管理者が投票立会人の意見を聴いて、投票所の事務に従事する者の中から**補助者**を定める。

4　×　選択肢の段階では、まだ任意後見の効力は発生しない。本人が任意後見受任者と契約を締結後、公証人が**公正証書**を作成し、法務局に登記申請を行う。その後、本人の判断能力が**低下**し、申立権者の申立てにより**家庭裁判所**が**任意後見監督人**を**選任**することで、任意後見の効力が発生する。

5　○　民法第7条に規定されている。

| 問題41 | 正解　3　●──日常生活自立支援事業の概要 | 重要度 ★★ |

●日常生活自立支援事業とは、認知症高齢者、知的障害者、精神障害者等のうち判断能力が不十分であっても、福祉サービスや日常的金銭管理サービスの内容についての判断ができる者の地域での自立生活を支える事業である。

教科書(共)　CHAPTER 6・SECTION 4

1　×　日常生活自立支援事業の実施主体は、**都道府県社会福祉協議会**及び**指定都市社会福祉協議会**である。

2　×　サービスの提供に対しては利用料が発生するが、契約締結前の**初期相談等に係る経費**や**生活保護受給世帯の利用料**については、**無料**となっている。

3　○　**社会福祉施設入所者**や、病院の**入院患者**も、日常生活自立支援事業のサービスを**利用することができる。**

4　×　日常生活自立支援事業に基づく援助の内容は、❶福祉サービスの利用援助、❷苦情解決制度の利用援助、❸住宅改造、居住家屋の貸借、日常生活上の消費契約及び住民票の届出等の行政手続に関する援助等、❹前述の❶～❸に伴う援助として、「**預金の払い戻し、預金の解約、預金の預け入れの手続等利用者の日常生活費の管理**（日常的金銭管理）」及び「**定期的な訪問による生活変化の察知**」である。

5　×　日常生活自立支援事業の対象は、判断能力が不十分（認知症高齢者、知的障害者、精神障害者等であって、日常生活を営むのに必要なサービスを利用するための情報の入手、理解、判断、意思表示を本人のみでは適切に行うことが困難）で、かつ、事業の契約の内容について判断し得る能力を有していると認められる者である。契約締結に当たって、本人の判断能力に疑義がある場合は、**契約締結審査会**が利用の可否を判断する。

109

●任意後見は、現状では判断能力のある人が、将来、不十分になった場合に備え、他者に一定の後見事務を委託する委任契約の制度である。法定後見とは手続きが異なり、任意後見契約の締結には公正証書の作成が必要となる。

☞ 教科書(共)　CHAPTER 6・SECTION 4

1　×　法律で任意後見人にふさわしくないとしている者を除き、**成人であれば誰でも任意後見人とすることができる**。自分の配偶者や子、兄弟姉妹などの親族や友人でもよく、身内に適任者がいない場合は、弁護士、司法書士、社会福祉士などの専門家や社会福祉協議会、社会福祉法人などの法人を選任することもできる。

2　○　記述のとおりである。任意後見契約に関する法律第3条は、「任意後見契約は、法務省令で定める様式の**公正証書**によってしなければならない」としている。

3　×　任意後見契約が登記された後、精神上の障害により本人の事理弁識能力が不十分な状況になれば、家庭裁判所は、**本人、配偶者、四親等内の親族または任意後見受任者の請求により**、任意後見監督人を選任する（任意後見契約に関する法律第4条第1項）。

4　×　任意後見監督人の職務のひとつとして、**任意後見人またはその代表する者と本人との利益が相反する行為について本人を代表すること**（任意後見契約に関する法律第7条第1項第4号）が規定されているため、特別代理人の選任を要しない。

5　×　任意後見監督人が選任された後、本人または任意後見人は、**正当な事由**がある場合に限り、**家庭裁判所の許可**を得て、**任意後見契約を解除することができる**（任意後見契約に関する法律第9条第2項）。

地域福祉と包括的支援体制

問題43	正解　**4**　●──コミュニティの定義	重要度 ★★★

●地域福祉における「地域」あるいは「地域社会」は、一般的には「コミュニティ」を指す。
コミュニティの定義についてまとめておくこと。

☞ 教科書（共）**CHAPTER 7・SECTION I**

1 × 記述のように分類したのは**パーク**（Park, R. E.）である。ワースは**アーバニズム論**を唱え、アーバニズムの特徴には、結合の弱体化、専門処理システムへの依存があると論じた。

2 × 記述の内容を論じたのは、**ブルデュー**（Bourdieu, P.）である。社会関係資本は、権力への接近や社会移動の可能性を左右すると考えた。

3 × 「弱い紐帯の強み」を説いたのは、**グラノヴェッター**（Granovetter, M.）である。

4 ○ 記述のとおりである。また、マッキーヴァーは、特定の関心を満たすことを目的に人為的に構成される集団を**アソシエーション**と考えた。

5 × ヒラリーがコミュニティの定義を分析し見出した特徴とは、**社会的相互作用、地域的空間の限定性、共通の絆**の3つである。

問題44	正解　**1**　●──諸外国の地域福祉の発展過程	重要度 ★★★

●イギリスの報告名と内容は確実に押さえておくこと。

☞ 教科書（共）**CHAPTER 7・SECTION I**

1 ○ 1968年に発表されたシーボーム報告では、それまで縦割りにより弊害が生じていた地方自治体の**ソーシャルワークの関連部局を統合すべき**であると提言した。

2 × コミュニティ・ソーシャルワークを提唱したのは、1982年に発表された**バークレイ報告**である。

3 × ボランティアを含む非営利組織の役割の重要性を打ち出したのは、1978年に発表された**ウルフェンデン報告**である。

4 × コミュニティ・オーガニゼーションの基本的な体系をまとめ、「資源とニーズを調整する」ことを目標としたのは、1939年に発表された**レイン報告**である。

5 × コミュニティの財政責任や、市場原理、ケアマネジメントの導入を提言したのは、1988年に発表された**グリフィス報告**である。

問題45　　正解　**3**　●——行政組織と民間組織の役割と実際　　重要度 ★★

●福祉活動専門員は、地域社会で暮らす人々に共通した生活課題、福祉課題に取り組み、解決に結びつけていく過程を支援する。その際、個人のプライバシーに配慮した支援を行うことも重要となる。

☞ 教科書（共）CHAPTER 7・SECTION 1

1　×　せっかく立ち上がった「福祉連絡会」である。専門機関のみでなく、連携して活動することが効果的であり、望ましい。

2　×　福祉連絡会が機能したとしても、社会福祉協議会内の総合相談窓口は別の機能をもっており縮小させる理由にはならない。

3　○　福祉連絡会は個人情報を取り扱う可能性がある。関係者全員が遵守すべきプライバシーについて話し合うことは必要である。

4　×　地域レベルでの保健福祉ニーズを察知し、対応できるような組織づくりも必要である。

5　×　小地域福祉活動と関係専門機関は、連携する必要がある。どちらを優先するかではなく、連携の在り方を検討すべきである。

問題46　　正解　**3**　●——専門職や地域住民の役割と実際　　重要度 ★★★

●民生委員は、社会奉仕の精神をもって、常に住民の立場に立って相談・援助を行い、社会福祉の増進に努めることが求められている。民生委員法に基づき、都道府県知事の推薦を受けて厚生労働大臣が委嘱する。

☞ 教科書（共）CHAPTER 7・SECTION 1

1　×　民生委員法第14条第1項第1号において「**必要に応じ**適切に把握しておくこと」とされている。

2　×　民生委員の任期は、**3年**である。

3　○　民生委員法第10条に規定されている。

4　×　民生委員の推薦は、**市町村**に設置された民生委員推薦会と都道府県知事が厚生労働大臣に対して行う。

5　×　民生委員法第20条第1項において「民生委員は、都道府県知事が市町村長の意見をきいて定める区域ごとに、民生委員協議会を組織しなければならない」とされている。市町村長が組織するのではない。

問題47　　正解　**1**　●——専門職や地域住民の役割と実際　　重要度 ★★

●地域住民の支援には、地域包括支援センターなどの専門機関と連携を図ることが重要

となる。そのため、連携を図るための組織や機関、専門職に関する内容をしっかり把握しておくことが大切である。

☞ 教科書（共） CHAPTER 7・SECTION 1

1　○　**E**さんには認知症の疑いがあり、**地域包括支援センター**との**連携**は適切である。

2　×　専門職ではないボランティアの住民に、詳細な**個人情報**を伝えるのは不適切である。

3　×　地域包括支援センターへの相談は適切であるが、自分では関わらないようにするという点は適切とはいえない。

4　×　**E**さんを支援するための**情報収集**は、**福祉活動専門員**の役割であり、民生委員に依頼するのは適切とはいえない。

5　×　相互支援の会の立ち上げについて検討することは、**福祉活動専門員**の役割であり、民生委員に依頼するのは適切とはいえない。

問題48　**正解　1**　●──地域における福祉サービスの評価方法と実際　重要度 ★★★

●地域における福祉サービス等の評価は、運営適正化委員会の役割や第三者評価事業の仕組み、福祉サービスの品質管理を行うQC活動などが重要である。

☞ 教科書（共） CHAPTER 7・SECTION 4

1　○　社会福祉法第78条第1項に規定されている。

2　×　記述は、**国の努力義務**である。

3　×　都道府県推進組織における**認証委員会の認証**が必要である。

4　×　評価調査者養成研修は、**都道府県推進組織**が実施する。

5　×　福祉サービス第三者評価の指針は、**第三者評価の基準**や**ガイドライン**についての指針であって、自己評価や利用者評価についてではない。また、自己評価、利用者評価、第三者評価の3種の評価が義務づけられているという記述もない。

問題49　**正解　5**　●──福祉行政における専門職　重要度 ★

●社会福祉行政に係る専門職について、配置される機関、職務内容、配置義務の有無、根拠法などをまとめておくことが大切である。

☞ 教科書（共） CHAPTER 7・SECTION 2

1　×　福祉事務所の現業員及び査察指導員は、社会福祉法に規定する職務にのみ従事することが原則であるが、その**職務の遂行に支障がない場合**には、他の**社会福祉または保健医療に関する事務を行うことができる**（社会福祉法第17条）。

2　×　児童福祉司は、**内閣総理大臣**が定める基準に適合する研修を受けなければならない（児童福祉法第13条第9項）。

3 × 都道府県は、その設置する身体障害者更生相談所に、身体障害者福祉司を**置かなければならない**（身体障害者福祉法第11条の2第1項）。なお、市町村は、その設置する福祉事務所に、身体障害者福祉司を置くことができる（同条第2項）。

4 × 市町村は、その設置する福祉事務所に、知的障害者福祉司を**置くことができる**（知的障害者福祉法第13条第2項）。なお、都道府県は、その設置する知的障害者更生相談所に、知的障害者福祉司を置かなければならない（同条第1項）。

5 ○ 児童福祉法に規定する児童家庭支援センターの職員の配置について、「**児童家庭支援センター設置運営要綱**」は、運営責任者を定めるとともに、相談・支援を担当する職員と心理療法等を担当する職員を配置するものとすると定めている。

| 問題50 | 正解　**2**　●──地方公共団体の財政と民生費 | 重要度 ★★★ |

●民生費とは、地方公共団体における社会福祉関係費用のことで、歳出額において最大の費目となっているが、都道府県と市町村に分けてみると歳出額の内訳に違いがあるので押さえておくこと。

☞ **教科書（共）　CHAPTER 7・SECTION 2**

1 × **民生費**が全体の25.8%を占め、最大の費目となっている。総務費は10.1%である。

2 ○ **児童福祉費**が総額の33.7%で、最も大きな割合を占めている。次いで社会福祉費29.7%、老人福祉費23.7%、生活保護費12.8%、災害救助費0.1%の順となっている。

3 × 歳出総額に占める民生費の割合は、市町村37.2%、都道府県15.0%であり、**市町村の方が都道府県より大きくなっている**。

4 × 都道府県においては、**教育費**が16.3%で最も大きな割合を占めている。一方、市町村の目的別歳出のうち、最大の費目は**民生費**である。

5 × **扶助費**が52.9%で最も大きな割合を占めている。人件費は7.2%である。

| 問題51 | 正解　**5**　●──福祉計画の実際 | 重要度 ★★★ |

●福祉計画には、それぞれの計画で定める事項が法律で決められており、都道府県計画と市町村計画でその内容は異なる。義務と努力義務の違いに気をつけて、ポイントを押さえておくとよい。

☞ **教科書（共）　CHAPTER 7・SECTION 3**

1 × 介護サービスの公表に関する事項は、**都道府県介護保険事業支援計画で定める**よう努めることとなっている。

2 × 各年度の指定障害者支援施設の必要入所定員総数は、都道府県障害福祉計画で

定める**事項**である。

3　✕　記述の内容は、**都道府県子ども・子育て支援事業支援計画**で定める事項である。

4　✕　社会福祉に従事する者の確保・質の向上に関する事項は、**都道府県介護保険事業支援計画**で定めることとされている。

5　◯　記述のとおりである。**医療計画は都道府県に策定義務**があり、都道府県における医療提供体制の確保を図るための事項を定めることとされている。

●地域福祉と包括的支援体制

障害者福祉

　正解　**4**　●──障害者差別解消法　　　　　　　　重要度 ★★

●障害者差別解消法は、障害を理由とする差別の解消等を目的として、2013（平成 25）年6月に制定された法律である。国・地方公共団体及び国民の責務、行政機関等と 事業者に対する措置など、概要について押さえておく。

☞ 教科書（共）　CHAPTER 8・SECTION 8

1　×　合理的配慮の提供については、国や地方公共団体などの行政機関等は**義務**とされている。なお、合理的配慮の提供が努力義務とされていた事業者も、2021（令和3）年5月に改正法が成立し、2024（令和6）年4月1日から**義務**となった。

2　×　不当な差別的取扱いの禁止については、事業者、行政機関等ともに**義務**とされている。不当な差別的取扱いとは、障害があることを理由に賃貸住宅への入居、学校への受験や入学を拒否したり、車いす使用者であることを理由に公共交通機関の利用を拒否したりすることなどを指す。

3　×　法の対象は、**障害及び社会的障壁**により**継続的**に日常生活や社会生活において、**相当な制限を受ける**状態にある**障害者**である。障害者手帳の所持者に**限定されない**。

4　○　記述のとおりである。合理的な配慮の考え方は、2011（平成23）年の**障害者基本法**改正時に導入され、障害者差別解消法に盛り込まれた。

5　×　障害者差別解消法では、差別に関する具体的な定義は**示されていない**。

　正解　**4**　●──障害者の人権についての国際的な動向　　重要度 ★★

●国際社会での障害者施策の歴史を日本への影響と併せて覚えておくとよい。

☞ 教科書（共）　CHAPTER 8・SECTION 3

1　×　世界人権宣言では、すべて人は、社会保障を受ける権利を有し、**各国の組織及び資源に応じて**、自己の尊厳と自己の人格の発達のための経済的・社会的・文化的権利の実現に対する権利を有すると定められている。

2　×　ノーマライゼーションの理念が提唱されたのは国際障害者年（1981年）である。障害者の権利宣言では、全ての障害者の人権について語られ、各国に対して**障害者の権利保障のための活動**を行っていくよう促した。

3　×　知的障害者の権利宣言は、**1971年**である。その後、1975年に障害者の権利宣言が採択された。

4　○　国際障害者年は、各国が具体的な行動を起こすことを要請するためのものであり、国際的な行動計画が決議された。その主題として「**完全参加と平等**」が掲げ

られた。

5　✕　障害者の権利に関する条約について日本は2007（平成19）年に署名したが、国内法の整備不足などもあり、批准したのは**2014（平成26）年**である。

| 問題54 | 正解　**1**　●——障害者総合支援法の概要 | 重要度 ★★★ |

●障害者総合支援法の目的や基本理念は障害者福祉の基本であるため、確実に理解する必要がある。

☞ **教科書(共)** CHAPTER 8・SECTION 4

1　○　障害者総合支援法第1条において、障害者や障害児が、**尊厳**にふさわしい日常生活・社会生活を営むことができるように、必要な障害福祉サービスの給付や地域生活支援事業などによる支援を総合的に行うことが明記されている。

2　✕　同法第1条の2において、法に基づく支援は、「**総合的**かつ**計画的**に行わなければならない」と明記されている。

3　✕　障害支援区分の申請先は**市町村**である。80項目の調査結果などを踏まえた一次判定と二次判定により、区分1から**6**までのいずれかに認定される。

4　✕　国は、**予算の範囲内において**、市町村及び都道府県が行う地域生活支援事業に要する費用等の**100分の50以内**を**補助**することができる。

5　✕　優先して適用されるのは、**介護保険法**である。

| 問題55 | 正解　**1**　●——相談支援専門員の役割 | 重要度 ★★★ |

●地域生活支援事業では、視覚障害者や中途失明者、聴覚障害者などに対して日常生活上必要な生活訓練や社会適応訓練等を実施し、生活の質の向上や社会参加の促進を図る「生活訓練事業」がある。

☞ **教科書(共)** CHAPTER 8・SECTION10

1　○　Fさんには地域生活への不安があるとのことなので、**社会適応訓練**（生活訓練）を受けるよう勧めることは最も適切な支援である。

2　✕　本人が地域生活を望んでいるにもかかわらず、施設入所を検討するのは不適切である。

3　✕　**行動援護**は、**知的障害者**と**精神障害者**対象のサービスである。

4　✕　**福祉サービス利用援助事業**は、判断能力が**低下**した人に対して行うサービスである。

5　✕　本人の意思確認もせずに結婚相談所に登録することは不適切である。

問題56 正解 **5** ●——「精神保健福祉法」に基づく入院形態　重要度 ★★

●「精神保健福祉法」は、精神障害者の医療と保護、社会復帰などを目的とした法律である。入院形態の概要について押さえておこう。

☞ 教科書(共)　CHAPTER 8・SECTION 6

1　✕　任意入院とは、**本人の同意**に基づく入院である。本人が希望すれば退院させなければならないが、精神保健指定医の診察により、入院の継続が必要と認められれば、**72時間**（特定医師の診察による場合は**12時間**）を限度に退院を制限できる。

2　✕　措置入院とは、**2名以上**の精神保健指定医の診察により、**自傷他害**のおそれがあると認められた場合に、**都道府県知事**もしくは**政令都市市長**により行われる入院である。入院期間の規定はない。

3　✕　緊急措置入院とは、急速を要し、措置入院の手続きがとれない場合に、**1名**の精神保健指定医の診察を経て、**都道府県知事**もしくは**政令都市市長**により行われる入院である（**72時間**を限度）。

4　✕　応急入院とは、急速を要するが、**家族等の同意**を得ることができない場合に、**1名**の精神保健指定医の診察を経て、**72時間**（特定医師の診察による場合は**12時間**）を限度に行われる入院である。

5　○　記述のとおりである。なお、「精神保健福祉法」の改正により2024（令和6）年4月から、家族等が同意・不同意の意思表示を行わない場合にも、**市町村長の同意**により医療保護入院を行うことが可能となった。また、入院期間が新たに設定され、最長**6か月**と定められた。

問題57 正解 **2** ●——障害者虐待対応状況調査　重要度 ★

●障害者虐待防止法の目的や内容に加え、障害者虐待の現状などについても押さえておくとよい。

☞ 教科書(共)　CHAPTER 8・SECTION 8

1　✕　養護者による虐待では、「**身体的虐待**」が68.5%と最も多く、次いで「**心理的虐待**」が32.1%、「**経済的虐待**」の16.5%と続いている。

2　○　養護者による被虐待障害者を障害種別でみると、**知的障害が最も多く**（45.0%）、次いで**精神障害**の43.4%となっている。

3　✕　養護者による被虐待障害者を性別でみると、女性が1,410人、男性が719人と**女性の方が多い**。

4　✕　障害者福祉施設従事者等による被虐待障害者を性別でみると、男性が63.6%、女性が36.4%と**男性の方が多い**。

5　✕　障害者福祉施設従事者等による虐待では、「**身体的虐待**」が52.0%と最も多く、

118

次いで「**心理的虐待**」の46.4％となっている。

刑事司法と福祉

<table>
<tr><td>問題58</td><td>正解 **4** ●——保護観察</td><td>重要度 ★★★</td></tr>
</table>

●保護観察の目的、実施機関、対象者と流れについて押さえておくこと。

☞ 教科書(共) CHAPTER 9・SECTION 2

1 × 保護観察の目的は、犯罪者、非行少年に対し、**社会内で**通常の社会生活を営ませながら、その再犯防止と改善更生を図ることである。

2 × 保護観察の実施機関は、**保護観察所**である。

3 × 保護観察は、保護観察所に配置された**保護観察官**と**保護司**が**協働**で実施する。

4 ○ 記述のとおりである。1号観察は、家庭裁判所で保護観察に付された**保護観察処分少年**をいう。

5 × 刑の一部執行猶予制度の対象となった者のうち、**薬物使用**等の罪を犯した者(初入者等を除く)は、必ず保護観察に付されるが、初入所者等は裁判所の裁量によって判断される。

<table>
<tr><td>問題59</td><td>正解 **2** ●——保護観察官・保護司</td><td>重要度 ★★★</td></tr>
</table>

●保護観察官には、保護観察を中心とした更生保護の専門職として、医学、心理学、教育学、社会学その他の更生保護に関する専門的知識が要求される。

☞ 教科書(共) CHAPTER 9・SECTION 3

1 × 保護観察官は、**地方更生保護委員会**と**保護観察所**に配置されている。

2 ○ 保護司は、保護観察官で十分でないところを補うよう規定されている(更生保護法第32条)。

3 × 保護司は、「**地方委員会又は保護観察所の長**の指揮監督を受けて、保護司法の定めるところに従い、それぞれ地方委員会又は保護観察所の所掌事務に従事するものとする」と規定されている(更生保護法第32条)。

4 × 保護司は、職務を行うために**必要な費用の全部または一部の支給を受けること**はできるが、給与が支給されることはない(保護司法第11条第1項・第2項)。

5 × 保護観察官、保護司共に、必要に応じて**呼出し面接、訪問面接**を行う。

<table>
<tr><td>問題60</td><td>正解 **5** ●——少年司法における連携</td><td>重要度 ★★</td></tr>
</table>

●非行少年は、犯罪少年(14歳以上20歳未満の罪を犯した少年)、触法少年(14歳未満で刑罰法令に触れる行為をした少年)、虞犯少年(20歳未満で一定の事由があり、その性格・環境に照らし、将来、罪を犯し、または刑罰法令に触れる行為をするおそれの

ある少年）に分類される。

☞ 教科書(共)　CHAPTER 9・SECTION 3

1　×　警察官または保護者は、虞犯少年について、直接これを家庭裁判所に送致または通告するよりも、**まず児童福祉法による措置にゆだねるのが適当**であると認めるときは、その少年を直接児童相談所に通告することができる（少年法第6条第2項）。

2　×　家庭裁判所は、審判を行うに当たり、**家庭裁判所調査官**に命じて、少年、保護者または参考人の取調その他の必要な調査を行わせることができる（少年法第8条第2項）。

3　×　少年院の長は、懲役または禁錮の刑の執行のため収容している者について、少年法第58条第1項に規定する期間が経過し、かつ、法務省令で定める基準に該当すると認めるときは、**地方更生保護委員会**に対し、仮釈放を許すべき旨の申出をしなければならない（更生保護法第34条第1項）。

4　×　家庭裁判所は、所定の場合を除き、審判を開始した事件について、決定をもって、❶保護観察、❷児童自立支援施設または児童養護施設への送致、❸少年院への送致のいずれかの保護処分をしなければならない。ただし、決定の時に14歳に満たない少年に係る事件については、特に必要と認める場合に限り、❸の保護処分をすることができる（少年法第24条第1項）。

5　○　記述のとおりである。少年法第16条第1項に規定されている。

| 問題61 | 正解　1 | ●──更生保護制度の近年の動向 | 重要度 ★★ |

●2016（平成28）年から導入された刑の一部執行猶予制度など更生保護制度の近年の動向を押さえておくこと。

☞ 教科書(共)　CHAPTER 9・SECTION 2

1　○　地域生活定着促進事業では、各都道府県が設置する**地域生活定着支援センター**が中心となり、矯正施設退所予定者及び退所者等に対し、矯正施設入所中から退所後まで一貫した相談支援を実施している。

2　×　刑の一部執行猶予制度の対象者は、**保護観察**を受けながら立ち直りを図る。刑の一部執行猶予制度は、比較的罪の軽い初犯者、薬物使用者らを対象に、3年以下の懲役刑または禁錮刑のうち、**刑の一部の執行を1年から5年の範囲で猶予**するものである。

3　×　記述は、**更生保護サポートセンター**に関する説明である。

4　×　記述は、**自立更生促進センター**及び**就業支援センター**に関する説明である。

5　×　記述は、**自立準備ホーム**に関する説明である。

問題62　正解　3　●──更生緊急保護　　　　重要度 ★★

●更生緊急保護は、満期釈放などにより社会に戻ったものの、家族や身寄りがなく、援助や保護を受けることができない場合に、本人の申出を受けて、主に衣食住に関する支援を行うものである。更生緊急保護の概要と対象について押さえておこう。

☞ 教科書（共）　CHAPTER 9・SECTION 2

1　×　保護の実施は、対象者が刑事上の手続きまたは保護処分による身体の拘束を解かれた後、**6か月を超えない範囲内**（必要があると認められる場合には、さらに**6か月を超えない範囲内**で延長が可能）において、**本人の意思**に反しない場合に限り行う。

2　×　更生緊急保護は、保護観察所長が自ら行うほか、**更生保護法人**などに**委託**して行うものとされている。

3　○　更生緊急保護は、**保護観察所長**がその必要があると認めたときに限り行われ、次の❶～❸の全てにあてはまる者が対象となる。❶刑事上の手続きまたは保護処分による**身体の拘束**を解かれた者、❷**親族**からの援助や、**公共の衛生福祉**に関する機関などの保護を受けられない、または、それらのみでは改善更生できないと認められた者、❸更生緊急保護を受けたい旨を**申し出た**者。

4　×　**解説3**のとおりである。保護観察所長が職権で行うことは認められていない。

5　×　更生緊急保護の実施内容には、❶金品の給与または貸与、❷**宿泊場所**の供与、❸**帰住**に関する援助、❹**医療・療養**に関する援助、❺就職や教養訓練に関する援助、❻職業の補導、❼社会生活に適応させるために必要な生活指導、❽生活環境の改善または調整が含まれる。

問題63　正解　5　●──社会復帰調整官の業務　　　　重要度 ★★★

●医療観察制度における社会復帰調整官の業務内容を押さえておくとともに、医療観察制度の処遇の流れ、関係機関の役割について理解しておく。

☞ 教科書（共）　CHAPTER 9・SECTION 4

1　×　医療観察対象者の退院許可や指定通院医療機関による医療の終了を決定するのは、社会復帰調整官ではなく、**地方裁判所**である。

2　×　**解説1**のとおりである。

3　×　医療観察対象者に対する入院中の生活環境の調整は、**社会復帰調整官**が行う業務であり、保護司に委託することはできない。

4　×　「守るべき事項」の内容は「医療観察法」第107条に規定されており、社会復帰調整官が適宜追加することはできない。

5　○　記述のとおりである。社会復帰調整官の主な業務の1つである**精神保健観察**と

して、医療観察対象者が必要な医療を受けているか否か及びその生活状況の**見守**りや、継続的な医療を受けさせるために必要な**指導**を行ったりする。

ソーシャルワークの基盤と専門職

問題64	正解　**1**　●──社会福祉士及び介護福祉士法	重要度 ★★★

●社会福祉士及び介護福祉士法は、社会福祉士や介護福祉士の資格を定めて、その業務の適性を図り、社会福祉の増進に寄与することを目的としている。各福祉士の「定義規定」や「義務規定」は必ず押さえておく必要がある。

☞ 教科書（共）　CHAPTER10・SECTION 1

1　○　社会福祉士及び介護福祉士法において、**秘密保持義務**が規定され、その規定に違反した者に対する**罰則**規定である。

2　×　社会福祉士及び介護福祉士法に記述のような規定はない。

3　×　「福祉サービス関係者等との**連携を保たなければならない**」という**義務規定**である。

4　×　医師による指導を受けなければならないのは、**精神保健福祉士**である。

5　×　社会福祉士及び介護福祉士法施行規則において、「医療が必要になった場合の医師を、あらかじめ、**確認しなければならない**」という**義務が規定されている**。

問題65	正解　**2**　●──利用者本位	重要度 ★★

●利用者本位とは、利用者が、自分の生活について自分の意思で自由に選択し決定を行うこと（自己決定）ができるよう、利用者の意思を最大限尊重していくという考え方である。ソーシャルワーク専門職は、利用者の意思を尊重した自己決定が行われるよう支援していくことが大切である。

☞ 教科書（共）　CHAPTER10・SECTION 3

1　×　専門職主導は不適切である。利用者に**判断能力の低下**が疑われる場合でも、最大限、利用者の**意思を尊重する**支援の在り方を検討すべきである。

2　○　利用者が**自己決定**できるように支援するのが、相談援助専門職の役割である。

3　×　施設の都合や経営を優先するのではなく、**利用者本位**でサービスを提供するように努めなければならない。

4　×　能力の如何を問わず、全員に同じサービスを提供するのではなく、利用者の**能力に応じて**、ニーズに合ったサービスを提供すべきである。

5　×　身体拘束は、「**切迫性**」「**一時性**」「**非代替性**」という3つの要件を満たして、さらに手続きが極めて慎重に実施されている場合に限って認められる。

問題66　**正解　5**　●──日本におけるソーシャルワークの形成過程　重要度 ★★★

●日本のソーシャルワークの形成過程については、人物と業績などを単に暗記するだけでなく、社会福祉の歴史や成り立ちと関連させながら理解を深めることが重要である。

☞ 教科書（共）　CHAPTER10・SECTION 4

1　×　石井十次は、1887（明治20）年に**岡山孤児院**を設立し、無制限・無差別収容主義を唱え、少人数で生活する小舎制や里親制度を導入した。滝乃川学園を設立したのは、**石井亮一**である。

2　×　日本のセツルメント活動の先駆けとなったキングスレー館を設立したのは、**片山潜**である。留岡幸助が設立したのは、**家庭学校**である。

3　×　笠井信一は、1917（大正6）年に**済世顧問制度**を創設し、防貧を目的とした篤志家による貧民への相談・支援をした。方面委員制度は、**林市蔵と小河滋次郎**が創設した。

4　×　明治期から第二次世界大戦にかけて、国は富国強兵政策を推進しており、社会福祉事業への積極的な関与はみられず、**民間レベル**での取組が中心となっていた。

5　○　記述のとおりである。福祉事務所に**ケースワーク**、社会福祉協議会に**コミュニティ・オーガニゼーション**が導入された一方で、入所施設での処遇が基本である日本の社会福祉の仕組みが**生活支援**を中心として発展していった。

問題67　**正解　5**　●──アドボカシー（権利擁護）　　　　　　重要度 ★★★

●アドボカシーとは、利用者の権利擁護のための代弁・代行活動のことである。利用者の支援を通して権利を守ること。個人の権利を守る活動をケースアドボカシーといい、特定の集団の権利を守る活動をコーズ（クラス）アドボカシーという。

☞ 教科書（共）　CHAPTER10・SECTION 3

1　×　アドボカシーは、ソーシャルワーカーの職域であり、マイノリティなど**特定のグループ**に属する人々のために活動する場合がある。

2　×　**実践現場が専門職倫理の基本精神を遵守**するように働きかけるべきであり、アドボカシーが利益相反行為に該当することはない。

3　×　**法的手段の行使は、最後の手段**であり、まずは、必要なサービスを受けるために制度利用を支援する。

4　×　ソーシャルワーカーが決定し、利用者を説得することは、権利擁護ではなく、利用者の自己決定の原則にも反する。

5　○　アドボカシーであり、ソーシャルワーカーの権利擁護のための活動である。

●ソーシャルワークにおける総合的かつ包括的な援助とは、地域での生活を基盤とした
クライエントとそのクライエントの住む地域への実践を指す。1人のクライエントに対
して多職種の複数の援助者との連携（チームアプローチ）が必要である。

☞ 教科書（共）CHAPTER10・SECTION 2

1 ✕ 自治会やスクールソーシャルワーカーと協力や連携を行うことも重要である
が、これらを別々の問題と捉えるのではなく、地域全体の問題として、**包括的に
捉える視点**が大切である。

2 ◯ 問題解決には、地域住民と外国人労働者家族との**相互理解**が重要である。異な
る文化をもつ住民同士、学校や自治会などが問題を話し合う場を設けるのは、相
互理解の第一歩となり適切である。

3 ✕ 公園での住民トラブルの問題と小学校でのいじめの問題を別々の問題と捉える
のではなく、地域全体の問題として、**包括的**に捉える視点が大切である。それぞ
れの機関に分けて依頼するのは不適切である。

4 ✕ 分離しても問題（仲間外れ）の解決にはならない。地域全体の問題として、**包
括的**に捉える視点が大切である。

5 ✕ **社会福祉協議会**は、民間の社会福祉法人であるが、地域福祉を全体的な視点で
把握するコミュニティワークの専門機関である。それぞれの機関や職種に働きか
け連携を促すためには、行政（S町）よりも適切な機関である。

●1960年代以降、ソーシャルワークは「個人」を対象にするのか、「社会」を対象に
するのかという二元論を克服することを目指し、多くのモデルやアプローチが提唱され
るようになった。代表的なモデルやアプローチと提唱者を整理して覚えておこう。

教科書（共）CHAPTER10・SECTION 4

1 ✕ シュワルツは、個人と社会の関係は共生的な相互依存関係であるとし、ソーシ
ャルワーカーの媒介機能を重視する**相互作用モデル**を展開した。

2 ◯ バートレットは、著書『ソーシャルワーク実践の共通基盤』において、**価値や
知識、介入技術**はソーシャルワーク実践の**共通基盤**であるとし、三者の**均衡**が重
要であると論じた。ただし、実践者の立場においては、**価値と知識が優先**される
べきとした。

3 ✕ アプテカーは、著書『ケースワークとカウンセリング』において、**機能主義**の
立場に立ちつつ、**診断主義**の理論を積極的に取り入れ、ケースワークとカウンセ
リングを区別した。

4　×　ジャーメインとギッターマンは、**生態学**を基に、生活モデルと生態学的アプローチを提唱し、人と環境との**交互作用**に焦点を当てた。

5　×　ターナーは、著書『ソーシャルワーク・トリートメント―**相互連結理論アプローチ**』において、多様な実践モデルやアプローチを整理し、それぞれの理論は相互に影響を及ぼし合い、結びついていると論じた。

●ソーシャルワークの基盤と専門職

ソーシャルワークの理論と方法

問題70　正解　3　●──システム理論　重要度 ★★★

●システムとは、相互に関係し合った「まとまり」を意味し、社会を構成する個人、集団、地域なども１つのシステム（＝サブシステム）として捉える。システム理論では、それぞれのシステムが関係し合いながら全体を構成していると考え、その交互作用に着目しながら全体に働きかける視点をもつ。

☞ 教科書（共）　CHAPTER11・SECTION 1

1　×　記述は、**アクション・システム**の説明である。ターゲット・システムとは、変革をもたらし問題解決のために働きかける**人**や**機関**、**組織**などをいう。

2　×　４つのサブシステムを提唱したのは、**ピンカス**（Pincus, A.）と**ミナハン**（Minahan, A.）である。

3　○　システムは相互に作用し合って全体を構成しており、**人と環境は交互作用**していると考える。

4　×　解説3のとおり、個人と環境は、交互作用していると考える。

5　×　**ベルタランフィ**（Bertalanffy, L.）が提唱した**一般システム理論**には、開放システムと閉鎖システムがあり、生物体を含むほとんどは**開放システム**に分類される。

問題71　正解　1　●──ストレングスモデルの特徴　重要度 ★★★

●ストレングスモデルは、今日のソーシャルワーク実践において、重要な視点となっている。代表的な人物であるサリービーやラップ、ゴスチャの理論について押さえておくこと。

☞ 教科書（共）　CHAPTER11・SECTION 2

1　○　ストレングスモデルでは、エビデンス（客観的な証拠）よりも、クライエントのナラティブ（**クライエント自身が紡ぐストーリー**）を尊重する。

2　×　ストレングスモデルでは、**クライエントのもつ強さ**を見出し、それらを意味づけすることを重視する。

3　×　記述は、**エンパワメントアプローチ**の説明である。ここでいうパワーレスとは、人や環境との不調和や敵対的関係によって引き起こされる、無力（パワーが欠如している）状態のことである。

4　×　記述は、**問題解決アプローチ**の説明である。問題解決アプローチでは、役割遂行上の問題解決に取り組むクライエントの力を重視している。

5　×　記述は、**解決志向アプローチ**の説明である。解決志向アプローチでは、問題が

解決した状態を短期間で実現することに焦点を当てて援助する。

| 問題72 | 正解　2 | ●──心理社会的アプローチ | 重要度 ★★★ |

●心理社会的アプローチとは、リッチモンドのソーシャルワーク理論を源流とし、診断主義アプローチの概念を発展させて確立したものである。

☞ 教科書(共) CHAPTER11・SECTION 2

1　✕　生活モデルの理論構築に最も大きな影響を与えたのは、生態学や**システム理論**である。心理社会的アプローチは、**治療モデル**に影響を受けて発展した。

2　○　心理社会的アプローチでは、クライエントとソーシャルワーカーの二者間のコミュニケーションを通して、クライエントの**パーソナリティが変容**することを支援の焦点としている。

3　✕　「状況の中の人（person-in-his-situation）」は、**ホリス**（Hollis, F.）が提唱した概念で、人と環境及び両者の相互作用という3つの連関を示している。スモーリーは、「**機能的アプローチ**」を整理・発展させた人物である。

4　✕　社会構成主義は、1980年代以降になってソーシャルワークに取り入れられた。心理社会的アプローチは、1950年代頃から発展しており、社会構成主義よりも早い段階でソーシャルワークの展開に影響を与えた。

5　✕　援助過程を、初期、中期、終期と区分するのは、**機能的アプローチ**の特徴である。

| 問題73 | 正解　3 | ●──機能的アプローチ | 重要度 ★★★ |

●ソーシャルワークにおける実践モデル・アプローチには、それぞれの成立に関わる理論的背景や社会的背景がある。何に対する批判から生まれ、何から影響を受けたのかなどをポイントに、確実に理解しておきたい。

☞ 教科書(共) CHAPTER11・SECTION 2

1　✕　記述は、**実存主義アプローチ**の説明である。

2　✕　記述は、**解決志向アプローチ**の説明である。

3　○　機能的アプローチは、フロイト（Freud, S.）の精神分析理論に傾注しすぎるといった診断主義アプローチへの批判を背景に誕生し、**ランク**（Rank, O.）の意志心理学や教育哲学者である**デューイ**（Dewey, J.）などから強い影響を受けている。

4　✕　記述は、**行動変容アプローチ**の説明である。

5　✕　記述は、**ナラティブアプローチ**の説明である。

正解　**1・5**　●──インテーク　　　　　　　　重要度 ★★★

●インテークは、単なる事務的な受付とは異なる。クライエント（申請者）の課題に対し、サービスの対象となるか、自施設・機関でサービス提供が可能かを見極めることが必要である。

☞ 教科書(共)　CHAPTER11・SECTION 3

1　○　インテーク（受理面接）では、クライエント（この段階では申請者）の**主訴**（直面している問題や悩み）を明らかにすることが何よりも重要である。そのためには、クライエントに**共感**し、「**個別化**」した**傾聴**を行う必要がある。

2　×　記述は、**アセスメント**（**事前評価**）段階の説明である。

3　×　記述は、**ターミネーション**（**支援の終結**）段階の説明である。

4　×　記述は、**インターベンション**（**支援の実施**）段階の説明である。

5　○　**スクリーニング**（自施設・機関の機能で対応可能かを見極めたうえで、援助を受理するかどうかの判断）の結果、自施設・機関では問題解決が困難と判断された場合に、**リファーラル**（他の適切な施設・機関の紹介）を行うのも、インテーク段階である。

問題75　正解　**2・5**　●──事前評価（アセスメント）　　　重要度 ★★

●アセスメントでは、援助のために必要となる、クライエントや家族、環境、社会資源などに関する情報を収集・分析しながら、解決に向けた道筋をつける。

☞ 教科書(共)　CHAPTER11・SECTION 3

1　×　いきなりKさんの希望に合わせて利用停止とするのは、適切ではない。通所介護利用の経緯やKさんとその家族の状況などから**総合的に判断**し、**介護支援専門員と連携**しながら、今後の利用について検討すべきである。

2　○　Kさんの気持ちに寄り添いながら、なぜ自宅に帰りたいのか、今どのような気持ちなのかを丁寧に聞き取りをする姿勢が求められる。

3　×　Kさんの通所介護利用に対する意向を確認することなく、生活相談員が独断で曜日変更しようとするのは適切ではない。

4　×　家族に対するアプローチは検討されるべきものであるが、利用継続を説得してもらうというのは、Kさんの意向に沿った対応とはいえず適切ではない。

5　○　介護支援専門員と共に、あらためてKさんの**思いや家族の考え**など、総合的な状況を踏まえてアセスメントすることが適切である。

問題76 | 正解 **4** ●──ケアマネジメントの方法 | 重要度 ★★★

●ケアマネジメントとは、援助者がクライエントと社会資源などを結びつけ、調整する様々な活動のことをいう。この活動を通して、クライエントのニーズを充足し、より良い生活とQOLの向上を目指す。

☞ **教科書(共) CHAPTER11・SECTION 5**

1 × ニーズ優先であることは適切であるが、クライエントの**費用負担**も常に意識しながら社会資源を調整し、ケアプランを作成することが必要である。

2 × ニーズ充足のためには、様々な社会資源を活用する。そのため、フォーマル、インフォーマル**両方を含めて**考える。

3 × ケアマネジメントの過程は、相談援助の過程と基本的に同じで、介護支援専門員に限定された援助方法ではない。サービスの調整、交渉や資源動員等は、ソーシャルワークの機能と重なっている。

4 ○ マッチングとは、クライエントのニーズに合ったサービスを提供する施設等を**探し**、それらと**交渉・調整**することで、**ニーズの充足**を図ることをいう。

5 × 「サービス優先のアプローチ」ではなく「**ニーズ優先のアプローチ**」が必要である。アセスメントに基づいてニーズを顕在化させ、そのニーズを充足させるためのケアプランを作成する必要がある。

問題77 | 正解 **3** ●──集団を活用した相談援助 | 重要度 ★★★

●グループワークとは、グループを構成する個人（メンバー）間に働く相互作用を活用し、個々人の問題解決やニーズの充足、あるいは成長を促進するために用いる援助技術である。

☞ **教科書(共) CHAPTER11・SECTION 6**

1 × 波長合わせとは、メンバー個々の生活状況やニーズなどを**あらかじめ理解しておく**ことをいう。

2 × ソーシャルワーカーは、個人だけでなく、グループ全体に焦点を当てながら援助する必要がある。

3 ○ 個人を理解するため、メンバー一人ひとりを個別のものと捉えると同時に、グループ自体も個別の存在として捉える必要がある。

4 × コイルはグループワークの母と呼ばれるが、**グループワークの基本原理14項目**は、**コノプカ**（Konopka, G.）が提唱した。

5 × 記述は、**ニューステッター**（Newstetter, W.）が提示した定義である。ニューステッターは、地域の問題を団体と機関の協働での解決を重視した「**インターグループワーク説**」を提唱したことでも知られている。

●問題が解決すると支援関係の契約は終了となり、支援は終結を迎える。その際に支援の妥当性や成果に対する効果測定をすることで、それらを今後の支援に活用することが大切である。

☞ 教科書(共)　CHAPTER11・SECTION 3

1　×　1980年代以降に注目されるようになったのは、**単一事例実験計画法（シングル・システム・デザイン）**である。これは、支援の前後の状況を比較することで介入の効果を測り、**支援の因果関係を捉える**方法である。

2　×　この場合は、支援の**中断**と判断すべきである。いったん援助のネットワークから離れたとしても支援の終結ではなく**中断**と捉え、必要時には再度援助関係を結ぶようにする。

3　○　グランプリ調査法は、援助方法による違いを比較して**援助の有効性を検証**する調査方法である。方法A、方法B等、様々な援助方法に分類し、結果を比較する。

4　×　記述は、**モニタリング**（**経過観察**）の説明である。エバリュエーションとは、終結の内容確認や効果測定、サービス評価などの**事後評価**のことをいう。

5　×　記述は、**断面的事例研究法**の説明である。メタ・アナリシス法では、特定の支援方法について、これまでに行われた**複数の調査結果を統合**して、支援の効果がより普遍的なものであることを明らかにする。

社会福祉調査の基礎

| 問題79 | 正解　3　●──調査票を用いた調査方法 | 重要度 ★★ |

●調査は、回答の調査票への記入の仕方によって、自計式（自記式）調査と他計式（他記式）調査に分類される。さらに、自計式調査と他計式調査は、調査票の配布・回収方法により、いくつかの調査法に分けられる。

☞ 教科書(共) CHAPTER12・SECTION 3

1　×　個別面接調査法は、調査者が調査対象者を訪問し、直接口頭で質問するものであるが、調査票への**回答記入も**調査者が行う**他計式調査**である。

2　×　留置調査法は、調査者が調査対象者を訪問して調査票を配布し、一定期間後に回収する方法である。回収率が高くなる傾向があるが、**本人による記入かどうかの確証はない。**

3　○　郵送調査法は、郵送により調査票を配布・回収する方法である。調査費用を抑えることができ、広範囲にわたる調査にも適しているが、回収率が低くなることが多いため、未回収の対象者への督促を想定して、**事前に督促状を準備するなどの配慮が必要**となる。

4　×　RDD（Random Digit Dialing）法では、**コンピューターで無作為に数字を組み合わせた電話番号に電話をかけて調査を行う**ため、電話帳に掲載されていない者も調査対象にすることができる。

5　×　集合調査法は、調査対象者を１か所に集め、その場で調査票の配布・回収を行う方法である。回収率が高く、確実に対象者本人の回答を得ることができるが、会場の雰囲気が影響し、**バイアス（偏り）が生じる可能性**もある。

| 問題80 | 正解　5　●──社会調査における倫理 | 重要度 ★★ |

●社会調査を行う際に調査者が守るべき倫理規程として、公益社団法人日本社会福祉士会の「社会福祉士の行動規範」と、一般社団法人社会調査協会の「倫理規程」がある。両者とも，原文は必ず確認しておくこと。

☞ 教科書(共) CHAPTER12・SECTION 2

1　×　一般社団法人社会調査協会「倫理規程」（以下、倫理規程）は、〔策定の趣旨と目的〕の中で、「社会調査の実施にあたっては、調査対象者の協力があってはじめて社会調査が成立することを自覚し、**調査対象者の立場を尊重**しなければならない」としている。

2　×　倫理規程第１条は、「社会調査は、常に科学的な手続きにのっとり、客観的に実施されなければならない」としている。**仮説と異なるデータの削除は、データ

の客観性を損ねることにつながるため、当該データを含めて報告書をまとめなければならない。

3　×　倫理規程第8条は、記録機材を用いる場合には、原則として調査対象者に調査の前または後に、調査の目的及び記録機材の使用を知らせなければならず、対象者から要請があった場合には、当該部分の**記録を破棄**または**削除**しなければならないとしている。

4　×　インフォームドコンセント（説明と同意）は、元来、医療分野における倫理として、患者に必要な情報を提供し、同意を得ることを意味していたが、人を対象とする調査や実験といった研究領域にも広く浸透してきている。社会調査も、**事前に必要事項を対象者に知らせ**、対象者が理解し、**承諾を得た**うえで行わなければならない。

5　○　倫理規程第4条は、調査対象者から求められた場合、調査データの提供先と使用目的を知らせなければならず、当初の調査目的の趣旨に合致した二次分析や社会調査のアーカイブ・データとして利用される場合などを除き、調査データが**当該調査以外の目的には使用されないことを保証**しなければならないとしている。

問題81　　正解　**3**　　●——量的調査の方法　　　　　重要度 ★★★

●自計式調査と他計式調査の長所・短所を押さえておくこと。

☞ 教科書(共)　CHAPTER12・SECTION 3

1　×　母集団の推定を行う際には有意抽出より、**無作為抽出の方が正確**な結果が出る。

2　×　記述は横断調査ではなく、**縦断調査**のひとつである**パネル調査**の説明である。横断調査は、**1回のみ調査**を行い、調査実施の時点における様々なデータを横断的に比較調査する調査方法である。

3　○　他計式調査は、対象者ではなく**調査員本人が調査票への記入**を行うため、対象者本人が記入する自計式調査より調査員を多く必要とする。

4　×　郵送調査と比べて、**留置調査法の方が調査票の回収率が高く**なる傾向がある。

5　×　インターネットを利用した調査では、対象者がインターネットに接続できる環境にあることが前提となるため、多様な対象に対して最適とはいえない。

問題82　　正解　**1**　　●——質問紙の作成方法と留意点　　重要度 ★★★

●量的調査では、主に質問紙（調査票）を用いて調査を行う。質問項目、回答形式、質問文の長さ、質問の順序などが調査結果に影響を与えることがあるため、質問紙を作成する際には十分な考慮が必要である。

☞ 教科書(共)　CHAPTER12・SECTION 3

1　○　質問紙における回答の形式は、主に回答しやすい**選択肢法**が用いられる。自由回答法は、質問紙にスペースをとって自由に書き込める形式で、多様な回答が得られるが、回収後の集計・分析に手間がかかり、あらかじめ分析方法を考えておく必要がある。また、調査対象者に負担をかける点もデメリットである。

2　×　関連する質問はなるべく近くに配置する方がよいが、前の質問への回答が次の質問の回答に影響する**キャリーオーバー効果**を避けるよう注意しなければならない。そのためには、**別の質問を間にはさむ**、**類似の質問をする**などの質問配置上の工夫をする。

3　×　ステレオタイプ化された用語（**ステレオタイプ語**）とは、**一定のイメージがついた用語**のことである。これが質問文の中にあると、言葉に影響され、回答内容がゆがめられることがあるため、使わないようにする。

4　×　一般的に調査対象者は「はい」と回答する傾向（**イエステンデンシー**）がある。単に「〜に賛成ですか」では、この影響を受けることが考えられるため、質問文には「〜に賛成ですか、反対ですか」というように、**両方の選択肢を明示する**ことが望ましい。

5　×　1つの質問で2つ以上の事柄を聞く**ダブルバーレル質問**は、対象者に誤解や混乱を与えるため避けるようにする。

問題83　正解　**4**　●──観察法　　　　　　　　　　　　重要度 ★★

●観察法とは、視覚的な観察や調査対象者に関連する資料などを用いて、全体的に調査対象者のことを理解していく調査方法で、観察方法の違いにより、統制的観察、参与観察、非参与観察に分けることができる。

教科書(共)　CHAPTER12・SECTION 5

1　×　観察法は、全体的に調査対象者を理解していく調査方法であり、文字などの視覚的データだけでなく、対象者に関連する**写真や音声**なども分析対象とする。

2　×　参与観察では、調査対象者と生活や活動を共にしながら記録を行い、情報を収集する。そのため、対象者との間でラポール形成が深まりすぎる**オーバーラポール**が生じやすく、客観的な観察や分析がしにくくなるというデメリットがある。

3　×　調査者が観察者に徹して、見聞きした情報を収集する非参与観察では、調査対象者の了解を得て**マジックミラー（ワンウェイミラー）**を使うことがある。

4　○　参与観察では、生活や活動の参加の度合いに応じて調査者の立場を、❶参加に徹する「**完全な参加者**」、❷参加を重視する「**観察者としての参加者**」、❸観察を重視する「**参加者としての観察者**」、❹観察に徹する「**完全な観察者**」の4つに分類する。調査者は、より良いデータを収集するため、状況に応じて立場を変えることがある。

5　×　統制的観察と非統制的観察の違いは、**観察方法などをあらかじめ決めておくか否か**である。

問題84　正解　**3**　●──質的調査のデータの分析方法　重要度 ★★★

●KJ法やグラウンデッド・セオリー・アプローチ（GTA）などに代表される質的調査のデータの分析方法について押さえておくこと。

☞ 教科書（共）CHAPTER12・SECTION 6

1　×　KJ法は、**フィールドワーク**で得られたデータをまとめるために考案された手法である。

2　×　ブレインストーミングは、様々な**アイデアを捻出する**ための手法である。KJ法は、出された**アイデアをまとめる**ための手法である。

3　○　事例検討のほかに、行政による福祉計画の策定過程で行われるワークショップなどにも利用される。

4　×　グラウンデッド・セオリー・アプローチは、**質的データ**を分析し、新しい理論を生成するための手法である。

5　×　記述は、**ストーリーライン**の段階の説明である。**理論的飽和**とは、これ以上コードのカテゴリー化が進まなくなった段階をいう。

第2回

専門科目
解答・解説

第2回　専門科目・解答一覧

高齢者福祉　　／6点

問題	85	①	**②**	③	④	⑤
問題	86	①	②	③	④	**⑤**
問題	87	**①**	②	③	④	⑤
問題	88	①	②	**③**	④	⑤
問題	89	①	②	③	④	**⑤**
問題	90	①	②	③	④	**⑤**

児童・家庭福祉　　／6点

問題	91	①	②	③	**④**	⑤
問題	92	①	②	③	④	**⑤**
問題	93	①	②	③	④	**⑤**
問題	94	①	②	③	**④**	⑤
問題	95	①	②	③	**④**	**⑤**
問題	96	①	②	③	**④**	⑤

貧困に対する支援　　／6点

問題	97	①	②	③	**④**	⑤
問題	98	**①**	②	③	④	⑤
問題	99	**①**	②	③	④	⑤
問題	100	①	②	③	**④**	⑤
問題	101	①	②	③	**④**	⑤
問題	102	①	**②**	③	④	⑤

保健医療と福祉　　／6点

問題	103	①	**②**	③	④	⑤
問題	104	①	②	③	**④**	⑤
問題	105	**①**	②	③	④	⑤
問題	106	①	**②**	③	④	⑤
問題	107	①	②	③	④	**⑤**
問題	108	①	②	**③**	④	⑤

ソーシャルワークの基盤と専門職（専門）　　／6点

問題	109	①	②	③	④	**⑤**
問題	110	①	②	**③**	④	⑤
問題	111	**①**	②	③	④	**⑤**
問題	112	①	②	**③**	④	⑤
問題	113	①	②	**③**	④	⑤
問題	114	①	②	③	**④**	⑤

ソーシャルワークの理論と方法（専門）　　／9点

問題	115	①	②	③	④	**⑤**
問題	116	①	②	③	**④**	⑤
問題	117	①	②	**③**	④	⑤
問題	118	**①**	②	③	④	⑤
問題	119	**①**	**②**	③	④	⑤
問題	120	①	②	③	**④**	⑤
問題	121	①	②	③	**④**	⑤
問題	122	①	②	③	**④**	⑤
問題	123	①	②	③	④	**⑤**

福祉サービスの組織と経営　　／6点

問題	124	①	②	③	④	**⑤**
問題	125	①	②	**③**	④	⑤
問題	126	①	②	③	**④**	⑤
問題	127	①	**②**	③	④	⑤
問題	128	①	②	**③**	④	⑤
問題	129	①	**②**	③	④	⑤

合　　計	／45点

※頻出項目解説〔(18)～(25) ページ〕の各科目の目標得点が取れるまで、繰り返し解いてみましょう。

高齢者福祉

| 問題85 | 正解　2　●──高齢者の就労 | 重要度 ★★ |

●高齢者人口の増加に伴い、高齢者の就労人口も増加傾向にある。その実情等を「高齢社会白書」などで確認しておくこと。

☞ 教科書（専）　CHAPTER I・SECTION 2

1　×　「令和6年版高齢社会白書」によると、2023（令和5）年の労働力人口は6,925万人、そのうち65歳以上の者は931万人で、労働力人口総数に占める割合は**13.4％**と長期的には**上昇傾向**にある。

2　○　65〜69歳の就業者の割合は、女性は43.1％であるが、男性の場合は、**61.6％と5割を超えている**。

3　×　男性の雇用者の場合、非正規の職員・従業員の比率は、65〜69歳で**67.6％**となっている。

4　×　現在収入のある仕事をしている60歳以上の者の**約4割**が、「働けるうちはいつまでも」働きたいと回答している。

5　×　従業員21人以上の企業約24万社のうち、「高年齢者雇用確保措置」の実施済企業の割合は、**99.9％**（23万6,815社）となっている。

| 問題86 | 正解　5　●──介護保険の要介護認定とサービス | 重要度 ★★★ |

●介護保険サービスを利用するためには、市町村から要介護認定・要支援認定を受ける必要がある。要介護認定の流れやサービスの種類、利用者負担など、介護保険制度の概要について押さえておく。

☞ 教科書（専）　CHAPTER I・SECTION 4

1　×　要介護認定・要支援認定の申請は、本人のほか、**家族、親族、民生委員、社会保険労務士、成年後見人、地域包括支援センター**なども行うことができる（**代理申請**）。

2　×　居宅介護支援は、**居宅介護サービス計画費**として、費用の**全額（10割）**が**現物給付**されるので、**自己負担はない**。

3　×　新規・区分変更申請の有効期間は、原則として**6か月**である。また、**更新申請**は原則**12か月**となっている。

4　×　**転居**した場合や、要介護度が著しく**重く**なった場合は、再支給が**認められる**。

5　○　記述のとおりである。認定結果の通知は、原則として**申請日から30日以内**に行う。認定は**申請日にさかのぼって有効**である。

正解 **1** ●——介護保険法の概要 重要度 ★★★

> ●介護保険の被保険者は、65歳以上の第1号被保険者と、40歳以上65歳未満の医療保険加入者である第2号被保険者に分けられる。給付の要件や保険料の徴収方法など、両者で異なる点をまとめて理解しておきたい。

☞ 教科書(専) CHAPTER 1・SECTION 4

1 ○ **第2号被保険者**（40歳以上65歳未満の医療保険加入者）が要介護認定を受けるには、老化に起因して発症した16種類の「**特定疾病**」が原因で日常生活の自立が困難になり、要介護・要支援状態が6か月以上続くと予想された場合に限られる。そのため、第2号被保険者が要介護認定の申請をするときは、申請書に特定疾病名の記入が必要となる。**Aさんは第1号被保険者**であるため、その必要はない。

2 × 要介護（要支援）認定の認定結果や決定された保険料などに不服がある場合は、**都道府県**に置かれた**介護保険審査会に対して審査請求**を行うことができる。

3 × 地域密着型サービスについては、9種類の介護給付のうち、小規模多機能型居宅介護など3種類に相当するサービスは予防給付として要支援者が利用することができる。ただし、定期巡回・随時対応型訪問介護看護は、**要介護者**を給付対象とする。

4 × 要介護（要支援）認定の効力が生じる日（申請日）よりも前に、緊急その他やむを得ない理由により指定サービスを受けた場合で、市町村がその必要を認めるときは、**特例サービス**として給付を受けることができる。

5 × 腰掛便座や入浴補助用具は、**特定福祉用具販売**の対象種目である。

正解 **3** ●——地域包括支援センターの活動の実際 重要度 ★★★

> ●地域包括支援センター運営協議会は、地域包括支援センターの適切な運営、公正・中立性の確保その他センターの円滑かつ適正な運営を図るため、原則、市町村ごとに1つ設置しなければならない。

☞ 教科書(専) CHAPTER 1・SECTION14

1 × 地域包括支援センター運営協議会の委員は、介護サービス等の**事業者**及び**職能団体**、**学識経験者**、「介護保険以外の地域の社会資源や地域における権利擁護、相談事業等を担う関係者」と「介護サービス等の利用者、介護保険の被保険者」を含む構成を標準として、地域の実情に応じて市町村長が選定する。

2 × 記述は、地域保健法第18条に規定する**市町村保健センター**の説明である。

3 ○ 機能強化型センターは、**権利擁護業務**や**認知症支援**等の機能を強化し、他のセンターを支援する。一方、基幹型センターは、センター間の総合調整、地域ケア

会議の開催、他のセンターの後方支援などを担い、機能強化型センターとの役割分担・連携を進めている。

4 ✕ 標準的な地域ケア会議は、地域包括支援センターが**日常生活圏域単位**で開催する。

5 ✕ 地域包括支援センターのほかに、**診療所、病院、認知症疾患医療センター**、市町村の本庁等にも配置される。

| 問題89 | 正解 **5** ●——介護保険法における専門職の役割 | 重要度 ★★ |

●介護保険制度における各専門職の役割と実際を、それぞれの職種について整理しておくこと。

☞ 教科書（専）CHAPTER 1・SECTION14

1 ✕ 報酬を得て要介護認定の申請代行または代理申請を行うことができるのは、**社会保険労務士、指定居宅介護支援事業者**及び**介護保険施設**に限定される。ただし、報酬を受けないのであれば他の者でも可能である。

2 ✕ 指定居宅介護支援事業者等に認定調査を委託できるのは、**更新や区分変更の場合のみ**である。

3 ✕ 訪問介護員の**同居家族**に対するサービス提供は、**禁止されている**

4 ✕ 娘であることをもって禁止されるわけではない。

5 ○ 福祉用具専門相談員は、**福祉用具専門相談員指定講習修了者**に加え、**社会福祉士、保健師、介護福祉士**などの有資格者も該当する。事例のMSWは社会福祉士であるので、福祉用具選定の助言を行うことができる。

| 問題90 | 正解 **5** ●——認知症基本法 | 重要度 ★★ |

●「認知症基本法」は、増加している認知症の人が尊厳を保持しつつ希望をもって暮らすことができるよう、認知症施策を総合的かつ計画的に推進し、認知症の人を含めた国民一人一人がその個性と能力を十分に発揮し、相互に人格と個性を尊重しつつ支え合いながら共生する活力ある社会の実現を推進することを目的として、2023（令和5）年6月に公布された法律である（施行は2024〈令和6〉年1月）。

☞ 教科書（専）CHAPTER 1・SECTION 3

1 ✕ 認知症施策推進本部は、厚生労働省ではなく、**内閣**に設置される。また、本部長は**内閣総理大臣**である。

2 ✕ 都道府県と市町村が策定する認知症施策推進計画は、義務ではなく、**努力義務**とされている。

3 ✕ 認知症施策推進本部に設置される認知症施策推進関係者会議の委員には、認知

症の人の保健、医療、福祉の業務に従事する者その他関係者のほか、**認知症の人及び家族等も含まれ**、任命は**内閣総理大臣**が行う。

4　×　公共交通事業者等や金融機関、小売業者など、日常生活及び社会生活を営む基盤となるサービスを提供する事業者(保健医療・福祉サービスの提供者を除く)は、サービスを提供するにあたり、その事業の遂行に**支障のない範囲内**において、認知症の人に対し必要かつ合理的な配慮をするよう**努めなければならない**とされている。

5　○　記述のとおりである。認知症の日は**9月21日**、認知症月間は**9月1日から9月30日まで**と規定されている。

児童・家庭福祉

問題91	正解 **4** ●──児童・家庭の現状	重要度 ★★★

●喫緊の課題とされる待機児童解消に向け、「子育て安心プラン」などの様々な施策が実施されている。各施策を理解する前提として、最新の統計により待機児童の状況を確認しておくことが大切である。

☞ 教科書（専） CHAPTER 2・SECTION 2

1 × 2023（令和5）年4月1日時点における年齢区分別の保育所等利用児童の割合（**保育所等利用率**）は、「3歳未満児」（44.6％）よりも「**3歳以上児**」（59.5％）**の方が大きい**。

2 × 保育所等待機児童数は**2,680人**であり、前年に比べ**264人減少**している。

3 × 待機児童がいる市区町村数は**231**（前年より21減少）で、全市区町村の13.3％となっている。

4 ○ 都市部の待機児童数の合計は1,622人で、**全待機児童の60.5％**を占めている。

5 × **待機児童率**とは、待機児童数を申込者数で割って求める値である。都市部の待機児童率は0.09％で、5％を**下回っている**。

問題92	正解 **5** ●──児童相談所	重要度 ★★

●児童相談所は、市町村と適切な役割分担・連携を図りつつ、子どもや家庭に最も効果的な援助を行い、子どもの福祉を図るとともに、その権利を擁護することを目的として設置されている。機能・業務、組織体制などについて押さえておく。

☞ 教科書（専） CHAPTER 2・SECTION13

1 × 児童相談所は、**療育手帳**や**特別児童扶養手当**に係る判定事務など、子どもの福祉に関わる幅広い業務を担っている。

2 × 児童相談所には、児童相談所長、**児童福祉司**、**児童心理司**、相談員、医師などが配置される。2018（平成30）年の児童福祉法改正により、児童福祉司の任用要件に、現行の**社会福祉士**、**精神保健福祉士**、**医師**などに加え、新たに**公認心理師が追加**された。

3 × 児童福祉法第33条において、児童相談所が児童の安全を迅速に確保し適切な保護を図るために一時保護を行った場合、その期間は原則として、一時保護を開始した日から**2か月を超えてはならない**とされている。

4 × 児童虐待防止対策の強化を図るため、児童相談所に弁護士の**配置**または**これに準ずる措置**（弁護士事務所との契約等）が義務づけられている。

5 ○ 記述のとおりである。中核市は2006（平成18）年より、特別区は2016（平成

28）年より、児童相談所の設置が可能となっている。

<table>
<tr><td>問題93</td><td>正解　5　●──児童福祉法の概要</td><td>重要度 ★★★</td></tr>
</table>

●児童福祉法に基づいて設置されている児童福祉施設の概要や、子育て支援事業をはじめとする各種事業の概要について押さえておくこと。

☞ 教科書（専）CHAPTER 2・SECTION 4

1　×　放課後等デイサービスは、就学している**障害児を対象**として、生活能力の向上のために必要な訓練などを行う。記述は、**放課後児童健全育成事業の説明である**。

2　×　病児保育事業は、**小学校に就学している児童も対象**になる。

3　×　家庭的保育事業は、家庭的保育者の居宅その他の場所において、**家庭的保育者**による保育を行う事業である。家庭的保育事業の定員は**5人以下**となっており、家庭的保育者1人が保育できる乳幼児の数は**3人以下**となっている。

4　×　児童自立支援施設は、**不良行為**をなし、またはなすおそれのある児童及び家庭環境その他の環境上の理由により**生活指導等を要する児童**を対象としている。記述は、**障害児入所施設**の説明である。

5　○　幼保連携型認定こども園には、保育士資格と幼稚園教諭の両方を有した職員が配置され、2つを有する保育者を「保育教諭」という職名で呼ぶ。内閣府から「**幼保連携型認定こども園教育・保育要領**」が告示されている。

<table>
<tr><td>問題94</td><td>正解　4　●──児童等の定義</td><td>重要度 ★★★</td></tr>
</table>

●法や制度によって「児童（子ども）」の定義は異なる。それぞれの法制度の年齢について、しっかりと覚えておくこと。

☞ 教科書（専）CHAPTER 2・SECTION 1

1　×　児童福祉法にいう乳児とは、**1歳未満**の者を意味する。

2　×　児童虐待の防止等に関する法律にいう児童とは、**18歳未満**の者を意味する。

3　×　母子及び父子並びに寡婦福祉法にいう児童とは、**20歳未満**の者を意味する。

4　○　記述のとおりである。母子保健法第6条第3項に規定されている。

5　×　児童の権利に関する条約第1条において、「児童とは、18歳未満のすべての者をいう。ただし、当該児童で、**その者に適用される法律によりより早く成年に達したものを除く**」と述べられている。

<table>
<tr><td>問題95</td><td>正解　4・5　●──市町村の役割</td><td>重要度 ★★★</td></tr>
</table>

●市町村は住民の暮らしに最も近いことから、児童家庭相談に関する一義的な窓口とな

り、児童及び妊産婦の福祉に関し、必要な実情の把握、情報提供、相談、調査及び指導などを実施したり、保育の実施、子育て支援事業の実施、障害児通所給付費の支給などを行っている。

☞ 教科書(専)　CHAPTER 2・SECTION 9

1　×　児童扶養手当は、**ひとり親家庭**を対象としている。

2　×　母子・父子福祉センターは、**ひとり親家庭**が対象である。

3　×　居宅訪問型保育は、**障害**や**疾病**等のために集団保育が著しく困難な乳幼児を対象としている。

4　○　地域子育て支援拠点事業は、「地域において子育て親子の交流等を促進する子育て支援拠点の設置を推進することにより、地域の子育て支援機能の充実を図り、**子育ての不安感等を緩和**し、子どもの健やかな育ちを支援すること」を目的としている。**一般型**と**連携型**がある。

5　○　養育支援訪問事業は、保健師等が居宅を訪問し、適切な養育の実施を確保することがねらいである。子育てに対して強い不安等を抱える家庭も対象となる。

問題96　正解　**4**　●──児童相談所の活動の実際　　　　重要度 ★★

●児童相談所は、受理した相談について、種々の専門職員の関与により行われる調査・診断・判定に基づいて援助指針を作成し、援助を実施する。

☞ 教科書(専)　CHAPTER 2・SECTION13

1　×　助産施設は、保健上必要があるにもかかわらず、**経済的な理由により入院助産を受けることが難しい妊産婦**が入院し、助産を受けることができる施設である。利用を希望する場合は、住んでいる地域の福祉事務所へ申請し、利用の可否については、福祉事務所が調査して判断する。本事例では、**D**子と胎児の安全を図ることが喫緊の課題であることや、出産までに日があることなどから、助産施設へ入所させることは、適切ではない。

2　×　**D**子の預け先が親戚であれば、**F**子も状況を察する可能性がある。したがって、**D**子に危害を加えるおそれのある**F**子からの保護の必要性を考慮すると、親戚の家庭に預けることは、適切ではない。

3　×　**D**子を危険な状態にさせているのは姉の**F**子であり、親権者ではない。また、事例から、父または母による親権の行使が困難または不適切である状況も読み取れない。したがって、家庭裁判所に親権停止の審判を請求することは、適切ではない。

4　○　本事例では、危険な状態となっている**D**子を、**F**子から隔離することが喫緊の課題である。児童相談所が、自ら行うことができる処置として、付設の一時保護所において保護することは、適切な処置である。

5　×　「困難な問題を抱える女性への支援に関する法律」（**女性支援新法**）に基づき**都道府県**に設置することのできる女性自立支援施設は、困難な問題を抱える女性の意向を踏まえながら、入所・保護、医学的・心理学的な援助、自立の促進のための**生活支援**を行い、併せて**退所**した者についての**相談**等を行う（同伴児童の**学習・生活**も支援）施設である。児童相談所が行う**D**子に対する処置として、女性自立支援施設に保護させることは、適切ではない。

貧困に対する支援

| 問題97 | 正解 **4** ●──保護の種類と内容 | 重要度 ★★★ |

●生活保護法に規定される8つの扶助のうち、金銭給付を原則としているのは、生活扶助、教育扶助、住宅扶助、出産扶助、生業扶助、葬祭扶助の6つである。医療扶助と介護扶助は、現物給付を原則としている。

☞ 教科書（専） CHAPTER 3・SECTION 2

1　✕　生活扶助における第1類費は「**個人**」が消費する費用であり、第2類費は「**世帯**」の共通的経費である。

2　✕　教育扶助は、義務教育に必要な費用が賄われる。高等学校の授業料等は、**生業扶助**により給付される。

3　✕　住宅扶助は、**金銭給付**で行われる。ただし、宿所提供施設を利用するなど、必要があるときは、現物給付により行われる。

4　○　医療扶助には、診察等の他に移送費も含まれている。

5　✕　生活保護法第37条において、葬祭扶助は、原則、**金銭給付**によって行われることが規定されている。

| 問題98 | 正解 **1** ●──生活保護の受給 | 重要度 ★★★ |

●生活保護を受給するにあたって、被保護者（現に保護を受けている人）には権利と義務がある。生活保護の原理・原則と合わせて覚えておくとよい。

☞ 教科書（専） CHAPTER 3・SECTION 2

1　○　児童扶養手当は、父または母と**生計を同じくしていない児童**（18歳に達する日以後の最初の3月31日までの間にある者または20歳未満で政令で定める程度の障害の状態にある者）の養育者に対して支給されるので、**G**さんは受給することができる。受給した手当額は**G**さんの収入として認定される。

2　✕　児童手当は、「支給要件児童（15歳に達する日以後の最初の3月31日までの間にある児童）」の養育者に支給される。支給額は下表のとおりである。

支給対象年齢	支給額（月）
0〜3歳未満	1万5千円
3歳〜小学校修了前	1万円（第1子・第2子）
	1万5千円（第3子以降）
中学生	1万円
所得制限世帯（年収約960万円以上）※	5千円

※世帯主の年収が1,200万円等の場合は、「特例給付」の対象外

ただし、第１子・第２子等の考え方については、児童手当法に規定される児童（18歳に達する日以後の最初の３月31日までの間にある者）を含むこととなっている。すなわち、本事例の場合は**H子が第１子**となり、**J男が第２子、K君が第３子**となる。**H子は支給要件児童ではない**ので、J男の１万円、K君の１万５千円の合計２万５千円が、支給額となる。なお、2024（令和６）年の児童手当法の改正により同年10月支給分から、児童手当の抜本的拡充（**所得制限の撤廃**、支給対象児童を**高校生**（18歳に達する日以後の最初の３月31日までの間にある児童）**まで延長、第３子以降は３万円**）が行われる。

3　×　生活保護法第61条の「届出の義務」には、被保護者は、収入、支出その他**生計の状況について変動があったとき**、または居住地もしくは世帯の構成に異動があったときは、すみやかに、保護の実施機関または福祉事務所長にその旨を届け出なければならない、と規定されているので申告する必要がある。

4　×　教育扶助は、**義務教育就学中**（小学校・中学校）の者が世帯にいる場合に加算されるので、**H子は対象外**となる。

5　×　生活扶助の各種加算の**母子加算**は、生活保護受給中の世帯が**ひとり親家庭**の場合に支給される。名称は母子加算であるが、父子家庭にも支給される。

問題99　　**正解　　1**　●──保護施設　　　　　　　　　　**重要度 ★★★**

●保護施設とは、居宅での生活が難しい要保護者が入所や利用をする施設である。生活保護法における保護施設は、５種類ある。

⤳ 教科書（専）　CHAPTER 3・SECTION 2

　下表を参照すると分かるように、**L**さんが入所する施設として適切なのは、**1の救護施設**である。

■保護施設の種類

施設名	対　象
救護施設 （最も施設数が多い）	身体上または精神上著しい障害があるために日常生活を営むことが困難な要保護者を入所させて、**生活扶助**を行う
更生施設	身体上または精神上の理由により養護及び生活指導を必要とする要保護者を入所させて、**生活扶助**や自立と社会参加に必要な**生活指導**を行う
医療保護施設	医療を必要とする要保護者に対して、医療の給付（**医療扶助**）を行う
授産施設	身体上もしくは精神上の理由または世帯の事情により就業能力の限られている要保護者に対して、就労または技能の修得のために必要な機会及び便宜を与えて、その自立を助長する（**生業扶助**）
宿所提供施設	住居のない要保護者の世帯に対して、**住宅扶助**を行う

問題100　正解　4　●──福祉事務所の役割と実際　重要度 ★★★

●福祉事務所は、都道府県及び市 (特別区を含む) に設置する義務がある。福祉事務所は、生活保護の決定及び実施に関する事務を行う機関であり、その所員は、所長、指導監督を行う所員、現業を行う所員、事務を行う所員から構成される。

☞ 教科書(専) CHAPTER 3・SECTION 6

1　×　社会福祉法において、社会福祉主事は**18歳以上**の者であって、人格が高潔で、思慮が円熟し、**社会福祉の増進に熱意**がある者と規定されている。

2　×　都道府県知事または市町村長の指揮監督を受けて、**所務を掌理**するのは、生活保護の指導監督を行う所員ではなく、**福祉事務所長**である。

3　×　生活保護の決定や実施に関する**権限を委任**されているのは、生活保護の現業を行う所員ではなく、**福祉事務所長**である。

4　○　生活保護の指導監督を行う所員は、現業事務の指導監督をつかさどるため、**スーパーバイザー**としての**教育的機能**、**支持的機能**を果たすことが求められる。

5　×　社会福祉法において、「**都道府県及び市**は、条例で、福祉に関する事務所を**設置しなければならない**」(第14条第1項) とされているが、町村は、「**設置することができる**」(同条第3項) と規定されている。

問題101　正解　4　●──生活保護の実施体制　重要度 ★★

●生活保護制度における国、都道府県、市町村等の役割と実際について押さえておくこと。

☞ 教科書(専) CHAPTER 3・SECTION 2

1　×　厚生労働大臣は、**国が開設した医療機関**について指定と取消、または期間を定めて、その指定の全部もしくは一部の効力を停止する権限を有している。国以外が開設した医療機関に対する同様の権限は、**都道府県知事**にある。

2　×　**国は4分の3を負担する**。残りの4分の1は、都道府県や市町村が負担する。

3　×　生活保護基準は、**厚生労働大臣**が定めることとなっている。

4　○　記述のとおりである。生活保護法第22条に規定されている。

5　×　生活保護法では、**都道府県知事、市長及び福祉事務所を管理する町村長**が保護を決定し実施することとされている。

問題102　正解　2　●──生活困窮者自立支援法　重要度 ★★★

●生活困窮者自立支援法は、生活保護制度を利用しなければならない手前の段階で、早期の自立支援を行う新たなセーフティネットとして、2013 (平成25) 年に制定、2015 (平成27) 年に施行された法律である。2018 (平成30) 年の改正事項も併せ

て確認しておくこと。

1　×　「**生活困窮者**」とは、就労の状況、心身の状況、地域社会との関係性その他の事情により、現に経済的に困窮し、最低限度の生活を維持することができなくなるおそれのある者と規定されている（下線部は2018〈平成30〉年の改正で追加された部分）。

2　○　記述のとおりである。都道府県等は、**自立相談支援事業**の事務の全部または一部を厚生労働省令で定める者（**社会福祉協議会**や**社会福祉法人**など）に**委託できる**と規定している。

3　×　**住居確保給付金給付事業**は、離職などにより住宅を失った生活困窮者等に対し、一定期間、家賃相当の給付金を支給する事業で、**必須事業**と位置づけられている。

4　×　**就労準備支援事業**は、直ちに就労が困難な者に、一般就労に向けた知識・能力の向上のための訓練を実施するもので、従来は任意事業、2018（平成30）年の法改正により、2018（平成30）年10月より、実施が**努力義務**となった。

5　×　2018（平成30）年の改正により、家計相談支援事業が**家計改善支援事業**と改称され、2018（平成30）年10月より、従来の任意事業から実施が**努力義務**となった。

保健医療と福祉

問題103	正解 **2** ●──高額療養費制度	重要度 ★★

●高額療養費制度は、1か月に同一医療機関等に支払った医療費が高額になったときに、その負担が大きくなりすぎないように、医療費負担を軽減する仕組みである。

☞ 教科書(専) CHAPTER 4・SECTION 1

1　×　高額療養費制度における自己負担限度額は、被用者保険と国民健康保険とで異なっているのではなく、被保険者の年齢や所得に応じて定められている。

2　○　70歳未満の者が、加入する医療保険の保険者に事前申請して交付された「**限度額適用認定証**」を提示し、診療を受けた場合には、医療機関等の窓口での支払いを自己負担限度額までにとどめることができる。この仕組みを「高額療養費の現物給付化」という。

3　×　高額療養費の支給を受ける権利の**消滅時効**は、診療を受けた月の翌月の初日から**2年**である。

4　×　自己負担額の合算は、同一の医療保険に加入する**家族を単位**として行われる。例えば、被用者やその家族などが加入する健康保険であれば、被保険者とその被扶養者の自己負担額は、互いの住所が異なっていても合算できる。

5　×　同一世帯で、直近12か月間に高額療養費の支給が**3回以上**あった（**多数該当**）場合は、**4回目**から自己負担限度額がさらに引き下げられる。

問題104	正解 **4** ●──診療報酬制度の概要	重要度 ★★★

●診療報酬とは、保険医療機関及び保険薬局が保険医療サービスに対する対価として保険者から受け取る報酬で、診療報酬点数表に基づいて計算される。診療報酬点数に対する価格は、全国一律で1点10円である。

☞ 教科書(専) CHAPTER 4・SECTION 2

1　×　診療報酬は、**医科診療報酬**、**歯科診療報酬**、**調剤報酬**の3つであり、看護報酬というものはない。

2　×　診療報酬の改定は、厚生労働大臣の諮問機関である**中央社会保険医療協議会**（**中医協**）の答申を経て行われる。

3　×　診療報酬の算定方式で、実際に行った医療行為ごとに点数を合計して計算するのは、**出来高払い方式**である。包括払い方式とは、病名や診療内容別に、**入院1日当たりの費用**を決める方式で、特定機能病院などを中心に導入されている。

4　○　緩和ケア病棟は、主として苦痛の緩和を必要とする悪性腫瘍及び後天性免疫不全症候群の患者を入院させ、緩和ケアを行うとともに、外来や在宅への円滑な移

行も支援する病棟である。

5　✕　混合診療とは、保険のきく医療行為と保険のきかない医療行為を併用することをいい、**原則禁止**されている。ただし、例外的に**評価療養**（先進医療、承認前の医薬品など）と**選定療養**（差額ベッド代、金歯など）については、保険診療との併用が認められる**保険外併用療養費**という制度が設けられている。

問題105　正解　**1**　●──地域医療支援病院　重要度 ★★★

●地域医療支援病院は、救急医療の提供やかかりつけ医、かかりつけ歯科医との連携など、地域医療を支援する機能をもった病院である。

☞ 教科書（専）CHAPTER 4・SECTION 3

1　○　地域医療支援病院の病床数は、**200床以上**とされている。

2　✕　地域医療支援病院は、地域の医療機関を支援する病院として、**都道府県知事**からの承認を受ける。

3　✕　地域医療支援病院承認の要件は、❶地域の医療機関からの紹介率が**80％以上**、❷紹介率が65％を超えかつ逆紹介率が40％を超えている、❸紹介率が50％を超えかつ逆紹介率が70％を超えている、のいずれかを満たすことである。

4　✕　記述は、**特定機能病院**の要件である。**特定機能病院**は、高度な医療の提供、並びに高度な医療技術の開発・評価、研修を行うなどの役割を有している。

5　✕　地域のかかりつけ医、かかりつけ歯科医を支援する役割が求められるのは、**地域医療支援病院**のR病院である。

問題106　正解　**2**　●──医療法　重要度 ★★★

●医療法は、医療を受ける者の利益の保護及び良質かつ適切な医療を効率的に提供する体制の確保を図ることにより、国民の健康の保持に寄与することを目的としている。

☞ 教科書（専）CHAPTER 4・SECTION 4

1　✕　診療所に病床を設けようとするときや、診療所の病床数、病床の種別などを変更しようとするときは、原則として、当該診療所の所在地の**都道府県知事の許可**を受けなければならない（医療法第7条第3項）。

2　○　病院または診療所の開設者は、その病院または診療所が医業をなすものである場合は**臨床研修等修了医師**に、歯科医業をなすものである場合は**臨床研修等修了歯科医師**に、これを管理させなければならない（医療法第10条第1項）。

3　✕　開設の許可を受けた病院、診療所、助産所が、正当な理由なく**6か月以上業務**を開始しないとき、都道府県知事は、開設の許可を取り消し、または開設者に対し、期間を定めてその閉鎖を命ずることができる（医療法第29条第1項第1号）。

4　×　医療計画において定めるべき医療の確保に必要な事業に関する事項は、**救急医療、災害時**における医療、**へき地**の医療、**周産期医療、小児医療**（**小児救急医療**を含む）、都道府県知事が当該都道府県における**疾病の発生の状況等に照らして特に必要と認める医療**の6つを対象とするものである（医療法第30条の4第2項第5号）。

5　×　**都道府県、保健所を設置する市**及び**特別区**は、医療の安全に関する情報の提供、研修の実施、意識の啓発その他の医療の安全の確保に関し必要な措置を講ずるため、**医療安全支援センターを設けるよう努めなければならない**（医療法第6条の9及び第6条の13第1項）。

| 問題107 | 正解　**5**　●──インフォームドコンセント | 重要度 ★★ |

　●インフォームドコンセントとは、患者が治療などの内容について十分に説明を受け、理解し納得したうえで方針に合意することをいう。医療法では、インフォームドコンセントの理念について明文化されている。

☞ 教科書（専）　CHAPTER 4・SECTION 5

1　×　インフォームドコンセントに関する医療者の責務については、1997（平成9）年の医療法改正で、医療の提供に当たり、**適切な説明**を行い、医療を受ける者の**理解を得る**よう努めなければならない（同法第1条の4第2項）とする文言が明記された。

2　×　「医師の職業倫理指針（第3版）」（日本医師会）は、真の病名や病状の告知が患者に過大な精神的打撃を与えるなど、その後の治療の妨げになる正当な理由があるときは、**例外的に真実を告げないことも許される**としている。

3　×　日本では、1990（平成2）年に、**日本医師会第Ⅱ次生命倫理懇談会**による「『説明と同意』についての報告」において、「説明と同意」という訳語が使われた。

4　×　医療法は、退院後の療養に必要な保健サービスまたは福祉サービスに関する事項を記載した退院後の療養に関する書面を作成・交付し、適切な説明を行うことを、医療機関の管理者の**努力義務**としている（医療法第6条の4第3項）。

5　○　入院予定の患者に対し、入院中の治療や入院生活に係る計画に備え、入院中に行われる治療・検査の説明や入院生活の説明等の支援を行い、入院中の看護や栄養管理等に係る療養支援の計画を立て、患者及び関係者と共有した場合に、**入院時支援加算**を算定できる。

| 問題108 | 正解　**3**　●──医療ソーシャルワーカーの役割 | 重要度 ★★★ |

　●保健医療領域で働く社会福祉士は、医療ソーシャルワーカー（MSW）と呼ばれる。医

療ソーシャルワーカーの業務の範囲や業務の方法は、「医療ソーシャルワーカー業務指針」によって定められている。

教科書(専) CHAPTER 4・SECTION 6

1　×　業務指針「二　業務の範囲」の「(2) 退院援助」において、「生活と傷病や障害の状況から退院・退所に伴い生ずる**心理的・社会的問題の予防や早期の対応を行うため**」と規定されている。

2　×　同「三　業務の方法等」の「(3) プライバシーの保護」において、「医療に関する情報については、説明の可否を含め、**医師の指示を受けること**」と示されている。

3　○　同「二　業務の範囲」の「(6) 地域活動」の②において、「保健・医療・福祉に係る**地域のボランティアを育成・支援**すること」と示されている。

4　×　同「二　業務の範囲」の「(3) 社会復帰援助」において、「患者の職場や学校と調整を行い、**復職、復学を援助**すること」と示されている。

5　×　同「二　業務の範囲」の「(1) 療養中の心理的・社会的問題の解決、調整援助」において、「入院、入院外を問わず、生活と傷病の状況から生ずる心理的・社会的問題の予防や早期の対応を行う」ことなどが明記されているように、**退院後の生活相談も医療ソーシャルワーカーの業務の範囲**に含まれる。

ソーシャルワークの基盤と専門職（専門）

| 問題109 | 正解　5 | ●──相談援助に関わる職種の根拠法 | 重要度 ★★★ |

●相談援助に関わる職種は、様々な法律で規定されていることが多い。各職種の職務内容を根拠法とともに理解しておく。

📖 教科書（専）CHAPTER 5・SECTION 1

1　✕　医療ソーシャルワーカーを規定する法律はない。保健医療領域で働く社会福祉士は**医療ソーシャルワーカー**と呼ばれ、その業務の範囲や業務の方法は、1989（平成元）年に厚生省（現厚生労働省）が「医療ソーシャルワーカー業務指針」によって定めている（2002〈平成14〉年に改訂）。

2　✕　精神保健福祉士は、「**精神保健福祉士法**」に規定されている。

3　✕　民生委員は、「**民生委員法**」に規定されている。

4　✕　知的障害者福祉司は、「**知的障害者福祉法**」に規定されている。

5　○　記述のとおりである。

| 問題110 | 正解　3 | ●──多職種連携 | 重要度 ★★ |

●多職種チームは、様々な専門職等で構成されるため、それぞれの価値観や視点の違いからチーム内で差異が生じるとき、チームが抱える葛藤を共有することで、チーム・コンピテンシーは向上する。

📖 教科書（専）CHAPTER 5・SECTION 3

1　✕　**指揮命令型チーム**は、緊急性が高い場合に必要になるが、緊急性がない場合は有効ではない。

2　✕　**パーマネント（永続的）・チーム**とは、メンバーが固定された特別なニーズがある利用者のためのチームである。機動性は高くないため、地域生活支援には向かない。

3　○　**チーム・コンピテンシー**とは、課題達成能力のことである。葛藤を解決することで向上する可能性がある。

4　✕　**タスク機能**は目標達成であり、メンテナンス機能はチームの維持・強化である。チームの維持・強化機能の向上により、目標達成機能が向上する場合もあるため、両者は相互に関連し合うものである。

5　✕　チームとして機能することが重要であり、メンバーが個別に利用者とのコミュニケーションに時間をかける必要はない。

問題111 正解 **1・5** ●——社会福祉士の職域 重要度 ★★

●社会福祉士の職域は多岐にわたり、様々な分野で活動している。近年は、児童・家庭福祉の問題や多様性の増加に伴い、それに特化した職域や新しいサービスが求められるなど、社会の変化や課題に応じて新たな職域が生まれつつある。

☞ 教科書(専) CHAPTER 5・SECTION 1

1 ○ 記述のとおりである。

2 × 保健医療領域で働く社会福祉士は医療ソーシャルワーカーと呼ばれ、病院等で患者やその家族への**カウンセリング**、社会的な支援の提供などを行う。記述は、**精神科ソーシャルワーカー**（PSW）としての**精神保健福祉士**の説明である。

3 × デジタル技術の進展により、**オンラインカウンセリング**や**遠隔支援**など、新たな働き方やサービス提供方法が拡大している。これにより、社会福祉士がより広範囲で活躍できる機会が増えている。

4 × 高齢者領域では、社会福祉士は老人福祉施設や地域での**高齢者支援、介護予防活動**などを行う。

5 ○ 記述のとおりである。また、**福祉専門官**として、矯正施設（刑務所など）に収容された高齢者、障害を有する受刑者等の出所後の円滑な**社会復帰**のために必要な各種調整などを行う。

問題112 正解 **3** ●——ジェネラリスト・アプローチの特徴 重要度 ★★

●ジェネラリスト・アプローチは、ケースワーク、グループワーク、コミュニティ・オーガニゼーションの各レベルを融合した共通基盤として確立された援助方法（ジェネラリスト・ソーシャルワーク）を実践するアプローチ法のことである。

☞ 教科書(専) CHAPTER 5・SECTION 3

1 × ジェネラリスト・アプローチでは、クライエント個人への働きかけではなく、クライエントと地域との関係をアセスメントしながら**交互作用**に働きかけていく。

2 × 主体者は、援助者ではなく**クライエント**であり、援助者が主導的になったり保護的になったりする、いわゆる「パターナリズム」ではない。

3 ○ クライエントの強み、できること、といった**ストレングス**を捉え、「問題を抱えた人」ではなく「**地域生活を送る主体者**」として、ストレングスを活かした援助の展開を行う。

4 × 特定のクライエントのニーズだけでなく、**多様なニーズ、新たなニーズ**にも対応する。制度の不備などで生活の問題を抱えている場合は、**ソーシャルアクション**を展開することで社会資源の創出を図り、クライエントの権利を擁護していく。

5 × ジェネラリスト・アプローチの基本は、総合的かつ包括的な視点からの**ニーズの把握**と**生活への介入**であるため、クライエントの生活の管理統制に**つながる**という批判を受けることもある。

問題113　正解　**3**　●──ミクロ・メゾ・マクロレベルにおけるソーシャルワーク　重要度 ★★

●ソーシャルワークの代表的な3つの技術として、❶ミクロレベルのソーシャルワーク、❷メゾレベルのソーシャルワーク、❸マクロレベルのソーシャルワークがある。各レベルの対象やアプローチについて押さえておく。

☞ 教科書(専)　CHAPTER 5・SECTION 2

1 × 記述は、**ミクロ**レベルの介入である。ミクロレベルにおけるソーシャルワークは、生活課題をかかえ、援助を必要とする**個人・家族**を個別に援助する。

2 × 記述は、**マクロ**レベルの介入である。マクロレベルにおけるソーシャルワークは、生活課題の背景にある社会的問題の解決に向け、**地域社会、国家、制度・政策**、社会規範、地球環境等を対象として援助を行う。

3 ○ 記述は、**ミクロ**レベルの介入としてのソーシャルワークに該当する。

4 × 記述は、**メゾ**レベルの介入である。メゾレベルにおけるソーシャルワークは、グループ、地域住民、身近な組織を対象として、あるいはそれら**集団**を媒介として援助を行う。

5 × 記述は、**メゾ**レベルの介入である。

問題114　正解　**4**　●──地域包括支援センターの職員　重要度 ★★

●地域包括支援センターは、第1号介護予防支援事業や包括的支援事業などを実施し、地域住民の心身の健康の保持及び生活の安定のために必要な援助を行うことにより、その保健医療の向上及び福祉の増進を包括的に支援する。職員体制として、社会福祉士、保健師、主任介護支援専門員が配置される。

☞ 教科書(専)　CHAPTER 5・SECTION 2

1 × 息子**R**さんは、**P**さんの引き取り、同居を希望しているが、それに対する**P**さんの気持ちをこの時点で聞いていないため、適切とはいえない。

2 × 妻**Q**さんは、近隣の施設へ入所させる意向であるが、それに対する**P**さんの気持ちをこの時点で聞いていないため、適切とはいえない。

3 × 利用者の自己決定が原則であるが、突き放した対応であり、適切であるとはいえない。

4 ○ まずは、**P**さん本人の気持ちを聞く、確認型応答がこの時点では適切な発言である。

5　×　ソーシャルワーカーや所属機関には、決定権はなく、利用者本人が自己決定できるように支援するのが役割である。

ソーシャルワークの理論と方法（専門）

問題115 | 正解　**5**　●──社会資源の活用・調整・開発　　重要度 ★★★

●社会資源の開発は、援助者にとって重要な役割のひとつである。クライエントと援助者が協働して行い、クライエント自身の気づきや力を高めることにつなげる視点が大切である。

☞ 教科書（専）　**CHAPTER 6・SECTION 2**

1　×　施設や制度、資金だけでなく、人材、制度、知識、情報、仕組みなど、クライエントのニーズを充足するための援助に利用できるものは、全て社会資源と捉える。

2　×　自助グループ（セルフヘルプグループ）が重要な社会資源のひとつであることは確かであるが、同じ課題や目標がある**クライエントの自主性に基づき形成されるグループ**であって、社会福祉士などの専門職が設立と運営を担うものではない。

3　×　必要な社会資源が存在しない場合は、新規に開発する必要があるが、既存の社会資源が十分に活用されていない場合には、**再資源化**する必要がある。具体的には、**サービスの提供方法の再検討**などを行う。

4　×　ソーシャルアクション（社会活動法）は、人々に訴え世論を喚起しながら、**行政機関や政府に適切な対応を求める組織的活動**で、署名や陳情などが該当する。住民自身が問題解決能力を高めることを目的とする活動ではない。

5　○　社会資源の供給主体には、国や地方公共団体、法人などの**フォーマル**なセクターと、学校や職場の関係者、近隣住民、家族、ボランティアなどの**インフォーマル**なセクターがある。

問題116 | 正解　**4**　●──ソーシャルワークにおけるアウトリーチ　重要度 ★★

●アウトリーチは慈善組織協会（COS）の友愛訪問員活動に起源をもち、サービス利用に関して消極的・拒否的なクライエント（インボランタリーなクライエント）に対し、住まいや地域に積極的に出向いて働きかけることで、クライエント自身の課題解決やサービス利用に向けた動機づけを行うものである。

☞ 教科書（専）　**CHAPTER 6・SECTION 1**

1　×　アウトリーチを行うことで、**❶ニーズの発見と掘り起こし**、**❷ネットワークの構築**、**❸必要なサービスの利用促進**の３点の効果が期待できる。

2　×　アウトリーチは、援助者自身がクライエントや家族などの元へ**出向き**、**手を差し伸べる活動**である。

3　×　クライエントがサービス利用に消極的・拒否的であったとしても、サービスに

関する**情報を提供**することで、必要なサービス利用につながる。

4　○　消極的・拒否的なクライエント（インボランタリーなクライエント）は、福祉サービスや専門職に対する否定的な感情を抱くことも少なくないため、長期的な関わりを要することでも、クライエントに対する**受容的態度**や丁寧な働きかけを通して粘り強く対応する姿勢が必要である。

5　×　具体的なアウトリーチの方法として、❶家庭への**個別訪問**による実態把握、❷自治会や民生委員との**ネットワーク形成**、❸関係機関や地域住民に対する**啓発活動**（出前相談や出張講座の開催）などが挙げられる。

問題117　正解　3　●──援助関係の形成方法　　　　　重要度 ★★

●良好な援助関係を形成するためには、コミュニケーション能力やラポールの構築などが重要となる。援助者とクライエントによるコミュニケーションの交互作用や、ラポール構築の意義について理解しておきたい。

☞ 教科書（専）　CHAPTER 6・SECTION I

1　×　信頼関係は、ソーシャルワーカーがクライエントの気持ちを受け止め、受け入れるところから始まる。否定的な言葉から入ることは、クライエントの反発を生む可能性があるため適切ではない。

2　×　Tさんが相談したい日常生活の不安について聴く前に、S医療ソーシャルワーカーが憶測で大丈夫と請け合うことは、無責任な発言であり適切ではない。

3　○　Tさんの不安な気持ちを受け止めて、Tさんに返す発言であり、信頼関係を形成していくために適切な対応である。

4　×　援助者とクライエントとの信頼関係を**ラポール**といい、その前提として両者の対等・公平な関係性が求められる。「私は専門家ですよ」という発言は、対等・公平な関係性という点から、適切なものではない。

5　×　S医療ソーシャルワーカーの発言は、「自分には力量がある」という自己主張であり、かえってTさんの不信感や反発を招く可能性がある。

問題118　正解　1　●──基本的な面接技法　　　　　重要度 ★★★

●言い換えや要約、感情の反映など、基本的な面接技法には様々なものがある。それらを適切に用いることで、効果的な面接を行うことができる。

☞ 教科書（専）　CHAPTER 6・SECTION I

1　○　「感情の反映」は、クライエントが感情で表現したことを、**援助者が言葉で返す**もので、共感的理解と状況の整理や気づきの促しにつながる技法である。

2　×　「**自己開示**」は、**援助者の個人的経験や感情を開示**するもので、クライエント

が援助者を身近に感じ、感情を表出しやすくなる技法である。

3　✕　「要約」は、クライエントの**重要な発言に焦点化して短縮させ応答する**もので、状況の整理をするのに有効な技法である。

4　✕　「直面化」は、クライエントに対し、**受け入れ難いことについて注意を向けさせる**もので、クライエントが自身の思いや行為について理解することを助ける技法である。

5　✕　「開かれた質問」は、Why（どうして）やHow（どのように）を聞く質問の方法で、**幅広く自由な答えを引き出す**ことができる。

問題119	正解　**1・2**　●──地域のネットワークづくり	重要度 ★★★

●ネットワークは、人と人、人と集団、人と地域、集団と集団、集団と地域など、あらゆる「つながり」のことをいい、それらのネットワークを形成することをネットワーキングという。

☞ 教科書(専) CHAPTER 6・SECTION 3

1　○　地域のネットワークづくりの過程では、様々な活動や話し合いが行われる。そうした活動に使える活動拠点の確保は必須であり、そのための情報収集は**X**福祉活動専門員の重要な役割のひとつである。

2　○　地域における相談援助活動は、住民の主体性を重視し、住民との協働によって展開していくことが前提となる。したがって、ネットワークづくりへの参加について、住民がどのような意向をもっているかを把握することが重要になる。

3　✕　ネットワークづくりにおいては、地域における普通の人々による話し合いと緩やかなつながりを通して合意形成されていくことが特徴である。特定の人の強力なリーダーシップのもと進められるものではない。

4　✕　地域における相談援助活動は、住民の主体性重視と、住民との協働のもと展開される。住民はあくまでも対等なパートナーであり、見学及び交流会への参加を指示することは適切ではない。

5　✕　個人情報保護の観点から、地区住民が地区内の一人暮らし高齢者に関する情報をいつでも閲覧できるようなデータベースシステムの構築には問題がある。

問題120	正解　**4**　●──バイステックの7原則	重要度 ★★★

●バイステックが、『ケースワークの原則』（1957年）の中で示した相談援助において援助者が遵守すべき7つの原則は、面接を展開するうえでの基本姿勢といえる。

☞ 教科書(専) CHAPTER 6・SECTION I

1　✕　「受容」とは、クライエントの良い面も悪い面も**ありのままを受け入れる**ことをいうが、反社会的行動や逸脱も同調・許容することではない。

2　×　「統制された情緒的関与」とは、**ソーシャルワーカー自身が、自らの感情を自覚、吟味**してクライエントの感情に適切に反応することをいう。

3　×　「個別化」とは、クライエント自身はもちろん、抱えている問題やおかれている状況の違いも理解し、個別的に捉えて対応することである。

4　○　「意図的な感情表出」とは、クライエントが自らの**肯定的感情、否定的感情を自由に表現・表出**できるように、意図的に働きかけることをいう。これによりクライエントは気兼ねなく話すことができる。

5　×　「非審判的態度」とは、自らの道徳観や価値観を基にクライエントを批判・攻撃したり、裁いたりしないということである。

問題121　**正解　4**　●──社会資源の活用・調整・開発　**重要度 ★★**

●クライエントのニーズを充足し、問題解決を図るために活用される人材、物質、資金、制度、方法、知識、仕組みなど、援助に利用できるものは全て社会資源と捉え、それらをうまく活用し、状況に合わせて調整することが必要である。

☞ 教科書(専)　CHAPTER 6・SECTION 2

1　×　担当課と連携する姿勢は望ましいが、傾聴ボランティア育成において収入等の情報は不必要である。個人情報の目的外使用は許されるものではない。

2　×　新たな社会資源の開発には、**他の職種からの情報やアイデアが活用できること**もある。一人で抱え込み、相談しないで進めるのは適切とはいえない。

3　×　社会福祉協議会と**連携して社会資源を開発**する姿勢が必要であり、他機関にすべて丸投げするのは適切とはいえない。

4　○　ボランティア育成講座の企画は有効で、**関係機関と協力**する姿勢も適切である。

5　×　ボランティアと行政機関等は、むしろ**連携する姿勢が必要**である。

問題122　**正解　4**　●──経済的困難を抱えた家族への支援　**重要度 ★★★**

●相談援助では、様々な理由により危機的状況にあるクライエントが対象になる。対象者ごとに、どのような面接技術を用いるかを適切に判断する能力を養い、それを活用することが大切である。

☞ 教科書(専)　CHAPTER 6・SECTION 1

1　×　この場面では、**C**さんの置かれた状況を理解し**受容**することで、**C**さんとの**信頼関係を構築**することが優先される。

2　×　この場面では、回答の幅が限られる閉じられた質問よりも、**C**さんの考えや思いを自由に幅広く答えてもらう**開かれた質問**の方が適している。

3　×　**C**さんには、無理やり会社を継がせた**B**さんへの複雑な思いや感情がある。「B

162

さんのためにも」という発言は、**C**さんの思いをないがしろにするもので、反感につながるおそれがある。また、「状況は変わります」という発言も、気休めに過ぎない。

4 ○ **C**さんの複雑な思いや感情、考えを受け止めるためには、言語的コミュニケーションだけでなく、視線や表情、仕草、声のトーンなどで伝える**非言語的コミュニケーション**に配慮する必要がある。

5 × **C**さんの思いや感情、考えを受け止めるには、**C**さんがそれらを発しやすい環境をつくることが必要である。この場面では、**C**さんが説明し始めるのをじっくり待つ姿勢が求められる。

| 問題123 | 正解 **5** | ●——家庭内暴力（DV）への支援 | 重要度 ★★★ |

●社会的排除や虐待、家庭内暴力（DV）といった危機的状況にある人への相談援助は多岐にわたる。国家試験ではほぼ毎回出題されているため、過去問に当たって、事例を読む力と適切な支援を判断する力を養うことが求められる。

☞ 教科書(専) **CHAPTER 6・SECTION I**

1 × 生活技能訓練は、病気や障害により、周囲の人とのコミュニケーションが取りにくいなど**社会生活に困難が生じている人を対象**とする認知行動療法である。事例から、**E**さんの支援に生活技能訓練が必要とは読み取れない。

2 × 「洞察」とは、援助過程において、利用者とその関係における問題の所在を明確化する作業である。夫からの度重なる暴力を受けていることに関しては、**E**さんに問題があるわけではなく、**E**さんが洞察を深める必要はない。また、精神科の受診が適切かどうかの判断は、ソーシャルワークの領域外である。

3 × 母子福祉資金は、**都道府県**が、20歳未満の子を扶養している**母子家庭の母などを対象**に、経済的自立の助成と生活意欲の助長を図るとともに、子の福祉を増進するため資金の貸付けを行うものである。**E**さんは対象とはならない。

4 × 利用者本人が自己決定できるように支援するのがソーシャルワーカーの役割である。母子生活支援施設への入所が必要と判断したとしても、**E**さんを説得したり、**E**さんに代わって入所の意向を伝えたりすることは適切ではない。

5 ○ 度重なる夫の暴力に疲れ果て、人生を前向きに捉えることができなくなっている**E**さんのつらさに**共感**し、これからの生活に向け一緒に取り組む姿勢を示すことは適切な対応である。

163

福祉サービスの組織と経営

問題124	正解　5　●──社会福祉法人	重要度 ★★★

●社会福祉法人は、社会福祉法に基づいて創設された、社会福祉事業を行うことを目的とする非営利の法人である。社会福祉法人の業務や組織のあり方などを覚えておくこと。

☞ 教科書(専)　CHAPTER 7・SECTION 1

1　×　社会福祉法人が公益事業や収益事業を行う際は、その経営する**社会福祉事業に支障がない限り**において可能となっている。

2　×　社会福祉法人は認可主義、特定非営利活動法人は認証主義となっており、社会福祉法人は、所轄庁の認証ではなく**認可**が必要である。

3　×　法人事業の執行機関として位置づけられているのは、**理事会**である。評議員会は、2017（平成29）年4月、すべての社会福祉法人に設置が義務づけられた。評議員会は、法人運営の基本ルール・体制を決定するとともに、役員等の選任・解任等を通じて、**事後的に法人運営を監督**する。

4　×　社会福祉法人の理事・監事の任期は、**2年以内**となっている。

5　○　記述のとおり、社会福祉法人には「地域における公益的な取組を実施する責務」が課せられている。

問題125	正解　3　●──コンプライアンスとガバナンス	重要度 ★★★

●健全な経営のための取組として求められるコンプライアンスとガバナンスについて、その意味と内容を押さえておくこと。

☞ 教科書(専)　CHAPTER 7・SECTION 3

1　×　コンプライアンスは、**法令遵守**と訳され、経営者や従業員が法律や規則などを守ることをいう。

2　×　ガバナンスとは、**統治**と訳され、健全かつ効率的な経営を目指すための仕組みのことをいう。

3　○　記述のとおりである。ガバナンス等に大きな問題があると認められる法人に対しては、**継続的な監査を実施**するなど、指導監査の重点化が図られることとなった。

4　×　公益通報者保護法は、**2006（平成18）年4月**に施行された。

5　×　内部監査とは、企業内部に経営者と直結して置かれる直属組織が行う監査のことをいう。

| 問題126 | 正解 **4** ●──組織に関する基礎理論 | 重要度 ★★★ |

●組織に関する理論は、様々な角度から研究されている。主な論者と理論の概要を確実に理解することが求められる。

☞ 教科書(専) CHAPTER 7・SECTION 2

1 × **メイヨー**らは、作業条件と生産効率についての実験（**ホーソン実験**）を行い、生産効率に重要な影響を与えるのは、作業環境や賃金などの作業条件ではなく、**人間的側面から生まれる労働者の心理的な要因**であると主張した。また、意識的に形成された公式組織より、自然に発生した**非公式組織としての人間関係が重要**であるとした。

2 × **サイモン**は、限定された合理性に基づく意思決定である**経営人モデル**を提唱し、1人の孤立した個人では、極めて合理性の程度の高い行動をとることが不可能であると主張した。

3 × **ヴェーバー**は、**官僚制**がもつルールや手続き、専門化と分業、権限の階層構造といった特徴が、組織を有効に機能させるうえで**メリットになる**と論じた。

4 ○ **バーナード**は、組織は、個人が目的を達成できないときに協働することで生まれるとし、その成立要件として、**共通目的、貢献意欲、伝達（コミュニケーション）**の3つを挙げた。

5 × **シャイン**は、**組織文化**とは、**集団によってつくられた価値**であると主張し、構成要素を、**人工物**（建物や行事などのつくり出された物理的・社会的環境）、**価値**（標榜されている価値観）、**基本的仮定**（組織における暗黙のルール）の3つのレベルで示した。

| 問題127 | 正解 **2** ●──個人情報保護の意義と留意点 | 重要度 ★★★ |

●個人情報を扱う責任と自覚は、援助関係形成の基本となる。「個人情報保護法」に規定される個人情報の範囲や個人情報取扱事業者の要件などの重要条文には、目を通しておくことが必要である。

☞ 教科書(専) CHAPTER 7・SECTION 3

1 × 「個人情報保護法」における「個人情報」とは、**生存する個人に関する情報**をいう（個人情報保護法第2条第1項）。

2 ○ 「個人情報保護法」における「**個人情報取扱事業者**」とは、個人情報データベース等を事業の用に供している者をいい、**国の機関、地方公共団体、独立行政法人等、地方独立行政法人**はこれに含まれない（個人情報保護法第16条第2項）。

3 × 「医療・介護関係事業者におけるガイダンス」は、このガイダンスが医療・介護関係事業者が保有する医療・介護関係個人情報を対象とするものであり、診療

録等の形態に整理されていない場合でも個人情報に該当するとしている。

4　✕　個人情報取扱事業者は、本人または第三者の**生命、身体、財産**その他の**権利利益を害するおそれ**がある場合には、本人から開示請求があった情報の全部または一部を開示しなくてもよい（個人情報保護法第33条第2項第1号）。

5　✕　社会福祉士には**秘密保持義務**が課されており、正当な理由がなく、その業務に関して知り得た人の秘密を漏らしてはならない。これは、**社会福祉士でなくなった後においても同様**である（社会福祉士及び介護福祉士法第46条）。

問題128　正解　**3**　●──人事考課　重要度 ★★★

●人事考課とは、職員の職務についての実績や能力を、一定の方式に従って評価する制度である。評価の結果は、教育訓練や能力開発、昇給・賞与などの給与管理、適正配置などの人事管理に利用される。

☞ 教科書（専）CHAPTER 7・SECTION 4

1　✕　寛大化傾向とは、**上司が部下を甘く評価**してしまう傾向のことである。

2　✕　ハロー効果とは、**部分的な印象**により全体の評価を誤ってしまうエラーのことである。

3　○　中心化傾向とは、**可もなく不可もなし**という気持ちで評価してしまうことである。

4　✕　論理誤差とは、考課者が論理的に考えるあまり、**関連のある考課要素には、同一あるいは類似した考課を下す**傾向のことである。

5　✕　対比誤差とは、**自分を基準にして部下を評価**することである。

問題129　正解　**2**　●──リスクマネジメント　重要度 ★★★

●「福祉サービスにおける危機管理（リスクマネジメント）に関する取り組み指針」（厚生労働省）では、危機管理の基本的な視点や危機管理体制の整備や取組みのポイントを必ず押さえておきたい。

☞ 教科書（専）CHAPTER 7・SECTION 3

1　✕　経営者の**強い決意**と**リーダーシップ**のもと、すべての職員に**リスクマネジメントの意識**や「質の向上」に向けた取り組みを十分に浸透させなければならないと示されている。

2　○　**苦情対応**が**迅速**になされなければ、利用者の不満は高まるばかりでせっかくの苦情解決体制も意味のないものになると示されている。より迅速な苦情対応は利用者との**円滑なコミュニケーション**を助長し、より一層の**信頼関係**が促進される。

3　✕　自立的な生活を重視することでリスクが高まるとの声がある一方、極端に管理

的になりすぎると**福祉サービスの基本理念**に逆行することになりかねないと示されている。

4　×　福祉サービスは「質の向上」を基本とするため、リスクマネジメントとしては、**事故防止**の観点から**再点検**や**見直し**が重要となる。重大事故に至らなくとも事故につながりそうな事例は記録して活用することが有効である。

5　×　利用者本人や家族の気持ちを考え、**相手の立場に立った発想**で処していくことが事故発生時の対応の基本であり、事故に関する事実の把握と家族等への十分な説明が必要となる。

●福祉サービスの組織と経営

MEMO

2025年版 みんなが欲しかった！ 社会福祉士の直前予想問題集

（2019年版　2018年8月21日　初　版　第1刷発行）

2024年8月26日　初　版　第1刷発行

編　著　者	TAC社会福祉士受験対策研究会	
発　行　者	多　田　敏　男	
発　行　所	TAC株式会社　出版事業部	
	（TAC出版）	

〒101−8383 東京都千代田区神田三崎町3−2−18
電　話 03 (5276) 9492 (営業)
FAX 03 (5276) 9674
https://shuppan.tac-school.co.jp/

組　　版	朝日メディアインターナショナル株式会社
印　　刷	今　家　印　刷　株　式　会　社
製　　本	株式会社　常　川　製　本

© TAC 2024　　　Printed in Japan　　　ISBN 978−4−300−11082−9
N.D.C. 369

乱丁・落丁による交換、および正誤のお問合せ対応は、該当書籍の改訂版刊行月末日までといたします。なお、交換につきましては、書籍の在庫状況等により、お受けできない場合もございます。
また、各種本試験の実施の延期、中止を理由とした本書の返品はお受けいたしません。返金もいたしかねますので、あらかじめご了承くださいますようお願い申し上げます。

TAC出版 書籍のご案内

TAC出版では、資格の学校TAC各講座の定評ある執筆陣による資格試験の参考書をはじめ、資格取得者の開業法や仕事術、実務書、ビジネス書、一般書などを発行しています!

TAC出版の書籍

*一部書籍は、早稲田経営出版のブランドにて刊行しております。

資格・検定試験の受験対策書籍

- ❂日商簿記検定
- ❂建設業経理士
- ❂全経簿記上級
- ❂税 理 士
- ❂公認会計士
- ❂社会保険労務士
- ❂中小企業診断士
- ❂証券アナリスト

- ❂ファイナンシャルプランナー(FP)
- ❂証券外務員
- ❂貸金業務取扱主任者
- ❂不動産鑑定士
- ❂宅地建物取引士
- ❂賃貸不動産経営管理士
- ❂マンション管理士
- ❂管理業務主任者

- ❂司法書士
- ❂行政書士
- ❂司法試験
- ❂弁理士
- ❂公務員試験(大卒程度・高卒者)
- ❂情報処理試験
- ❂介護福祉士
- ❂ケアマネジャー
- ❂電験三種　ほか

実務書・ビジネス書

- ❂会計実務、税法、税務、経理
- ❂総務、労務、人事
- ❂ビジネススキル、マナー、就職、自己啓発
- ❂資格取得者の開業法、仕事術、営業術

一般書・エンタメ書

- ❂ファッション
- ❂エッセイ、レシピ
- ❂スポーツ
- ❂旅行ガイド (おとな旅プレミアム/旅コン)

(2024年2月現在)

書籍のご購入は

1 全国の書店、大学生協、ネット書店で

2 TAC各校の書籍コーナーで

資格の学校TACの校舎は全国に展開!
校舎のご確認はホームページにて

資格の学校TAC ホームページ
https://www.tac-school.co.jp

3 TAC出版書籍販売サイトで

CYBER TAC出版書籍販売サイト
BOOK STORE

24時間
ご注文
受付中

| TAC 出版 | で | 検索 |

https://bookstore.tac-school.co.jp/

新刊情報を
いち早くチェック!

たっぷり読める
立ち読み機能

学習お役立ちの
特設ページも充実!

TAC出版書籍販売サイト「サイバーブックストア」では、TAC出版および早稲田経営出版から刊行されている、すべての最新書籍をお取り扱いしています。
また、会員登録(無料)をしていただくことで、会員様限定キャンペーンのほか、送料無料サービス、メールマガジン配信サービス、マイページのご利用など、うれしい特典がたくさん受けられます。

サイバーブックストア会員は、特典がいっぱい!(一部抜粋)

通常、1万円(税込)未満のご注文につきましては、送料・手数料として500円(全国一律・税込)頂戴しておりますが、1冊から無料となります。

専用の「マイページ」は、「購入履歴・配送状況の確認」のほか、「ほしいものリスト」や「マイフォルダ」など、便利な機能が満載です。

メールマガジンでは、キャンペーンやおすすめ書籍、新刊情報のほか、「電子ブック版TACNEWS(ダイジェスト版)」をお届けします。

書籍の発売を、販売開始当日にメールにてお知らせします。これなら買い忘れの心配もありません。

書籍の正誤に関するご確認とお問合せについて

書籍の記載内容に誤りではないかと思われる箇所がございましたら、以下の手順にてご確認とお問合せをしてくださいますよう、お願い申し上げます。

なお、正誤のお問合せ以外の**書籍内容に関する解説および受験指導などは、一切行っておりません。**
そのようなお問合せにつきましては、お答えいたしかねますので、あらかじめご了承ください。

1 「Cyber Book Store」にて正誤表を確認する

TAC出版書籍販売サイト「Cyber Book Store」の
トップページ内「正誤表」コーナーにて、正誤表をご確認ください。

CYBER BOOK STORE　TAC出版書籍販売サイト

URL：https://bookstore.tac-school.co.jp/

2 1の正誤表がない、あるいは正誤表に該当箇所の記載がない
⇒ 下記①、②のどちらかの方法で文書にて問合せをする

★ご注意ください★

お電話でのお問合せは、お受けいたしません。
①、②のどちらの方法でも、お問合せの際には、「お名前」とともに、
「対象の書籍名（○級・第○回対策も含む）およびその版数（第○版・○○年度版など）」
「お問合せ該当箇所の頁数と行数」
「誤りと思われる記載」
「正しいとお考えになる記載とその根拠」
を明記してください。
なお、回答までに1週間前後を要する場合もございます。あらかじめご了承ください。

---

① ウェブページ「Cyber Book Store」内の「お問合せフォーム」より問合せをする

【お問合せフォームアドレス】

https://bookstore.tac-school.co.jp/inquiry/

② メールにより問合せをする

【メール宛先　TAC出版】

syuppan-h@tac-school.co.jp

※土日祝日はお問合せ対応をおこなっておりません。
※正誤のお問合せ対応は、該当書籍の改訂版刊行月末日までといたします。

乱丁・落丁による交換は、該当書籍の改訂版刊行月末日までといたします。なお、書籍の在庫状況等により、お受けできない場合もございます。
また、各種本試験の実施の延期、中止を理由とした本書の返品はお受けいたしません。返金もいたしかねますので、あらかじめご了承くださいますようお願い申し上げます。

（2022年7月現在）